# Panorama
## des statistiques
## pour psychologues

Introduction aux méthodes quantitatives

Se basant sur l'application et non sur la théorie, ce *Panorama des statistiques pour psychologues* décrit une large panoplie de statistiques descriptives (moyennes, variances, asymétries, médiane, corrélation, quantile, etc.) et de statistiques inductives (tests de moyennes, de proportions, d'effectifs, de corrélations, etc.). S'il n'est en effet pas très utile de connaître par cœur les équations des tests statistiques, il est cependant primordial d'avoir une idée intuitive de ce que représente une statistique, une table statistique, ou les étapes d'un test statistique. Trop souvent, on confond les moyens de la statistique (les équations, les hypothèses, le jargon) et ses buts.

L'ouvrage prend ainsi progressivement ses distances face au calcul manuel des tests pour laisser de plus en plus de place à l'utilisation du logiciel SPSS. Ce choix est pédagogique mais il est surtout pratique, aucun laboratoire ne calculant ses statistiques à la main. De nombreux exemples d'interprétations de résultats directement issus des sciences sociales et de la psychologie ainsi que les étapes nécessaires pour y arriver renforcent le côté explicatif de l'ouvrage.

Destiné aux étudiants universitaires de premier cycle et de maîtrise, ce manuel ne présuppose aucune connaissance préalable en statistique. De plus, aucune connaissance en probabilité n'est utilisée.

**Denis Cousineau**
est professeur à l'université de Montréal depuis 2000. Il est titulaire de diplômes universitaires en informatique, en éducation et en psychologie. Ses recherches portent entre autres sur les modèles de temps de réponse, l'attention et la recherche visuelle. Depuis 2002, il organise chaque été l'École d'été en méthodes quantitatives avancées et a fondé en 2005 la revue Tutorials in Quantitative Methods for Psychology.

Ouvertures Psychologiques

# Panorama des **statistiques** pour **psychologues**

Introduction aux méthodes quantitatives

Denis **Cousineau**

Pour toute information sur notre fonds et les nouveautés dans votre domaine de spécialisation, consultez notre site web : **www.deboecksuperieur.com**

© De Boeck Supérieur s.a., 2009
Fond Jean Pâques, 4 – B-1348 Louvain-la-Neuve

1re édition
4e tirage 2016

Imprimé en Belgique

Dépôt légal :
Bibliothèque nationale, Paris : septembre 2009
Bibliothèque royale de Belgique, Bruxelles : 2009/0074/373

ISSN 2030-4196
ISBN 978-2-8041-0811-3

# AVANT-PROPOS

Lorsque j'enseigne à de futurs psychologues, on me demande souvent pourquoi on devrait apprendre les statistiques. La réponse est simple : le psychologue, dans sa pratique, a une obligation de poser des diagnostics exacts et de soulager les souffrances qui affligent certaines personnes. Pour ce faire, le praticien doit pouvoir se tenir à jour : il doit lire les recommandations publiées dans des revues de psychologie. Or ces recommandations s'accompagnent de signes tels « ($\underline{t}\,(29) = 7.95$, $\underline{p} < .05$) ». Que comprendre ? Comment le praticien peut-il être certain d'avoir fait le bon choix de thérapie s'il doit juger sur la base de signes presque mystiques ? Dans l'intérêt des patients, le praticien a l'obligation de comprendre ces signes pour pouvoir faire un choix éclairé qui sera dans le meilleur intérêt de la personne qui est venue solliciter son aide. Pourquoi certaines études parlent-elles de médiane (e.g. le salaire médian) alors que d'autres utilisent la moyenne (e.g. le QI moyen) ? Que cache ce jargon « La différence entre les deux groupes est significative ($\underline{t} = 4.53$, $\underline{p} < .01$) » ? En tant que futur professionnel, vous aurez à faire des choix (« dois-je utiliser telle nouvelle thérapie ? », « ce sondage est-il fiable ? »). Or, si vous voulez une recommandation claire, vous voulez surtout, dans l'intérêt du patient, que cette recommandation soit objective. Ce qu'il faut, c'est un label de garantie, une espèce de « ISO 9002 » de la prise de décision qui vous assure que le rapport que vous lisez est basé sur une démarche objective.

Ce label de garantie est assuré par un ensemble de règles qu'on appelle généralement « la méthode scientifique ». Cette méthode s'articule autour d'un moment clef qui est la collecte de données. Cette étape est essentielle, car c'est lors de la collecte de données que l'on interroge le réel. Les données collectées sont souvent appelées l'**échantillon** pour mettre en relief le fait que nous n'avons collecté qu'un ensemble limité de données et que, s'il nous était donné plus de temps et plus de moyens, nous pourrions sans doute collecter un nombre plus grand de données.

La méthode scientifique est composée de deux ensembles de préceptes. Le premier ensemble est utilisé *avant* la collecte des données et s'appelle la **méthode expérimentale**. Cette méthode permet de concevoir une situation expérimentale qui sera utilisée pour collecter l'échantillon. Par exemple, faut-il un groupe contrôle, un groupe placébo ? Doit-on mesurer les participants avant un traitement ? L'ordre de passation doit-il être contrôlé ? Etc. Le second ensemble de préceptes concerne les méthodes à appliquer *après* la collecte des données et s'appelle les **statistiques**. On devrait plutôt dire les **méthodes quantitatives** mais comme un grand nombre de ces méthodes sont tirées de la branche des mathématiques appelée la statistique, le mot s'est généralisé. La Figure 1 illustre le lien entre la méthode expérimentale et les méthodes quantitatives dans le cadre de la méthode scientifique et de la science.

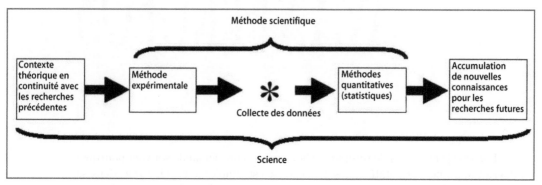

**Figure 1**

La méthode scientifique et la science tournent autour de la collecte des données

# 1. Ce que vous trouverez et ne trouverez pas dans ce livre

Apprendre les statistiques ne se réduit pas à apprendre quelques formules. En fait, la seule attitude saine face aux formules est de les essayer, de voir ce qu'elles veulent dire, puis de les oublier ! Pour comprendre les statistiques, il faut saisir le portrait d'ensemble et voir comment les statistiques doivent être utilisées pour appuyer un argument. Pour découvrir, déduire, comprendre les statistiques, il faut donc prendre du recul. Une façon de prendre le recul nécessaire est de devenir soi-même un utilisateur des statistiques. En s'engageant dans une recherche empirique, en obtenant des données et en essayant de convaincre les autres de la valeur des résultats, on saisit mieux comment une ou quelques statistiques bien placées peuvent aider dans cette entreprise. Une autre façon de prendre du recul est d'être exposé à une vaste panoplie de méthodes quantitatives. C'est le pari que je fais avec *Panorama des statistiques pour psychologues*. Par exemple, si on ne voit que quelques tests de moyennes, il est impossible de déduire que la caudalité et la directionnalité d'un test ne sont pas synonymes. Si on ne voit que des statistiques de tendance centrale et de dispersion, le postulat de normalité reste abstrait. Si on n'apprend pas que n'importe quelle statistique peut être testée, on conserve une vision réductrice.

Ce livre propose un panorama assez exhaustif des statistiques de base. Il est par contre très cohérent : tous les concepts sont introduits dans le livre et ils sont tous réutilisés par la suite. De plus, de très nombreux exemples sont présentés tout au long de l'ouvrage. Cependant, les psychologies sont tellement diverses qu'il est impossible de trouver des exemples qui captent l'attention de tous. Un exemple qui examine les changements mnésiques avec l'âge plaira aux personnes intéressées par la psychologie du vieillissement mais pas aux autres ; un exemple qui considère la formation de concepts plaira à ceux qui sont attirés par la psychologie cognitive ; l'usage de substances, à ceux qui s'intéressent à la psychopharmacologie ; le traitement des phobies, à ceux qui sont concernés par la psychologie clinique ; le rôle du girus fusiforme, à ceux que fascine la neuropsychologie ; etc. Les champs de la psychologie sont presque inépuisables. Plutôt que d'ennuyer un grand nombre en essayant de plaire à quelques-uns, j'ai préféré prendre des exemples naïfs et parfois exotiques.

Il a fallu faire des choix dans la sélection du matériel à inclure dans l'ouvrage. Par exemple, il n'y a pas de techniques de régressions multiples. Le critère utilisé avait deux facettes : la matière doit pouvoir être présentée sans algèbre linéaire et ne doit pas utiliser la matrice de variance-covariance. Cette matrice est à la base de toutes les méthodes statistiques avancées, et pour bien l'intégrer, il faudrait plusieurs chapitres. Nous l'introduisons aux chapitres 4 et 14, mais sans laisser présager toute l'importance qu'elle prendra pour le lecteur qui poursuivra son apprentissage des statistiques.

Le but de cet ouvrage est de démystifier les méthodes statistiques les plus communément utilisées. Pour y arriver, il faut se retrousser les manches et accepter la maxime de Kant « Aie le courage de te servir de ton entendement ». Il ne faut pas se le cacher, la matière est ardue, je ne vous promets pas un jardin de roses.

# 2. Le cycle d'une analyse

L'ensemble du processus d'analyse peut se résumer en quatre mots :

Visualiser

Valider

Synthétiser

Décider

La première étape a pour but de se former une idée générale des résultats obtenus. Lorsque l'échantillon contient des centaines, des milliers, voire des centaines de milliers de données, on peut utiliser des graphiques. Sans ces graphiques, on est dans la situation d'un aveugle qui, placé dans une pièce inconnue, doit se faire une idée de la disposition des lieux à l'aide de sa seule canne blanche... Nous verrons quels graphiques permettent de visualiser les données aux chapitres 1, 2 et 4.

La seconde étape suggère une pause pour vérifier que les données sont crédibles. Pour remplir cet objectif, les graphiques réalisés à la première étape seront fort utiles.

La troisième étape permet de simplifier la multitude des données valides en la réduisant à quelques nombres qui capturent les aspects pertinents des données. La méthode la plus connue pour synthétiser des données consiste à calculer la moyenne, mais ce n'est pas la seule. Les chapitres 2 et 4 présentent d'autres procédures pour synthétiser un échantillon de données.

Finalement, la dernière étape consiste à se forger une opinion. Si les données portent sur une nouvelle thérapie, doit-on recommander cette thérapie oui ou non ? C'est l'étape des fameux « tests statistiques ». Bien que les tests statistiques couvrent la majorité de cet ouvrage (chapitres 6 à 14), ce n'est pas parce qu'ils sont plus importants (les quatre étapes ont la même importance). Cela tient au fait que pour chaque type de données et pour chaque type de recommandation à faire, il existe un test spécifique à cette situation. Nous verrons dix tests statistiques différents qui couvrent la très grande majorité des situations rencontrées en psychologie et en sciences humaines.

# 3. Structure générale des chapitres

*J'entends, et j'oublie*
*Je vois, et me rappelle*
*Je fais, et je comprends*

Ce livre vise à inculquer trois catégories de connaissances : un savoir théorique et deux types de savoir-faire. Le savoir théorique concerne les concepts sous-jacents aux statistiques. Les connaissances théoriques sont importantes pour choisir judicieusement les bonnes méthodes à appliquer dans une situation donnée. De plus, comme l'enseigne la psychologie cognitive, une fois assimilés, ces concepts donnent lieu à des encodages en profondeur qui sont mémorisés de façon plus durable. Cependant, si ces concepts ne sont pas mis en pratique, ils seront oubliés avant d'être assimilés, d'où l'importance des savoir-faire qui permettent d'appliquer dans des situations concrètes les savoirs théoriques. Le premier type de savoir-faire concerne le développement de compétences pour réaliser les calculs à la main. Ainsi, la plupart des exemples présents dans cet ouvrage sont résolus. Tous peuvent l'être avec une simple calculette (et un peu de patience). Le second type de savoir-faire consiste à utiliser un ordinateur pour réaliser les analyses statistiques. Dans la vraie vie, personne ne fait d'analyses statistiques à la main car (1) le risque d'une erreur de calculs est trop élevé ; (2) les échantillons sont souvent composés de milliers de données, d'où (3) le temps requis pour faire les analyses est prohibitif.

Pour favoriser l'acquisition de ces trois types de savoirs, chaque chapitre se termine avec trois sections contenant des exercices. Il y a les « Questions pour mieux retenir » qui vérifient que les bons nombres peuvent être obtenus ; il y a ensuite des « Questions pour mieux réfléchir » qui ont pour but d'approfondir la compréhension des concepts théoriques ; finalement, il y a des « Questions pour s'entraîner » qui proposent des exemples concrets auxquels appliquer des analyses statistiques.

Dans chaque chapitre se trouve aussi une section « Utilisation de SPSS » qui a pour but d'initier le lecteur à l'utilisation d'un logiciel d'analyse statistique, le *Statistical Package for the Social Science* (SPSS). Ce logiciel est très performant et peut analyser des fichiers contenant des millions de données en un clin d'œil. Il est aussi très complet, pouvant réaliser une très vaste panoplie d'analyses statistiques. Pour la personne qui voudra aller de l'avant, ce logiciel pourra l'accompagner tout au long de son cheminement.

Dans presque tous les chapitres, une section est intitulée « Comment rapporter des... ». Cette section a pour but d'indiquer comment rédiger les résultats d'une analyse. Que ce soit pour un article de journal ou pour une revue scientifique avancée, le jargon statistique ne doit pas être inclus dans le texte. Ce jargon devient rapidement abscons et masque le contenu du message. En effet, supposons qu'une personne trouve une nouvelle thérapie pour soigner la phobie. Si son rapport contient 40 pages de formules statistiques serrées, de jargon tel que « $H_0$ » et « $s_X$ », de termes comme « distribution théorique », « test bicaudal », etc., le rapport sera incompréhensible et le message important ne passera pas. Forcément, pour comprendre les statistiques, il faut étudier ce jargon, il faut le manipuler et s'exercer, mais toutes ces compétences doivent être invisibles lors de l'écriture d'un rapport. Il en va de même pour la danseuse de ballet qui doit donner l'impression que sa grâce est toute naturelle alors qu'il y a des milliers d'heures d'entraînements éreintants cachées derrière sa performance.

Finalement, plusieurs chapitres comportent aussi une section intitulée « Compléments mathématiques ». Cette section a pour but de démontrer certains résultats utilisés dans le livre à l'aide d'arguments mathématiques. Ces mathématiques sont de niveau préuniversitaire et sélectionnées pour être accessibles à tous. Cependant, le lecteur pressé peut sauter ces sections sans compromettre sa compréhension générale.

Tout au long de cet ouvrage, nous utilisons des prénoms fictifs pour que les échantillons soient plus concrets. Chaque prénom débute par une lettre différente de l'alphabet. Ainsi, Annie est souvent la première personne dans les échantillons fictifs et Zoé, la dernière. Comme les données sont souvent triées en ordre croissant, il résulte donc que la Annie fictive de ce livre est une personne très petite, avec des notes médiocres et un QI lamentable. Je tiens à m'excuser auprès de toutes les Annie qui nous entourent et je souligne que les Annie que j'ai connues ne correspondent pas du tout à ce portrait.

# 4. Trois mises à niveau

## 4.1 *Proportion vs. pourcentage*

Certaines quantités sont rapportées autant comme des proportions que comme des pourcentages, e. g., les rangs percentiles (chapitre 4) et les probabilités (chapitre 5). Pour convertir une proportion en pourcentage, il faut multiplier la proportion par « 100 % » en considérant le signe « % » comme une unité de mesure. Par exemple, la proportion 0.05 devient

$$0.05 \times 100\ \% = (0.05 \times 100)\ \% = 5\ \%.$$

Inversement, pour convertir un pourcentage en une proportion, il faut diviser par « 100 % ». Ce faisant, le symbole « % » s'annule :

$$\frac{5\ \%}{100\ \%} = \frac{5\ \cancel{\%}}{100\ \cancel{\%}} = \frac{5}{100} = 0.05.$$

Puisque « 100 % » se lit « 100 sur 100 », soit « $\frac{100}{100}$ », on se trouve dans le premier cas à multiplier par 1, dans le second, à diviser par 1. Autrement dit, convertir en pourcentage ne change pas la proportion, seulement la façon de l'afficher (avec une unité de mesure, le « % »). Aussi, 5 % et 0.05, 95 % et 0.95, 97.5 % et 0.975 sont toutes les mêmes valeurs. Comme une proportion est toujours incluse entre zéro et 1, on peut omettre le zéro qui précède le signe décimal et écrire .05 au lieu de 0.05.

Dans cet ouvrage, le point (et non la virgule) est utilisé comme séparateur décimal.

## 4.2  Carré vs. racine carrée

Mettre un nombre au carré signifie le multiplier par lui-même. On note la mise au carré avec un exposant de deux. Par exemple, $9^2$ représente $9 \times 9$ et vaut 81. La mise au carré est souvent utilisée en statistique pour enlever les signes négatifs. Par exemple, $(-9)^2$ vaut $-9 \times -9$ soit 81 encore une fois. Si le nombre est supérieur à 1, le carré d'un nombre donne un nombre plus grand. Par contre, et ce n'est pas très intuitif, si le nombre est situé entre 0 et 1, son carré est un nombre plus petit. Par exemple, $0.5^2$ vaut $0.5 \times 0.5$ soit 0.25.

La racine carrée, notée $\sqrt{}$, est l'opération inverse de la mise au carré. Ainsi, si vous mettez un nombre au carré puis que vous calculez la racine carrée du résultat, vous retrouvez le nombre de départ (sans le signe s'il était négatif). Par exemple, $\sqrt{81}$ vaut 9, $\sqrt{0.25}$ vaut 0.5, et de façon générale, si x est un nombre positif, alors $\sqrt{x^2}$ redonne x.

## 4.3  Numérateur vs. dénominateur

Lorsqu'on divise un nombre par un autre, on appelle le premier le numérateur et le second, le dénominateur. Si la division est représentée comme $\frac{x}{y}$, le numérateur se trouve en haut de la division et le dénominateur se trouve en bas. Le résultat s'appelle parfois un ratio. Un ratio permet de pondérer une quantité, c'est-à-dire de l'exprimer d'une autre façon. Par exemple, si vous devez parcourir 400 km en vélo et que vous savez pouvoir parcourir 100 km par jour, alors le ratio permet de convertir une distance en un nombre de jours :

$$\frac{400 \text{ km}}{100 \text{ km par jour}} = 4 \text{ jours}$$

en utilisant au numérateur la quantité à convertir (400 km) et au dénominateur le facteur de conversion (100 km par jour). Plusieurs méthodes statistiques (e. g. chapitres 4, 8 et 9) utilisent des ratios pour convertir des données vers une échelle standard.

# CHAPITRE

## L'échantillon

# 1

## Sommaire

## Dans ce chapitre, vous allez apprendre :

1   À faire la différence entre une population et un échantillon.

2   À identifier les schèmes expérimentaux de base.

3   Quel type d'échelle a été utilisé pour mesurer les données.

4   Comment visualiser les données brutes en faisant un graphique
    des fréquences.

5   À valider les données en vérifiant l'absence de données extrêmes
    et l'absence de multimodalité.

## Introduction

*On veut savoir comment faire le bien autour de soi. Comme psychologue, on cher-che la thérapie la plus bénéfique, la formation la plus adéquate, la sélection de personnel la plus juste, etc. Or, comme l'humain est une bien étrange créature, la seule façon de répondre de façon probante à ces questions est d'essayer, de comparer les méthodes entre elles ou à un groupe contrôle. La modalité dans laquelle la comparaison s'effectue s'appelle un schème expérimental. Au terme de cette démarche, vous aurez mesuré des personnes (l'échantillon) sur un aspect pertinent (la variable dépendante). Hélas ! comme les données obtenues sont très variables d'une personne à l'autre, d'un moment de mesure à l'autre (ce qu'on appelle l'erreur expérimentale), on ne peut pas répondre directement à la question de recherche. Il faut plutôt s'engager dans un processus en quatre étapes dont les deux premières sont expliquées dans ce chapitre : la visualisation des données et la validation des données.*

Étudier l'humain, ses réalisations et ses institutions est une entreprise difficile car nous sommes nous-mêmes humains. Nous avons tous notre petite idée sur ce qui motive un comportement et souvent nos émotions modulent notre façon de voir le monde et les jugements que nous posons. Pour éviter que ces dispositions ne biaisent le jugement, il faut se doter de méthodes objectives qui font consensus.

Une autre raison pour laquelle il faut étudier l'humain avec méthode tient au fait que le sujet d'étude est très variable. Je me plais souvent à imaginer Terre-Prime, une pla-nète en tout point semblable à la nôtre tournant autour d'un astre fort semblable au Soleil. Cette Terre-Prime est habitée par une population de robots identiques à des êtres humains mais dont le comportement ne montre aucune variabilité. Placés dans une situation une seconde fois, ils donnent exactement la même réponse que lors de la première fois (voir Figure 1.1). Par exemple, si un robot localise Charlie sur une page d'un des livres de Martin Handford en 3 secondes et 14 centièmes, alors tous les autres membres de cette population y parviennent en 3.14 secondes aussi. Si ces robots loca-lisent Charlie sur une page comportant moins de personnages en, disons, 2 secondes et 71 centièmes, alors à la question « Chez les robots, le temps pour localiser Charlie dépend-il du nombre de personnages sur la page ? » il est facile de répondre oui.

Cette même étude réalisée sur des humains donnera des résultats beaucoup moins nets. Annie prendra peut-être 14 secondes pour localiser Charlie alors que Bérénice ne prendra qu'une demi-seconde ! Xavier, Yvan et Zara sont moins extrêmes, mais encore très différents de nos robots, ayant des scores de 2, 9 et 7 secondes respectivement. Comment fait-on pour donner une réponse simple à une question simple quand les résultats individuels sont si variables ?

Pour surmonter les difficultés liées à l'existence de variabilité, les statistiques proposent deux étapes :

- Synthétiser les données en construisant le portrait-robot du participant typi-que. Si l'on veut comparer deux groupes, il faut établir un portrait-robot dans le premier groupe et dans le second groupe. Il s'agit ici de faire de la **statistique**

**descriptive**. Le but des statistiques descriptives est d'offrir des moyens pour synthétiser l'information obtenue dans un échantillon. Les chapitres 2 à 4 présentent différentes façons de décrire les résultats.

• Décider de la réponse en réalisant une comparaison entre ces « participants » typiques. Cette décision doit tenir compte du fait que l'échantillon est variable et de taille limitée. Cette comparaison s'effectue en utilisant des procédures tirées des **statistiques inductives**, encore appelées des procédures d'**inférence statistique**. Les chapitres 6 et suivants présentent différentes procédures d'inférences statistiques.

Avant ces deux étapes, il est fortement recommandé de réaliser des graphiques qui permettent de mieux visualiser les données. On profite aussi de l'étape de visualisation pour valider les données de l'échantillon, comme nous le verrons plus loin dans ce chapitre.

### Figure 1.1

**Les robots sont faciles à étudier car ils répondent tous de la même façon ; les humains par contre sont très variables, ce qui les rend difficiles à étudier. Ici, un exemple où on leur demande de penser à une couleur.**

La difficulté à prendre des décisions en sciences humaines tient à cette double difficulté : taille des échantillons limitée et grande variabilité des mesures. Moins nous avons de mesures, plus nous avons un portrait-robot flou. De la même façon, plus les personnes varient les unes des autres, plus le portrait-robot est imprécis. Ces deux facteurs sont interchangeables : si nous avons des participants peu variables, nous pouvons avoir un plus petit nombre de données. À la limite, si les sujets sont des robots, nous pouvons n'en mesurer qu'un seul !

Cette variabilité est aussi appelée de l'erreur. Ici, le mot erreur n'est pas péjoratif. En effet, il est impossible d'éliminer l'erreur car les humains ne sont pas des robots. Puisque cette variabilité dans les mesures est impossible à éliminer, on parle aussi de bruit ou encore de hasard. Étant inévitable, on peut également parler de bruit intrinsèque.

La variabilité chez les humains provient de trois sources : deux individus ne sont jamais tout à fait identiques (variabilité inter-sujet). En effet, nous nous fions au hasard pour choisir les individus qui seront mesurés. Par pur hasard, on peut avoir mesuré une proportion plus élevée d'individus avec des performances élevées par rapport à la population.

De plus, puisque les personnes sont en perpétuel changement, si on mesure un même sujet deux fois de suite, le résultat risque fort d'être différent (variabilité intra-sujet). Ces deux sources de variabilité sont parfois regroupées sous le terme d'**erreur échantillonnale**.

Par ailleurs, l'acte de mesurer implique un instrument de mesure qui peut être plus ou moins fidèle et une échelle de mesure qui peut être plus ou moins précise. Il est par conséquent pratiquement impossible d'éviter des **erreurs de mesure**.

Ces trois sources de variabilité prises ensemble réduisent la fiabilité des données et constituent ce qu'il est convenu d'appeler de l'**erreur expérimentale**. L'arbre hiérarchique suivant synthétise les types d'erreur possibles :

Erreur expérimentale
- Erreur de mesure
- Erreur échantillonnale
  - Variabilité inter-sujet
  - Variabilité intra-sujet

Il est parfois possible de contrôler (dans une certaine mesure) les sources de variabilité. Lorsque c'est possible, il faut appliquer ces contrôles pour avoir les données les plus fiables possibles (les plus dénuées de bruit).

Par exemple, supposons que nous voulons étudier la capacité de gardiens de sécurité travaillant dans un aéroport et surveillant des bagages sous les rayons X. Pour ce faire, nous présentons des bagages passant sous les rayons X, certains contenant des armes à feu, et nous varions la difficulté à trouver ces armes. Or un facteur qui risque d'avoir un impact sur la détection est la fatigue. Si un certain nombre de gardiens sont frais et dispos et un certain nombre ont passé la nuit à travailler, les données vont varier beaucoup plus que si tous les gardiens avaient eu 8 heures de sommeil et bu une tasse de café. La quantité de sommeil est une source potentielle de variabilité et une façon de la contrôler (de l'amenuiser) est de s'assurer que tous les participants de l'étude ont eu une même nuit de sommeil réparatrice avant leur participation. Dans cet exemple, il s'agit de variabilité inter-sujet puisque le niveau de sommeil diffère d'un gardien à l'autre.

Au prochain chapitre, nous verrons comment une taille d'échantillon élevée et une variabilité faible donne une statistique descriptive fiable ; dans le dernier chapitre, nous reviendrons sur les liens entre la taille de l'échantillon et la variabilité des données pour les statistiques inductives.

# 1. Collecter des données

La collecte des données est l'étape d'une étude qui précède l'application des méthodes quantitatives. Cette étape permet d'obtenir l'**échantillon**. L'échantillon est un sous-ensemble de sujets représentatifs de la **population** que nous souhaitons examiner. De cet échantillon, on obtient des **observations**, c'est-à-dire des mesures d'un aspect ou d'un comportement du sujet. On appelle aussi ces observations des données ou encore des **données brutes**. Si on s'intéresse à la résolution de problèmes, on peut par exemple sélectionner 20 personnes (l'échantillon) et mesurer le temps pris pour résoudre un problème (l'observation, la mesure). La population ciblée par cette étude est n'importe quel humain adulte. Par contre, si on s'intéresse aux comportements d'allaitement de femmes monoparentales, l'échantillon, pour être représentatif, ne peut comporter que des femmes monoparentales ayant un jeune bébé. Dans ce cas-ci, la « population » cible est composée de toutes les femmes monoparentales ayant un nourrisson. Une population est en fait une notion abstraite puisque Zara peut faire partie de la population des personnes qui résolvent des problèmes et qui sont femmes monoparentales. Par ailleurs, la population n'est pas forcément composée d'humains. Si on étudie la rapidité et la fiabilité avec laquelle un produit est emballé, un échantillon peut contenir des emballeurs humains et un second échantillon contenir des robots manutentionnaires.

Lors de la planification de la collecte de données, on choisit quels sont les attributs, les préférences ou les comportements des sujets qui seront mesurés. Ces attributs s'appellent des variables car, lorsqu'ils seront mesurés, on s'attend à obtenir des observations qui varient d'un sujet à l'autre. On a donc, par exemple, la variable QI, la variable Taille, etc.

La méthode expérimentale suggère différents contrôles pour qu'un échantillon soit valide (validité externe, i. e. représentatif de la population) et consistant (validité interne, i. e. non contaminé par les attentes du chercheur, par des effets consécutifs à une première mesure, par la perte de sujets, etc.). Les statistiques sont incapables de vérifier la validité externe d'un échantillon ; cependant, elles peuvent donner quelques indices lorsque la validité interne est faible (voir Section 3 de ce chapitre).

Par abus de langage, on appelle souvent échantillon l'ensemble des données obtenues chez les participants composant l'échantillon. Dans ce cas, l'échantillon n'est plus un ensemble de personnes mais un ensemble de nombres. Pour être précis, on devrait parler dans ce cas d'un échantillon de données, par opposition à un échantillon de sujets.

## 1.1 ▬▬ *D'où viennent les données*

Les données sont obtenues après avoir convenu d'une méthode pour la collecte de données. Cette méthode spécifie entre autres l'instrument de mesure à utiliser et les particularités des participants à recruter. Elle spécifie aussi le nombre de groupes de participants nécessaires et le nombre de fois qu'ils seront mesurés. Ces dernières spécifications s'appellent le **schème expérimental**.

Le schème le plus simple est le schème à un groupe (Figure 1.2, gauche). Pour le réaliser, il faut un échantillon de sujets qui sera mesuré une fois après avoir subi le **traitement expérimental**. Le traitement peut être un type de thérapie (en psychologie clinique), une tâche à accomplir (en psychologie cognitive), une situation anxiogène (en psychologie sociale) ou n'importe quoi d'autre pertinent pour répondre à la question de recherche.

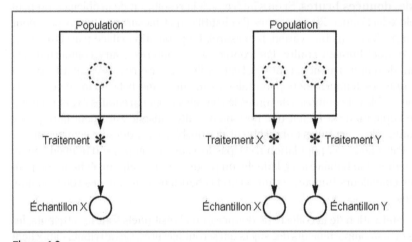

**Figure 1.2**

**Quelques exemples de schèmes expérimentaux.**

Dans le **schème à deux groupes** (Figure 1.2, droite), deux groupes sont sélectionnés et soumis à deux traitements différents. On va alors parler de deux **conditions expérimentales**. Une de ces deux conditions peut être une condition témoin (pas de traitement) ou une condition placébo.

Dans ces schèmes, les participants ne sont mesurés qu'une fois. Il existe aussi des schèmes à mesures répétées (Figure 1.3).

Le **schème avant-après** est utilisé quand il est possible de mesurer les participants à un moment où il ne devrait pas y avoir d'effet (avant l'administration d'un traitement). L'avantage de ce type de situation est qu'il n'est pas nécessaire de recruter un second groupe de participants pour servir comme groupe témoin. Par ailleurs, dans les domaines cliniques, il n'est pas éthique de recruter des personnes souffrant d'une maladie et de ne pas leur offrir un traitement.

Le **schème à mesures répétées** ressemble au schème avant-après sauf qu'il y a autant de traitements que de mesures.

Finalement, dans le **schème à groupes appariés**, ce ne sont pas les mêmes personnes qui sont mesurées deux fois mais des personnes jugées équivalentes. Par exemple, on peut vouloir mesurer des autistes dans des situations nécessitant des compétences sociales. Or l'autisme s'accompagne souvent de déficience mentale. On peut apparier à chaque autiste une personne ayant la même déficience mentale mais n'ayant pas d'autisme. Chaque paire de mesures est alors traitée comme si elle avait été obtenue d'un sujet unique.

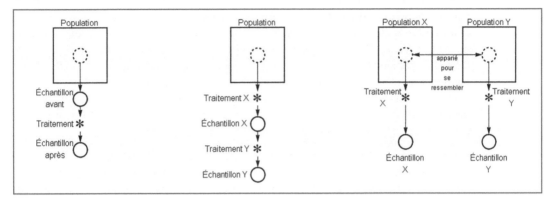

**Figure 1.3**

Quelques exemples de schèmes expérimentaux dits à «mesures répétées».
À gauche : schème avant-après ; au centre : schème à deux mesures répétées ; à droite : schème à groupes appariés.

Il ne s'agit que de quelques exemples de schèmes expérimentaux parmi les plus simples (on en verra d'autres aux chapitres 11 à 13). Tous ces schèmes ont en commun que l'individu qui participe à l'expérience reçoit un traitement. À l'opposé des schèmes expérimentaux, il y a les schèmes observationnels et les schèmes à cas unique.

# 2. Les échelles de mesure

Une fois soumis au traitement, le participant est mesuré. La mesure se présente sous la forme d'un nombre. Ce nombre peut être exprimé avec une unité (par exemple, le temps de réponse est exprimé en secondes) ou sans unité (par exemple, le QI n'a pas d'unité). Il permet de quantifier un aspect du sujet. Cette mesure peut aussi être appelée un score si on mesure une performance. L'ensemble de toutes les mesures possibles peuvent être placées le long d'un axe gradué. Cet axe est appelé une **échelle de mesure**. On distingue quatre types d'échelles : l'**échelle nominale**, l'**échelle ordinale**, l'**échelle relative** et l'**échelle absolue**.

La qualité de la mesure est déterminée par la précision de l'instrument de mesure et par les caractéristiques de l'échelle de mesure utilisée.

*L'échelle nominale.* L'échelle nominale implique que les observations tombent dans des catégories qualitatives identifiées par une étiquette (comme par exemple « Homme » et

« Femme » pour identifier le sexe ou « bonne réponse » et « mauvaise réponse » pour identifier le résultat à une énigme). La seule opération mathématique possible avec des mesures nominales est de compter le nombre d'observations (l'effectif) dans chacune des catégories (aussi nommées des classes). Techniquement parlant, on appelle l'effectif la **fréquence observée** ou plus simplement, la fréquence.

*L'échelle ordinale.* L'échelle ordinale est similaire à l'échelle nominale, excepté qu'elle permet d'établir l'ordre entre les mesures sans toutefois être capable d'évaluer de façon quantitative la distance qui les sépare. Dans l'exemple précédent, il est impossible de dire si la catégorie « Homme » doit être placée avant la catégorie « Femme ». Un exemple d'échelle ordinale est donné par les notes scolaires : un A vaut mieux qu'un B, qui lui-même est meilleur qu'un C, etc. Cependant, avoir A ne signifie pas que l'étudiant maîtrise deux fois plus la matière que celui qui a un B. Lorsque les données ont été mesurées avec cette échelle de mesure, il est possible de calculer l'effectif pour chaque rang, ainsi que le rang médian (que nous verrons au prochain chapitre).

L'échelle de Lickert (« Sur une échelle de 1 (pas du tout) à 7 (absolument), dites si... ») est un exemple d'échelle ordinale. On ne peut pas dire d'une personne qui répond 2 qu'elle est deux fois plus certaine qu'une autre qui a répondu 1. Par contre, on peut affirmer qu'elle est plus certaine (l'ordre des réponses est clair). De la même façon, on ne peut pas dire qu'une personne qui passe de 1 à 2 opère le même changement qu'une personne qui passe de 6 à 7. L'unité (la valeur 1) n'a pas forcément la même signification pour le sujet tout au long de l'échelle.

Si une échelle de mesure ordinale possède un très grand nombre de graduations (au moins 15), on peut la traiter comme une échelle (presque) relative puisqu'elle offre suffisamment de possibilités pour que la mesure soit nuancée.

*L'échelle relative.* L'échelle relative (encore appelée échelle à intervalles) possède une unité de mesure constante tout au long de l'échelle. Passer, disons, de 1 à 2 signifie le même changement que passer de 6 à 7. Cependant, le zéro sur cette échelle est défini de façon arbitraire. Un exemple est la température exprimée en Celsius. Zéro Celsius est un point arbitraire qui a été choisi par convention (d'ailleurs les échelles Fahrenheit et Celsius n'ont pas le même zéro). Cependant, passer de 10 à 15 Celsius demande le même travail (le même nombre de joules) que passer de 40 à 45 Celsius. Par contre, cette échelle de mesure ne permet pas d'affirmer que l'eau à 10 Celsius est deux fois plus chaude que l'eau à 5 Celsius (de l'eau à 5 Celsius est combien de fois plus chaude que de l'eau à $-5$ Celsius ?). Un autre exemple d'échelle relative est l'échelle de QI où le QI moyen est arbitrairement fixé à 100.

*L'échelle absolue.* L'échelle absolue (parfois appelée échelle de rapport) implique que la distance entre deux unités est la même tout au long de l'échelle (tout comme dans l'échelle relative) mais aussi que le zéro existe (autrement que par un choix arbitraire). Grâce à l'existence d'un zéro, cette échelle permet de calculer des rapports entre deux mesures. Par exemple, une distance de 4 mètres est bel et bien le double d'une distance de 2 mètres. Un autre exemple est la température en Kelvin. De l'eau à 300 Kelvin est deux fois plus chaude que de l'eau à 150 Kelvin en ce sens que l'on peut en extraire deux fois plus d'énergie.

Les quatre types d'échelles ont été présentés dans un ordre ascendant de précision. Dans la suite de cet ouvrage, nous nommerons **échelles de type I** les échelles nominale et ordinale et **échelles de type II** les échelles relative et absolue. Chacune de ces échelles possède les propriétés des échelles qui lui sont inférieures en plus de ses caractéristiques propres. Il est toujours possible de passer d'une échelle d'un niveau donné à une échelle moins précise ; l'inverse n'est cependant pas possible. Souvent, les échelles de type II sont continues, ce qui signifie qu'il est possible d'obtenir une mesure entre deux autres mesures. Par exemple, la température peut être 15.5 Celsius, 15.25 Celsius, 15.1 Celsius, etc.), le nombre de décimales ne dépendant que de l'instrument de mesure.

# 3. Visualiser les données de l'échantillon

La façon la plus commode de visualiser les données de l'échantillon est de regarder leur répartition (on dit aussi leur distribution). Pour ce faire, on utilise un **graphique des fréquences** (souvent appelé abusivement graphique des histogrammes, car il est généralement construit avec des histogrammes). Pour ce faire, il faut répartir les observations en différentes classes et compter la fréquence des observations correspondant à chacune de ces classes. Nous construisons ainsi une distribution de fréquences.

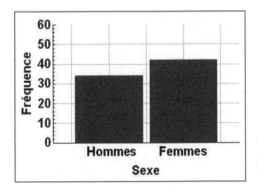

Figure 1.4

**Exemple de graphique de fréquences pour des données nominales.**

Si les données sont disposées sur une échelle de type I (nominale ou ordinale), un graphique en histogramme s'obtient à partir des effectifs observés dans chacune des catégories.

Par exemple, supposons que l'on veuille savoir qui des hommes ou des femmes sont les plus intéressés à utiliser une motoneige électrique. Vous allez au Salon des sports et loisirs d'hiver où se trouve un exposant présentant ces motoneiges. L'échantillon sera composé des personnes qui durant une demi-heure prendront un tract publicitaire et la mesure sera le sexe de ces personnes. Le graphique de fréquence (tel celui de la Figure 1.4) permet de voir le nombre d'hommes et de femmes (les effectifs dans chaque catégorie de sexe) dans l'échantillon.

Pour les échelles de type II, où il existe une infinité de mesures possibles, il est nécessaire de regrouper les valeurs obtenues en classes successives (i. e. des intervalles) choisies plus ou moins arbitrairement (nous verrons comment juste après).

Par exemple, supposons que nous avons mesuré 400 personnes (l'échantillon) pour obtenir leur taille (la mesure). Après avoir fait le graphique des fréquences (voir Figure 1.5), on constate que 78 d'entre elles ont une taille entre 1.60 m et 1.70 m. Il s'agit de la fourchette de tailles la plus représentée dans l'échantillon, surpassant les intervalles voisins (entre 1.50 m et 1.60 m avec 73 personnes et entre 1.70 m et 1.80 m avec 76 personnes). Similairement, il n'existe que trois personnes ayant moins de 1.20 m et seulement deux ayant une taille supérieure à 2.20 m dans cet échantillon fictif. L'ensemble des effectifs dans chacun des intervalles permet d'établir la distribution des données brutes qui montre comment se répartissent les mesures.

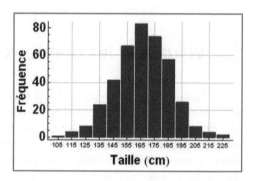

**Figure 1.5**

Exemple de graphique de fréquence pour des données continues (ici, des tailles d'individus).

Pour construire un graphique des fréquences lorsque les données sont de type II, il est préférable de commencer par trier les données. Ensuite, il faut : a) calculer l'étendue de la série de données et b) choisir le nombre d'intervalles. Le nombre d'intervalles dépend à la fois de l'étendue des données et du nombre total des données.

*L'étendue d'un ensemble de données.* L'étendue est l'écart entre la plus grande et la plus petite donnée brute. L'étendue est utile pour graduer l'axe horizontal du graphique des fréquences.

*Le nombre d'intervalles.* Le nombre d'intervalles (ou encore le nombre de classes, de catégories) indique en combien de catégories on va subdiviser les données. En règle générale, si le nombre de données brutes est moyen (quelques dizaines à quelques centaines), il faut subdiviser l'étendue en environ 10 à 20 intervalles égaux (ce nombre peut varier légèrement pour permettre de choisir des classes simples, par exemple, distribuer les données de 10 en 10). Quand le nombre d'observations excède 200, on peut utiliser plus de classes si on le souhaite. Dans tous les cas, les intervalles doivent être de taille identique.

*Compilation des données.* Pour chaque classe, il faut calculer :

a) Le centre de la classe, i. e. la valeur équidistante aux bornes de la classe. Elle constitue la valeur représentative de la classe et est utilisée pour graduer l'axe horizontal.

b) Le nombre de données se trouvant dans cette classe, qu'on appelle la fréquence ou encore l'effectif.

Exemple :

Soit ces QI fictifs, collectés dans une classe de psychologie constituée de 117 étudiants. **X** = {51, 53, 81, 83, 83, 86, 87, 89, 100, 100, 101, 101, 101, 102, 102, 102, 103, 103, 103, 103, 104, 104, 104, 105, 105, 106, 106, 106, 106, 107, 107, 107, 107, 109, 109, 109, 109, 109, 109, 109, 109, 110, 110, 111, 111, 112, 112, 113, 113, 114, 114, 114, 114, 116, 116, 116, 117, 117, 117, 118, 119, 121, 121, 121, 122, 122, 122, 123, 123, 123, 124, 124, 124, 124, 125, 125, 125, 125, 126, 126, 126, 126, 126, 127, 127, 127, 128, 128, 128, 129, 129, 130, 131, 131, 132, 132, 133, 133, 134, 135, 136, 137, 139, 141, 141, 142, 143, 144, 145, 146, 146, 148, 152, 155, 163, 168, 172}. Ces données ont été triées pour simplifier la tâche.

Puisque les données s'étendent de 51 à 172, nous avons une étendue de 121. Si on divise les données en intervalles de 10 (plus facile à travailler), nous aurons 13 classes, ce qui est convenable. Si on choisit de commencer la première catégorie à 50 (encore une fois pour se simplifier la vie), alors la première catégorie va de 50 à 60, la seconde, de 60 à 70, etc. Pour éviter qu'un score ne soit compté deux fois (par exemple, le QI de 100 qui peut aller dans la catégorie 90 à 100 ou dans la catégorie 100 à 110), la convention veut que la limite supérieure de chaque catégorie soit exclue de la catégorie. La première catégorie va donc de 50 inclusivement à 60 exclusivement. En regardant les données brutes ci-dessus, on en compte deux (la donnée 51 et la donnée 53). L'effectif pour cette première catégorie est donc de 2. Le Tableau 1.1 compile les résultats pour toutes les catégories.

## Tableau 1.1

**Compilation des fréquences pour l'échantillon X.**

| Intervalle | | | Centre | Fréquence |
|---|---|---|---|---|
| 50 | .. | 60 | 55 | 2 |
| 60 | .. | 70 | 65 | 0 |
| 70 | .. | 80 | 75 | 0 |
| 80 | .. | 90 | 85 | 6 |
| 90 | .. | 100 | 95 | 0 |
| 10 | .. | 110 | 105 | 33 |
| 110 | .. | 120 | 115 | 20 |
| 120 | .. | 130 | 125 | 30 |
| 130 | .. | 140 | 135 | 12 |
| 140 | .. | 150 | 145 | 9 |
| 150 | .. | 160 | 155 | 2 |
| 160 | .. | 170 | 165 | 2 |
| 170 | .. | 180 | 175 | 1 |
| (incl.) | | (excl.) | Total | 117 |

Pour vérifier les calculs, on s'assure que la somme de la colonne « Fréquence » donne bien la taille de l'échantillon, soit ici 117. Le graphique des fréquences résultant est donné à la Figure 1.6.

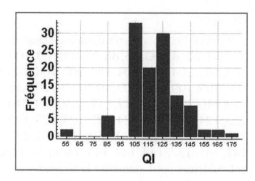

**Figure 1.6**

**Graphique des fréquences obtenu pour les QI d'une classe de psychologie.**

Pour donner un exemple où le nombre de classes est mal choisi, j'ai refait à la Figure 1.7 le même graphique, mais cette fois avec respectivement trois et 121 catégories. Le premier cas semble indiquer que les QI sont parfaitement symétriques autour de 125, ce qui n'est pas le cas ; le second graphique est rempli de catégories vides, donnant un aspect très aléatoire à l'échantillon.

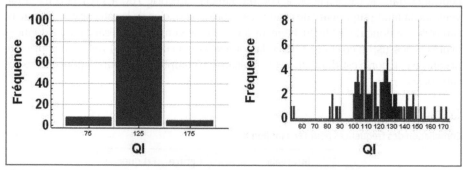

**Figure 1.7**

**Graphiques des fréquences pour lesquels le nombre de classes a été mal choisi.**

# 4. Valider l'échantillon

Une fois les données brutes visualisées, il faut valider l'échantillon. La **validation de l'échantillon** consiste à s'assurer que les données semblent fiables. Pour ce faire, le graphique des fréquences est très utile car celui-ci permet de vérifier que les observations se distribuent de façon « raisonnable ». Trois points devraient attirer votre attention : a) y a-t-il présence de données extrêmes, b) l'asymétrie est-elle importante, et c) y a-t-il présence de multimodalité.

Les **données extrêmes** ne sont pas forcément incorrectes, mais elles doivent être considérées comme suspectes. Dans l'exemple de la Figure 1.6, on voit qu'il existe deux données extrêmement faibles par rapport aux autres (dans la catégorie 50 à 60). Ces données extrêmes sont facilement visibles sur le graphique des fréquences puisqu'elles forment un histogramme isolé (à droite ou à gauche). Le chercheur qui obtient des données extrêmes doit s'interroger pour savoir si les sujets qui ont donné ces résultats sont bien représentatifs de l'échantillon. Si les données brutes ont été entrées à la main dans un fichier, il doit aussi vérifier qu'il n'y a pas eu une erreur de saisie. Dans le cas du QI, ces mesures sont clairement suspectes puisqu'il est étonnant d'atteindre l'université avec un QI inférieur à 80. Quand un chercheur est confronté à quelques données extrêmes, il peut les omettre des analyses subséquentes à la condition de le préciser dans son rapport final (lesquelles et combien). Il ne devrait jamais y en avoir plus de 5 % ou alors il faut questionner en profondeur la méthode utilisée pour collecter les données (validité interne) et même envisager de reprendre toute l'expérience. Lorsqu'il y a plus de 5 % de données extrêmes dans l'échantillon, le chercheur ne peut pas les éliminer car il élimine alors une trop grande part de son échantillon.

L'*asymétrie* indique que les scores faibles ne se retrouvent pas en même nombre que les scores élevés. Un exemple concerne les revenus mensuels : un échantillon représentatif contiendra certainement beaucoup de personnes avec un revenu très faible mais très peu de personnes avec un salaire très élevé. La Figure 1.8, gauche, donne un exemple fictif d'échantillon. Si les données sont très asymétriques, on ne peut pas les décrire de la même façon que si elles sont symétriques (comme on en discutera au chapitre suivant).

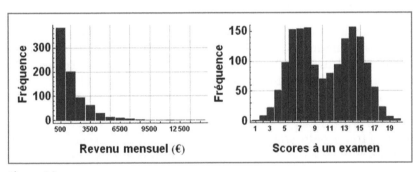

### Figure 1.8

Exemples de données très asymétriques (gauche) et de données présentant une bimodalité très importante (droite).

La **multimodalité** se voit par la présence de plusieurs pics distincts dans le graphique des fréquences. Par exemple, dans la Figure 1.8, droite, il y a deux pics (un dans la région allant de 6 à 8, l'autre dans la région allant de 13 à 15). Une fois encore, la présence de multimodalité n'est pas en soi le signe d'une erreur dans les données. Cependant, le chercheur doit vérifier que l'échantillon est homogène (que ce ne sont pas des populations différentes qui constituent les pics différents). Par exemple, peut-être que le premier pic est composé principalement d'étudiants de première année alors que le second pic est composé majoritairement d'étudiants de seconde année. Le chercheur doit alors se demander s'il ne doit pas séparer son échantillon en deux pour éviter des conclusions qui ne seraient vraies que pour une partie des étudiants de première année et une partie des étudiants de seconde année. Un échantillon non homogène crée des problèmes de validité externe lorsque le chercheur veut généraliser ses résultats.

Un exemple où on observera probablement de la bimodalité concerne la réponse à cette question : sur une échelle de 1 (mauvais) à 10 (excellent), comment appréciez-vous la poutine (la poutine est un plat typique québécois) ? Si vous posez cette question sur la place Jacques-Cartier, dans le vieux Montréal, une bonne moitié des répondants donneront des réponses élevées alors qu'une autre moitié des répondants donneront des réponses faibles. Or, vérification faite, les personnes qui donnent des réponses élevées seront surtout des Québécois alors que les seconds seront surtout des touristes !

## 5. Une équation est une recette

Dans les chapitres qui viennent, nous rencontrerons un certain nombre d'équations. Bien qu'une équation puisse parfois être rébarbative, il faut comprendre ce qu'elle veut réellement dire. En réalité, il s'agit d'une recette, une sorte d'aide-mémoire qui synthétise les étapes à suivre pour arriver à un résultat.

Dans cette section, nous allons examiner quelques équations que nous utiliserons plus loin en voyant comment les calculer en pratique.

Premièrement, il faut un échantillon de mesures. Souvent, les échantillons sont notés avec une lettre majuscule, telle $X$. Ce choix est arbitraire et, à l'occasion, on utilisera un autre symbole (une lettre, telle $Y$, ou encore un mot, tel **Taille**, **Données**, etc.). On peut voir l'échantillon comme une liste, la liste des mesures obtenues. La $i^{\text{ème}}$ mesure est notée avec l'indice $i$. Par exemple, si $X$ contient la taille de 6 personnes, $X_1$ est la taille de la première personne, $X_2$, celle de la seconde, etc.

Si l'échantillon est trié en ordre croissant, on utilise des parenthèses pour le souligner. Ainsi, $X_{(1)}$ est la taille de la plus petite personne de l'échantillon, et $X_{(6)}$ est la taille de la plus grande.

La formule :

$$\textit{Étendue} = X_{(6)} - X_{(1)}$$

est une recette qui indique comment obtenir une quantité dont le nom est à gauche du signe « = ». Elle stipule de trier les données, de prendre la plus grande et de lui soustraire la plus petite.

Par exemple, un échantillon contenant des tailles de personnes en cm pourrait être $X = \{164, 176, 159, 189, 171, 179\}$. Dans ce cas, $X_{(1)}$ vaut 159 cm et $X_{(6)}$ vaut 189 cm. L'étendue, en vertu de la recette précédente, vaut $189 - 159$, soit 30 cm.

Bien que de telles recettes peuvent être décrites avec du texte, l'utilisation d'équations les rend plus compactes. Le signe « = » peut aussi être vu comme une flèche pointant à gauche :

$$\textit{Étendue} \leftarrow X_{(6)} - X_{(1)}$$

qui indique que le résultat de la recette donnée à droite est maintenant nommé « Étendue », mais le signe ← n'est jamais utilisé. Pour rester plus proche de la convention, nous allons plutôt signaler avec le signe « := » la première fois que nous donnons une recette pour calculer une statistique. Ce signe se lit « est défini comme étant ». Par exemple, la formule

$$z := \frac{\mathbf{X} - \overline{X}}{s_x}$$

se lit « z est défini comme étant la différence entre X et X-barre, divisée par s-x » (nous verrons ces symboles au chapitre 2). Il y aura plusieurs définitions au cours des chapitres 2 à 5, mais presque plus par la suite.

En règle générale, si le nombre total de données dans un échantillon n'est pas précisé à l'avance, on va utiliser la lettre *n* pour indiquer la taille qu'il aura lorsqu'on le saura. Ainsi, $\mathbf{X}_{(n)}$ est la plus grande donnée (bien que nous ne sachions pas encore ce que vaut cette donnée).

Finalement, il existe un symbole qui signale qu'on va manipuler la totalité d'une liste, le symbole $\Sigma$ (sigma majuscule), qui signifie addition ou encore sommation. Par exemple, cette recette

$$\overline{X} := \left( \sum_{i=1}^{n} \mathbf{X}_i \right) / n.$$

se lit comme suit : pour *i* prenant toutes les valeurs allant de 1 à *n*, additionnez $\mathbf{X}_i$. Terminez en divisant le résultat par *n*. Une façon simple de s'y retrouver avec un opérateur tel que $\Sigma$ est de placer les données de l'échantillon dans une colonne, comme on le voit au Tableau 1.2.

## Tableau 1.2

**Grille de calcul pour obtenir la moyenne d'un échantillon X.**

| *i* | $\mathbf{X}_i$ | |
|---|---|---|
| 1 | 164 | |
| 2 | 176 | |
| 3 | 159 | |
| 4 | 189 | |
| 5 | 171 | |
| 6 | 179 | |
| $\sum_{i=1}^{n} \mathbf{X}_i$ | 1 038 | somme |
| $\left( \sum_{i=1}^{n} \mathbf{X}_i \right) / n$ | 173 | somme divisée par 6 |

Le nombre 164 sur la première ligne est $\mathbf{X}_1$, sur la seconde se trouve $\mathbf{X}_2$, etc. Avec cette façon de placer les données, l'opération $\sum_{i=1}^{n} \mathbf{X}_i$ veut tout simplement dire : faire la somme de la colonne. Par la suite, il ne reste plus qu'à diviser par le nombre d'éléments dans $\mathbf{X}$, ce qui donne 1038/6, qui vaut 173. Ce résultat est maintenant appelé $\overline{X}$ (que l'on prononce « X-barre »). En somme :

$$\overline{X} := \left( \sum_{i=1}^{n} \mathbf{X}_i \right) / n \text{ signifie } \begin{cases} \text{Faites la somme de la colonne X} \\ \text{Divisez-la par } n \\ \text{Appelez ce résultat } \overline{X} \end{cases}$$

Certaines formules sont plus complexes, comme celle-ci :

$$\sum_{i=1}^{n} (\mathbf{X}_i - \overline{X})$$

ou pire encore :

$$\sum_{i=1}^{n} (\mathbf{X}_i - \overline{X})^2.$$

Pas de panique. Encore une fois, il faut mettre les données en colonne. Dans la première équation ci-dessus, ce ne sont pas les $\mathbf{X}_i$ qu'il faut additionner, mais les quantités $(\mathbf{X}_i - \overline{X})$. Puisque $\overline{X}$ vaut 173 (recette précédente), rajoutons une colonne dans laquelle on va mettre cette quantité pour chaque ligne, comme on le voit au Tableau 1.3.

## Tableau 1.3

**Grille de calculs pour calculer des quantités plus complexes.**

| i | $\mathbf{X}_i$ | $(\mathbf{X}_i - \overline{X})$ | $(\mathbf{X}_i - \overline{X})^2$ |
|---|---|---|---|
| 1 | 164 | − 9 | 81 |
| 2 | 176 | 3 | 9 |
| 3 | 159 | − 14 | 196 |
| 4 | 189 | 16 | 256 |
| 5 | 171 | − 2 | 4 |
| 6 | 179 | 6 | 36 |
| somme | 1 038 | 0 | 582 |
| divisée par 6 | 173 | | |

Faisons aussi une colonne pour la quantité $(\mathbf{X}_i - \overline{X})^2$, qui est la précédente mais élevée au carré (e.g. $-9^2$ vaut $-9 \times -9$, soit 81). Ceci fait, il ne reste plus qu'à faire la somme de ces deux nouvelles colonnes pour trouver la quantité demandée dans les deux équations précédentes : 0 et 582.

Comme les multiplications et les divisions peuvent être effectuées dans n'importe quel ordre, il arrive que les divisions soient mises au départ d'une recette. Par exemple, $\frac{1}{n}\sum_{i=1}^{n} \mathbf{X}_i$ se lit « Prenez 1, divisez-le par $n$, puis multipliez le tout par la somme des $\mathbf{X}_i$ ». Cependant, c'est la même chose de dire « Prenez la somme des $\mathbf{X}_i$, divisez-la par $n$, puis multipliez par 1 » où l'ordre des multiplications et des divisions a été changé. La partie « puis multipliez par 1 » est inutile. Aussi :

$$\frac{1}{n}\sum_{i=1}^{n} \mathbf{X}_i = \left(\sum_{i=1}^{n} \mathbf{X}_i\right) / n$$

Ici, le signe « = » signifie que la recette de gauche donne le même résultat que la recette de droite. En mettant la division par $n$ devant l'équation, on évite les parenthèses.

Nous reverrons ces formules et d'autres similaires au chapitre 2.

# 6. Utilisation de SPSS

SPSS signifie *Statistical Packages for the Social Sciences*. L'objectif de SPSS est d'offrir un logiciel intégré pour réaliser la majorité des procédures statistiques utilisées en sciences sociales. SPSS est un produit très dispendieux bien que de nombreuses universités et institutions en possèdent une licence. Il existe aussi une version étudiante beaucoup plus accessible, mais elle est incomplète.

SPSS est un logiciel américain et, par conséquent, il fonctionne en anglais. Il existe une version du logiciel en langue française. Dans cette version, les résultats sont présentés en français, mais les commandes doivent néanmoins être écrites en anglais.

## 6.1 *La structure générale de SPSS*

Il existe deux façons de donner des instructions à SPSS : soit avec les menus, soit en mode syntaxe. Le mode de fonctionnement avec les menus et la souris peut sembler plus intuitif, mais hélas (1) il est beaucoup plus difficile à apprendre (il faut parfois des douzaines de clics à droite et à gauche pour arriver à un résultat) ; (2) les menus ne donnent pas accès à toutes les fonctionnalités de SPSS ; (3) trop souvent on oublie de cliquer une option et les résultats qui en résultent sont incorrects ; (4) finalement, si vous devez refaire la même analyse plus tard ou sur d'autres données, vous ne pouvez pas enregistrer la séquence de clics.

Par opposition, dans le mode syntaxe, il faut dactylographier suivant une syntaxe rigide la ou les procédures que l'on veut effectuer sur les données. Par contre, ce mode est plus flexible : (1) toutes les fonctionnalités de SPSS y sont disponibles ; (2) une fois la syntaxe faite pour une opération, il est facile de l'enregistrer et de la réutiliser sur d'autres données ; (3) finalement, il est plus facile d'enseigner des commandes écrites que des séquences de clics.

Lors d'une session typique dans SPSS, trois fenêtres vont être ouvertes. La capture d'écran de la Figure 1.9 illustre ces trois fenêtres.

1. *La fenêtre principale (l'éditeur de données)*. Cette fenêtre contient les données à analyser. Quand vous fermez l'éditeur de données, vous quittez SPSS. Cette fenêtre ressemble à un chiffrier ou tableur (tel Excel) mais attention, la similarité est trompeuse et SPSS ne fonctionne pas du tout comme un chiffrier. Cette fenêtre peut être utilisée pour entrer des données, les modifier ou les effacer. Cependant, il est rare que l'on tape les données manuellement dans SPSS. On va plus souvent importer un fichier déjà existant créé à l'aide d'un logiciel de traitement de texte ou par l'instrument de mesure.

2. *La fenêtre des résultats*. Cette fenêtre présente les résultats des analyses exécutées sur les données contenues dans l'éditeur de données. Cette fenêtre apparaît lorsqu'une commande (e. g. une analyse statistique) a été exécutée et contient les résultats de cette commande. Les résultats proprement dits apparaissent à droite, alors qu'à gauche, on voit une table des matières des

résultats générée par SPSS. Les résultats peuvent être imprimés ou copiés vers un autre logiciel (tel votre traitement de texte).

3. *La fenêtre de commandes (l'éditeur de syntaxe).* Cette fenêtre sert à écrire les commandes qui indiquent au logiciel les analyses à exécuter. Pour obtenir une fenêtre de commande vide, aller dans le menu « Fichier : Nouveau : syntaxe ». Elle fonctionne comme un traitement de texte simple. On y inscrit les instructions en respectant un ensemble de règles de syntaxe propre à SPSS. Ces règles de syntaxe sont expliquées ci-dessous. Une fois la commande entrée dans l'éditeur de syntaxe, il faut l'exécuter. Pour exécuter une commande, il faut la sélectionner puis choisir dans le menu « Exécuter : Commande actuelle » (ou utiliser le bouton contenant un triangle bleu dans la barre d'outils ou mieux encore le raccourci clavier « Ctrl-R »). On peut exécuter les commandes une à la fois ou toutes en bloc.

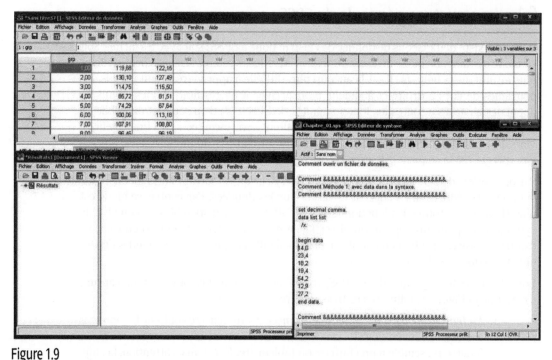

## Figure 1.9

Les trois fenêtres de SPSS. En haut, l'éditeur de données ; en bas à gauche, la fenêtre de résultats ; en bas à droite, l'éditeur de syntaxe.

## 6.2 Comment organiser les données

L'éditeur de données est en fait une base de données. Les données y sont organisées en lignes et en colonnes de la façon suivante :

- Chaque ligne représente un sujet différent.
- Chaque colonne représente une variable différente, qui peut aussi bien être une variable indépendante (e. g. le numéro de groupe dans lequel se trouve le sujet) qu'une variable dépendante (i.e. une mesure).
- Il n'y a pas de limites au nombre de colonnes et au nombre de lignes dans la banque de données.
- L'ordre des colonnes et des lignes n'est pas important.
- Chaque colonne doit avoir un nom. Vous pouvez donner les noms que vous voulez à vos colonnes mais utilisez des noms significatifs (tels **sexe**, **âge**, **qi**, etc.) de préférence à des noms sans signification (tel **toto**, **patate**, ou encore **v 1**). De plus, le nom d'une colonne doit obligatoirement débuter par une lettre de l'alphabet (a à z). Finalement, l'espace, les symboles spéciaux (&, $, #, etc.) et les signes de ponctuation ne sont pas permis (à l'exception du point et du souligné ; les noms de colonne **la.taille** et **la_taille** sont donc permis).

## 6.3 Règles de syntaxe pour écrire une commande dans SPSS

Voici les règles générales pour écrire des commandes dans l'éditeur de syntaxe SPSS :

- Chaque commande débute en tête de ligne.
- La ou les options qui accompagnent une commande sont précédées d'au moins un espace ; si l'option est placée sur la ligne suivante, elle doit être précédée d'une barre oblique (/) pour signaler que la commande n'est pas terminée.
- Chaque commande doit ABSOLUMENT se terminer par un point.
- Entre les commandes, vous pouvez insérer des lignes vides.
- SPSS ne fait pas de différence entre les lettres majuscules et minuscules. Par la suite, nous allons utiliser les majuscules pour les commandes et les options et les minuscules pour les noms de colonnes.

On appelle parfois un ensemble de commandes SPSS un script, une **syntaxe**, ou encore un programme d'analyse. Vous pouvez enregistrer votre script pour le réutiliser ou le modifier plus tard.

Vous pouvez sauvegarder la fenêtre de résultats mais, très souvent, il en résulte un fichier de plusieurs mégaoctets. Or, aussi longtemps que vous avez votre syntaxe et vos données, vous pouvez toujours exécuter à nouveau la syntaxe pour obtenir les résultats. Par conséquent, et en pratique, on ne sauvegarde pas le contenu de la fenêtre des résultats.

## 6.4 Comment entrer des données dans SPSS

Il existe trois façons d'entrer des données dans SPSS. Nous les examinons de la plus simple à la plus avancée.

### 6.4.1 Saisir les données directement dans l'éditeur de données

Cette méthode est la plus simple. Cliquez dans une cellule vide, puis saisissez les données. Commencez toujours par le haut et ne laissez aucune ligne vide car SPSS va interpréter ces lignes comme contenant des données manquantes. Il est aussi possible de faire du copier-coller, par exemple d'un traitement de texte vers l'éditeur de données.

Lorsque la saisie est terminée, vous devez ajuster les noms des colonnes car SPSS utilise par défaut les noms VAR00001, VAR00002, etc., qui malheureusement ne veulent rien dire. Pour changer les noms des colonnes, cliquez sur l'onglet « Affichage des variables » situé dans le bas de l'éditeur de données. Par exemple, si une colonne contient la taille du participant, nommez la colonne *taille*.

### 6.4.2 Inclure les données dans la syntaxe

Cette méthode nécessite un peu de syntaxe. Par contre, elle a deux avantages : (1) il n'est pas nécessaire de ressaisir les données si jamais vous voulez faire des analyses complémentaires lors d'une session ultérieure ; (2) les noms de colonnes sont incluses dans la syntaxe, donc pas besoin non plus d'aller dans l'onglet « Affichage des variables ».

Pour cela, il faut utiliser deux commandes, DATA LIST et BEGIN DATA dans cet ordre.

La commande DATA LIST sert à indiquer le nom des colonnes pour les données qu'on veut importer dans l'éditeur de données. La commande dans sa version la plus simple est :

```
DATA LIST LIST
    /nomcol1 nomcol2 etc.
```

(oui, le mot LIST est bien présent deux fois) dans laquelle **nomcol1**, **nomcol2**, etc., sont les noms que vous voulez donner à vos colonnes. N'oubliez pas de terminer la commande avec un point. Lorsque vous exécutez cette commande, les colonnes dans l'éditeur de données prennent les noms que vous avez spécifiés, dans l'ordre indiqué. Nous allons voir des variantes de cette commande à la prochaine section.

La commande BEGIN DATA signale le début des données qui doivent être placées dans l'éditeur de données. Les données doivent être disposées en autant de colonnes que vous en avez nommées dans la commande DATA LIST sinon des messages d'erreurs apparaîtront dans la fenêtre de résultats. Utiliser la touche de tabulation TAB entre chaque donnée et changez de ligne entre chaque sujet. Lorsque les données sont complètes, signalez-le avec la fin de la commande END DATA (n'oubliez pas le point de fin de commande).

Un petit exemple : supposons que vous avez collecté des données sur la taille (en cm), l'âge et le sexe de vos collègues (1 pour homme, 2 pour femme). Vous souhaitez entrer ces données dans SPSS. La syntaxe est :

```
DATA LIST LIST
       /taille age sexe.

BEGIN DATA
164    24    2
183    22    1
172    21    2
END DATA.
```

Tapez ces commandes dans l'éditeur de syntaxe, sélectionnez-les toutes puis faites Ctrl-R pour les exécuter. Les données vont apparaître dans l'éditeur de syntaxe et sont prêtes à être analysées !

Notez dans cette syntaxe ces points : (1) les commandes ont été écrites en majuscules. C'est sans importance et DaTa LisT aurait tout aussi bien fait l'affaire à la place de DATA LIST ; (2) la seconde ligne de la commande DATA LIST est une option listant le nom des colonnes et doit commencer sur une nouvelle ligne précédée d'une barre oblique ; (3) les deux commandes se terminent par un point.

### 6.4.3 Importer des données se trouvant dans un fichier

Cette troisième approche est la plus fréquente : en général, les données sont obtenues par un instrument de mesure (souvent un ordinateur) ou sont saisies dans un éditeur de texte ou un tableur. Dans ces deux scénarios, les données sont donc dans un fichier. Il est possible d'instruire SPSS d'aller ouvrir le fichier, de prendre son contenu et de le déverser dans l'éditeur de données.

Pour utiliser cette méthode, il faut au préalable connaître le nom complet du fichier contenant les données et la localisation de ce fichier sur l'ordinateur.

Le fichier doit être un fichier texte (tel que ceux créés par le programme Bloc-Notes). S'il a été créé avec un tableur comme Excel, sauvegardez-le en format texte (séparateur : Tabulateur) avec le menu « Fichier : Enregistrer sous ».

La Figure 1.10 montre deux exemples de fichiers texte ouverts avec le programme Bloc-Notes. Dans le premier fichier nommé « test1.txt », les données sont des QI en première colonne, l'âge dans la seconde colonne et le sexe dans la dernière (nous avons coté 1 pour homme et 2 pour femme). Il y a donc trois variables et quatre personnes composent l'échantillon, d'où un fichier contenant 4 lignes et 3 colonnes. Le second fichier nommé « test2.txt » contient en première colonne les noms des participants. Comme SPSS présume par défaut que les données sont des nombres, il faudra le spécifier dans la syntaxe. Notez aussi que, suivant la convention américaine, les points ont été utilisés comme séparateurs décimaux. Il faudra aussi indiquer à SPSS ce choix.

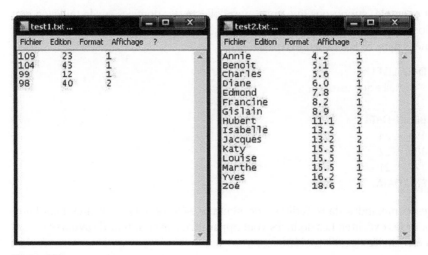

**Figure 1.10**

Deux exemples de fichiers texte contenant des données, nommés « test1.txt » et « test2.txt ».
Le second (fichier test2.txt) contient du texte dans la première colonne et utilise le point comme
séparateur décimal.

Certains fichiers sont parfois disponibles sur un site Web. Pour récupérer un fichier, il suffit de cliquer sur le lien, et votre explorateur va vous demander où vous souhaitez enregistrer le fichier. S'il ne pose pas la question, vous pouvez aussi utiliser le bouton de droite de la souris pour enregistrer le fichier.

Il existe plusieurs façons de trouver le nom complet et la localisation d'un fichier. La façon la plus simple est peut-être de cliquer un coup sur le fichier, puis, avec le bouton de droite de la souris, de demander les « Propriétés ». Apparaît alors une fenêtre semblable à celle de la Figure 1.11.

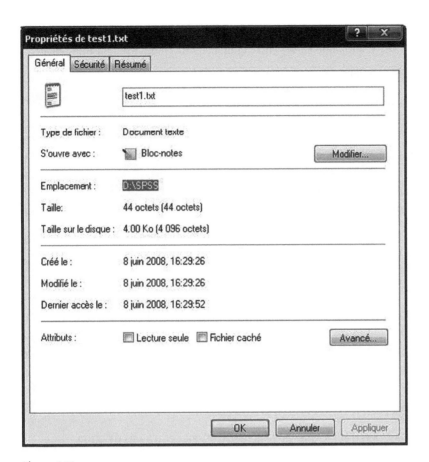

## Figure 1.11

**La fenêtre «Propriétés» lorsqu'on clique avec le bouton de droite de la souris sur un fichier et que l'on sélectionne «Propriétés». On voit ici que le nom complet du fichier est «test1.txt» et que sa localisation est «D:\SPSS».**

Dans la première zone de texte se trouve le nom du fichier (test1.txt). L'extension (.txt) indique qu'il s'agit d'un document texte. Certains systèmes d'exploitation sont configurés pour ne pas montrer l'extension. Si vous voyez «test1» mais que le type de fichier est «Document texte», c'est que le nom de fichier se termine par l'extension .txt.

Dans la section «Emplacement», vous voyez l'endroit où le fichier se trouve, c'est-à-dire, dans notre cas: **D:\SPSS**. Autrement dit, ce fichier se trouve sur le disque D:, dans un dossier nommé SPSS. Les barres obliques inversées sont des séparateurs entre les noms de dossiers. Vous pouvez copier cet emplacement en le sélectionnant avec la souris et en appuyant sur les touches «Ctrl-C».

Une fois que vous savez (1) la localisation du fichier, et (2) le nom complet du fichier, vous êtes prêt à écrire la syntaxe. Elle comprendra deux commandes: CD, et DATA LIST. Il n'y a pas de commande BEGIN DATA puisque les données ne sont pas dans la syntaxe.

Pour indiquer la localisation du fichier de données, il faut utiliser la commande CD. Il suffit d'écrire cette commande suivie entre guillemets de l'emplacement du fichier :

```
CD "Emplacement".
```

Par exemple, dans l'exemple ci-dessus, l'instruction est

```
CD "D :\SPSS".
```

Pour ouvrir le fichier, la commande DATA LIST vue plus haut est utilisée, dans laquelle on rajoute l'option FILE = « nomcompletdufichier » :

```
DATA LIST FILE = "nomcompletdufichier" LIST
        /nomcol1 nomcol2 etc.
```

L'option FILE = doit être située juste après le nom de la commande. Dans le premier exemple de la Figure 1.10, la commande devient :

```
DATA LIST FILE = "test1.txt" LIST
        /qi age sexe.
```

Exécutez la commande CD suivie de la commande DATA LIST et les données vont apparaître dans l'éditeur de données.

Il est parfois utile de faire suivre des commandes comme DATA LIST par la commande EXECUTE pour voir les résultats immédiatement. Sans cette commande, il arrive que les commandes soient mises dans une file d'attente.

```
EXECUTE.
```

EXECUTE ne fait rien d'autre que vider la liste d'attente et n'a pas d'option.

### 6.4.4 Importer des fichiers de données ayant du texte ou des décimales

Dans le cas du second exemple de la Figure 1.10, le fichier avait deux particularités qui ne sont pas celles attendues par SPSS : (1) l'utilisation de points plutôt que de virgules et (2) une colonne contenant du texte plutôt que des nombres. Pour palier ces deux difficultés, il faut faire appel dans le premier cas à la commande SET DECIMAL et, dans le second cas, mettre plus d'information dans la commande DATA LIST.

La commande SET DECIMAL indique à SPSS si les données utilisent comme séparateur décimal la virgule (COMMA) suivant la convention européenne ou le point (DOT) suivant la convention américaine. Utilisez

```
SET DECIMAL COMMA.
```

ou

```
SET DECIMAL DOT.
```

selon le cas. Exécutez cette commande avant la commande DATA LIST.

Dans le cas d'un fichier contenant des colonnes de texte, il faut spécifier *pour toutes les colonnes* la nature de l'information contenue dans la colonne. Si la colonne contient des nombres, on l'indique avec la mention *. Si la colonne contient du texte, il faut l'indiquer entre parenthèses avec l'abréviation A (pour alphabétique) suivie du nombre de caractères maximum dans cette colonne.

La syntaxe totale pour le second exemple est :

```
CD "D :\SPSS".
SET DECIMAL DOT.
DATA LIST FILE = "test2.txt" LIST
      /nom (A10) note * sexe *.
```

Nous avons mis 10 comme taille, bien que le nom le plus long ne fasse que 8 caractères. Il est permis d'avoir une taille trop grande. Si par contre, on avait mis (A7), des messages d'erreur seraient apparus lorsque SPSS aurait voulu importer « Francine » et « Isabelle ».

Finalement, il existe une commande qui ne réalise aucune analyse, mais qui permet d'insérer un commentaire dans la syntaxe. De cette façon, si vous revenez plus tard, vous avez laissé des indications dans votre programme. Cette commande s'appelle COMMENT (*commentaire* en anglais). Comme pour toutes les commandes SPSS, elle se termine par un point.

```
COMMENT écrire ce que vous voulez ici.
```

## 6.5 Comment faire un graphique des histogrammes

Pour faire un graphique des histogrammes, ayez des données présentes dans l'éditeur de données, puis aller dans le menu « Graphes : Interactif : Histogrammes » (ou si vous utilisez la version 16 ou plus récente de SPSS « Graphes : Boîtes de dialogues ancienne version : Interactif : Histogramme »). La fenêtre illustrée à la Figure 1.12 apparaît.

Sur le côté gauche, on voit le nom des colonnes qui existent dans votre fichier de données (telles que définies par votre commande DATA LIST). À droite, vous pouvez choisir ce que représente l'axe horizontal en glissant un **nomcol** de la gauche vers cet espace avec votre souris. Sur l'axe vertical se trouve déjà la mention : *Effectif [$count]* : c'est la façon de dire à SPSS de faire un décompte dans chaque catégorie de valeur (n'y touchez pas).

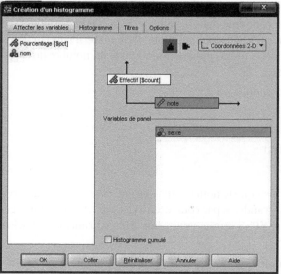

**Figure 1.12**

**Faire un graphique des histogrammes**

Si jamais vous avez plusieurs groupes de sujets dans votre fichier, vous pouvez demander à obtenir un graphique par groupe dans différents **panneaux**. Pour ce faire, il vous faut un **nomcol** qui indique le groupe d'appartenance de chaque observation (par exemple, le sexe). À l'occasion, lorsque vous utilisez les panneaux, vous verrez le message de la Figure 1.13 qui vous demande de convertir une colonne en variable nominale plutôt que de type II : appuyez sur « Convertir ».

**Figure 1.13**

**Convertir une variable.**

## Résumé

La population entière est inaccessible. On a vu quelques schèmes expérimentaux qui permettent d'interroger une partie de la population. La variable mesurée peut varier en précision (d'une mesure nominale à une mesure absolue). Une fois l'échantillon constitué et mesuré, l'analyse des données peut commencer. En débutant avec la visualisation et la validation des données, on s'assure que les données sont fiables (que la mesure a été faite avec soin, qu'il n'y a pas d'erreur de saisie, que la population cible a été bien définie). La suite consiste à décrire les résultats obtenus.

## Questions pour mieux retenir

1. Le but de la statistique inductive est de faire des inférences sur ............... à partir ............... issu(es) ............... .

2. Lesquelles sont vraies ? Les observations faites sur un échantillon diffèrent les unes des autres parce que (a) Les sujets observés sont différents ; (b) Les instruments utilisés sont imprécis ; (c) Les expérimentateurs font des erreurs ; (d) Les sujets sont des humains ; (e) D'un jour à l'autre, ils peuvent changer d'idée.
   Pour chaque choix ci-dessus, indiquer s'il s'agit de variabilité intra-sujet, de variabilité inter-sujet, d'erreur échantillonnale, d'erreur de mesure, d'erreur expérimentale ou autre.

3. Déterminer le type d'échelle de ces mesures : (a) L'âge ; (b) L'ordre des chevaux à l'arrivée ; (c) La répartition des hommes et des femmes en psychologie ; (d) Un questionnaire d'anxiété en 50 points ; (e) Laquelle de ces échelles permet la mesure la plus précise ? Numérotez-les en ordre croissant de précision.

4. Pouvez-vous identifier le schème expérimental utilisé ? (a) Tester l'effet d'une médication avec un groupe témoin, un groupe placébo et un groupe recevant la médication ; (b) Tester la joie au travail en variant la qualité de la luminosité dans un bureau après quatre modifications successives au système d'éclairage.

5. Soit ces données X = [17, 18, 21, 16, 9, 7, 16, 17, 8, 12, 6, 17, 8, 15, 14, 17, 1, 8, 10, 9]. Faites le graphique des fréquences. Y a-t-il des problèmes avec ces données ? S'il s'agit de scores à un test comportant 20 items, y a-t-il d'autres problèmes avec ces données ?

## Questions pour mieux réfléchir

6. Un ergonome tente d'examiner la meilleure disposition du plan de travail dans une usine où on fabrique des bottes. Il retient trois dispositions possibles et va les essayer sur 30 nouveaux employés. Il mesure le temps pour faire une botte à différents moments au cours d'une période de trois mois. En examinant les données, il observe que les résultats à la fin de la période de trois mois sont plus rapides qu'au début. À quoi est dû cet effet ? Cet effet ne l'intéresse pas du tout. À ses yeux, de quoi s'agit-il ? Aurait-il pu contrôler pour la présence de cet effet ? Aurait-il dû ?

7. Soit un échantillon de données nommé **Toto**. Cet échantillon contient 4 données. Pouvez-vous écrire en symboles les procédures suivantes :
   a) Faire l'addition de tous les **Toto**.
   b) Faire l'addition de tous les **Toto** après qu'ils aient été élevés au carré.
   c) Prendre la racine carrée de l'addition de tous les **Toto**.
   Pouvez-vous décrire en mots ce que signifient ces équations.
   d) $\sum_{i=1}^{4} \dfrac{1}{\text{Toto}_i}$
   e) $Jojo := \dfrac{1}{4} \sum_{i=1}^{4} \text{Toto}_i$
   f) $\dfrac{1}{4} \sum_{i=1}^{4} (\text{Toto}_i - Jojo)^2$
   g) Si les données sont en fait Toto = [3, 5, 7, 9], pouvez-vous trouver la valeur qui résulte des 6 procédures et équations précédentes.

## Questions pour s'entraîner

8. Entrez les données du Tableau 1.4 dans l'éditeur de données en essayant les trois méthodes décrites précédemment. La colonne 1 est un prénom, la colonne deux est une note à un examen et la colonne 3 est le sexe de la personne (cotée avec 1 pour femmes et 2 pour hommes). Conservez ces données qui seront utilisées dans les exercices des prochains chapitres.

Tableau 1.4

**Données pour l'exercice 8.**

| | | |
|---|---|---|
| Annie | 4 | 1 |
| Benoît | 5 | 2 |
| Charles | 5 | 2 |
| Diane | 6 | 1 |
| Edmond | 7 | 2 |
| Francine | 8 | 1 |
| Gislain | 8 | 2 |
| Hubert | 11 | 2 |
| Isabelle | 13 | 1 |
| Jacques | 13 | 2 |
| Katy | 15 | 1 |
| Louise | 15 | 1 |
| Marthe | 15 | 1 |
| Yves | 16 | 2 |
| Zoé | 18 | 1 |

# CHAPITRE 2

# Les statistiques descriptives de groupes

---

## Sommaire

## Dans ce chapitre, vous allez apprendre :

1 La notion de statistiques descriptives.

2 Comment décrire un groupe d'observations (a) en rapportant l'effectif, (b) en utilisant des statistiques de la tendance centrale (les moyennes, la médiane, le mode), (c) des statistiques de la dispersion (l'étendue, la variance, l'écart type) et (d) une statistique de l'asymétrie.

3 Alternativement, comment calculer la somme des carrés et les degrés de liberté au lieu de la variance.

4 Comment calculer une erreur type de la moyenne qui indique une marge d'erreur autour de la moyenne observée.

5 Comment faire un graphique des moyennes.

## Introduction

*Un échantillon de données brutes est comme un grand sac rempli de nombres : si les données sont intéressantes, ce n'est pas en déversant son contenu sur une table qu'on s'en rendra compte ! Il faut synthétiser les données brutes pour que le résultat devienne plus évident. Pour ce faire, on utilise des statistiques descriptives, c'est-à-dire des quantités qui vont permettre de se faire rapidement une idée des résultats. Il existe plusieurs statistiques descriptives : il faut savoir laquelle utiliser selon l'échelle de mesure sous-jacente et selon les besoins.*

Au chapitre précédent, nous avons vu comment visualiser les données de l'échantillon avec le graphique des fréquences. Cette illustration est utilisée pour procéder à la validation de l'échantillon. Cependant, quand vient le temps de se faire une idée générale des résultats, chaque donnée individuelle n'est pas très utile. Il faut plutôt rechercher des « instantanés », des « prises » sur les données qui soient simples, peu nombreuses et faciles à communiquer. Autrement dit, il faut réduire la quantité d'information pour la rendre accessible. C'est le rôle des **statistiques descriptives**, qui ont pour but de remplacer la multiplicité des observations par une ou quelques informations. La moyenne est sans doute la statistique descriptive la plus connue, mais elle n'est pas la seule, comme on le verra dans ce chapitre.

Grâce à une ou quelques statistiques descriptives, on obtient un portrait-robot résumant la multitude d'observations de l'échantillon. Par exemple, si un chercheur s'intéresse à la compréhension du français dans une classe de sixième fréquentée par des immigrants dont la langue première n'est pas le français, il peut mesurer un certain nombre d'élèves satisfaisant ce critère. Ces élèves constituent l'échantillon et sont tirés de la population de tous les élèves fréquentant cette classe. Suite à la passation d'un test de compréhension du français, le chercheur peut synthétiser ses résultats en calculant le score moyen. Ce score trahit la réalité puisqu'il est possible qu'aucun élève du groupe n'ait obtenu cette note. La note moyenne est donc d'une certaine façon une fiction, mais l'important est de se poser la question : est-ce que cette information est utile pour caractériser la tendance présente dans le groupe d'observation ?

Ce même chercheur, s'il désire évaluer la qualité du programme d'insertion dans son pays, pourrait comparer le résultat moyen obtenu avec les résultats obtenus dans d'autres pays. Dans ce cas, il a plusieurs groupes, et chaque groupe est résumé par une statistique descriptive.

Il existe plusieurs statistiques descriptives qui peuvent être appliquées à un groupe. Nous les regroupons en quatre familles : les **statistiques d'effectifs**, les **statistiques de tendance centrale**, les **statistiques de dispersion** et les **statistiques de la forme de la distribution**.

# 1. Les effectifs

La statistique la plus simple consiste à dénombrer le nombre d'observations. On parle alors d'un **effectif** ou encore d'une **fréquence**. On dénote souvent l'effectif total par $n_{total}$ ou plus simplement par $n$.

Lorsque les observations sont nominales, on peut aussi subdiviser l'effectif total pour obtenir l'effectif dans chacune des catégories. Par exemple, si l'échantillon porte sur le sexe des individus, on peut subdiviser $n_{total}$ en $n_{Homme}$ et $n_{Femme}$. S'il y a plusieurs groupes, on peut utiliser $n_1$ pour les effectifs du premier groupe, $n_2$ pour le second groupe, etc. À toutes les fois qu'un effectif total est subdivisé en effectifs par catégorie, il faut que le total des effectifs par catégorie totalise l'effectif total. Dans le premier exemple, $n_{total} = n_{Homme} + n_{Femme}$.

# 2. Statistiques de tendance centrale

Les statistiques de la **tendance centrale** ont pour objectif de représenter le sujet « typique » du groupe. Si les observations représentent des personnes, il s'agit alors de dessiner les traits de la personne la plus représentative du groupe. Lorsque les données sont illustrées avec un graphique de fréquence, l'observation typique se situe idéalement au milieu du graphique. Les données sont-elles généralement grandes ? La statistique de tendance centrale doit refléter ce résultat en donnant un grand nombre.

Plusieurs statistiques de la tendance centrale existent, dont la plus fréquente est la moyenne arithmétique (appelée tout simplement la moyenne). Dans tous les cas, une statistique de la tendance centrale indique si la distribution est située plus à droite ou plus à gauche de l'échelle.

Dans l'exemple de la Figure 2.1, la taille (en cm) a été obtenue chez 400 individus de sexe féminin et masculin respectivement. On voit en regardant les distributions que la

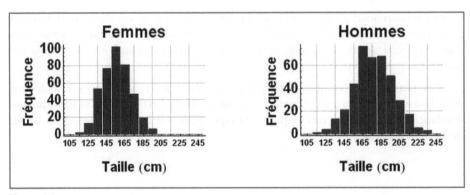

Figure 2.1

**Deux distributions (fictives) pour la taille des femmes (à gauche) et des hommes (à droite).**

distribution des tailles chez les femmes est légèrement décalée vers la gauche par rapport à celles des hommes. Ceci indique que les femmes sont généralement moins grandes que les hommes. Aussi, la femme « typique » de l'échantillon devrait avoir une taille moindre que l'homme « typique » de l'échantillon. Toutes les mesures de tendance centrale doivent refléter cette différence.

Lorsque l'on calcule le **mode**, la **médiane**, la **moyenne arithmétique** et la **moyenne harmonique**, on obtient les résultats du Tableau 2.1 :

Tableau 2.1
**Les statistiques de la tendance centrale calculées sur les données de la Figure 2.1.**

| Statistiques de la tendance centrale | Symbole | Femme | Homme |
|---|---|---|---|
| Mode | $\mathring{X}$ | 155.0 cm | 175.0 cm |
| Médiane | $\check{X}$ | 152.3 cm | 174.9 cm |
| Moyenne (arithméthique) | $\overline{X}$ | 153.3 cm | 174.4 cm |
| Moyenne harmonique | $\tilde{X}$ | 151.6 cm | 172.1 cm |

Pour faire court, on utilise parfois ces symboles : $\mathring{X}$ (prononcé X-rond), $\check{X}$ (prononcé X-creux), $\overline{X}$ (prononcé X-barre) et $\tilde{X}$ (prononcé X-tilde).

Ces statistiques de la tendance centrale suggèrent toutes que la femme typique est plus petite que l'homme typique. Autrement dit, que la distribution des femmes est légèrement plus à gauche que celle des hommes. Cependant, elles diffèrent toutes car elles sont basées sur des définitions différentes de ce qu'est un individu typique.

Pour le **mode**, l'individu typique est celui qui revient le plus fréquemment dans l'échantillon. Pour calculer le mode, il faut localiser sur le graphique de fréquence l'histogramme le plus élevé. Le défaut de cette statistique est qu'elle dépend des catégories utilisées pour réaliser le graphique de fréquence (le nombre d'intervalles et la valeur où débute le premier). Dans la Figure 2.1, les intervalles sont de taille 10 et la première catégorie commence à 100. Si on avait débuté le premier intervalle à 105 (le premier allant de 105 à 115, le second de 115 à 125, etc.), le mode se serait peut-être trouvé à 170 plutôt qu'à 165 pour les hommes. À cause de ces deux choix arbitraires, le mode est rarement utilisé.

Avec la **médiane**, l'individu typique est celui qui permet de subdiviser le groupe en deux sous-groupes contenant le même nombre d'observations. Selon cette définition, le même nombre d'observations doit être inférieur à la médiane et supérieur à la médiane.

Une façon de calculer la médiane est de trier l'échantillon en ordre croissant puis de choisir la valeur située au centre de la séquence. Par exemple, si l'échantillon contient 7 observations, celle se trouvant au centre occupe la position 4 (soit la position $(7 + 1)/2$). En symbole, on peut noter cette donnée par $\mathbf{X}_{(4)}$ où les parenthèses indiquent que les données ont été préalablement triées en ordre croissant. Si par contre l'échantillon possède un nombre pair d'observations, il faut calculer la valeur située entre les deux valeurs les plus centrales. Si l'échantillon contient 8 observations par exemple, il faut prendre le milieu entre la valeur de la quatrième observation et la valeur de la cinquième observation, soit $(\mathbf{X}_{(4)} + \mathbf{X}_{(5)})/2$.

Résumons avec une formule :

$$\breve{X} := \begin{cases} \mathbf{X}_{\left(\frac{n+1}{2}\right)} & \text{si } n \text{ est impair} \\ \left(\mathbf{X}_{\left(\frac{n}{2}\right)} + \mathbf{X}_{\left(\frac{n}{2}+1\right)}\right)/2 & \text{si } n \text{ est pair} \end{cases} \qquad 2.1$$

où $n$ est le nombre d'observations dans l'échantillon et $\mathbf{X}_{\left(\frac{n}{2}\right)}$ est la donnée occupant le rang $n/2$ après qu'elles aient été triées en ordre croissant.

Par exemple, si l'échantillon X est $\{3, 7, 7, 7, 9, 11, 19\}$, le nombre d'observations $n$ est 7 et impair, donc la médiane est la donnée occupant le rang $(7 + 1)/2 = 4$. Ainsi $\breve{X}$ vaut 7.

La médiane est une statistique qui est surtout utile quand la distribution contient des valeurs extrêmes mais valides d'un côté de la distribution puisque cette mesure est peu influencée par des scores marginaux. En économie, le revenu médian est beaucoup plus utilisé que le revenu moyen, puisque pour 100 millions de personnes vivant avec 2 dollars par jours, il existe une poignée de personnes qui ont des revenus annuels dépassant les milliards de dollars (4 personnes recensées en 2007).

Si dans l'exemple précédent, on ajoute une donnée extrême (1900) à l'échantillon X qui vaut alors $\{3, 7, 7, 7, 9, 11, 19, 1900\}$, la médiane de cet échantillon devient 8. On voit qu'une donnée cent fois plus grande que les autres affecte très peu la médiane. La donnée extrême aurait pu être un million de fois plus grande sans changement additionnel sur la médiane.

Une alternative à la médiane et au mode est offerte par la moyenne. Il existe deux façons de moyenner les observations d'un échantillon, la moyenne harmonique et la moyenne arithmétique.

La différence entre la moyenne et le mode ou la médiane est que le calcul d'une moyenne implique toutes les données brutes (par opposition, la médiane n'utilise que la ou les deux données centrales et le mode n'est basé que sur la valeur la plus fréquente). Ainsi, chaque donnée exerce une influence sur la moyenne obtenue. De ce fait, les moyennes sont généralement plus fiables lorsque l'échantillon est petit.

La **moyenne arithmétique** (ou plus simplement la moyenne) se calcule en faisant la somme des observations, puis en divisant par le nombre de données observées, notée

$$\overline{X} := \frac{1}{n} \sum_{i=1}^{n} \mathbf{X}_i \qquad 2.2$$

Par exemple, si $\mathbf{X} = \{3, 7, 7, 7, 9, 11, 19\}$, alors $\overline{X}$ vaut 9. Sur un graphique en histogramme, la moyenne est le point sur l'abscisse qui tient la distribution en équilibre (c'est-à-dire le centre de gravité de la distribution).

On peut illustrer la chose avec les deux exemples de la Figure 2.2 :

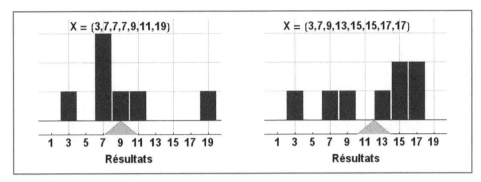

## Figure 2.2

Deux exemples d'échantillons et le point d'équilibre de la distribution (le triangle),
qui est aussi la moyenne.

La **moyenne harmonique** correspond à l'inverse multiplicatif de la moyenne des inverses multiplicatifs des données brutes (n'oubliez pas de respirer !), notée

$$\bar{X} := \frac{1}{\frac{1}{n}\sum_{i=1}^{n}\frac{1}{X_i}}.$$  2.3

Autrement dit, remplacez toutes les données par $1/$la donnée (l'inverse multiplicatif), calculez la moyenne de ces valeurs, et terminez avec $1/$le résultat trouvé. Un exemple très simple, la moyenne harmonique de 6 et 12, se trouve en calculant $1/6$ (soit $0.166$) et $1/12$ (soit $0.083$), en moyennant ces deux valeurs ($\frac{0.166 + 0.0833}{2} = 0.125$) puis en faisant $1/0.125$, ce qui donne 8.

Une autre façon de procéder : si **X** vaut $\{3, 7, 7, 7, 9, 11, 19\}$, mettez les $X_i$ en colonne, puis rajouter la colonne $1/X_i$, comme on le voit au Tableau 2.2.

## Tableau 2.2

Grille de calculs pour obtenir la moyenne et la moyenne harmonique des données **X**.

| *i* | Moyenne (arithmétique) $X_i$ | Moyenne harmonique $1/X_i$ |
|:---:|:---:|:---:|
| 1 | 3 | 0.33 |
| 2 | 7 | 0.14 |
| 3 | 7 | 0.14 |
| 4 | 7 | 0.14 |
| 5 | 9 | 0.11 |
| 6 | 11 | 0.09 |
| 7 | 19 | 0.05 |
| $\sum_{i=1}^{7} X_i$    63 | | $\sum_{i=1}^{7} 1/X_i$    1.00 |
| $\left(\sum_{i=1}^{7} X_i\right)/7$    9 | | $7/\left(\sum_{i=1}^{7} X_i\right)$    7 |

Faites la somme de cette dernière colonne, puis terminez avec $n$ divisé par cette somme. Vous trouvez $\tilde{X} = 7$.

La moyenne harmonique est rarement utilisée pour décrire un groupe, mais elle sera utile aux chapitres 8, 9 et 11 à 13 pour des raisons techniques.

La moyenne arithmétique possède des propriétés mathématiques intéressantes (nommément, il s'agit d'une statistique efficace et sans biais). Pour cette raison, la très grande majorité des rapports techniques utilise la moyenne pour décrire les résultats des échantillons. De la même façon, les décisions et recommandations sont très souvent prises en comparant des moyennes. Par contre, la moyenne arithmétique est très sensible à la présence de données extrêmes. Par exemple, si on ajoute la donnée 1900 à l'échantillon **X**, la moyenne passe de 9 à 245 ! Une seule donnée aberrante donne un individu typique qui n'a plus rien de typique. Il convient donc d'être vigilant et de s'assurer que les données sont toutes valides.

Le Tableau 2.3 résume les statistiques descriptives qu'il est possible de calculer en fonction de l'échelle de mesure utilisée.

## Tableau 2.3

**Types de statistiques descriptives permis en fonction du type d'échelle de mesure des données**

| Type | Effectifs | Tendances centrales | | | Dispersion | | Forme |
|------|-----------|------|---------|----------|---------|------------|-----------|
| | | Mode | Médiane | Moyennes | Étendue | Écart type | Asymétrie |
| Catégorielle | ✓ | ✓ | | | | | |
| Ordinale | ✓ | ✓ | ✓ | | ✓ | | |
| Relative | * | ✓ | ✓ | ✓ | ✓ | ✓ | ✓ |
| Absolue | * | ✓ | ✓ | ✓ | ✓ | ✓ | ✓ |

* Il faut alors convenir de catégories arbitraires (cf. Figure 1.6 du chapitre 1).

## 3. Statistiques de dispersion des données

Les mesures de tendance centrale vues précédemment sont informatives, mais insuffisantes pour décrire un échantillon. Il faut souvent connaître la dispersion des données. L'objectif de cette statistique est de dire jusqu'à quel point les données sont dispersées le long de l'échelle. Par exemple, si on regarde les données de la Figure 2.1, on note que les tailles des hommes semblent plus dispersées que les tailles des femmes. Une bonne statistique de dispersion devrait alors donner un nombre plus grand pour les hommes que pour les femmes.

Il existe plusieurs façons de calculer la dispersion des données brutes. Par exemple, on pourrait calculer la distance entre les deux extrêmes (**l'étendue**, que nous avons vue au chapitre 1) et dont nous répétons la formule ici :

$$\text{Étendue} = \mathbf{X}_{(n)} - \mathbf{X}_{(1)} \qquad 2.4$$

Dans la Figure 2.1, l'étendue des données chez les femmes est d'environ 90 cm car il y a deux personnes ayant une taille entre 100 et 110 cm et il y a 6 personnes ayant une taille entre 190 et 200 (en regardant les données brutes, on trouve que la plus petite femme mesure 1 m 08 et la plus grande mesure 1 m 99, et donc que l'étendue vaut 91 cm exactement). Chez les hommes, elle est de 126 cm.

Cependant, seules deux données sont utilisées ($X_{(1)}$ et $X_{(n)}$) pour calculer l'étendue, rendant cette statistique très sensible aux données suspectes.

Une autre façon de mesurer la dispersion des données serait de calculer l'écart entre toutes les paires de données (leur séparation) et moyenner ces écarts. Cette statistique de dispersion s'appelle l'**écart moyen**. Cependant, le travail est colossal car il existe un nombre astronomique de paires de scores possibles (pour $n$ données, il existe $n \times (n - 1)/2$ paires, un nombre qui devient rapidement très grand).

Pour les données de l'échantillon des femmes, comme il y a 400 données ($n$ vaut 400), il faudrait calculer l'écart de tailles entre $400 \times (400 + 1)/2 = 80\,200$ paires de femmes ! Néanmoins, si on fait l'exercice (avec un ordinateur), on trouve 17.7 cm pour les femmes et 22.8 cm pour les hommes. Autrement dit, 17.7 cm sépare une femme d'une autre femme en moyenne. Bien que ce soit une statistique acceptable et intuitive, l'écart moyen n'est jamais utilisé à cause de la difficulté à le calculer.

La méthode la plus usitée prend comme point de départ le fait que la moyenne est le centre de gravité. On peut donc l'utiliser comme point de référence. Pour calculer l'écart moyen à la moyenne, on calcule l'écart entre chaque donnée $X_i$ et la moyenne des données $\overline{X}$ pour toutes les données et on divise ensuite par $n$ pour trouver l'écart moyen. En symbole, on note :

$$\frac{1}{n}\sum_{i=1}^{n}(X_i - \overline{X}).$$

Malheureusement, nous n'aurons pas une statistique de dispersion. En effet, la somme des écarts entre chaque donnée brute et sa moyenne est toujours nulle :

$$\sum_{i=1}^{n}(X_i - \overline{X}) \text{ vaut toujours } 0.$$

Ceci s'explique par la position centrale de la moyenne : les distances négatives des données plus petites que la moyenne sont toujours exactement contrebalancées par les distances positives des données plus grandes (voir les compléments mathématiques). Pour vous en convaincre, faites le test avec ces données quelconques : $X = \{5, 7, 9, 11\}$. La moyenne de cet échantillon est de 8, comme on peut le calculer au Tableau 2.4.

## Tableau 2.4

**Grille de calculs pour la moyenne et la somme des écarts à la moyenne.**

| $i$ | $X_i$ | $(X_i - \overline{X})$ |
|---|---|---|
| 1 | 5 | $5 - 8 = -3$ |
| 2 | 7 | $7 - 8 = -1$ |
| 3 | 9 | $9 - 8 = +1$ |
| 4 | 11 | $11 - 8 = +3$ |
| Somme | 32 | 0 |
| $\overline{X}$ | 8 | |

Pour contourner le problème, deux solutions sont possibles : (1) enlever le signe des écarts en prenant la valeur absolue, notée $|\mathbf{X}_i - \overline{X}|$. Cette solution, bien qu'acceptable, n'a pas été retenue par la communauté des mathématiciens car il est difficile de faire des preuves mathématiques quand la valeur absolue est utilisée. (2) Enlever le signe en élevant chaque écart au carré, obtenant ainsi une séquence de nombres ayant tous des valeurs positives. Cette statistique, dont la formule est

$$\frac{1}{n} \sum_{i=1}^{n} (\mathbf{X}_i - \overline{X})^2$$

est hélas biaisée : si on calcule cette formule sur un échantillon représentatif, on trouve généralement un nombre plus petit que si on calcule cette formule sur la population entière, ce qui est un peu gênant ! En effet, même si l'échantillon possède dans une certaine mesure la dispersion de la population dont il est tiré, il est probable que parmi ce petit nombre de données brutes (par rapport à la taille de la population entière), les données les plus extrêmes soient sous-représentées (simplement parce qu'il y en a peu dans la population). En conséquence, la dispersion de la population est sans doute légèrement plus grande que la dispersion présente dans les données. En conclusion : la formule ci-dessus sous-estime la dispersion de la population.

Pour éviter ce biais, il faut augmenter la valeur de cette estimation. Cependant, cette correction doit s'atténuer lorsque la taille de l'échantillon est très grande. Cette correction est donc fonction de $n$. Les mathématiciens démontrent que la correction adéquate consiste à multiplier la formule précédente par $\frac{n}{n-1}$ de façon à obtenir une mesure qui reflète la dispersion de la population. On nomme cette mesure la **variance** (techniquement, la variance corrigée pour le biais) que l'on note $s_X^2$

$$\begin{aligned} s_X^2 &= \frac{n}{n-1} \times \frac{1}{n} \sum_{i=1}^{n} (\mathbf{X}_i - \overline{X})^2 \\ &:= \frac{1}{n-1} \sum_{i=1}^{n} (\mathbf{X}_i - \overline{X})^2 . \end{aligned}$$

2.5

Si $n$ est petit, la correction est appréciable et la variance estimée de la population est agrandie. Si $n$ est très grand, la correction devient négligeable.

Prenez le temps de vérifier que votre calculette peut calculer la variance d'un échantillon corrigée pour le biais (parfois, le bouton est noté $s^2$ ou encore $\sigma^2_{n-1}$).

La variance étant une statistique de dispersion au carré, on rapporte souvent la racine carrée de la variance, que l'on appelle l'**écart type** (ou encore l'écart type corrigé pour le biais) d'un échantillon, et noté $s_X$. On écrit en symbole :

$$s_X := \sqrt{\frac{1}{n-1} \sum_{i=1}^{n} (\mathbf{X}_i - \overline{X})^2} .$$

Une façon simple de comprendre ce qu'est l'écart type $s_X$ est de poser la question suivante : supposons que je prenne une personne de l'échantillon au hasard, à quelle distance de la moyenne se trouve-t-elle probablement ? En moyenne, l'écart entre une donnée quelconque et sa moyenne, si on enlève le signe en mettant au carré puis en prenant la racine carrée, est donnée par :

$\sqrt{\text{la moyenne des } (\mathbf{X}_i - \overline{X})^2} = \sqrt{\frac{1}{n}\sum_{i=1}^{n}(\mathbf{X}_i - \overline{X})^2}$, ce qui vaut par définition $\sqrt{s_X^2} = s_X$.

Autrement dit, en prenant une personne au hasard, elle a toutes les chances d'être à plus ou moins un écart type de la moyenne de l'échantillon. À partir d'une donnée unique, l'erreur que vous faites pour estimer la moyenne est de plus ou moins un écart type, en moyenne. On peut donc aussi parler d'écart « typique ».

Chez les femmes illustrées à la Figure 2.1, la variance est de 248.7 cm² et chez les hommes, 413.6 cm². Les unités sont au carré, ce qui rend cette statistique peu intuitive. En prenant les racines carrées, les écarts types sont 15.8 cm et 20.3 cm respectivement. Autrement dit, un homme pris au hasard sera probablement à 20 cm (en plus ou en moins) de la moyenne de son groupe qui est de 1 m 74.

Soit l'échantillon X = {3, 7, 7, 7, 9, 11, 19}. Pour calculer les statistiques de dispersion à la main, le mieux est encore de mettre les données en colonne, comme on le voit au Tableau 2.5.

## Tableau 2.5

**Grille de calculs pour obtenir la variance de l'échantillon X.**

| $i$ | $\mathbf{X}_i$ | $(\mathbf{X}_i - \overline{X})$ | $(\mathbf{X}_i - \overline{X})^2$ |
|---|---|---|---|
| 1 | 3 | − 6 | 36 |
| 2 | 7 | − 2 | 4 |
| 3 | 7 | − 2 | 4 |
| 4 | 7 | − 2 | 4 |
| 5 | 9 | 0 | 0 |
| 6 | 11 | + 2 | 4 |
| 7 | 19 | + 10 | 100 |
| $\sum_{i=1}^{n}\mathbf{X}_i$ | 63 | | |
| $\overline{X}$ | 9 | | |
| $\sum_{i=1}^{n}(\mathbf{X}_i - \overline{X})^2$ | | | 152 |
| $\frac{1}{n-1}\sum_{i=1}^{n}(\mathbf{X}_i - \overline{X})^2$ | | | 152/6 = 25.3 |

Dans ce tableau, on calcule l'écart entre chaque donnée et la moyenne du groupe (colonne 3). Ensuite, on met ces écarts au carré (colonne 4). La somme des écarts au carré est de 152. En divisant par $n − 1$, on trouve une variance de 25.3. D'où un écart type de 5.0. (Vérifier en passant que la somme des écarts − colonne 3 − vaut zéro.)

# 4. La somme des carrés et les degrés de liberté

La variance définie par la formule

$$s_X^2 := \frac{1}{n-1} \sum_{i=1}^{n} (\mathbf{X}_i - \overline{X})^2 \qquad\qquad 2.6$$

peut être vue comme la division d'une quantité par une autre :

$$s_X^2 = \frac{\sum_{i=1}^{n} (\mathbf{X}_i - \overline{X})^2}{n-1}.$$

Appelons le numérateur la somme des écarts à la moyenne au carré (abrégé par la **somme des carrés**, SC) et appelons le dénominateur les **degrés de liberté** (dl). Alors, la variance peut aussi se calculer avec

$$s_X^2 := \frac{SC}{dl}$$

si on définit

$$SC := \sum_{i=1}^{n} (X_i - \overline{X})^2$$
$$dl := n - 1. \qquad\qquad 2.7.$$

Dans le tableau précédent, SC vaut 152 et dl vaut 6.

Inversement, si on connaît la variance et $n$, on peut trouver la somme des carrés avec

$$SC = s_X^2 \times (n - 1).$$

La notion de degrés de liberté intervient à chaque fois que $\overline{X}$ est impliqué dans le calcul d'une statistique. Par exemple, dans le calcul de $s_X^2$, la statistique $\overline{X}$ intervient une fois. Il indique combien de données on a la liberté de changer sans que la moyenne $\overline{X}$ ne change.

Par exemple, si l'échantillon X vaut {3, 6, 9}, la moyenne vaut 6. On peut changer le 3 et le 6 de façon arbitraire et ajuster le dernier chiffre pour que la moyenne reste 6. On peut, disons, remplacer le 3 par un 2 et le 6 par un 5. Par contre, si on veut que la moyenne reste inchangée à 6, le troisième nombre doit obligatoirement devenir un 11. Le troisième nombre n'est pas libre. En conséquence, dans un échantillon de 3 nombres, il y a deux nombres libres, i.e. 2 degrés de liberté.

Dans l'exemple des hommes et des femmes, puisqu'il y a 400 personnes dans chaque groupe, on trouve la SC en multipliant la variance par 399 degrés de liberté (et on obtient 99 231.3 chez les femmes).

Le Tableau 2.6 résume les différentes statistiques de dispersion. L'écart type est la statistique préférée mais les calculs nécessitent parfois la variance ou le duo somme des carrés et degrés de liberté, comme nous le verrons aux chapitres 9 à 13.

## Tableau 2.6

**Statistiques de la dispersion pour les données de la Figure 2.1.**

| Statistiques de la dispersion | Symbole | Femme | Homme |
|---|---|---|---|
| Étendue | | 91 cm | 126 cm |
| Écart moyen | | 17.7 cm | 22.8 cm |
| Variance | $s_X^2$ | 248.7 cm² | 413.6 cm² |
| Écart type | $s_X$ | 15.8 cm | 20.3 cm |

# 5. L'erreur type

La moyenne d'un échantillon est une statistique propre à un échantillon. Or, en général, ce qui nous intéresse n'est pas l'échantillon en soi mais la population d'où est tiré cet échantillon.

Par exemple, imaginons que vous étudiez le développement cognitif d'enfants élevés dans une secte extrémiste. Vous croyez que ce milieu a peu d'influence sur le développement cognitif (par opposition au développement émotif) et qu'en particulier, ils ont un QI normal. Vous réunissez un échantillon pour leur passer un test d'intelligence (pour lequel 100 est un QI normal). Malheureusement, seulement trois enfants peuvent être mesurés. Vous obtenez des résultats très variables et une moyenne de 119 ! L'instrument de mesure a une erreur de mesure (selon le manuel) de ± 2. Malgré cela, un QI entre 117 et 121 est surprenant. Est-ce que les enfants élevés dans une secte sont plus intelligents ou n'est-ce pas plutôt votre statistique qui est très imprécise ? Considérant que l'échantillon est très petit et les résultats individuels très variables, la seconde alternative est plus plausible.

Supposons en plus qu'à votre insu, 11 autres psychologues ont fait la même étude que vous. Cependant, 6 d'entre eux ont réussi à réunir un grand échantillon. De même, la moitié des psychologues ont obtenu des résultats peu variables. La Figure 2.3 illustre les moyennes que vous et eux avez trouvées. Dans quelle situation le résultat semble-t-il le plus stable ?

| | Résultats peu variables | Résultats très variables | |
|---|---|---|---|
| Échantillons de grandes tailles | $\bar{X} = 100.8$ <br> $\bar{X} = 99.7$ <br> $\bar{X} = 100.1$ | $\bar{X} = 96$ <br> $\bar{X} = 102$ <br> $\bar{X} = 101$ | |
| Échantillons de petites tailles | $\bar{X} = 102$ <br> $\bar{X} = 97$ <br> $\bar{X} = 101$ | $\bar{X} = 119$ <br> $\bar{X} = 83$ <br> $\bar{X} = 104$ | ← vous |

## Figure 2.3

**Quelques estimations de la moyenne quand la population est peu ou très variable et quand l'échantillon est petit ou grand.**

Les moyennes dans votre condition varient énormément (une étendue de 36 !). Si vous utilisez ces moyennes pour estimer la moyenne de la population, votre estimation contient une marge d'erreur certaine. Appelons cette marge d'erreur l'**erreur type de la moyenne**. Il existe deux sources d'imprécision qui affectent les moyennes.

a) La dispersion de ces moyennes dépend de la taille des échantillons sélectionnés. Des échantillons extrêmement petits ont des moyennes plus imprécises. Inversement, des échantillons très grands ont des moyennes qui varient très peu. Pour exprimer ceci, on dit que l'erreur type de la moyenne est inversement proportionnelle à la taille de l'échantillon $n$ (c'est-à-dire proportionnelle à $1/n$).

b) La deuxième source d'imprécision est la variabilité qui existe à l'intérieur même de la population. Si la population ne contient que des robots, les échantillons seront composés de scores identiques, et la variance sera nulle. Lorsque c'est le cas, les moyennes sont identiques et l'erreur est nulle. Par contre, si la variabilité est très grande dans la population, les moyennes des échantillons seront aussi très différentes, d'où une erreur très grande. Pour exprimer cela, on dit que l'erreur type de la moyenne est proportionnelle à la variance de la population. La variance de la population est souvent inconnue mais on peut l'estimer en utilisant la variance de l'échantillon $s_X^2$.

L'erreur type de la moyenne (ou en anglais *Standard error* incorrectement traduit pas erreur standard), notée SE, dépend de ces deux facteurs que l'on peut tout simplement multiplier. Pour obtenir une erreur qui soit dans la même unité que la moyenne, on extrait la racine carrée. On obtient donc :

$$SE_{\overline{X}} := \sqrt{\frac{s_X^2}{n}} = \frac{s_X}{\sqrt{n}}. \qquad\qquad 2.8$$

Chez les femmes de l'exemple précédent, l'erreur type de la moyenne vaut $15.8 \text{ cm}/\sqrt{400} = 15.8 \text{ cm}/20 = 0.8 \text{ cm}$ alors que chez les hommes, elle vaut $20.3 \text{ cm}/\sqrt{400} = 1.02 \text{ cm}$. Comme les tailles des hommes sont un peu plus dispersées que celles des femmes, l'erreur type est légèrement plus grande.

La formule de l'erreur type change selon la statistique pour laquelle on veut une marge d'erreur (par exemple, l'erreur type de la médiane et l'erreur type de la moyenne harmonique sont $SE_{\tilde{x}} := \sqrt{\frac{\pi}{2n}}\, s_X$ et $SE_{\tilde{X}} := \frac{s_{1/x}}{\sqrt{n}}\, \bar{X}$ respectivement).

Il est préférable de rapporter dans un texte la moyenne plus ou moins l'erreur type (par exemple, « la taille moyenne des femmes est de $153.3 \pm 0.8 \text{ cm}$ »). De plus, il est fortement recommandé de mettre dans tout graphique représentant une statistique de groupe une barre d'erreur dont la hauteur est donnée par l'erreur type (voir la section suivante). Des logiciels comme SPSS calculent cette barre d'erreur sur demande. L'avantage d'indiquer l'erreur type de la moyenne sera plus clair au chapitre 8.

# 6. Comment faire un graphique de statistiques descriptives ?

Quand vient le temps de présenter vos résultats et que vous avez plusieurs conditions, une façon efficace consiste à présenter des graphiques de vos statistiques descriptives (en règle générale, la moyenne). Pour faire des graphiques qui soient clairs, certains points ne peuvent être oubliés :

- Tous les graphiques doivent avoir une légende commençant en général par « Figure x : ... ».

- Les axes doivent avoir une indication de la variable illustrée ainsi que, le cas échéant, de son unité de mesure entre parenthèses (par exemple, temps (ms)).

- Les points doivent utiliser la majorité de l'espace sur le graphe.

- L'axe horizontal est gradué avec le nom des conditions et l'axe vertical présente la statistique descriptive et l'erreur type.

- Si les conditions sont une échelle de type I, utilisez de préférence un graphique en histogrammes comme à la Figure 2.4 ; si l'échelle est de type II, utilisez de préférence une courbe.

- Quand le schème expérimental manipule deux variables indépendantes (des facteurs ; voir chapitre 11), utilisez des histogrammes regroupés ou plusieurs lignes. Dans ce cas, il faut mettre une légende ou identifier les lignes. La Figure 2.5 donne un exemple.

- Dans le cas où trois variables indépendantes sont utilisées, il faut utiliser des panneaux distincts pour chaque niveau, avec une étiquette précisant le niveau du facteur différenciant les panneaux. Une seule légende pour l'ensemble des panneaux est suffisante. La Figure 2.6 montre un exemple avec trois facteurs.

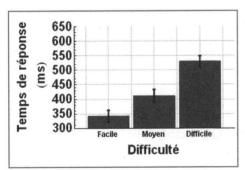

**Figure 2.4**

Exemple de graphique des moyennes. L'histogramme présente la moyenne dans chaque condition et la barre d'erreur s'étend d'une erreur type dans chaque direction. Si la variable indépendante sur l'axe horizontal est ordinale ou continue (de type II), les histogrammes peuvent être remplacés par des points reliés avec une ligne (comme dans l'exemple suivant).

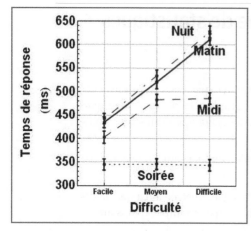

**Figure 2.5**

Exemple de graphique des moyennes avec deux variables indépendantes, la difficulté de la tâche à accomplir (l'axe horizontal) et le moment dans la journée où la tâche est accomplie (les différentes lignes). La barre d'erreur représente l'erreur type.

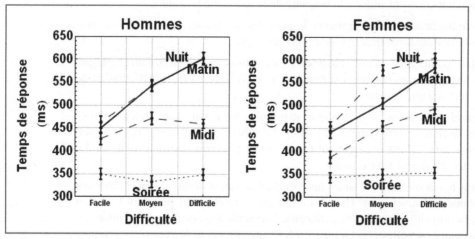

**Figure 2.6**

Exemple de graphique des moyennes avec trois variables indépendantes : deux panneaux (les hommes à gauche, les femmes à droite) présentent les temps de réponse en fonction de la difficulté de la tâche (axe horizontal) et du moment dans la journée.

## 7.   Statistique descriptive de l'asymétrie des données

Pour bien décrire une distribution de données brutes, il est indispensable de rapporter la moyenne et l'écart type. En règle générale, ces deux statistiques sont suffisantes. Si on illustre une distribution quelconque, on peut localiser visuellement la moyenne en trouvant le point où la distribution est en équilibre. Dans les deux exemples de la Figure 2.7, la moyenne se trouve à 160.

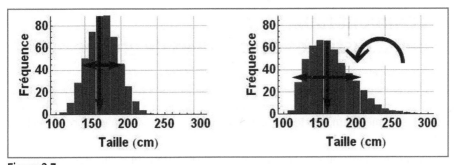

## Figure 2.7

**Le centre de gravité d'une distribution de données (illustrée par une flèche pointant vers l'axe), la dispersion des données (représentée par une flèche horizontale) et l'asymétrie des données (représentée par une flèche courbe).**

On peut obtenir une appréciation visuelle de l'écart type en regardant la largeur de la distribution. Dans les exemples précédents, il est très clair que les données du graphique de droite présentent une plus grande variabilité que celles de gauche. Il est cependant plus difficile de voir que l'écart type est 20 dans le premier cas et de 30 dans le second. Dans le premier exemple, les données sont réparties symétriquement, ce qui fait que la moyenne se trouve au centre et coïncide avec la médiane et le mode. Par contre, les distributions ne sont pas toujours symétriques, comme le montre le second exemple de la Figure 2.7.

L'asymétrie de cette distribution est un aspect saillant des données et il faut parfois rapporter une statistique mesurant cet état de fait. De plus, lorsqu'une distribution n'est pas symétrique, le mode, la moyenne et la médiane diffèrent notablement.

Pour quantifier l'asymétrie, notée $\widehat{X}$, on utilise la formule suivante :

$$\widehat{X} := \frac{1}{n} \sum_{i=1}^{n} \left( \frac{\mathbf{X}_i - \overline{X}}{s_X} \right)^3 \times \frac{n^2}{(n-1)(n-2)}. \qquad 2.9$$

Le résultat indique la direction de l'asymétrie. Il existe trois cas possibles : si $\widehat{X}$ est plus grand que 0, l'asymétrie est dite positive et la distribution s'étale plus vers les valeurs élevées de la variable. On dit qu'elle a une longue queue à droite. Si $\widehat{X}$ est égal à 0, la distribution est symétrique. Si $\widehat{X}$ est inférieur à 0, l'asymétrie est dite négative, et la queue est plus longue à gauche. L'asymétrie est jugée importante quand la valeur de $\widehat{X}$ excède $+2$ ou est en deçà de $-2$.

# 8. Comment rapporter des statistiques descriptives de groupe ?

Quand vient le temps de rédiger un document présentant des résultats obtenus auprès d'un échantillon (un rapport technique, un mémoire ou une thèse, un article scientifique, ou même un article de vulgarisation), il y a un certain nombre de règles à retenir :

(a) Le texte ne doit contenir aucun jargon statistique (à moins que vous n'écriviez un livre de statistiques !). Évitez aussi les symboles mathématiques à moins que ce ne soit nécessaire. Ainsi, les symboles $\bar{X}$, $s_X$, etc., seront remplacés par le nom du symbole (la moyenne, l'écart type, etc.). Si vous utilisez un symbole mathématique, indiquez ce qu'il représente, même si c'est peu ambigu (par exemple, « Nous avons mesuré des autistes ($n_a = 15$, ou $n_a$ représente le nombre d'autistes) et des normaux ($n_n = 35$)... »).

(b) De même, aucune formule n'est présentée.

(c) Vous devez écrire en ayant en tête le lecteur moyen, une personne ayant une bonne culture générale mais qui ne connaît pas les statistiques.

(d) Finalement, il faut éviter de rapporter des statistiques inutilement. Par exemple, si vous souhaitez argumenter qu'une thérapie est bénéfique pour un certain type de patients et que l'asymétrie des données de votre échantillon ne joue aucun rôle dans votre argument, n'en parlez pas. Les statistiques doivent servir un message, pas l'inverse. Il ne sert à rien de rapporter des statistiques si vous n'avez rien à dire à leur sujet.

Concernant les statistiques de groupes, il faut toujours rapporter la taille de l'échantillon. Il faut aussi rapporter au moins une statistique de la tendance centrale. Si vous rapportez une statistique inhabituelle dans votre discipline, expliquez pourquoi. Par exemple, en économie, on rapporte uniquement les revenus médians car les personnes ayant un salaire élevé sont souvent beaucoup plus éloignées de la moyenne que ceux ayant un salaire faible (i.e. la distribution est très asymétrique). Si un économiste devait rapporter le salaire moyen, il devrait expliquer pourquoi il le fait. Complètement à l'inverse, les recherches en sciences sociales et en psychologie rapportent usuellement la performance moyenne et l'utilisation d'une performance médiane demanderait justification.

# 9. Compléments mathématiques

## 9.1 La somme des écarts à la moyenne vaut toujours zéro

En termes mathématiques :

$$\sum_{i=1}^{n} (\mathbf{X}_i - \overline{X}) = \sum_{i=1}^{n} \mathbf{X}_i - \sum_{i=1}^{n} \overline{X}$$
$$= n\overline{X} - \sum_{i=1}^{n} \overline{X}$$
$$= n\overline{X} - n\overline{X}$$
$$= 0$$

car (ligne 1) une somme peut être redistribuée ; (ligne 2) la somme des données équivaut à la moyenne multipliée par le nombre de données ; (ligne 3) additionner n fois le même nombre revient à le multiplier par n.

Ce résultat va revenir pour simplifier certaines formules plus complexes dans les prochains compléments mathématiques.

## 9.2 Manipulation d'échantillons et impact sur les statistiques descriptives de groupe

Il existe quelques formules qui donnent la moyenne ou la variance quand vous transformez les valeurs de l'échantillon à l'aide d'une constante multiplicative *a* ou d'une constante additive *b*. Par exemple, supposons que vous connaissez la taille d'un groupe d'Américains, mais que cette taille ne vous est donnée qu'en pouces. Le groupe a une taille moyenne de 66 pouces avec un écart type de 3 pouces. Peut-on avoir ces statistiques descriptives en cm ? Si vous avez accès aux données brutes, sachant qu'il y a 2.54 cm par pouce, vous pourriez multiplier chaque donnée par 2.54 pour obtenir l'échantillon mesuré en cm. Si l'échantillon n'est pas disponible, que faire ?

Dans la suite, je dénote la moyenne par $E(\mathbf{X})$ (l'espérance), la variance par $Var(\mathbf{X})$ et l'asymétrie par $A(X)$. On peut démontrer ces égalités :

$$E(a\mathbf{X} + b) = aE(\mathbf{X}) + b$$
$$Var(a\mathbf{X} + b) = a^2\, Var(\mathbf{X})$$
$$A(aX + b) = A(X).$$

Autrement dit, si vous additionnez une constante *b* à chacune de vos données brutes, la moyenne s'en trouve affectée, mais pas la variance ni l'asymétrie (car *b* n'amène aucune variabilité ni asymétrie). Une autre formule qui sera utilisée dans la prochaine section est

$$Var(\mathbf{X}) = E(\mathbf{X}^2) - [E(\mathbf{X})]^2.$$

Pour en finir avec les Américains, si on multiplie chaque donnée par 2.54, la moyenne sera :

$$E(2.54\mathbf{X} + 0) = 2.54E(\mathbf{X}) + 0 = 2.54\bar{X}.$$

Puisque la moyenne des données est 66, on trouve une taille en cm de $2.54 \times 66 = 177$ cm. Si leur écart type est de 3, leur variance est de 9. On a

$$Var(2.54\mathbf{X} + 0) = 2.54^2\, Var(\mathbf{X}) = 6.45 \times 9 = 58.$$

Ceci est la variance en cm². En prenant la racine carrée, on trouve l'écart type, soit 7.6 cm.

## 9.3 L'erreur type de la moyenne

Comme nous le verrons au chapitre 8, l'erreur type de la moyenne est en fait l'écart typique entre une moyenne d'échantillon et la moyenne de la population, c'est-à-dire l'écart type des moyennes d'échantillon. En mettant l'erreur type au carré, on réfère à la variance des moyennes, d'où $SE_{\bar{X}}^2 = Var(\bar{X})$.

En utilisant la relation de la section précédente ($Var(\mathbf{X}) = E(\mathbf{X}^2) - [E(\mathbf{X})]^2$) qui s'applique aussi pour $\bar{X}$, nous avons :

$$Var(\bar{X}) = E(\bar{X}^2) - [E(\bar{X})]^2.$$

Si on détaille le premier terme de la soustraction, on obtient :

$$\bar{X}^2 = \left(\frac{1}{n}\sum_{i=1}^{n}\mathbf{X}_i\right)^2 = \frac{1}{n^2}(\mathbf{X}_1 + \mathbf{X}_2 + \mathbf{X}_3 + \ldots \mathbf{X}_n)^2$$

$$= \frac{1}{n^2}\left(\mathbf{X}_1^2 + \mathbf{X}_2^2 + \mathbf{X}_3^2 + \ldots + \mathbf{X}_n^2 + \sum_{i \neq j}\mathbf{X}_i\mathbf{X}_j\right)$$

$$= \frac{1}{n^2}\left(\sum_i \mathbf{X}_i^2 + \sum_{i \neq j}\mathbf{X}_i\mathbf{X}_j\right).$$

En essayant d'obtenir la valeur moyenne du terme de gauche, on obtient :

$$E(\bar{X}^2) = E\left(\frac{1}{n}\sum_{i=1}^{n}\mathbf{X}_i\right)^2 = E\left(\frac{1}{n^2}\left(\sum_i \mathbf{X}_i^2 + \sum_{i \neq j}\mathbf{X}_i\mathbf{X}_j\right)\right)$$

$$= \frac{1}{n^2}\sum_{i=1}^{n}E(\mathbf{X}^2) + \frac{1}{n^2}\sum_{i \neq j}E(\mathbf{X}\mathbf{X})$$

$$= \frac{n}{n^2}E(\mathbf{X}^2) + \frac{n(n-1)}{n^2}E(\mathbf{X}\mathbf{X})$$

$$= \frac{1}{n}E(\mathbf{X}^2) + \frac{n-1}{n}E(\mathbf{X}\mathbf{X}).$$

À la ligne 3, nous avons utilisé le fait que si une variable $i$ peut prendre toutes les valeurs de 1 à $n$, et qu'une variable $j$ peut prendre toutes les valeurs de 1 à $n$ excluant $j$, nous nous retrouvons avec $n(n-1)$ combinaisons de $i$ et de $j$. De plus, $E(\mathbf{X}\mathbf{X}) = E(\mathbf{X})E(\mathbf{X}) = [E(\mathbf{X})]^2$. Finalement, utilisons une dernière fois la relation $Var(\mathbf{X}) = E(\mathbf{X}^2) - [E(\mathbf{X})]^2$ que l'on réorganise en $E(\mathbf{X}^2) = Var(\mathbf{X}) + [E(\mathbf{X})]^2$. On peut intégrer tous ces éléments :

$$E\left(\overline{\mathbf{X}}^2\right) = \frac{1}{n} E(\mathbf{X}^2) + \frac{n-1}{n} E(\mathbf{X}\mathbf{X})$$

$$= \frac{1}{n} (Var(\mathbf{X}) + [E(\mathbf{X})^2]) + \frac{n-1}{n} [E(\mathbf{X})]^2$$

$$= \frac{1}{n} Var(\mathbf{X}) + \frac{1}{n} [E(\mathbf{X})]^2 + \frac{n-1}{n} [E(\mathbf{X})]^2$$

$$= \frac{1}{n} Var(\mathbf{X}) + [E(\mathbf{X})]^2.$$

En intégrant la première équation et la dernière, nous obtenons :

$$Var(\overline{\mathbf{X}}) = \frac{1}{n} Var(\mathbf{X}) + [E(\mathbf{X})]^2 - [E(\mathbf{X})]^2$$

$$= \frac{1}{n} Var(\mathbf{X})$$

d'où $SE\frac{2}{X} = \frac{s_x^2}{n}$, ce qui est bien le résultat annoncé.

## 9.4 *La variance divisée par n est biaisée*

Pour le démontrer, il faut montrer qu'en moyenne $\frac{1}{n}\sum_{i=1}^{n} (\mathbf{X}_i - \overline{X})^2$ ne vaut pas Var(X). En voici une preuve :

$$E(s_x^2) = E(E(\mathbf{X}^2) - [E(\mathbf{X})]^2)$$

$$= E\left[\frac{1}{n}\sum_{i=1}^{n} \mathbf{X}_i^2 - \left(\frac{1}{n}\sum_{i=1}^{n} \mathbf{X}_i\right)^2\right]$$

$$= \frac{1}{n}\sum_{i=1}^{n} E(\mathbf{X}^2) - \left(\frac{1}{n^2}\sum_{i=1}^{n} \mathbf{X}_i + \frac{2}{n^2} E(\sum_{i \neq j} \mathbf{X}_i \mathbf{X}_j)\right)$$

$$= \frac{n}{n} E(\mathbf{X}^2) - \frac{n}{n^2} E(\mathbf{X}^2) - \frac{n(n-1)}{n^2} [E(\mathbf{X})]^2$$

$$= \frac{n-1}{n} E(\mathbf{X}^2) - \frac{n-1}{n} [E(\mathbf{X})]^2$$

$$= \frac{n-1}{n} (E(\mathbf{X}^2) - [E(\mathbf{X})]^2)$$

$$= \frac{n-1}{n} Var(\mathbf{X}).$$

On voit qu'en moyenne, la variance de l'échantillon est trop petite pour un facteur $\frac{n-1}{n}$.

### Encadré 1
## Blaise Pascal

Pascal (né en 1623) est un prodige précoce. Il publie ses premiers traités de mathématiques à 11 ans. Il touche successivement à la géométrie, au calcul infinitésimal, aux séquences de nombres et contribue aussi en physique à la théorie du vide et à la barométrie. Vers 31 ans, il s'intéresse aux paris et aux jeux de hasard, et élabore la notion de moyenne et d'espérance (de gain). Sur cette base, et avec sa correspondance avec Fermat, naîtra la théorie des probabilités. Il meurt huit ans plus tard en 1662.

# 10. Utilisation de SPSS

Dans cette section, nous donnons les commandes SPSS pertinentes pour ce que nous avons vu jusqu'à présent. Voir le chapitre 1 pour obtenir une fenêtre de syntaxe et exécuter des commandes. N'oubliez pas qu'une commande se termine toujours par un point.

Dans cette section nous allons étudier une commande qui permet d'obtenir des statistiques descriptives (EXAMINE), la méthode à suivre pour réaliser un graphique des moyennes et une commande pour transformer des données (COMPUTE).

## 10.1 Obtenir des statistiques descriptives avec EXAMINE

Cette commande permet d'obtenir des statistiques descriptives sur les données d'un groupe ou plusieurs. Entre autres, elle calcule la moyenne et la médiane, l'étendue, la variance et l'écart type, le score le plus faible et le plus élevé, et aussi l'asymétrie. Cependant (lacune de SPSS), elle ne calcule pas le mode. Cette commande produit une longue série de résultats, y compris des graphiques qui sont assez grossiers (nous verrons juste après comment faire de meilleurs graphiques). Il est préférable d'éliminer les graphiques en rajoutant l'option « /plot = none ».

```
EXAMINE VARIABLE = colVD
     /PLOT = NONE.
```

où **colVD** est le nom de la colonne contenant les données pour lesquelles vous voulez des statistiques descriptives (la variable dépendante).

Vous pouvez aussi rajouter la section optionnelle BY colCondition pour indiquer que vous voulez des statistiques distinctes pour différents sous-groupes :

```
EXAMINE VARIABLE = colVD BY colCondition
     /PLOT = NONE.
```

où **colCondition** est le nom d'une colonne qui indique dans quel numéro de groupe se trouve la personne.

Par exemple, si vous avez une colonne Revenu et une colonne Sexe (contenant des 1 pour les hommes et des 2 pour les femmes), alors la commande :

```
EXAMINE Revenu BY Sexe
     /PLOT = NONE.
```

indiquera le revenu moyen, le revenu médian, etc., pour l'ensemble des données puis séparément pour les hommes et les femmes.

## 10.2 *Faire un graphique des moyennes*

Plutôt que d'obtenir les moyennes par écrit (avec EXAMINE), vous pouvez faire un graphique illustrant les moyennes. Ce graphique vaut la peine si vous avez plusieurs groupes ; avec un seul groupe, il n'y aura qu'un histogramme dans le graphique...

SPSS offre différents formats de présentation (avec des histogrammes, des points ou encore des lignes), mais tous fonctionnent sur le même principe. Allez dans le menu « Graphes : Interactif : Bâtons » (ou encore dans la version 16 : « Graphes : Boîtes de dialogues ancienne version : Interactif : Bâtons », et vous verrez la fenêtre de la Figure 2.8.

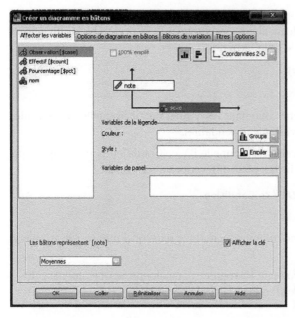

**Figure 2.8**

**Boîte de dialogue pour obtenir un graphique des moyennes.**

Sur l'axe vertical, glissez avec la souris le nom de la colonne qui contient le score des participants que vous voulez comparer au travers des groupes (e.g. note). Sur l'axe horizontal, indiquez la *colCondition* qui permet de savoir dans quel groupe chaque sujet se trouve (e.g. la colonne Sexe). En utilisant le bouton de droite de la souris sur l'axe horizontal, changez ce nom de colonne de « Échelles » (i. e. échelle de type II) à « Nominales » (i. e. échelle de type I) pour que l'axe horizontal soit mieux espacé.

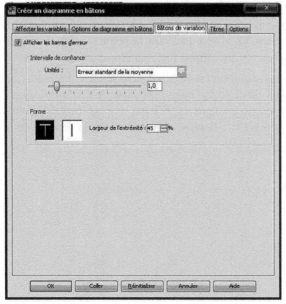

**Figure 2.9**

**Spécifier les barres d'erreurs dans un graphe des moyennes.**

Avant de faire « OK », allez sur l'onglet « Bâtons de variation » pour cocher « Afficher les barres d'erreur » et choisissez « Erreur standard de la moyenne » dans la liste (c'est-à-dire l'erreur type de la moyenne), comme on le voit à la Figure 2.9.

Appuyez sur « OK » pour obtenir le graphique. La Figure 2.10 présente deux exemples de graphiques (utilisant les formats Bâtons et Courbes) auxquels j'ai ajouté des titres et sous-titres en utilisant l'onglet « Titres ». Vous pouvez aussi faire un graphique montrant d'autres statistiques descriptives de groupe (telles les scores médians, les scores modaux, etc.) en remplaçant « Moyennes » que l'on voit dans le bas de la Figure 2.8.

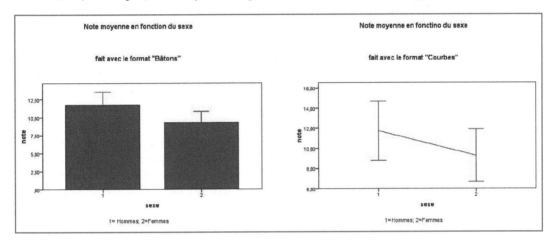

**Figure 2.10**

**Deux exemples de graphiques des moyennes.**

Si vous avez deux variables indépendantes, glissez l'une des deux sur l'axe horizontal comme précédemment et l'autre dans la zone « Couleur » (pour des histogrammes de couleurs différentes) ou « Style » (pour des lignes hachurées ou pleines). Si vous avez une troisième variable indépendante, glissez-la dans la zone « Variables de panel » pour avoir des panneaux séparés.

## 10.3 *Manipuler des colonnes avec COMPUTE*

La commande COMPUTE est utilisée lorsque nous voulons créer une nouvelle colonne à partir des colonnes existantes. De façon générale, la syntaxe est donnée par :

COMPUTE **nomcol** = **calculs.**

où nomcol est la nouvelle colonne où sera déposé le résultat, et calculs est n'importe quel calcul que peut exécuter SPSS, impliquant éventuellement des colonnes déjà existantes.

Par exemple, l'éditeur de données pourrait contenir le revenu de la mère (le nom de colonne étant **Revmere**), et le revenu du père (le nom de colonne étant **Revpere**). La nouvelle variable à créer est le revenu des parents (**Revparent**) qui sera la somme des revenus des deux parents.

```
COMPUTE Revparent = Revmere + Revpere.
```

Cette commande indique que nous voulons créer une nouvelle variable qui se nomme **Revparent**. Cette nouvelle colonne est la somme des colonnes **Revmere** et **Revpere** (**Revmere + Revpere**). En sélectionnant cette commande et en l'exécutant, SPSS calculera pour chaque ligne de l'éditeur de données la somme des valeurs inscrites aux variables **Revmere** et **Revpere** et le résultat se trouvera dans la nouvelle variable **Revparent** (si le résultat n'apparaît pas immédiatement, exécutez la commande EXECUTE).

Avec la commande COMPUTE, n'importe quel calcul peut être réalisé en utilisant les opérations +, −, / et * (multiplication) et des noms de colonnes existants. Par exemple, cette commande calcule la température en Fahrenheit :

```
COMPUTE fahr = (cels * (9 / 5)) + 32.
```

La commande COMPUTE crée une nouvelle variable (**fahr**) qui est construite à partir de la colonne contenant la température en Celsius (**cels**) qui est multipliée par 9/5 et à laquelle on ajoute 32. Dès que la commande est exécutée, la nouvelle colonne **fahr** sera présente dans l'éditeur de données et pourra être utilisée comme n'importe quelle autre colonne.

## Résumé

La troisième étape du processus d'analyse statistique consiste à synthétiser les données brutes avec quelques statistiques descriptives. Celles que nous avons vues ici ont pour but de synthétiser un groupe sans égards aux individus qui composent ce groupe. Le chapitre suivant a l'objectif inverse : décrire les individus par rapport à leur groupe d'appartenance.

# Questions pour mieux retenir

1. Parmi les expressions suivantes, où avons-nous correctement utilisé une statistique :
   a) Ses statistiques sont 1 m 75 et 90 kg.
   b) En termes de statistique des ventes, le mois dernier, nous avons vendu un manteau de 1 000 $.
   c) À l'Université de Montréal, Jeanne n'est qu'une statistique de plus.
   d) Le coût moyen pour instruire un-e étudiant-e est de 15 000 $.

2. Si $\bar{X} = 55$, $\sum_{i=1}^{n} X_i = 825$ et la somme des carrés vaut 196, combien de sujets ont participé à l'étude et que vaut la variance ?

3. Soit l'échantillon **Z** = {9, 8, 7, 7, 7, 5, 5, 5, 5, 4, 4, 3, 3, 2, 1, 1}.
   a) Quelle est la moyenne ?
   b) Quel est le mode ?
   c) Quel est l'écart type ?
   d) Quelle est la moyenne harmonique ?

   De même :

   e) Quelle est l'étendue ?
   f) Quelle est la variance ?
   g) Quel est l'écart type ?
   h) Quels sont la somme des carrés et les degrés de liberté ?

4. Encerclez le jargon dans cette phrase et récrivez-la sans jargon : « Après avoir échantillonné ($n = 14$) personnes, on trouve un $\bar{X} = 76.4 \pm 4.2$ S.E. ».

5. Un article mentionne un groupe de sujets dont l'écart type est 23 et l'erreur type de 2.3, mais l'auteur a oublié de rapporter le nombre de sujets. Combien y en a-t-il ?

## Questions pour mieux réfléchir

6. Soit cette étude fictive : « Pour déterminer l'impact d'une recherche sur les recherches subséquentes, on a sélectionné au hasard 100 articles scientifiques publiés en 1990. Pour chacun de ceux-ci, nous avons compté le nombre de scientifiques qui s'y sont référés au cours des années 1991 à 2005. Pour ce faire, nous avons utilisé [...].
   Les résultats sont très variables, un certain nombre d'articles dans notre échantillon de 1990 n'ayant jamais été cités alors que l'article le plus cité l'a été 511 fois. Le nombre modal de citations est 1 alors que le nombre médian est 4. »
   Ici, nous omettons la conclusion. (a) Quel est l'argument que l'auteur de ces lignes essaie de défendre ? (b) L'auteur rapporte deux statistiques de tendances centrales. Lesquelles et pourquoi ? (c) L'auteur rapporte ensuite deux résultats individuels pour donner au lecteur une idée intuitive de la dispersion des données. Avec ces résultats, pouvez-vous calculer une statistique de dispersion ? La dispersion est-elle élevée ?

7. Dans la question précédente, pouvez-vous : (a) Indiquer ce qu'est l'échantillon ? Indiquer sa taille ? (b) Dessiner l'allure probable de la distribution de données ? (c) Le résultat 511 semble excessivement grand par rapport au mode, mais l'auteur semble exclure la possibilité qu'il s'agisse d'une donnée aberrante. Pourquoi ? (d) Pouvez-vous quantifier (très approximativement) la moyenne ? Est-ce que la moyenne aurait pu servir pour appuyer la conclusion de l'auteur ?

## Questions pour s'entraîner

8. Allez récupérer les données contenant des notes vues aux exercices du chapitre précédent, débutant par Annie et se terminant par Zoé.
   a) Faites le graphique des fréquences, un panneau par sexe. Lequel des deux groupes a la plus grande dispersion ? Lequel des deux groupes a les données les plus asymétriques ? Pouvez-vous dire si l'asymétrie est positive ou négative ?
   b) Calculez les statistiques descriptives pour les hommes, pour les femmes. Quel groupe a les meilleures notes ? Quel groupe a les notes les plus dispersées ? Quel groupe a les notes les plus asymétriques ?
   c) Est-ce que vos réponses en (a) et en (b) sont compatibles ?
   d) Réalisez un graphique de moyennes en fonction du sexe.

# CHAPITRE 3
# Les statistiques descriptives individuelles

## Sommaire

## Dans ce chapitre, vous allez apprendre :

1 La notion de statistiques individuelles.

2 Comment recoder les résultats individuels pour obtenir la position de l'individu par rapport à son groupe en calculant le rang absolu et le rang percentile.

3 Comment faire la différence entre les rangs selon que les données sont triées en ordre croissant ou en ordre décroissant et convertir les rangs d'un ordre à l'autre.

4 Comment calculer un quantile qui est l'inverse d'un rang percentile.

5 Comment exprimer une donnée brute en score standardisé ou vice-versa.

## Introduction

*Lorsque l'emphase n'est pas sur un groupe mais sur les individus, il est parfois néces-saire d'obtenir des statistiques descriptives individuelles qui soient universellement compri-ses. Par exemple, un score de 14, pris isolément, ne veut rien dire alors que le premier rang est clair pour tous. Les statistiques descriptives individuelles sont basées sur le rang ou sur la normalisation.*

Les statistiques descriptives de groupes sont utiles pour faire ressortir ce qui est commun à un échantillon (l'individu typique, donné par la moyenne, la dispersion, donnée par l'écart type, etc.). Or, dans certaines circonstances, il faut plutôt faire un examen différentiel des individus de l'échantillon, faire valoir en quoi ils diffèrent les uns des autres. La sélection de personnel en est un exemple: l'entreprise peut constituer un échantillon composé d'employés de l'entreprise. Par la suite, un candidat qui passe une entrevue est comparé à l'échantillon de référence (nommé dans ce contexte un échantillon normatif) et sa performance individuelle est quantifiée pour anticiper s'il sera un excellent, un bon ou un médiocre futur employé.

# 1. Le rang absolu et le rang percentile

Le **rang absolu** est la position d'un individu dans un échantillon. Pour l'obtenir, il faut trier les observations, puis les numéroter de 1 à $n$. En général, on doit trier les données en ordre croissant mais, dans certaines circonstances, les données sont triées en ordre décroissant. Par exemple, pour l'étudiant qui est premier de classe, il s'agit de l'étudiant ayant la note la plus élevée (premier dans l'ordre décroissant). Si le contexte est ambigu, il faut spécifier ce que signifient le premier et le dernier rang.

Si des ex aequo sont présents, ces observations doivent avoir le même rang. Pour s'assurer que le dernier de l'échantillon ait le rang $n$, une façon de traiter les ex aequo est de leur donner le rang intermédiaire s'ils avaient eu des résultats légèrement différents. Par exemple, supposons que Francine et Ghislain sont ex aequo juste après la 5e position. S'ils avaient été légèrement différents, Francine et Ghislain auraient eu les rangs 6 et 7. Comme ils sont identiques, ils reçoivent donc tous les deux le rang intermédiaire entre 6 et 7, soit le rang 6.5.

Le Tableau 3.1 donne un exemple d'échantillon présentant des notes sur 20 pour 15 étudiants. Dans cet exemple, la plus mauvaise note se voit attribuer le rang 1. Comme on le voit, avec cette façon de traiter les ex aequo, le premier a toujours le rang 1 et le dernier, le rang $n$ (s'il n'y a pas d'ex aequo pour la première ou la dernière position).

Le rang obtenu en triant les données dans un certain ordre peut être converti en rang obtenu si les données avaient été triées dans l'ordre opposé lorsque la taille de l'échantillon est connue. Pour y arriver, additionner 1 au nombre total de rangs (i. e. le nombre de données totales), puis soustraire le rang obtenu. En symbole, utilisons le symbole $r_+$

pour indiquer le rang d'une donnée (utilisant l'ordre croissant) et $r_-$ pour indiquer le rang d'une donnée (utilisant l'ordre décroissant). Pour passer de l'un à l'autre, il suffit de faire

$$r_- := n + 1 - r_+ \qquad\qquad 3.1$$

ou si l'inverse est désiré

$$r_+ := n + 1 - r_-. \qquad\qquad 3.2$$

Par exemple, Annie qui a obtenu la note 4 dans le Tableau 3.1 a le rang 1 (i.e. la pire note). Calculant $n + 1 - 1$, on trouve 15. Donc, Annie est 15$^e$ de classe, si on compte à partir de la meilleure note.

## Tableau 3.1

**Exemple de notes pour un examen sur 20.**

| Nom | Note obtenue | Rang absolu | | Rang percentile |
| | | avec ex aequo | $r_+$ | $p_+$ |
| --- | --- | --- | --- | --- |
| Annie | 4 | 1 | 1 | 1/16 = 6,25 % |
| Benoît | 5 | 2 (ex aequo) | 2.5 | 2.5/16 = 15.625 % |
| Cédric | 5 | 3 (ex aequo) | 2.5 | 2.5/16 = 15.625 % |
| Diane | 6 | 4 | 4 | 4/16 = 25 % |
| Edmond | 7 | 5 | 5 | 31.25 % |
| Francine | 8 | 6 (ex aequo) | 6.5 | 40.625 % |
| Ghislain | 8 | 7 (ex aequo) | 6.5 | 40.625 % |
| Hubert | 11 | 8 | 8 | 50 % |
| Isabelle | 13 | 9 (ex aequo) | 9.5 | 59.375 % |
| Johanne | 13 | 10 (ex aequo) | 9.5 | 59.375 % |
| Katia | 15 | 11 (ex aequo) | 12 | 75 % |
| Louise | 15 | 12 (ex aequo) | 12 | 75 % |
| Marthe | 15 | 13 (ex aequo) | 12 | 75 % |
| Yves | 16 | 14 | 14 | 87.5 % |
| Zoé | 18 | 15 | 15 | 93.75 % |

Le défaut de cette statistique individuelle tient au fait qu'il faut connaître la taille de l'échantillon pour bien apprécier le rang d'un individu. Sans cette information, elle n'a pas de valeur. Être le troisième meilleur dans un concours peut paraître impressionnant ; ça l'est beaucoup moins s'il n'y a que trois compétiteurs... Autrement dit, un rang absolu pris isolément ne veut rien dire et il faut toujours rapporter le rang ET la taille du groupe de comparaison.

Une façon de contourner cette difficulté est d'utiliser le rang relatif, plus connu sous le nom de **rang percentile**. Le rang percentile consiste à diviser le rang d'une observation par le nombre d'observations plus 1. En symbole :

$$p_+ := \frac{r_+}{n+1}. \qquad\qquad 3.3$$

Par exemple, la personne avec le premier rang dans un échantillon de 15 personnes a le rang percentile $1/16 = 0.0625$. Exprimé en pourcentage, ce même rang est $0.0625 \times 100\ \% = 6.25\ \%$. La personne qui a le score le plus élevé de cet échantillon a le rang percentile (en pourcentage) de $15/16 \times 100\ \% = 93.75\ \%$. Avec cette formule, personne dans un échantillon ne peut obtenir le rang 0 % ou le rang 100 %. C'est volontaire car il est toujours possible, si l'échantillon avait été plus grand, qu'il y ait eu des personnes avec des notes meilleures (pires) que toutes celles présentement disponibles dans l'échantillon. Il faut donc laisser un peu de marge au-dessus du rang percentile le plus haut (au-dessous du rang percentile le plus faible).

Le rang percentile, lorsque généralisé à une population, donne une indication de la proportion probable d'observations inférieures à un score donné. Par exemple, Hubert, qui a obtenu la note 11 dans le Tableau 3.1 a un rang $r_+$ de 8 sur 15. Son rang percentile est $8/16 \times 100\ \%$, soit 50 %. Si on souhaite généraliser, on peut estimer que 50 % de la population auront probablement un score inférieur à Hubert, s'ils remplissaient l'examen.

À l'occasion, le rang percentile est rapporté en utilisant la proportion de personnes qui auraient un rang supérieur à une observation donnée. Par exemple, « Zoé est dans les 7 % les meilleurs de la population ». Il suffit pour obtenir ce rang percentile d'utiliser le rang obtenu en triant les résultats en ordre décroissant. Supposons que l'on utilise le symbole $p_-$ pour dénoter ce rang percentile. Il s'obtient par la formule :

$$p_- := \frac{r_-}{n+1}. \qquad\qquad 3.4$$

Si Zoé est la meilleure d'une classe de 15 personnes, son rang $r_-$ (données triées du plus haut score vers le plus faible) est 1 et son rang percentile (du meilleur au pire) est $1/16 \times 100\ \% = 6.25\ \%$. Remarquez que les rangs percentiles d'un échantillon sont symétriques : puisque Zoé est parmi les 6.25 % les meilleurs de la population, alors à l'inverse, Annie est parmi les 6.25 % les pires de la population.

On peut toujours passer d'un rang percentile calculé à partir d'un tri croissant à un rang percentile calculé à partir d'un tri décroissant avec la relation

$$p_- = 1 - p_+ \quad \text{ou} \quad p_+ = 1 - p_-.$$

Dans ces formules, 1 est synonyme de 100 %. Si Zoé est meilleure que 93.75 % de la population, elle est moins bonne que 6.25 % de la population.

En règle générale, s'il n'y a aucune mention, les rangs percentiles sont calculés à partir d'un tri en ordre croissant.

# 2. Les quantiles

À partir d'un rang et de la taille de l'échantillon, il est possible de calculer le rang percentile. Dans certaines situations cependant, on souhaite procéder à l'envers : à partir d'un rang percentile spécifié *a priori*, connaître le résultat à obtenir pour occuper ce rang. Imaginons la situation d'un employeur qui souhaite embaucher une personne

« hors du commun ». L'employeur décide que « hors du commun » signifie être dans les premiers 10 % lors d'un examen standardisé distribué lors d'une première entrevue. Les candidats pourraient poser la question : « Combien dois-je avoir à l'examen pour être dans les 10 % les meilleurs ? ». L'employeur a déjà fait passer l'examen à 15 de ses employés (l'échantillon normatif) et est donc en mesure de répondre à la question. Voici comment.

Première étape : trouver le rang absolu pour que le rang percentile soit 90 %. Puisque l'on obtient le rang percentile en divisant par $n + 1$, l'inverse est de multiplier par $(n + 1)$ :

$$r_+ = p_+ \times (n + 1).$$

Dans le cas présent, $r_+ = 0.9 \times (15 + 1) = 14.4$. Autrement dit, le candidat doit avoir un peu plus que la personne occupant le 14e rang (Yves dans le Tableau 3.1) mais moins que la personne occupant le 15e rang (Zoé), soit une note entre 16 et 18.

Seconde étape : puisque la note recherchée se trouve entre deux notes observées, il faut procéder à une extrapolation : à la note d'Yves, il faut rajouter quatre dixièmes de l'écart entre la note d'Yves et la note de Zoé. L'écart entre Yves et Zoé (entre 16 et 18) étant de 2, il faut rajouter $\frac{4}{10} \times 2 = 0.8$ à la note d'Yves, d'où une note de 16.8. Cette note est, dans le contexte présent, la note critique pour être invité à une seconde entrevue. Ce qui donne en formule :

$$\text{note critique} = \mathbf{X}_{(14)} + 0.4 \times (\mathbf{X}_{(15)} - \mathbf{X}_{(14)})$$
$$= 16 + 0.4 \times (18 - 16)$$
$$= 16 + 0.4 \times 2 = 16.8.$$

De façon générale, on peut noter :

$$X_{crit} := \mathbf{X}_{(\lfloor r_+ \rfloor)} + frac(r_+) \times (\mathbf{X}_{(\lceil r_+ \rceil)} - \mathbf{X}_{(\lfloor r_+ \rfloor)}) \qquad 3.5$$

où $\lfloor r_+ \rfloor$ est le rang arrondi vers le bas (par exemple, $\lfloor 14.4 \rfloor$ donne 14, le rang occupé par Yves), $\lceil r_+ \rceil$ est le rang arrondi vers le haut (e. g. $\lceil 14.4 \rceil$ donne 15, le rang de Zoé) et $fract(r_+)$ donne la partie fractionnaire de $r^+$ (e. g. *fract*(14.4) donne 0.4 ou quatre dixièmes). Dans la formule, $\mathbf{X}_{(\lfloor r_+ \rfloor)}$ est donc la note X occupant le rang 14, $\mathbf{X}_{(14)}$ et $\mathbf{X}_{(\lceil r_+ \rceil)}$ la note occupant le rang 15, $\mathbf{X}_{(15)}$. Autrement dit, $\mathbf{X}_{(\lfloor r_+ \rfloor)}$ et $\mathbf{X}_{(\lceil r_+ \rceil)}$ sont les notes juste devant et juste derrière la note recherchée.

Un score déduit à partir d'un rang percentile désiré s'appelle un **quantile**. Dans certaines situations, on cherche à connaître les notes telles que 25 %, 50 % et 75 % de la population auront moins que ces scores. On appelle ces trois valeurs des **quartiles** car ils indiquent les scores critiques pour le quart le plus faible de la population et le quart le plus fort de la population, ainsi que le score divisant la population en deux. Ce dernier score, comme on l'a vu au chapitre précédent, est aussi appelé la médiane.

Dans l'échantillon du Tableau 3.1, le quartile 25 % (le premier quartile) se trouve au rang $r^+ 0.25 \times (n + 1) = 0.25 \times 16 = 4$. Diane occupe le rang 4 et sa note est donc le premier quartile. Dans ce cas-ci, le rang absolu recherché correspond à une note dans l'échantillon ; il n'est donc pas nécessaire de faire une interpolation.

Dans le cas où l'on recherche les quantiles 10 %, 20 %, ..., 90 %, on parle aussi de **déciles** (de la racine dix, qui sépare la population en 10 classes).

# 3. La standardisation

Le rang percentile est une façon simple et intuitive de représenter la position d'une personne dans un groupe (ou par rapport à un échantillon normatif). Cependant, le rang percentile peut parfois donner une image inadéquate du score d'une personne.

Imaginons des scores à un examen sur 20. Benoît y obtient la note 17. Or tout le groupe sauf Annie a obtenu un score supérieur à 17 alors qu'Annie a obtenu un misérable 1. Benoît se voit attribuer le rang 2 (la seconde plus mauvaise note), une coche au-dessus d'Annie alors que sa note est nettement meilleure !

Pour éviter ce genre de distorsion présente lorsque les données sont asymétriques, une alternative au rang absolu et au rang percentile est d'indiquer la note de Benoît par rapport à la note moyenne dans le groupe. Si la note moyenne du groupe est 18.5, on dira que Benoît est à un point et demi sous la moyenne de son groupe alors qu'Annie est à dix-sept points et demi en dessous de la moyenne. En formule, l'écart entre une note particulière, disons $x$, et la moyenne du groupe, disons $\overline{X}$, s'obtient avec une sous-traction : $x - \overline{X}$ et par convention, si le résultat est négatif, on lira ce signe comme « en dessous de la moyenne ». Cette quantité s'appelle l'**écart à la moyenne**.

Annie, avec son $- 17.5$, semble en très mauvaise posture. Cependant, nous avons ce jugement uniquement parce que nous savons que l'examen est sur 20. Si l'examen avait été sur 1 000, pourrions-nous dire la même chose ? Tout dépend des autres scores dans le groupe. Si, de façon typique, les gens sont à plus ou moins un point de la moyenne, alors oui, Annie est vraiment en très mauvaise posture. Si en revanche, les gens sont grosso modo à plus ou moins 50 points de la moyenne, alors Annie n'a pas à être inquiète.

Une mesure de l'écart typique a été présentée au chapitre précédent, l'écart type. On peut utiliser cette quantité comme « unité de mesure ». Si l'écart d'Annie est de $- 17.5$ et que l'écart type de son groupe est de 2.5, alors elle se trouve 7 fois plus en bas de la moyenne que l'individu typique (car $7 \times 2.5 = 17.5$). On dira « Annie a un score à 7 écarts types sous la moyenne ». Pour exprimer un écart en unité d'écart type, il faut diviser l'écart par l'écart type, soit :

$$z := \frac{x - \overline{X}}{s_X} \qquad\qquad 3.6$$

où $z$ est le score d'Annie par rapport à la moyenne et exprimé en nombre d'écarts types. Dans l'exemple, $z$ vaut $(1 - 18.5)/2.5 = - 7$. Il est important de préserver le signe. On appelle $z$ un **score standardisé** aussi appelé un **score z** car on utilise fréquemment la lettre z pour dénoter un tel score.

En règle générale, un individu parfaitement moyen n'a aucun écart avec la note moyenne et donc son score standardisé est zéro. De plus, un individu typique d'un groupe se trouve à un écart type de la moyenne ou moins (c'est la définition de l'écart type). Il a donc un score standardisé de 1 ou moins (sans tenir compte du signe) ou situé entre $- 1$ et $+ 1$ (en tenant compte du signe). Par contraste, une personne qui est à 3 écarts types au-dessus de la moyenne (i.e. 3 ou plus) est très atypique. Au chapitre 5, on pourra quantifier ce qu'on entend exactement par « typique » ou « très atypique ».

Un avantage que possède le score standardisé mais que n'a pas le rang percentile est qu'il est réversible : il est possible de retrouver le score original si le score $z$ de la personne ainsi que la moyenne et l'écart type du groupe sont connus. Pour défaire une standardisation, il faut inverser les opérations : multiplier par l'écart type là où il fallait diviser et additionner la moyenne là où il fallait soustraire, dans l'ordre inverse. Ainsi, le score original $x$ s'obtient avec

$$x = z \times s_X + \bar{X}.$$

Pour Annie, son score $z$ est $-7$. Si on sait que le groupe a une moyenne de 18.5 et un écart type de 2.5, on retrouve son score original avec $-7 \times 2.5 + 18.5 = -17.5 + 18.5 = 1$ (n'oubliez pas le signe négatif). Si, au lieu d'avoir connaissance de l'écart type, seule la variance est connue, prenez la racine carrée de la variance pour trouver l'écart type. N'importe quel score $z$ peut être inversé (si la moyenne et l'écart type sont connus) et donc, le score brut et le score $z$ sont interchangeables.

Par contraste, il n'est pas possible d'inverser un rang (ou un rang percentile). Avec un rang percentile de 6.25 %, et si on sait que le groupe d'Annie a une taille de 15, on peut déduire son rang absolu (comme on l'a vu plus haut) mais pas sa note exacte.

Le rang percentile et le score standardisé ont le même avantage : il n'est pas nécessaire de connaître la taille de l'échantillon ni l'échelle de mesure pour évaluer la performance d'une personne. Annie, avec un score standardisé de $-7$ ou un rang percentile de 6.25 %, a réalisé une très mauvaise performance et ce, que l'examen ait été compté sur 20 ou sur 1 000, que l'échantillon ait été petit ou grand.

## 3.1 ▬ *À quoi s'attendre d'un score standardisé ?*

Le score standardisé (score z) indique à quelle distance de la moyenne se trouve une personne. Si cette personne est typique, elle devrait se trouver à zéro. Une cote z (de zéro) représente donc un score moyen. Comme une personne prise au hasard dans un échantillon a toutes les chances d'être à ± 1 écart type de la moyenne de son groupe, sa cote z a toutes les chances d'être entre $-1$ et $+1$. Une personne très atypique sera nettement sous la moyenne (score z très négatif) ou nettement supérieure à la moyenne (score z très positif). On considère qu'en deçà de $-3$ ou au-delà de $+3$, le score est suspect. On peut donc utiliser le score z en complément du graphique des fréquences pour détecter les données extrêmes.

## 4. ▬ Comment rapporter des statistiques individuelles

Tout comme pour les statistiques descriptives de groupe, il ne faut pas rapporter de symboles spéciaux ($r_+$, $p_-$, etc.). Décrivez les résultats en texte et n'oubliez pas de préciser dans quel ordre le rang est calculé si ce n'est pas clair.

Par exemple, « La mine de West Crick dans le nord du Québec est la 5e productrice d'or au monde ». Ici, le contexte est clair qu'il s'agit de la cinquième meilleure. Par contre, on ne connaît pas le nombre de mines d'or (mais le contexte laisse sous-entendre qu'il y en a beaucoup).

Les cotes $z$ étant plus connues, il arrive que l'on rencontre uniquement le symbole z pour l'indiquer, comme dans « Zoé, avec une note de 18 sur 20, est première de classe ($z = 1.6$) ». Autrement, indiquez explicitement ce qu'on rapporte « Zoé a ainsi obtenu un score standardisé de 1.6 ».

# 5. Utilisation de SPSS

## 5.1 Calculer le rang absolu avec RANK

Pour ajouter une colonne contenant le rang absolu d'une observation, utilisez la syntaxe :

```
RANK VARIABLES = colVD
    /RANK INTO rang.absolu
    /N INTO n.
```

où **colVD** contient la variable dont vous voulez connaître le rang. Les colonnes *rang.absolu* et *n* (le nombre total d'observation) seront ajoutées à la suite de cette commande.

## 5.2 Calculer le rang percentile avec COMPUTE (encore)

Pour obtenir le rang percentile de chaque donnée, commencez par calculer le rang des observations, comme vu précédemment, puis utilisez COMPUTE pour diviser le rang absolu par $n + 1$ :

```
COMPUTE rang.percentile = rang.absolu / (n + 1).
EXECUTE.
```

Cette commande va rajouter une colonne *rang.percentile* contenant le rang percentile correctement calculé. Par exemple, nous pourrions établir le percentile associé à chaque note à l'aide de :

```
RANK VARIABLES = note
    /RANK INTO rang.absolu
    /N INTO n.
COMPUTE rang.percentile = rang.absolu / (n + 1).
EXECUTE.
```

## 5.3 — *Obtenir les quantiles avec FREQUENCIES*

Il est parfois utile de connaître les quantiles, tels les quartiles (4-tile). On veut alors connaître les valeurs critères qui séparent l'échantillon en quatre groupes, le groupe des 25 % les plus faibles, le groupe des 25 % suivants (allant jusqu'à la médiane), le groupe des 25 % suivants et finalement, le groupe des 25 % les meilleurs. Il faut donc 3 valeurs critères (entre le premier et le second groupe, entre le second et le troisième, puis entre le troisième et le quatrième). La commande est

```
FREQUENCIES VARIABLE = colVD
    /NTILE = nbre-de-séparations
    /FORMAT = NOTABLE.
```

où *nbre-de-séparation* est le nombre de percentiles que vous voulez (4 pour des quartiles, 10 pour des déciles, etc.) et **colVD** est le nom de la colonne contenant les scores.

## 5.4 — *Calculer les cotes z individuelles avec DESCRIPTIVES*

Pour obtenir une colonne supplémentaire contenant la cote z d'un score, utilisez la commande :

```
DESCRIPTIVES VARIABLES = colVD
    /SAVE.
```

Cette commande crée une nouvelle colonne nommée **ZcolVD** qui contient les valeurs standardisées de la colonne **colVD** pour chaque individu dans l'éditeur de données.

## Résumé

Les rangs (absolus ou percentiles) et les scores standardisés sont des outils statistiques qui permettent de décrire un individu par rapport aux autres individus de son groupe. Les chapitres 2 et 3 permettent de décrire les résultats lorsque chaque individu a été mesuré sur une variable (lorsque chaque individu se réduit à un seul nombre). Le prochain chapitre examine comment décrire les données si les individus ont été mesurés sur deux aspects (deux variables) au lieu d'un seul.

## Questions pour mieux retenir

1. Soit ces données X = [2, 7, 9, 11, 11, 12, 13, 16, 18]. Calculez le rang pour chaque score ; calculez le rang percentile.

2. Soit les données de la question 2. Calculez le rang et le rang percentile dans l'ordre décroissant des données. Vérifiez que vous pouvez convertir ces rangs en ceux obtenus à la question 1.

3. Convertissez les données de la question 1 en scores standardisés. Retrouvez les scores d'origine en n'utilisant que la cote z, la moyenne et l'écart type.

4. Quel est le rang si tous les scores d'un échantillon de $n$ personnes sont égaux ? les rangs percentiles ?

5. Soit une population pour laquelle la moyenne est de 40 et l'écart type de 10 ; Normalisez ces scores : (a) 44 ; (b) 36 ; (c) 0 ; (d) 10.40.
   Puis trouvez les scores correspondant aux valeurs normalisées suivantes : (e) – 2.00 ; (f) – 1.96 ; (g) 3.00 ; (h) 0.

## Questions pour mieux réfléchir

6. Si on divise les données d'un échantillon (et s'il n'y a pas d'ex aequo) selon les quartiles, les effectifs inclus dans chaque quartile sont-ils égaux ?

7. Est-ce possible d'avoir des données telles qu'une personne puisse avoir un très mauvais rang percentile (bien en dessous de 50 %) mais une cote z positive ? Le graphique des fréquences aura quelle allure ? Si le graphique est symétrique, est-ce encore possible d'avoir un score avec un mauvais rang percentile et une cote z positive ?

## Questions pour s'entraîner

**8.** (a) Calculez les rangs et rangs percentiles des données du Tableau 3.1 en utilisant SPSS. Pourquoi dit-on que les rangs percentiles sont symétriques ? (b) Calculez la cote z des individus du Tableau 3.1. Qui a la pire cote z ? la meilleure ? Les cotes z sont-elles symétriques comme le sont les rangs et rangs percentiles ? (c) Quelle note devrait avoir Zoé pour avoir une cote z de 3 ? Cette note est-elle réaliste ? Pourquoi est-ce difficile dans cet échantillon d'obtenir une cote z élevée ?

**9.** Refaites la question 7 mais avec les données de la question 1.

# CHAPITRE 4
# Les statistiques bivariées

## Sommaire

## Dans ce chapitre, vous allez apprendre :

1 La notion de données bivariées et de données extrêmes bivariées.

2 Comment illustrer des données bivariées à l'aide d'un graphique de dispersion.

3 Comment décrire la tendance centrale des données ainsi que leur dispersion, entre autres à l'aide de la covariance.

4 Comment calculer la corrélation entre deux variables et comprendre la signification de l'indice de corrélation et du pourcentage de variance expliquée.

5 Comment calculer une statistique individuelle, la distance de Mahalanobis, sur chaque donnée bivariée.

## Introduction

*Un individu de l'échantillon n'est pas nécessairement mesuré que sur une variable (ce qui est très réducteur). Il peut aussi être mesuré sur deux ou plusieurs variables, chacune révélant un aspect différent du sujet. Dans ce chapitre, nous reprenons les étapes de visualisation, de validation et de synthèse des données lorsque chaque sujet a été mesuré sur deux variables.*

Jusqu'à présent, nous avons examiné des individus mesurés sur une seule variable. Cependant, dans plusieurs situations, cette approche est trop réductrice. Par exemple, une diététicienne scolaire s'intéresse à la surcharge pondérale. Elle mesure le poids de 800 étudiants lycéens. Que va-t-elle conclure d'un étudiant qui pèse 85 kg ? Qu'il est en surcharge pondérale ? S'il s'agit d'une personne mesurant 1.95 m, la conclusion est-elle toujours valable ? Le poids d'une personne est déterminé par plusieurs facteurs, mais deux sont tout particulièrement importants : la surcharge pondérale et la taille. En ne mesurant que le poids, la diététicienne n'est pas en mesure d'identifier la cause (surcharge pondérale ou taille élevée) de la mesure. Si, lors de la cueillette des données, elle mesure deux variables (taille et poids), elle aura une meilleure vision d'ensemble.

Une situation où deux variables sont considérées simultanément s'appelle une approche **bivariée**. L'approche où plus de deux variables sont considérées simultanément s'appelle une approche **multivariée**. À partir du moment où les données sont bivariées, de nouvelles techniques statistiques sont nécessaires. Dans ce chapitre, nous examinons le cas où les deux variables sont continues (de type II : relatives ou absolues). Nous allons voir comment représenter les données de l'échantillon avec un graphique, comment calculer des statistiques descriptives de groupe (tendances centrales et dispersion) et comment calculer pour chaque sujet une statistique individuelle. Ces trois objectifs reprennent les objectifs des chapitres 1 à 3 pour des données **univariées** (mesurées à l'aide d'une seule variable). Un quatrième objectif, qui n'existe pas dans l'approche univariée, consiste à mesurer le degré d'association entre deux variables.

# 1. Représenter les données individuelles

Dans une approche univariée, la variable (appelons-la $X$ pour changer) mesure un score qui peut être plutôt grand, plutôt petit, ou moyen. On peut représenter un score par un point sur une ligne droite (l'axe des X donc) avec, par convention, la gauche pour les petits scores et la droite pour les grands scores. Cependant, si l'échantillon contient un grand nombre de scores, l'axe des X est rapidement encombré (surtout autour de la moyenne) et on n'aperçoit plus les scores individuels. La Figure 4.1, en haut à gauche illustre un échantillon possible (ici, le nombre de données $n$ vaut 500). Pour pallier ce manque de visibilité, la solution utilisée au chapitre 1 était d'utiliser une élévation pour indiquer la densité des points dans chaque région (la fréquence, Figure 4.1 en haut à droite), qu'on a appelée un graphique de fréquences.

Dans l'approche bivariée, on peut utiliser deux axes, l'axe des X et l'axe des Y (sur ce dernier, la convention veut que les petits scores soient en bas et les grands, en haut). Chaque individu est représenté par un point dont la position gauche-droite dépend de son score **X** et sa position haut-bas dépend de son score **Y**. La Figure 4.1, en bas à gauche montre le résultat. Ce type de graphique s'appelle un graphique de dispersion (*scatterplot* en anglais). On peut aussi utiliser un troisième axe pour représenter la fréquence des points dans chaque région, comme dans le graphique de la Figure 4.1, en bas à droite. Cependant, le graphique de dispersion offre suffisamment de surface pour que chaque point (chaque individu) soit perceptible (pour autant que la taille de l'échantillon ne soit pas prohibitif). Il n'est donc pas nécessaire d'utiliser le graphique des fréquences. Par ailleurs, le graphique de fréquence dans l'approche bivariée a un problème : il n'est pas possible de voir les fréquences derrière le mode qui bloque la vue. Pour ces deux raisons, le graphique de fréquences bivariées n'est jamais utilisé. Le graphique de dispersion univariée quant à lui n'est jamais utilisé.

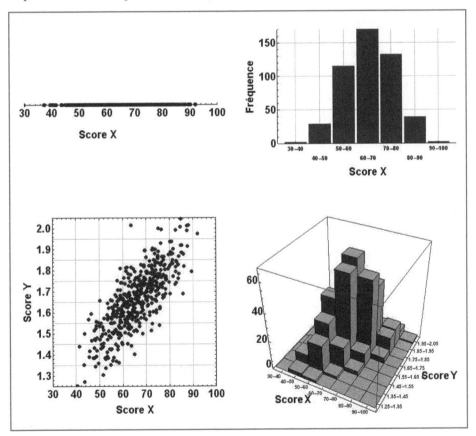

## Figure 4.1

Représentation de données individuelles dans l'approche univariée (en haut) et dans l'approche bivariée (en bas) à l'aide de graphiques de dispersion (à gauche) et de graphiques de fréquences (à droite). Les données X sont les poids (en kg) de 500 personnes et les données Y sont les tailles (en m) de ces mêmes personnes (données fictives).

Un des buts du graphique de fréquences (univarié) est de localiser les données suspectes. Pour ce faire, on regarde les données extrêmes (à droite ou à gauche). Si une des données est très éloignée de toutes les autres, il est possible qu'il s'agisse d'une donnée aberrante (causée par une erreur de mesure ou de transcription).

De la même façon, un but du graphique de dispersion est de localiser les données suspectes bivariées. En effet, il est possible que la mesure d'un individu ne semble pas aberrante quand on regarde la mesure **X** uniquement, ou quand on regarde la mesure **Y** uniquement, mais que la combinaison des deux soit suspecte.

Par exemple, supposons que les graphiques de la Figure 4.1 représentent le poids de lycéens en kilogrammes (sur l'axe des X) et la taille de ces mêmes lycéens en mètres (sur l'axe des **Y**). On voit sur le graphique des fréquences de poids (le graphique en haut à droite) que le poids moyen est entre 60 et 70 kg (65, pour être précis ; ce sont des données fictives) et qu'on retrouve des individus entre 30 et 100 kg. Un individu qui pèserait 85 kg n'est donc pas suspect. Si on faisait le graphique de fréquences pour la taille, on verrait de la même façon que la taille moyenne est de 1 m 65 et que les mesures varient entre 1 m 35 et 1 m 95. Un individu mesurant 1 m 45 n'est donc pas suspect. Cependant, un individu mesurant 1 m 45 et pesant 85 kg serait très hors norme et une vérification serait d'usage pour s'assurer qu'il n'y a pas d'erreur. Il s'agit d'une donnée extrême bivariée. De la même façon, un individu dont les mesures seraient 1 m 85 pour un poids de 45 kg serait aussi suspect. Une donnée extrême bivariée se voit facilement sur un graphique de dispersion, étant un point isolé de la masse des autres points (on utilise parfois l'expression « nuage de points »). Dans la Figure 4.1, rajoutez ces deux individus.

Tout comme pour les données univariées, les données extrêmes bivariées doivent être considérées suspectes et si une erreur de mesure ou de transcription est plus probable, ces données peuvent être retirées de l'échantillon. Nous verrons à la dernière section une façon de quantifier la position d'un point par rapport au nuage de points qui peut aider pour décider si un point est extrême ou pas.

Dans ce qui suit, $n$ représente le nombre de données bivariées. Comme pour chaque individu, il y a deux mesures, et s'il y a au total $n$ mesures **X**, il y a forcément $n$ mesures **Y**. Si pour un individu, il n'a pas été possible d'obtenir les deux mesures, cet individu doit être retiré de l'échantillon.

# 2.▬ Statistiques descriptives bivariées

Le premier type de statistique descriptive souhaitée est une statistique de la tendance centrale : à quoi ressemble l'individu typique ? En regard du graphique de dispersion, l'individu typique est celui qui se trouve au centre du nuage de points. Il existe deux façons de définir le centre d'un nuage de points.

    a) Le *centre de gravité*. Le centre de gravité, on l'a vu dans le cas univarié, se calcule par la moyenne d'une variable. Or, dans le cas où il y a deux variables, le centre de gravité se trouve en calculant la moyenne pour chaque mesure individuellement. Ainsi, dans l'exemple de la Figure 4.1, l'individu moyen a le poids moyen et la taille moyenne tels que calculés séparément, soit ici 65 kg et 1 m 65.

Dans le cas général, la **moyenne bivariée** de deux variables **X** et **Y** est donnée par $\{\bar{X}, \bar{Y}\}$, où $\bar{X}$ se calcule sur la colonne des données **X** comme on l'a vu au chapitre 2 et $\bar{Y}$ sur la colonne des données **Y**. Les accolades indiquent que c'est l'ensemble de ces deux moyennes qui donne l'individu moyen.

b) L'*individu intermédiaire.* Une autre façon de localiser le centre d'un nuage de points est de trouver le point tel que 50 % des individus seront à gauche de ce point (et donc, 50 % seront à droite) et tel que 50 % des individus seront en haut de ce point (et 50 % en bas). Ce point est en fait le point médian et se calcule en calculant la médiane de chaque variable isolément, ce qui donne la **médiane bivariée** $\{\check{X}, \check{Y}\}$. Il s'ensuit que (a) 25 % des données sont simultanément sous la médiane $\check{X}$ et sous la médiane $\check{Y}$; (b) 25 % des données sont simultanément au-dessus de la médiane $\check{X}$ et au-dessus de la médiane $\check{Y}$; (c) et (d) même chose pour les deux derniers quadrants.

La moyenne bivariée est plus souvent utilisée que la médiane bivariée. Par ailleurs, si le nuage de points est symétrique, c'est-à-dire s'il peut être tourné de 180 degrés sans changer de forme, alors la moyenne (bivariée) et la médiane (bivariée) sont identiques. La Figure 4.2 montre deux exemples. Il existe une façon de quantifier l'asymétrie dans l'approche bivariée, mais la formule étant particulièrement complexe, on préfère généralement juger de la symétrie en regardant le graphique de dispersion.

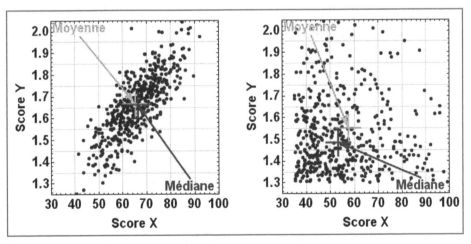

**Figure 4.2**

Exemples d'échantillons de 500 données et de la moyenne et la médiane bivariée de ces échantillons. À gauche, des données réparties de façon symétrique ; à droite, des données réparties de façon asymétrique.

Pour décrire la dispersion des données, les choses sont un peu plus compliquées car les données ont parfois tendance à se répartir suivant une ellipse. Une façon de décrire une ellipse serait de donner le diamètre là où l'ellipse est la plus large, le diamètre au plus étroit et l'angle entre le grand diamètre et l'horizontale (cf. Figure 4.3, à gauche). Ce n'est pas la méthode retenue par les statisticiens mais cet exemple montre qu'il faut trois quantités pour décrire une ellipse.

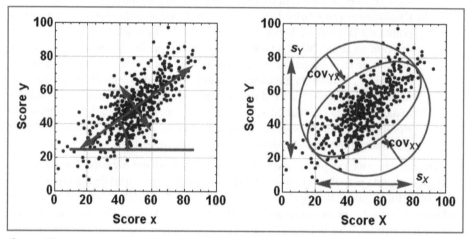

## Figure 4.3

**Deux façons de représenter une ellipse. À gauche avec la longueur du grand axe, du petit axe et de l'inclinaison ; à droite, avec l'étalement horizontal, l'étalement vertical et l'écrasement. Ces trois mesures sont quantifiées avec $s_X$, $s_Y$ et $cov_{XY}$.**

La solution retenue consiste à donner l'écart type pour les scores **X**, l'écart type pour les scores **Y** et une nouvelle statistique, la **covariance** entre les scores **X** et les scores **Y**. Le but de la covariance est d'indiquer à quel point les données sont aplaties le long d'une diagonale (voir Figure 4.3, à droite). Si la covariance est de zéro, les données ne se rapprochent pas d'une diagonale. Elles sont plutôt dispersées partout dans le graphe sans inclinaison et l'allure générale du nuage de points est celle d'un cercle.

À l'autre extrême, la covariance peut être aussi grande que $s_X \times s_Y$. Dans ce cas, les données sont totalement aplaties le long d'une diagonale. Si la covariance est de signe positif, les données s'aplatissent le long de la diagonale allant du coin supérieur droit au coin inférieur gauche (appelée diagonale principale); si le signe est négatif, les données s'aplatissent le long de la diagonale opposée allant du coin supérieur gauche au coin inférieur droit.

La covariance est symétrique car si on calcule la covariance entre les scores **X** et **Y**, on obtient le même résultat que si on calcule la covariance entre les scores **Y** et **X**.

Nous allons examiner la formule de la covariance ainsi que deux exemples de données. La seule règle à connaître est qu'un nombre positif multiplié par un nombre positif donne un nombre positif et qu'un nombre négatif multiplié par un nombre négatif donne aussi un nombre positif.

La covariance entre deux variables **X** et **Y** est notée $cov_{XY}$ et la formule est

$$cov_{XY} := \frac{1}{n-1} \sum_{i=1}^{n} (\mathbf{X}_i - \overline{X})(\mathbf{Y}_i - \overline{Y}) \qquad 4.1$$

où $n$ est la taille de l'échantillon bivarié. Cette formule ressemble à la formule de la variance sauf qu'au lieu de mettre les écarts à la moyenne au carré, on prend l'écart pour $\mathbf{X}_i$, l'écart pour $\mathbf{Y}_i$, et on les multiplie. Regardons les données de la Figure 4.4, gauche. Un grand nombre de données sont dans le quadrant supérieur droit. Pour ces données, le score **X** est supérieur à la moyenne $\overline{X}$ et le score **Y** est aussi supérieur à la moyenne $\overline{Y}$. Les écarts $(\mathbf{X}_i - \overline{X})$ et $(\mathbf{Y}_i - \overline{Y})$ seront donc tous deux positifs. Il y a aussi un grand nombre de données dans le quadrant opposé. Pour celles-ci, les écarts $(\mathbf{X}_i - \overline{X})$ et $(\mathbf{Y}_i - \overline{Y})$ seront négatifs. En multipliant ces écarts, toutes ces données dans ces deux quadrants donneront un nombre positif. Finalement, l'addition de tous ces produits ne peut donner qu'un grand nombre positif. La covariance sera donc positive.

De la même façon, si les données sont inclinées dans l'autre direction (Figure 4.4 droite), les écarts seront négatifs pour les **X** et positifs pour les **Y** (ou vice-versa, selon le quadrant). Dans tous les cas, la multiplication d'un écart négatif par un écart positif ne donnera que des nombres négatifs et le total sera un nombre très négatif. La covariance sera donc négative.

Pour se familiariser avec les calculs, examinons le premier exemple de la Figure 4.5. L'échantillon illustré est composé de trois personnes ($n = 3$). La moyenne (bivariée) est de {50, 50}. Les données individuelles sont données au Tableau 4.1, colonnes de gauche.

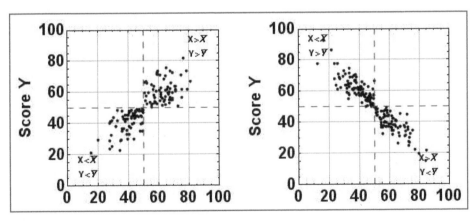

### Figure 4.4

Exemples de situations où la covariance sera donnée par la somme d'un grand nombre de valeurs positives (gauche) et d'un grand nombre de valeurs négatives (droite).
La covariance sera donc positive à gauche et négative à droite.

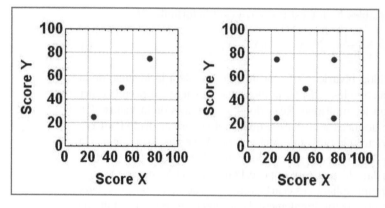

**Figure 4.5**

Deux échantillons bivariés composés de 3 et de 5 observations respectivement. Dans le premier cas, la covariance est extrême et positive, dans le second, la covariance est nulle.

Dans le premier échantillon, la covariance est positive et donne 625. C'est la covariance maximale possible avec ces données car le maximum est donné par $s_X \times s_Y = 25 \times 25 = 625$. Autrement dit, les données sont parfaitement aplaties le long d'une diagonale. Comme la covariance est positive, il s'agit de la diagonale principale.

**Tableau 4.1**

Grille de calculs de la covariance pour les données présentées à la Figure 4.5.

| Sujet $i$ | Échantillon 1 | | | | | Sujet $i$ | Échantillon 2 | | | | |
|---|---|---|---|---|---|---|---|---|---|---|---|
| | X | Y | $(X_i - \bar{X})$ | $(Y_i - \bar{Y})$ | $(X_i - \bar{X}) \times (Y_i - \bar{Y})$ | | X | Y | $(X_i - \bar{X})$ | $(Y_i - \bar{Y})$ | $(X_i - \bar{X}) \times (Y_i - \bar{Y})$ |
| 1 | 25 | 25 | −25 | −25 | +625 | 1 | 25 | 25 | −25 | −25 | 625 |
| 2 | 50 | 50 | 0 | 0 | 0 | 2 | 75 | 75 | +25 | +25 | 625 |
| 3 | 75 | 75 | +25 | +25 | +625 | 3 | 50 | 50 | 0 | 0 | 0 |
| | | | | | | 4 | 25 | 75 | −25 | +25 | −625 |
| | | | | | | 5 | 75 | 25 | +25 | −25 | −625 |
| Moyenne | 50 | 50 | | somme | 1 250 | Moyenne | 50 | 50 | | somme | 0 |
| Écart type | 25 | 25 | | divisé par ($n-1$) | 625 | Écart type | 25 | 25 | | divisé par ($n-1$) | 0 |

Dans le second échantillon illustré à la Figure 4.5, certains points favorisent une covariance positive, d'autres, une covariance négative, mais leurs influences s'annulent lors de la sommation, pour une covariance de zéro.

Pris ensemble, l'écart type des scores **X**, l'écart type des scores **Y** et la covariance entre les scores **X** et **Y** permettent d'avoir une bonne image de la répartition des données bivariées.

# 3. Statistique d'association entre deux variables

Nous allons maintenant examiner une nouvelle statistique qui n'a pas d'équivalent dans l'approche univariée, la mesure d'association. Jusqu'à présent, nous n'avons pas émis de jugement sur ce qui se passait lorsque deux variables ont une covariation très différente de zéro (telle que mesurée par la covariance). Reprenons l'exemple du poids et de la taille (Figure 4.1, en bas à gauche). On a vu que ces deux variables covarient assez fortement. Or, dans ce cas particulier, il y a plus qu'une relation de covariation, il y a une relation de causalité puisqu'une taille élevée est en grande partie la cause d'un poids élevé. La taille n'est pas l'unique cause d'un poids élevé, d'autres facteurs sont aussi impliqués (tels que l'épaisseur des os, le développement musculaire et les habitudes alimentaires) mais ces autres facteurs n'ont pas été mesurés.

Cet exemple est un cas où une variable mesurée est en partie la cause de l'autre variable mesurée. Cependant, comme la covariation est symétrique, les statistiques ne peuvent pas dire si c'est $Y$ qui est la cause de $X$ (la taille élevée qui cause un poids élevé) ou si c'est $X$ qui est la cause de $Y$ (un poids élevé qui cause une taille élevée).

Il est aussi possible qu'aucune des deux variables observées ne soit la cause de l'autre. Prenons la situation où l'on mesure l'aptitude à lire et le rendement scolaire. Vraisemblablement, ces deux variables covarient, mais est-ce l'aptitude à lire qui cause un bon rendement scolaire ou l'inverse? C'est un peu comme de savoir qui de l'œuf ou de la poule est arrivé le premier. Dans ce cas-ci, il y a probablement une autre variable qui n'a pas été mesurée qui expliquerait les deux scores, peut-être le QI.

Comme de telles mesures ne permettent pas de décider s'il y a causalité ou une variable médiatrice non mesurée, un mot plus neutre est préféré: on dira qu'il y a **association** entre les deux variables.

La covariance est une statistique qui mesure le degré d'association entre deux variables. Cependant, cette statistique a deux défauts: (1) si on prend l'exemple du poids et de la taille, la covariance s'exprime en kg × m (l'unité de mesure de la première variable multipliée par l'unité de mesure de l'autre variable, peu importe l'ordre). Or de telles unités de mesure sont loin d'être limpides. Imaginez si la covariance était donnée en nombre de mots lus par minute par point de QI! (2) la grandeur de la covariance est difficile à apprécier: si la covariance vaut 1.5 kg × m, cela représente-t-il beaucoup?

Pour régler ces deux problèmes, K. Pearson a introduit une nouvelle statistique, la **corrélation**, qu'on représente avec le symbole $r_{XY}$. Cette statistique n'a pas d'unité et est bornée entre $-1$ et $+1$, ce qui règle les deux problèmes ci-dessus mentionnés. Tout comme la covariance, une corrélation de zéro signifie une absence d'association entre les deux variables (le graphe de dispersion forme un nuage vaguement sphérique). Si $r_{XY}$ vaut $+1$ ou $-1$, il y a une association parfaite entre les deux variables. Dans le cas où $r_{XY}$ vaut $+1$, les points sont alignés le long de la diagonale principale (comme dans le cas d'une covariance positive). La Figure 4.6 montre quatre échantillons bivariés avec des corrélations allant de $\approx 0$ à $\approx 1$.

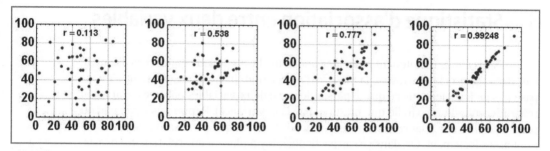

**Figure 4.6**

Quatre échantillons ayant un degré d'association croissant entre les deux variables mesurées.

La corrélation peut aussi être vue comme un indice indiquant si on peut prédire le score **Y** d'un nouvel individu connaissant son score **X**. Lorsque la corrélation est forte et positive: (1) si l'individu a un score **X** plus grand que la moyenne, alors son score **Y** a aussi toutes les chances d'être plus grand que la moyenne; (2) si l'individu a un score **X** moyen, son score **Y** a toutes les chances d'être moyen; et (3) si son score **X** est plus petit que la moyenne, alors son score **Y** a aussi toutes les chances d'être plus petit que la moyenne. Plus $r_{XY}$ s'approche de 1, plus l'expression «a toutes les chances d'être» s'approche de «est certainement».

Faire une prédiction est plus facile si on exprime les scores **X** et **Y** en scores z (à **X** correspond le score $z_X$ et à **Y** correspond le score $z_Y$): dans le cas d'une corrélation parfaite et positive ($r_{XY} = +\,1$), un individu qui a obtenu un score **X** de 2 écarts types supérieurs à la moyenne (un score $z_X$ de $+\,2$) aura un score **Y** de 2 écarts types supérieur à la moyenne (un score $z_Y$ de $+\,2$ aussi sur la variable **Y**). Dans le cas où la corrélation n'est pas parfaite, le $z_Y$ prédit sera le score $z_X$ obtenu dans une proportion de $r_{xy}$ et sera une régression vers le score moyen dans une proportion de $1 - r_{XY}$. On a vu (chapitre 3) qu'une cote z moyenne est zéro, ce qui lui prédit un score de zéro dans une proportion de $1 - r_{XY}$. En symbole, si l'individu a obtenu $z_X$ sur son score **X**, il aura probablement

$$z_Y = r_{XY} \times z_X + (1 - r_{XY}) \times 0$$
$$= r_{XY} \times z_Y$$

sur son score $z_Y$.

Comment calcule-t-on la statistique $r_{XY}$? Il suffit de prendre la covariation et de la diviser par la taille maximale que peut prendre une covariation, soit l'écart type de **X** multiplié par l'écart type de **Y**. En symbole:

$$r_{XY} := \frac{cov_{XY}}{s_X \times s_Y}. \qquad\qquad 4.2$$

## 3.1 Le pourcentage de la variance expliquée

Lorsque mise au carré, la corrélation s'appelle le **pourcentage de la variance expliquée**. En effet, supposons que $r_{XY}$ vaut 1, alors $r_{XY}^2$ vaut 1, ou encore 100 % en pourcentage. Ce chiffre signifie que le fait que le score **Y** varie est à 100 % attribuable au fait que le score **X** varie. C'est une autre façon de dire que la connaissance de **X** permet de prédire la valeur de **Y**.

Dans le cas où $r_{XY}$ vaudrait, disons, 0.5, alors 25 % de la variation de Y sont dus au fait que X varie. En conséquence, 75 % de la variation de Y n'ont pas de cause connue, sont dus à de l'erreur expérimentale.

Dans les sciences sociales, on considère généralement qu'un pourcentage de variance expliqué de 25 % est une bonne corrélation. Les déterminants de nos choix et de nos préférences sont tellement nombreux qu'arriver avec une mesure à en identifier 25 % est certainement une prouesse. Le Tableau 4.2 synthétise la convention en psychologie et en sciences sociales.

Tableau 4.2

Convention sur la taille d'un pourcentage de la variance expliquée.

|  | Pourcentage de variance expliquée | Corrélation |
|---|---|---|
| Faible | 6.25 % | .25 |
| Moyen | 25 % | .50 |
| Fort | 56.25 % | .75 |

# 4. Statistique bivariée individuelle

Il reste à voir comment on peut coter des personnes individuelles. Il n'est malheureusement pas possible avec une approche bivariée d'utiliser le rang pour identifier une personne qui tienne compte à la fois des deux variables. Dans quel ordre placerait-on les individus ? de gauche à droite ? de haut en bas ? Toutes les mesures de rangs (rangs absolus et rangs relatifs) sont impossibles.

Une approche plus prometteuse est de regarder la distance $d$ entre le point représentant la personne (le score $\{x, y\}$) et la moyenne du groupe (donnée par $\{\overline{X}, \overline{Y}\}$). Une façon d'y arriver est d'utiliser le théorème de Pythagore :

$$d_{Pythagore} := \sqrt{(x - \overline{X})^2 + (y - \overline{Y})^2}\,.$$

Cependant, cette distance ne tient pas compte du fait que le nuage de points peut avoir une forme elliptique.

Prenons comme exemple la température minimale (enregistrée juste avant le lever du soleil) et maximale (mesurée à midi) au cours des dix derniers hivers au Québec. La température maximale dépend beaucoup de la température minimale au cours de la nuit qui a précédé mais dépend aussi d'autres facteurs tels que le vent du nord et l'ensoleillement (au Québec en hiver, plus il fait soleil, plus il fait froid car il n'y a alors plus de nuages pour conserver la chaleur au niveau du sol, une illustration de l'effet d'albédo si important pour le réchauffement climatique).

La Figure 4.7 présente le graphique de dispersion. Chaque point est une journée au cours des dix derniers hivers (n = 910). La température moyenne est $\{-17\ C, -9\ C\}$ pour le minimum et le maximum respectivement. Le point le plus éloigné de la moyenne se trouve à $\{-33\ C, -28\ C\}$, valeurs qui ont été observées un 14 janvier. Ce point, si on utilise le théorème de Pythagore, se situe à une distance de $\sqrt{(-33-(-17))^2+(-28-(-9))^2}=24.8$ C. Ce point est donc loin de la moyenne. Cependant, il n'est pas particulièrement étonnant puisque d'autres points se trouvent aussi dans cette région.

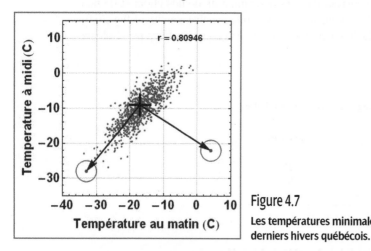

**Figure 4.7**

Les températures minimales et maximales au cours des dix derniers hivers québécois.

Prenez plutôt le point observé un 17 janvier où il faisait + 4 C au petit matin et − 22 C à midi. Avec Pythagore, on trouve une distance légèrement moindre de $\sqrt{(+4-(-17))^2+(-22-(-9))^2}=24.7$ C. Or ce point est totalement isolé à l'écart du nuage de points. Il constitue donc une donnée extrême bivariée. Pour le quantifier correctement, il faudrait une mesure de distance qui tienne compte de la forme du nuage de points. Une donnée qui se trouve dans une direction où l'ellipse est étroite devrait avoir une distance mesurée plus grande qu'une donnée qui se trouve le long du grand axe de l'ellipse, à distance de Pythagore égale.

C'est ce que fait la mesure de distance trouvée par P. C. Mahalanobis, appelée maintenant la **distance de Mahalanobis** et notée $d_M$. Cette mesure est une généralisation de la formule de Pythagore qui prend en compte la dispersion des données. Pour ce faire, elle intègre les écarts types et la covariance. La formule est cependant assez compliquée (« attachez votre tuque »[1] comme on dit au Québec):

$$d_M := \sqrt{\frac{(x-\overline{X})^2 s_Y^2 + (y-\overline{Y})^2 s_X^2 - 2(x-\overline{X})(y-\overline{Y})cov_{XY}}{s_X^2\, s_Y^2 - cov_{XY}^2}} \qquad 4.3$$

---

1. Tuque: une sorte de bonnet de laine, au Québec.

Pour calculer la distance de Mahalanobis, il faut connaître la moyenne $\{-17\,C, -9\,C\}$ ainsi que l'écart type pour la nuit et le jour $\{5.0\,C, 5.0\,C\}$ et la covariance ($20\,C^2$ ; nous avons arrondi les nombres pour faciliter les calculs). Les distances pour les deux jours examinés sont :

14 janvier :

$$
\begin{aligned}
d_M &= \sqrt{\dfrac{(-33-(-17))^2 \times 5^2 + (-28-(-9))^2 \times 5^2 - 2 \times (-33-(-17)) \times (-28-(-9)) \times 20}{5^2 \times 5^2 - 20^2}} \\
&= \sqrt{\dfrac{(-16)^2 \times 25 + (-19)^2 \times 25 - 2 \times (-16) \times (-19) \times 20}{25 \times 25 - 400}} \\
&= \sqrt{\dfrac{256 \times 25 + 361 \times 25 - 12160}{225}} \\
&= \sqrt{\dfrac{3265}{225}} = \sqrt{14.51} = 3.8.
\end{aligned}
$$

17 janvier :

$$
\begin{aligned}
d_M &= \sqrt{\dfrac{(+4-(-17))^2 \times 5^2 + (-22-(-9))^2 \times 5^2 - 2 \times (+4-(-17)) \times (-22-(-9)) \times 20}{5^2 \times 5^2 - 20^2}} \\
&= \sqrt{\dfrac{(21)^2 \times 25 + (-13)^2 \times 25 - 2 \times (21) \times (-13) \times 20}{25 \times 25 - 400}} \\
&= \sqrt{\dfrac{441 \times 25 + 169 \times 25 + 10920}{225}} \\
&= \sqrt{\dfrac{26910}{225}} = \sqrt{116.31} = 10.8.
\end{aligned}
$$

Avec cette mesure, la donnée du 17 janvier est nettement plus distante de la moyenne, conformément à ce que l'on voit sur le graphique de dispersion.

Notons qu'avec la covariance ($20\,C^2$) et les écarts types ($\{5\,C, 5\,C\}$), il est aussi possible de calculer la corrélation :

$$
r_{XY} = \frac{cov_{XY}}{s_X \times s_Y} = \frac{20\,C^2}{5\,C \times 5\,C} = \frac{20}{25} = 0.8.
$$

La distance de Mahalanobis ressemble beaucoup à une cote z (sans le signe ; voir les compléments mathématiques). Une distance de zéro signifie que la donnée est située exactement à la moyenne. Une distance de 1 signifie qu'elle se trouve à un écart type de la moyenne, l'écart type tenant compte ici de la forme de l'ellipse. Tout comme pour une cote z, la grande majorité des données se trouvent à une distance inférieure à 2 et on considère qu'une donnée ayant une distance de Mahalanobis supérieure à 3 est extrême. Selon cette convention, autant le 14 janvier que le 17 janvier ont été des journées extrêmes, ce qui correspond bien à mon impression...

La Figure 4.8 montre des données fictives ($n = 5\,000$). Toutes celles ayant une distance de Mahalanobis approximativement de 1 sont en noir ainsi que celles ayant une distance approximativement de 2. On voit que la distance de Mahalanobis dépend de l'endroit autour du nuage de points où la donnée se trouve.

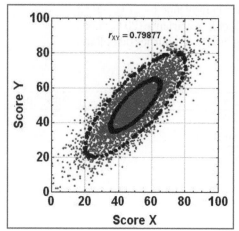

**Figure 4.8**

Un échantillon de 5 000 points ayant une corrélation assez forte ($r_{XY}$ = .80). Les points en noir représentent les données qui sont approximativement à une distance de Mahalanobis de 1 (ellipse intérieure) et de 2 (ellipse extérieure).

# 5. Comment rapporter une statistique bivariée ?

On évite le jargon « moyenne bivariée » en rapportant les deux moyennes séparément. Quand à l'association, la corrélation de Pearson est très connue et on peut donc rapporter le *r* ou le pourcentage de variance expliquée. Pour les données de la Figure 4.1, la diététicienne pourrait décrire ses résultats avec « Le poids moyen des 500 personnes mesurées est de 65 kg et la taille moyenne est de 1 m 65. Ces deux mesures sont très corrélées (r = .80). »

# 6. Complément mathématique

## 6.1 La distance de Mahalanobis équivaut à une cote z sans signe lorsqu'il n'y a qu'une seule variable

Pour le démontrer, il suffit de considérer qu'il n'y a pas de différence sur la deuxième variable (disons y) entre la moyenne et la donnée, et donc remplacer toutes les occurrences de $(y - \overline{Y})$ par zéro. Il faut aussi considérer qu'il n'y a pas de covariance, et donc remplacer toutes les occurrences de $cov_{XY}$ par zéro. La formule devient alors :

$$d_M = \sqrt{\frac{(x - \overline{X})^2\, s_Y^2 + (y - \overline{Y})^2\, s_X^2 - 2(x - \overline{X})(y - \overline{Y})\,cov_{XY}}{s_X^2 \times s_Y^2 - cov_{XY}^2}}$$

$$= \sqrt{\frac{(x - \overline{X})^2\, s_Y^2 + 0 \times s_X^2 - 2(x - \overline{X}) \times 0 \times 0}{s_X^2 \times s_Y^2 - 0}}$$

$$= \sqrt{\frac{(x - \overline{X})^2\, s_Y^2}{s_X^2 \times s_Y^2}}$$

$$= \sqrt{\frac{(x - \overline{X})^2}{s_X^2}}$$

$$= \sqrt{\left(\frac{x - \overline{X}}{s_X}\right)^2}$$

$$= \sqrt{z^2}$$

$$= |z|.$$

La dernière ligne provient du fait qu'élever au carré puis prendre la racine carrée fait disparaître le signe. Il s'agit d'une cote z mais sans le signe (on dit en valeur absolue). Par conséquent, la distance de Mahalanobis calculée sur des données univariées ne permet pas de dire si la donnée se trouve à droite ou à gauche de la moyenne.

---

### Encadré 2
## P. C. Mahalanobis

Prasanta Chandra Mahalanobis est né au Bangladesh en 1893 et est mort en Inde en 1972. Il a découvert les statistiques lors d'un postdoctorat en Angleterre où il a pu feuilleter la revue scientifique *Biometrika*, fondée par Karl Pearson. Il a par la suite appliqué les statistiques à des problèmes de météorologie et d'anthropologie. Au cours d'une étude en 1922, il a développé la mesure de distance multivariée $D^2$, aujourd'hui nommée distance de Mahalanobis en son honneur.

À son retour en Inde, il a fondé l'Institut des statistiques indiennes et a développé des méthodes pour réaliser des sondages à grande échelle.

---

# 7. Utilisation de SPSS

## 7.1 *Faire un graphique de dispersion*

Il est possible de faire un graphique de dispersion avec SPSS en allant dans le menu Graphes : Interactif : Diagramme de dispersion (ou dans la version 16 et ultérieure : Graphes : Boîtes de dialogue ancienne version : Interactif : Diagramme de dispersion). Il faut par la suite glisser avec la souris les deux variables, une sur l'axe vertical, l'autre sur l'axe horizontal. Le choix de la variable que vous mettez sur l'axe vertical est arbitraire.

## 7.2   Obtenir des statistiques descriptives bivariées avec EXAMINE

Les statistiques descriptives bivariées s'obtiennent en calculant les statistiques descriptives sur chaque variable. On peut avec une seule commande demander les statistiques descriptives pour les deux colonnes simultanément en demandant :

```
EXAMINE nomcol1 nomcol2
    /PLOT = NONE.
```

où **nomcol1** est le nom de la colonne contenant la première mesure et **nomcol2** la seconde mesure.

## 7.3   Obtenir la covariance et la corrélation avec REGRESSION

Une commande pour calculer la corrélation est la commande REGRESSION :

```
REGRESSION VARIABLES= nomcol1 nomcol2
    /DESCRIPTIVES = COV CORR
    /STATISTICS = R
    /DEPENDANT = nomcol1
    /METHOD = ENTER.
```

où **nomcol1** est le nom de la colonne contenant les mesures **X** et **nomcol2** est le nom de la colonne contenant les mesures **Y**. Cette commande retourne aussi la covariance.

Notez que l'ordre des colonnes n'est pas important puisque la corrélation est symétrique ($r_{xy} = r_{yx}$). Le résultat (voir l'exemple ci-dessous) est une **matrice de corrélation** où l'on voit sur les lignes les deux variables (disons **X** et **Y**) et dans les colonnes encore une fois les deux mêmes variables. À l'intersection d'une ligne et d'une colonne, on trouve la corrélation entre ces deux variables. On a donc sur la première ligne la corrélation entre **X** et **X** (!) et entre **X** et **Y** ($r_{xy} = 0{,}941$) ; sur la seconde ligne, on a la corrélation entre **Y** et **X** ($r_{yx} = 0{,}941$) et finalement entre **Y** et **Y** (!). La corrélation entre une variable et elle-même est de 1,00 (voyez-vous pourquoi ?) et la corrélation entre **X** et **Y** est la même qu'entre **Y** et **X** (voyez-vous pourquoi ?).

La Figure 4.9 donne un exemple obtenu avec SPSS.

| | | Corrélations | |
|---|---|---|---|
| | | x | y |
| Corrélation de Pearson | x | 1,000 | ,941 |
| | y | ,941 | 1,000 |

### Figure 4.9

**Exemple de matrice de corrélations produit par SPSS.**

## 7.4 Obtenir les distances de Mahalanobis individuelles avec REGRESSION

La même commande que précédemment est utilisée pour obtenir les distances de Mahalanobis pour chaque observation (chaque ligne dans l'éditeur de données). Cependant, pour fonctionner, cette commande nécessite une troisième variable sans signification. Si vous avez une colonne inutile (telle l'âge, le sexe ou n'importe quoi d'autre), vous pouvez l'utiliser à la place de la colonne **temporaire**. Sinon, je donne dans la syntaxe ci-dessous une commande (COMPUTE) qui crée une colonne **temporaire** contenant des quantités aléatoires. Nous verrons comment fonctionne cette commande au prochain chapitre. Par ailleurs, SPSS ne calcule pas la distance de Mahalanobis mais cette distance au carré ! Il dépose ce résultat dans une nouvelle colonne qu'il nomme **d2**. Il faut donc par la suite prendre la racine carrée de cette colonne (avec COMPUTE et sqrt qui signifie *square-root*). La syntaxe totale est donc la suivante :

```
COMPUTE temporaire = RV.NORMAL(0,1).

REGRESSION VARIABLES = nomcol1 nomcol2 temporaire
      /DESCRIPTIVES = NONE
      /STATISTICS = R
      /DEPENDANT = temporaire
      /METHOD = ENTER
      /SAVE MAHAL(d2).

COMPUTE dmahal = SQRT(d2).
EXECUTE.
```

où **nomcol1** et **nomcol2** sont les deux colonnes contenant les données bivariées.

## Résumé

Décrire des données bivariées peut se faire avec la moyenne, la médiane, la variance comme nous l'avons vu pour les données univariées. Cependant, une nouveauté propre aux données bivariées est l'association entre les variables, qui s'exprime avec la covariance, ou mieux encore, avec le coefficient de corrélation qui est borné entre − 1 et + 1. Les données individuelles peuvent aussi être exprimées avec la distance de Mahalanobis, qui généralise la cote standardisée aux données bivariées. Maintenant qu'on a terminé l'étape qui consiste à synthétiser les données, on peut passer à l'étape de prise de décision. Mais avant, il faut faire un petit détour pour examiner les lois du hasard.

## Questions pour mieux retenir

1. Soit ces données $X = [12, 14, 15, 16, 18]$ et $Y = [1, 7, 3, 2, 9]$ obtenues sur cinq participants où $X$ est la note sur 20 à un examen et $Y$, le nombre d'heures par semaine d'exercice sportif. Quelle est la moyenne bivariée ? Y a-t-il une donnée extrême univariée ? une donnée extrême bivariée ? Que vaut la covariance ?

2. Faites le graphique de dispersion sur les données précédentes. Semble-t-il y avoir une relation entre $X$ et $Y$ ? Si oui, est-elle forte ? Est-ce une relation causale et si oui, lequel de $X$ ou de $Y$ prédit l'autre variable ?

3. Quantifiez l'association avec $r_{XY}$ et donnez le pourcentage de variance expliquée.

4. Calculez la distance de Mahalanobis pour le dernier participant.

5. Soit ces données $X = [12, 16, 15, 14, 17]$ et $Y = [108, 103, 104, 101, 98]$. Quelles sont les étapes pour calculer la corrélation ? Que vaut la corrélation ? Est-ce une corrélation importante ?

## Questions pour mieux réfléchir

6. a) Vous mesurez le QI et la vitesse de lecture (en mots par minute) chez 10 robots. Rappelez-vous que les robots donnent tous toujours le même résultat. Pouvez-vous prédire quelle sera la variance (ou l'écart type) du QI et de la vitesse de lecture ? Pouvez-vous prédire quelle sera la grandeur de la corrélation entre ces deux mesures ?

   b) Un des robots a une panne dans un de ses systèmes secondaires sémantiques, ce qui réduit un peu son QI et sa vitesse de lecture. Pouvez-vous prédire quelle sera la grandeur de la corrélation dans ce cas-ci ?

   c) Un virus informatique tombe du ciel et affecte les systèmes sémantiques secondaires d'un grand nombre de robots. Lorsque ce système est altéré, généralement mais pas toujours, le QI et la vitesse de lecture sont affectés dans des proportions variables. Quelle sera la grandeur de la corrélation ? Quelle explication (causale ou par variable médiatrice) est appropriée pour décrire la corrélation observée ?

## Questions pour s'entraîner

7. Dans les données du Tableau 3.1 au chapitre 3, existe-t-il une corrélation entre la note et le sexe des participants ? Devrait-il y en avoir une ? Si oui, s'agit-il d'une relation de causalité ou existe-t-il une variable médiatrice non observée ?

# CHAPITRE 5

# Les lois du hasard

## Sommaire

## Dans ce chapitre, vous allez apprendre :

1   La notion de probabilité.

2   La théorie des erreurs.

3   La loi des grands nombres.

4   L'origine et la signification des distributions binomiale, normale, $\chi^2$ et F.

5   Comment lire une table statistique de ces distributions.

## Introduction

*Pour décider si un traitement est efficace, il faut pouvoir décider quels résultats on pourrait observer s'il ne l'était pas. Dans l'éventualité où le traitement n'a aucun effet, les individus vont quand même varier à cause du hasard. C'est donc le hasard qui décide quels résultats sont possibles si le traitement est inefficace. Avec les lois du hasard, il est possible de prévoir la panoplie de scores possibles même s'il n'est pas possible de prévoir un score individuel. Nous examinons quatre lois du hasard applicables selon le type de mesure effectuée et selon le contexte.*

Le **hasard**, aussi appelé l'**aléatoire**, est la caractéristique de tout phénomène dont le résultat est variable sans qu'il ne soit possible d'éliminer cette variabilité. Le comportement humain est un exemple de phénomène aléatoire: placez 1 000 personnes dans une situation précise et vous obtiendrez probablement 1 000 réponses différentes!

Pour pouvoir parler des lois du hasard, il est nécessaire de définir l'unité dans laquelle il s'exprime: la probabilité.

La notion de probabilité est apparue au xvie siècle, époque où les jeux de hasard étaient très prisés. Pour connaître ses chances de gagner une partie, il n'existait qu'une seule approche: jouer le jeu un grand nombre de fois avec un serviteur de confiance puis compter le nombre de victoires. Ainsi, le joueur avait une idée approximative de ses chances. Rapidement, on pensa à rapporter le nombre de victoires relativement au nombre de parties jouées en divisant le premier par le second. Aussi, 3 victoires sur 4 donnent une proportion de ¾. En pourcentage, on obtient ¾ ×100 %, soit 75 %.

Lorsque ce nombre est obtenu à partir d'expériences passées, il s'agit d'une **proportion** (ou d'une proportion observée); lorsque ce nombre est utilisé pour anticiper un résultat futur, il s'agit d'une **probabilité**. L'approche qui consiste à estimer une probabilité future en se basant sur une proportion observée s'appelle l'approche fréquentiste. L'approche fréquentiste permet une première définition: la probabilité d'un événement est la proportion du nombre de fois qu'il s'est produit dans le passé sur le nombre d'observations où il aurait pu se produire:

$$Pr(\text{événement}) = \frac{\text{Nombre de fois où l'événement a eu lieu}}{\text{Nombre d'observations}}.$$

Autrement dit, une probabilité est la prédiction qu'un événement hypothétique se réalise dans le futur. Un graphique présentant les probabilités pour tous les événements possibles s'appelle un graphique de distribution théorique.

De cette définition découlent trois conséquences:

- Une probabilité n'est jamais inférieure à zéro car l'événement ne peut pas avoir eu lieu un nombre négatif de fois.
- Une probabilité n'est jamais supérieure à 1 car l'événement ne peut pas avoir eu lieu plus de fois que nous avons tenté de l'observer.
- La probabilité que l'événement n'ait pas lieu est égal à 1 − *Pr(événement)*. En effet, soit l'événement a eu lieu, soit il n'a pas eu lieu et donc, le nombre de fois

qu'il n'a pas eu lieu correspond au nombre d'observations moins le nombre de fois que l'événement a eu lieu.

Pour empêcher les joueurs d'évaluer leurs chances et donc de miser de façon lucide, certaines maisons de jeux (plus tard les casinos) inventèrent des jeux plus complexes, parfois basés sur une séquence d'événements. Pour évaluer leurs chances, les joueurs n'eurent d'autre recours que d'aller consulter les plus grands mathématiciens de leur temps (les Bernoulli, Pascal, Fermat, etc.). Ceux-ci délaissèrent l'approche fréquentiste en faveur d'une approche théorique. Les résultats de leurs investigations furent importants: ils établirent que le hasard, loin d'être aléatoire, suit des lois très précises, les lois de distribution. Nous examinons quelques-unes de ces lois dans les sections qui suivent.

# 1. La loi de distribution de Bernoulli

La loi de hasard la plus simple que l'on puisse imaginer a été étudiée par Bernoulli. Considérons à nouveau la pièce de monnaie. Si nous la lançons 10 fois (et qu'elle n'est pas truquée bien entendu), on devrait obtenir environ 5 piles et 5 faces. Ces nombres peuvent différer car le phénomène est aléatoire (nous aurons peut-être 4 piles et 6 faces, ou encore 6 piles et 4 faces). Si on pose la question « Quelle est la probabilité d'avoir face ? », l'approche fréquentiste n'est pas très fiable ici (cette probabilité se situe entre 0.4 et 0.6).

Par contre, si vous lancez la pièce 10 000 fois, vous obtiendrez peut-être 4 994 piles et 5 006 faces (ou vice versa). Dans ce cas, l'approche fréquentiste est drôlement plus performante puisqu'on déduit que la probabilité d'une face (notée $Pr(Face)$) se trouve entre 0.4994 et 0.5006, d'où $Pr(Face) \approx$ ½. En fait, plus le nombre de lancers de la pièce sera élevé, plus $Pr(Face)$ pourra être estimée de façon précise.

Les mathématiciens (qui ne font pas les choses à moitié) imaginent que la pièce est lancée un nombre infini de fois, ce qui leur permet d'estimer $Pr(Face)$ avec une approximation infiniment précise. Il s'agit de l'approche dite de la **loi des grands nombres**. Sans surprise, ils ont trouvé que $Pr(Face)$ = ½. Puisque la probabilité de pile correspond à la probabilité que face n'ait pas lieu, on en déduit que $Pr(Pile)$ = ½.

Les événements possibles pour la pièce de monnaie sont au nombre de deux et donc le graphique de la distribution théorique n'énumère les probabilités que pour ces deux événements. Il est donné en Figure 5.1, gauche.

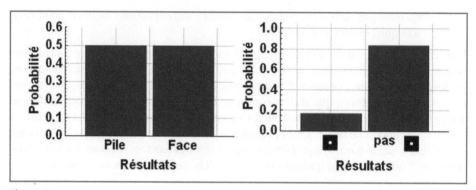

**Figure 5.1**

**La distribution théorique pour le lancer d'une pièce de monnaie et d'un dé.**

La probabilité n'est pas forcément ½. Si nous sommes intéressés à voir un $\boxdot$ sortir lorsqu'on lance un dé, on trouve que $Pr\,(\boxdot) = 1/6$ (Figure 5.1, droite).

Suivant Bernoulli, appelons l'événement dont nous souhaitons connaître la probabilité un « succès » (abrégé S) et l'autre événement un « échec » (abrégé E). La loi de distribution de Bernoulli s'applique à toutes les situations n'ayant que deux possibilités (des situations binaires). Par exemple, un individu est choisi au hasard et son sexe est noté. Le résultat peut être Homme ou Femme (libre à vous de déterminer lequel est le succès et lequel est l'échec...). Dans l'industrie, une machine peut fonctionner ou être en panne, etc. Un essai où seulement deux cas sont possibles est parfois appelé un essai de Bernoulli. On a de façon générale que

$$Pr\,(S) = \pi$$

où $\pi$ (la lettre grecque pi mais sans référence au cercle) est une caractéristique intrinsèque au phénomène étudié. Si on étudie des pièces de monnaie, $\pi_{Face}$ vaut ½, des dés et $\pi_{\boxdot}$ vaut $1/6$, etc. On dit que $\pi$ constitue un **paramètre** du phénomène étudié et la distribution peut être notée de façon abrégée $b\,(\pi)$.

Dans les cas idéaux (la pièce de monnaie, les dés), il est possible de connaître par déduction la valeur de $\pi$. Par contre, il existe un grand nombre de situations où $\pi$ n'est pas connu. Par exemple, vous cherchez une personne portant des lunettes. Quelle est la probabilité que la prochaine personne rencontrée en porte? La valeur $\pi_{Lunette}$ est un paramètre de la population, mais sa valeur est inconnue.

Si la prochaine personne ne porte pas de lunettes, est-ce que cette information aide à déterminer quelle est la valeur de $\pi_{Lunette}$? Pas vraiment, mieux vaudrait regarder les 10, voir les 100 prochaines personnes. Comme la distribution de Bernoulli ne fait une prédiction que pour une seule observation, elle est rarement utilisée.

# 2. La loi de distribution binomiale

Revenons à la pièce de monnaie. Vous pariez qu'en la lançant 6 fois, vous n'obtiendrez que 2 piles. Quelles sont vos chances de gagner votre pari ? Vous pouvez vous enfermer dans une garde-robe à lancer 6 pièces une dizaine de fois. Vous obtiendrez peut-être 2 piles sur deux ou trois de ces dix tentatives, ce qui laisse croire que la probabilité d'obtenir 2 piles est entre $2/10 \times 100\% = 20\%$ et $3/10 \times 100\% = 30\%$.

Alternativement, vous pouvez consulter un mathématicien (ou le complément mathématique à la fin de ce chapitre) et découvrir que la probabilité de gagner votre pari, i.e. la probabilité d'obtenir exactement deux piles sur six lancers, est de :

$$Pr\,(2 \text{ succès sur } 6 \text{ tentatives}) = 23.4\,\%.$$

Cette probabilité permet de prédire que vous avez 23 chances sur 100 de gagner votre pari.

Si on regarde tous les paris possibles, vous auriez pu parier qu'aucun pile ne sorte, qu'un seul pile sorte, etc., jusqu'à 6 piles sur 6 lancers. On peut alors faire le graphique de la distribution théorique, qui est donné à la Figure 5.2.

Si vous pariez n'obtenir aucun pile, vos chances de gagner sont très minces. Même constat si vous pariez obtenir 6 piles sur 6 lancers. Votre meilleur pari serait d'obtenir 3 piles sur 6, mais encore là, ce n'est pas du tout cuit puisque vous n'avez que 31.3 % de probabilité de l'emporter (en fait, mieux vaut parier que vous n'aurez pas 3 piles, car alors la probabilité de gagner est de $1 - .313 = 68.7\,\%$).

Le graphique de la distribution théorique de la Figure 5.2 dépend de l'événement que vous recherchez à obtenir. Si vous voulez des ⊡ sur 6 lancés de dés, la forme sera très différente. Le nombre de ⊡ sera plus probablement de 1 mais il pourrait être de 0 ou encore de 2 ou plus. Le graphique de la distribution théorique pour le nombre de ⊡ est donné en Figure 5.3.

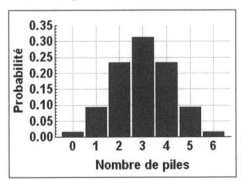

**Figure 5.2**

**Distribution théorique pour obtenir un certain nombre de piles sur 6 lancers.**

Le graphique de la distribution théorique dépend aussi du nombre de lancers effectués (le nombre de tentatives). La Figure 5.4 montre les probabilités lorsqu'il y a 12 lancers d'une pièce de monnaie et 12 lancers d'un dé. Pouvez-vous dire lequel est lequel ?

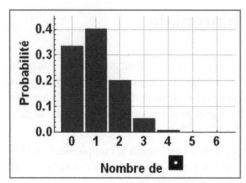

Figure 5.3

**Distribution théorique pour obtenir un certain nombre de ⊡ sur 6 lancers.**

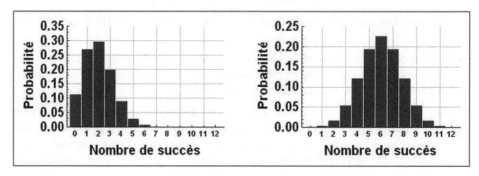

Figure 5.4

**Distributions théoriques pour obtenir un certain nombre de ⊡ (à gauche) ou de piles (à droite) sur 12 tentatives.**

Ces distributions sont des aides pour le futur. Elles indiquent la chance de gagner, ou encore, le risque de perdre. Par exemple, avec les dés, si vous pariez obtenir 0, 1 ou 2 ⊡ sur 6 lancers, vous avez au total près de 94 % de chance de gagner et un risque de près de 6 % de perdre.

Ce qui différencie les graphiques de la Figure 5.4 (ou encore ceux des Figures 5.1 et 5.2) est la probabilité d'avoir un succès sur un seul lancer que nous avons noté $\pi$ à la section précédente. Aussi, cette distribution théorique dépend de deux informations : le nombre de tentatives et la probabilité d'un succès sur une tentative, qu'on abrège avec $\mathcal{B}\,(n, \pi)$.

Nous verrons comment cette loi de distribution peut aider à prendre des décisions au chapitre 7.

# 3. La loi de distribution de Gauss (normale)

Gauss est allé un peu plus loin avec sa théorie des erreurs. Imaginons qu'Annie remplisse un examen composé d'un très grand nombre de questions (disons 100). Toutes les questions sont de difficultés comparables et Annie a une probabilité π de réussir une question. Disons pour illustrer que le π de Annie est ½. La distribution théorique prédisant le nombre total de questions réussies est donnée par la loi de distribution binomiale et ressemble à celle de la Figure 5.5, gauche.

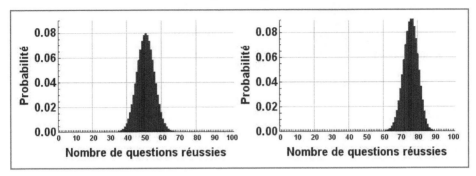

## Figure 5.5

**Distribution théorique pour le score à un examen comportant 100 questions (*n*) avec une probabilité de réussir une question (π) de ½ (gauche) ou ¾ (droite).**

Dans ces conditions, Annie a de grandes chances d'avoir une note de 50 %, mais elle peut très bien avoir moins (e. g. 40 %) ou plus (e. g. 60 %). Si Katia a une probabilité de réussir une question de 75 %, la distribution théorique de son score final sera celui de la Figure 5.5, droite. Il n'y a virtuellement aucune chance qu'elle ait une note inférieure à 60 % mais aussi aucune chance qu'elle ait une note supérieure à 90 %.

Notons avec $\mu$ (la lettre grecque mu) le score attendu pour Annie. Puisqu'elle réussit généralement une question la moitié du temps (π = ½), on s'attend à ce qu'elle ait une note de 50 (i. e. $\mu = n \times \pi$). Notons avec σ (la lettre grecque sigma minuscule) l'écart type de ses résultats. On montre (compléments mathématiques) que l'écart type de ses résultats (si elle refaisait l'examen un grand nombre de fois) sera de 5 (($\sigma = \sqrt{n\pi(1-\pi)}$). Bien qu'Annie et Katia diffèrent sur leurs paramètres π, notez que les deux distributions prédisant leurs scores sont très semblables et symétriques.

Allons une coche plus loin, imaginons qu'Annie remplisse un test de QI et que son score dépende du fonctionnement adéquat de ses processus mentaux (mémoire, compréhension, conceptualisation, etc.). Ceux-ci à leur tour dépendent du bon fonctionnement d'un nombre astronomique de processus neuronaux. La distribution théorique du nombre de processus neuronaux qui ont fonctionné correctement ressemble alors probablement à celle de la Figure 5.6, gauche. Le QI observé de Annie sera proportionnel au nombre de processus mentaux réussis. Si Annie a généralement 50 % de ses processus mentaux qui fonctionnent correctement et s'il faut 2 000 processus pour remplir un test de QI et atteindre un QI de 100, alors Annie peut sous-performer (obtenir un score de 95) ou sur-performer (obtenir un score de 105). De plus, la probabilité qu'Annie obtienne, disons, moins de 95 peut être calculée.

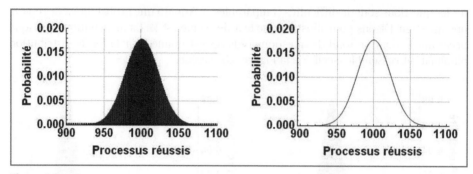

**Figure 5.6**

Distribution théorique (à gauche) et version continue (à droite) quand le nombre de causes sous-jacentes est très grand (ici, $n = 2000$).

Dans la pratique, on ignore le nombre de processus mentaux requis pour réaliser un test de QI et le nombre usuel de processus qui fonctionnent. On ignore donc souvent les paramètres $n$ et $\pi$. Cependant, lorsque le nombre de causes sous-jacentes est très élevé, les histogrammes deviennent tellement denses qu'on peut les remplacer par une courbe continue. De la même façon, l'axe horizontal est divisé tellement finement qu'on peut le remplacer par une échelle continue.

Gauss a entrepris d'étudier la version continue de la distribution théorique. Il a démontré que cette courbe est toujours symétrique et en forme de cloche, peu importe le phénomène, pour autant que:

- le nombre de causes qui contribuent à la mesure (les causes sous-jacentes) soit très grand;
- ces causes puissent réussir ou échouer;
- la probabilité d'une erreur ne soit pas extrême ($\pi$ pas très proche de zéro et pas très proche de 1).

Ces trois conditions constituent la **théorie des erreurs**. Si on peut répondre oui à ces trois conditions, alors la distribution de la mesure suivra la **loi de distribution gaussienne**, plus connue comme la **loi de distribution normale**. Gauss, précédé par Laplace, a pu écrire cette courbe sous la forme d'une équation (cf. compléments mathématiques). La théorie est applicable dans un grand nombre de situations. Par exemple, la taille d'une personne est déterminée par un grand nombre de phénomènes biologiques (tels l'alimentation, l'absence de maladie, les gènes, etc.). Ces phénomènes peuvent avoir eu lieu (succès) ou pas (échec). Chacun a une probabilité (inconnue) mais qui n'est probablement pas 0 ou 1. En conséquence, la distribution des tailles doit suivre la distribution normale.

Le nom de distribution normale vient du Belge Quetelet qui, au début du xixe siècle (avant Gauss), ayant examiné le tour de poitrine de soldats écossais, constata que le graphique des fréquences obtenu était symétrique et en forme de cloche. Il en conclut qu'il devait s'agir d'un graphique de fréquence *normal*, et ce nom resta.

Galton (un des précurseurs de la corrélation) proposa une machine pour générer des événements qui suivent la loi de distribution normale. Il s'agit d'une planche légèrement inclinée et couverte de clous espacés de 2 cm, chaque rangée décalée de 1 cm par rapport à la précédente, comme à la Figure 5.7.

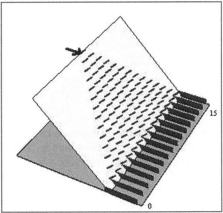

**Figure 5.7**

**La machine de Galton ayant 15 rangés de clous.**

Le bas de la planche est subdivisé en casiers numérotés en ordre croissant (il y a autant de casiers qu'il y a de rangées de clous). Une bille est lâchée du haut de la machine (à la position de la flèche). À chaque rangée, la bille percute un clou et peut rebondir à droite ou à gauche.

Puisque le nombre de rangées est grand (condition 1), puisque la bille peut réussir à aller vers un score élevé ou échouer (condition 2), et puisque la probabilité que la bille réussisse (rebondisse à droite) n'est pas extrême (étant de ½ ; condition 3), il s'ensuit que le casier où la bille va terminer sa course (le « score » qu'elle va obtenir) varie de façon normale. La Figure 5.8 montre les résultats si on laisse 50 billes (à gauche) ou 500 billes (à droite) descendre une machine de Galton avec 15 rangées de clous.

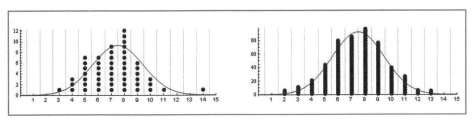

**Figure 5.8**

**50 billes (à gauche) et 500 billes (à droite) qui ont dévalé une machine de Galton ayant 15 rangées de clous. La ligne indique la distribution normale.**

La distribution normale est une famille de courbes puisqu'une distribution normale peut se distinguer d'une autre par la position (Figure 5.9, gauche), par l'étendue (Figure 5.9, centre) ou par les deux à la fois (Figure 5.9, droite). Ce qui distingue une courbe normale d'une autre, ce sont les paramètres de cette courbe, qui sont au nombre de deux : la position $\mu$ et l'échelle $\sigma$.

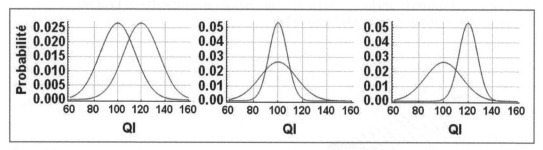

Figure 5.9

**Quelques distributions normales représentant la probabilité d'avoir un certain QI. À gauche, deux populations, une ordinaire ($\mu = 100$, $\sigma = 15$) et l'autre douée ($\mu = 120$, $\sigma = 15$) ; au centre : deux populations, une ordinaire et l'autre très homogène ($\mu = 100$, $\sigma = 7.5$) ; à droite, deux populations, une ordinaire et l'autre douée et très homogène ($\mu = 120$, $\sigma = 7.5$).**

Si on connaît la valeur des deux paramètres dans la population ($\mu$ et $\sigma$), il est possible de calculer une probabilité. Par exemple, si Annie a un QI réel de 100 et un écart type de 5, elle devrait donner un score proche de son score réel (entre 95 et 105) avec une probabilité de près de 70 % (on verra comment trouver ces nombres plus loin). Avec de la malchance, elle peut obtenir un score inférieur à 90 avec une probabilité de 2.3 % et même un score inférieur à 88 avec une probabilité de 1 %. Cette distribution étant symétrique, elle peut aussi avoir 110 ou même 112 avec des probabilités de 2.3 % et 1 % respectivement.

# 4.  La loi de distribution normale standardisée

La Figure 5.9 montre des distributions qui décrivent quatre populations différentes. Chacune de ces populations a ses caractéristiques propres (au nombre de deux, les paramètres $\mu$ et $\sigma$). Prenons la population douée. Si on transforme chacun des QI des membres de cette population en cote z, on va obtenir que (1) la moyenne de cette population est maintenant 0 ; (2) l'écart type de cette population est maintenant de 1 (chapitre 3). Autrement dit, si $\mu_{QI}$ vaut 120 et $\sigma_{QI}$ vaut 15, alors $\mu_Z$ vaut 0 et $\sigma_Z$ vaut 1. Si on veut savoir la probabilité qu'un doué pris au hasard ait un QI de 120 ou plus, il suffit de savoir quelle est la probabilité qu'une cote z prise au hasard soit de 0 ou plus.

Faisons le même exercice avec les personnes « ordinaires » (je ne veux pas utiliser le mot « normales », ambigu ici). Après standardisation (transformation en cote z), on peut répondre à la question « Quelle est la probabilité qu'une personne prise au hasard ait 100 ou plus » avec exactement la même réponse que ci-dessus « quelle est la probabilité qu'une cote z prise au hasard soit de 0 ou plus ».

Ainsi, la distribution des cotes z, appelée la **distribution normale standardisée**, est une espèce de «distribution normale universelle». Toutes questions portant sur une population normale quelconque peut se réduire à une question portant sur la population normale standardisée: il suffit de savoir transformer un score en score z et de savoir calculer la probabilité d'obtenir un certain score z.

Nous avons vu comment calculer un score z au chapitre 3. Reste à savoir comment calculer la probabilité d'obtenir un certain score z.

Avec la distribution normale, on est plus intéressé à connaître la probabilité d'avoir un score situé dans un certain intervalle. La Figure 5.10 donne les probabilités d'avoir une cote z entre − 4 et − 2, entre − 2 et − 1, etc.

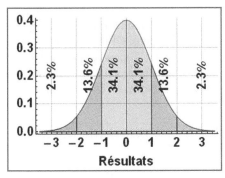

**Figure 5.10**
**La distribution normale standardisée.**

Lorsqu'on a défini l'écart type (chapitre 1), on a vu qu'un individu pris au hasard *a toutes les chances* d'être à ± 1 écart type de sa moyenne. Nous pouvons maintenant quantifier l'expression «a toutes les chances». Si la population est normale, la probabilité d'être entre − 1 et 0 est de 34.1 % et la probabilité d'être entre 0 et + 1 est aussi de 34.1 % (Figure 5.10). La probabilité d'être dans l'un ou l'autre cas (d'être entre − 1 et + 1 donc) est la somme de ces probabilités, soit 68.2 %. Autrement dit, 68 % des individus d'une population sont typiques à plus ou moins un écart type si la population suit une distribution normale.

Les individus avec des cotes z faibles sont rares (2.3 %) si on définit faible comme voulant dire 2 écarts types en deçà de la moyenne et 13.6 % des individus sont entre typiques et faibles.

Par exemple, si un groupe d'étudiants obtient à un examen une moyenne de 70 sur 100 et un écart type de 10 (et si les notes sont bien distribuées normalement), on peut conclure que 68 % des notes devraient se trouver entre 60 et 80 (± 1 écart type), qu'une note de 90 % ou plus (supérieure à 2 écarts types) devrait être obtenue par environ 2 % des étudiants, et qu'une note de 40 (en bas de 3 écarts types) est vraiment exceptionnellement mauvaise.

De même, une note de 15 sur 20 en mathématique et une note de 14 sur 20 en français peuvent sembler similaires. Cependant, si l'on sait que la moyenne du groupe en math est de 12 avec un écart type de 1, et que la moyenne en français est de 16 avec un écart type de 1, on découvre un génie des maths et un piètre écrivain.

# 5. Propriété de fermeture de la loi de distribution normale

Cette propriété sera utile pour les chapitres suivants. Imaginons que l'on examine le QI des couples mariés. Le QI des hommes suit une distribution normale avec une moyenne de 100 et un écart type de 15. Idem pour les femmes. Quelles seront les caractéristiques de la somme des QI? On déduit assez facilement que la moyenne sera de 200. Cependant, quelle sera la distribution théorique du QI total?

En vertu de la distribution normale, les QI qui s'écartent de la moyenne sont inférieurs ou supérieurs à la moyenne dans une même proportion et avec la même ampleur car cette distribution est symétrique. Parfois un QI faible sera additionné à un QI élevé pour donner un QI total proche de 200. À d'autres moments, deux QI faibles seront additionnés ou deux QI forts, donnant des QI totaux extrêmes. Cependant, ces extrêmes sont aussi fréquents d'un côté et de l'autre de la moyenne et également extrêmes. En conséquence, la distribution de la somme sera aussi symétrique. En fait, elle suivra elle aussi une distribution normale.

La Figure 5.11 illustre cette situation.

**Figure 5.11**

Distribution obtenue si deux scores suivant une distribution normale sont additionnés. La distribution résultante est elle aussi normale.

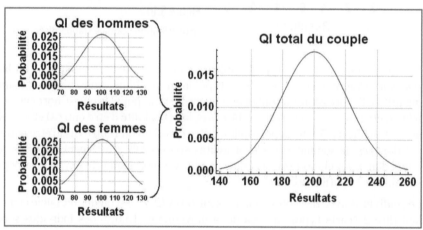

C'est pourquoi on dit que la loi de distribution normale possède la **propriété de fermeture** (elle est fermée sur elle-même): si on additionne (soustrait) des scores provenant de populations suivant la distribution normale, le résultat suit aussi la distribution normale.

# 6. La loi de distribution $\chi^2$

Nous terminons avec deux autres lois de distribution théorique dérivées de la normale, la **loi de distribution de $\chi^2$** (prononcé khi-carré) et la **loi de distribution F**. Nous commençons avec la $\chi^2$.

Supposons que des scores **X** sont tirés d'une population normalement distribuée. Qu'advient-il si l'on décide de transformer chaque score de l'échantillon en score z puis qu'on additionne ces scores z ? Cette statistique totalement arbitraire, que l'on appelle **G**, est alors donnée par la formule suivante :

$$G = \sum_{i=1}^{n} \mathbf{Z}_i$$
$$= \sum_{i=1}^{n} \left( \frac{\mathbf{X}_i - \mu}{\sigma} \right)$$
$$= \frac{1}{\sigma} \sum_{i=1}^{n} (\mathbf{X}_i - \mu).$$

Or, comme nous l'avons vu au chapitre 2, le terme de droite à la dernière ligne est une somme des écarts à la moyenne, ce qui signifie que **G** vaut toujours zéro. Cette statistique n'est donc pas intéressante. Regardons plutôt une autre statistique, que l'on appelle **$G^2$** (ici, le carré fait partie du nom, et ne signifie pas qu'il faut mettre la valeur de **G** précédente au carré), calculée par

$$\mathbf{G}^2 = \sum_{i=1}^{n} \mathbf{Z}_i^2 = \sum_{i=1}^{n} \left( \frac{\mathbf{X}_i - \mu}{\sigma} \right)^2,$$

c'est-à-dire la somme des scores z mis au carré. Bien que cette statistique semble arbitraire, on verra au chapitre 10 qu'elle peut être très utile dans certains cas.

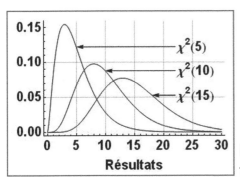

**Figure 5.12**

Trois exemples de distribution $\chi^2$.

La statistique $G^2$ varie d'un échantillon à l'autre. Parfois, les données seront toutes proches de la moyenne et le $G^2$ sera proche de zéro. D'autres fois, les données seront très différentes de la moyenne et la $G^2$ sera grand. Si on fait ceci pour tous les échantillons possibles, on obtient un aperçu de la distribution des $G^2$ possibles.

Le $G^2$ possède une distribution théorique que l'on appelle la **distribution du $\chi^2$**. La distribution du $\chi^2$ est entièrement définie par le paramètre $n$, soit le nombre d'items additionnés. $n$ est donc le seul paramètre pour décrire la population de tous les $G^2$ possibles. Puisque de façon typique, une donnée se trouve à $+1$ ou $-1$ écart type de la moyenne du groupe (définition de l'écart type), la cote z typique vaut $+1$ ou $-1$. En mettant au carré, le $z^2$ typique vaut donc 1. Si on additionne $n$ cotes z au carré typiques, on devrait donc obtenir de façon typique un total de $n$. Conséquemment, comme on le voit à la Figure 5.12, une distribution $\chi^2$ avec paramètre $n$ a aussi une moyenne (un centre de gravité) de $n$ aussi.

De plus, le $n$ détermine la forme de la distribution, comme on le voit à la Figure 5.12 : plus $n$ s'accroît, plus l'asymétrie tend vers 0. C'est-à-dire que, pour $n$ très grand, la distribution $\chi^2$ $(n)$ tend à devenir identique à une distribution normale.

# 7. La distribution F de Fisher

Terminons avec la distribution F, inventée par R. A. Fisher. Fisher imagine la situation où nous avons deux échantillons tirés d'une même population normale, disons **X** et **Y**. Si l'on calcule sur le premier échantillon la statistique $G_X^2$ comme à la section précédente et que l'on divise par $n_X$, on devrait obtenir une statistique dont la valeur typique est autour de 1. Faisons de même pour **Y** pour obtenir $G_Y^2$. Finalement, divisons le premier par le second pour obtenir une nouvelle statistique appelée **F**. La formule complète est :

$$\mathbf{F} = \frac{\mathbf{G}_X^2 / n_X}{\mathbf{G}_Y^2 / n_Y} = \frac{\sum_{i=1}^{n} \frac{(X_i - \mu)^2}{\sigma^2} / n_X}{\sum_{i=1}^{n} \frac{(Y_i - \mu)^2}{\sigma^2} / n_Y}.$$

Le paramètre $\sigma$ s'annule et on obtient :

$$\mathbf{F} = \frac{\sum_{i=1}^{n} (\mathbf{X}_i - \mu)^2 / n_X}{\sum_{i=1}^{n} (\mathbf{Y}_i - \mu)^2 / n_Y},$$

c'est-à-dire la somme des carrés pour l'échantillon **X** divisé par $n_X$ au numérateur et la somme des carrés pour l'échantillon **Y** divisé par $n_Y$ au dénominateur, d'où :

$$\mathbf{F} = \frac{SC_X / n_X}{SC_Y / n_Y}.$$

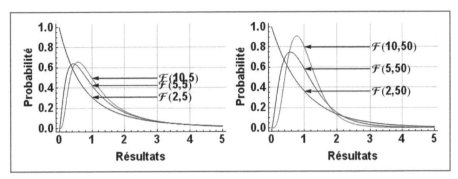

## Figure 5.13

6 exemples de la distribution $\mathcal{F}$ (les paramètres sont montrés entre parenthèses)

Cette distribution théorique dépend de la taille des échantillons $n_X$ et $n_Y$. De façon typique, on obtient 1 mais la distribution peut avoir une longue queue à droite, surtout si l'échantillon Y est de petite taille. À la Figure 5.13, on voit une illustration pour $n_X$ = 2, 5, et 10 pour $n_Y$ = 2 (gauche) et $n_Y$ = 50 (droite).

Toutes ces distributions théoriques (et deux autres que nous verrons aux chapitres 9 et 11) sont liées entre elles, comme on le voit à la Figure 5.14.

# 8. Comment lire les tables statistiques de l'appendice ?

Pour certaines distributions théoriques, les probabilités peuvent être obtenues avec une calculette (par exemple, la binomiale). Pour d'autres par contre, les probabilités ne le sont pas (par exemple, la $\chi^2$ utilise la fonction $\Gamma$ – gamma majuscule – qui n'est pas présente sur la plupart des calculettes). On peut utiliser un logiciel, tel SPSS (voir la section Utilisation de SPSS à la fin de ce chapitre), Mathematica ou Excel, pour calculer ces probabilités à chaque fois que cela est nécessaire. Cependant, ces logiciels sont d'introduction récente et n'étaient pas accessibles ou n'existaient tout simplement pas il y a seulement 20 ans. Pour cette raison, on retrouve fréquemment dans les livres de statistiques des tables où les calculs ont déjà été réalisés.

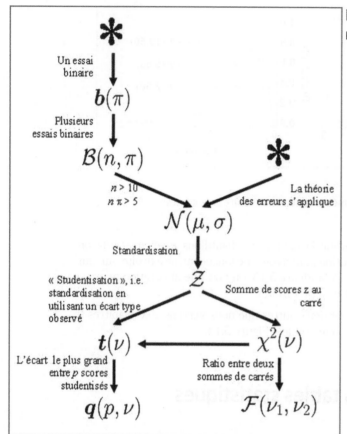

**Figure 5.14**

**Relations entre les distributions théoriques.**

Les tables que nous joignons en appendice ont été conçues pour déterminer la probabilité d'obtenir un score extrême (se trouvant complètement à gauche ou complètement à droite de la distribution). Nous verrons au chapitre suivant pourquoi seuls ces événements peu probables sont utiles en statistiques.

Reprenons la distribution normale standardisée. Avec la Figure 5.10, il est possible de trouver la probabilité d'être en bas d'un certain score z où le score z est un nombre « simple » (e.g. − 2, − 1, etc.). Par exemple, la probabilité d'avoir − 2 ou moins est de 2.3 %. La Figure 5.15 est similaire à la Figure 5.10 sauf que cette fois-ci, les probabilités sont des nombres « simples » (e.g. 1 %, 5 %, etc.). Par exemple, la cote z telle que la probabilité d'être en deçà, soit 5 %, se situe entre − 1.5 et − 2. Avec la table de la normale standardisée, on trouve la cote z précise sous la colonne 5 %: − 1.64.

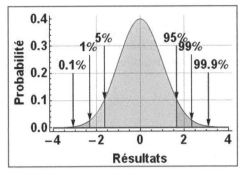

**Figure 5.15**

**Quelques quantiles sur une population qui suit la distribution normale standardisée.**

Lorsque nous fixons la probabilité et cherchons le score correspondant, cette opération consiste à calculer un quantile sur une population théorique. Nous fixons un rang percentile (e.g. 5 %) et trouvons le score qu'il faudrait avoir pour obtenir ce rang percentile. La différence avec le quantile vu au chapitre 3 est qu'ici, on trouve le quantile d'une population théorique alors qu'au chapitre 3, on trouvait le quantile d'un échantillon.

Avec ce type d'information, on peut poser des questions telles que : un candidat, pour être jugé exceptionnel (meilleur que 1 %), doit avoir quelle cote z ? Comme les quantiles sont toujours calculés du plus faible vers le plus élevé (par convention) et que le meilleur 1 % se situe à droite de la distribution, alors ce score correspond au rang percentile 99 %. La Figure 5.15 montre que la cote z à obtenir est 2.34.

Cette opération peut être effectuée même si les scores ne suivent pas une distribution normale. La Figure 5.16 montre des exemples avec des populations qui suivent une distribution $\chi^2$ (15) et une distribution $\mathcal{F}$ (15, 50).

Certaines distributions (la normale et la $t$ que l'on verra au chapitre 9) sont symétriques autour de zéro. Donc, la valeur critique à gauche est la même que la valeur critique à droite sauf pour un signe négatif. La plupart ne le sont pas (tel la $\chi^2$, la $\mathcal{F}$, la $\mathcal{B}$ et la $q$ que l'on verra au chapitre 11). De même, certaines distributions nécessitent la connaissance d'un paramètre (telle la distribution $\chi^2$ et $t$). Il y a, dans ce cas, une ligne pour chaque paramètre possible avec en première colonne la valeur du paramètre. Finalement, d'autres distributions nécessitent deux paramètres (les distributions $\mathcal{B}$, $\mathcal{F}$, et $q$). Les deux premières colonnes de ces tableaux indiquent la valeur des paramètres.

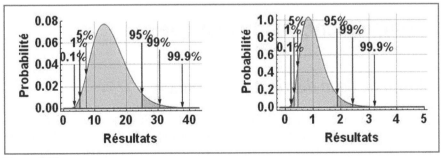

**Figure 5.16**

**Quelques quantiles pour une distribution $\chi^2$ (15) et une distribution $\mathcal{F}$ (15 ,50).**

Dans les tables de l'appendice, seules les probabilités les plus fréquemment utilisées en statistiques sont tabulées (le plus utilisé de tous étant le fameux 95 %, ou encore 2.5 % à gauche et 2.5 % à droite). Pour toute autre probabilité, il faut utiliser un logiciel ou consulter un livre contenant des tables statistiques plus détaillées.

# 9. Comment rapporter une probabilité théorique ?

Une probabilité se rapporte, par convention, avec la lettre p en italique. De plus, une probabilité commençant toujours par 0, il est coutumier de ne pas écrire ce zéro et de débuter directement par le point décimal. Par exemple, «Le résultat obtenu était peu prévisible ($p < .05$)». Si la probabilité a été trouvée en utilisant une distribution théorique, il faut indiquer le nom de la distribution théorique. Si cette distribution possède un ou des paramètres, il faut les mettre entre parenthèses après le nom de la distribution théorique. Par exemple, si on a consulté une distribution normale avec paramètres $\mu = 25$ et $\sigma = 15$, on écrira : «La probabilité d'attendre plus de 55 minutes est faible ($\mathcal{N}(25, 10) = 55$, p < .006)». Les distributions sont identifiées par les lettres $\mathcal{B}$, $\mathcal{N}$, $\chi^2$, $\mathcal{F}$, etc. (optionnellement avec une écriture calligraphiée). La distribution normale standardisée étant souvent utilisée, elle est simplement identifiée par la lettre $z$ sans paramètre.

Il existe un grand nombre de distributions théoriques en plus de celles que nous avons vues. Par exemple, si vous voulez calculer la probabilité d'attendre le prochain autobus plus de 10 minutes, il faudra utiliser une distribution exponentielle ; si vous voulez calculer la probabilité d'être ruiné après 50 parties au Casino de Montréal, vous utiliserez une distribution de Wald ; si vous voulez calculer la probabilité de subir une inondation cette année, vous utiliserez une distribution de Weibull, etc. Chacune de ces distributions possède un ou plusieurs paramètres qui sont inconnus mais qui peuvent être estimés à partir d'échantillons.

# 10. Compléments mathématiques

## 10.1 L'origine de la distribution binomiale

En général, l'un des deux résultats est appelé de façon arbitraire un «succès» et l'autre un «échec». Pour simplifier, notons $\pi$ la probabilité d'un succès, Pr{S}. Il s'ensuit que $1 - \pi$ est la probabilité d'un échec, Pr{E}. Dans le cas d'une pièce de monnaie non truquée, $\pi_{Face} = \frac{1}{2}$. Dans le cas de panne de machineries, l'entrepreneur souhaite que $\pi_{Panne}$ soit le plus faible possible.

Dans un essai de Bernoulli, chaque essai est indépendant des essais précédents. Il découle alors que la probabilité de plusieurs essais est multiplicative. Par exemple, la probabilité de deux succès Pr{S, S} est Pr{S} × Pr{S} = $\pi \times \pi = \pi^2$. Ainsi, Pr{S, S, E, S, E, E} = $\pi \times \pi \times (1 - \pi) \times \pi \times (1 - \pi) \times (1 - \pi) = \pi^3 (1 - \pi)^3$. Notez que l'ordre dans lequel les résultats sont obtenus n'est pas important puisque nous comptons le nombre de succès indépendamment de l'ordre dans lequel ils ont été obtenus.

Si, au lieu d'être intéressé dans le résultat d'un seul événement, nous souhaitons quantifier le nombre total de succès, par exemple, le nombre de machines défectueuses dans une usine, nous devons tenir compte du nombre de façons possibles d'obtenir ce résultat donné. Par exemple, au cours d'une joute où on lance cinq fois une pièce de monnaie, on veut savoir la probabilité d'obtenir 3 piles (S). On peut obtenir ce résultat de l'une ou l'autre de ces façons :

$$\begin{array}{ll} \{S, S, S, E, E\} & \{S, S, E, S, E\} \\ \{S, S, E, E, S\} & \{S, E, S, S, E\} \\ \{S, E, S, E, S\} & \{S, E, E, S, S\} \\ \{E, S, S, S, E\} & \{E, S, S, E, S\} \\ \{E, S, E, S, S\} & \{E, E, S, S, S\} \end{array}$$

soit 10 façons différentes d'obtenir 3 piles parmi 5 lancers. La probabilité d'obtenir le premier résultat est de $\pi^3 (1 - \pi)^2$. De même la probabilité d'obtenir la seconde configuration, etc. Donc, la probabilité d'obtenir un total de 3 piles parmi 5 lancers, peu importe l'ordre, est de 10 fois $\pi^3 (1 - \pi)^2$. De façon générale, il faut multiplier la probabilité d'une configuration par le nombre de façons de l'obtenir. Pour cette raison, on a créé l'opérateur $\binom{n}{r}$ qui indique le nombre de combinaisons possibles de $r$ parmi $n$ événements binaires. On calcule ce nombre avec la formule qui signifie $\binom{n}{r} = \dfrac{n!}{r!\,(n-r)!} =$

$$\frac{n \times (n-1) \times (n-2) \times \cdots \times 2 \times 1}{r \times (r-1) \times (r-2) \times \cdots \times 2 \times 1 \times (n-r) \times (n-r-1) \times (n-r-2) \times \cdots \times 2 \times 1}.$$

Par exemple, le nombre de combinaisons de 3 piles parmi 5 lancers est

$$\binom{5}{3} = \frac{5 \times 4 \times 3 \times 2 \times 1}{3 \times 2 \times 1 \times 2 \times 1} = \frac{5 \times 4}{2} = \frac{20}{2} = 10,$$

ce qui est bien ce qu'on avait trouvé en faisant la liste à la main ci-dessus.

Quand un échantillon est une séquence d'essais de Bernoulli, on dit que $\mathbf{X}$ suit une distribution binomiale. Pour simplifier, on peut écrire plus densément qu'une variable aléatoire $\mathbf{X}$ est le nombre de succès obtenus dans une suite de $n$ essais de Bernoulli, au cours desquels la probabilité d'un succès est $\pi$ à l'aide de la notation : $\mathbf{X} \sim \mathcal{B}(n, \pi)$. Dans ce cas, la probabilité d'avoir $r$ succès au cours de $n$ essais, Pr{$\mathbf{X}$ contienne $r$ succès} est donné par

$$\Pr(r \mid n, \pi) = \binom{n}{r} \pi^r (1 - \pi)^{n-r}$$

(le signe | se lit « étant donné que les paramètres de la population sont »). C'est avec cette formule que l'on détermine que la probabilité d'obtenir 2 succès sur 6 tentatives est 23.4 % :

$$Pr\left(2 \mid 6, \frac{1}{2}\right) = \binom{6}{2} \times \left(\frac{1}{2}\right)^2 \times \left(1 - \frac{1}{2}\right)^{6-2}$$

$$= \frac{6!}{4!2!} \times \left(\frac{1}{2} \times \frac{1}{2}\right) \times \left(\frac{1}{2} \times \frac{1}{2} \times \frac{1}{2} \times \frac{1}{2}\right)$$

$$= 15 \times \frac{1}{4} \times \frac{1}{16}$$

$$= \frac{15}{4 \times 16} = 0.234.$$

La distribution binomiale est la seule distribution dont les probabilités peuvent être obtenues avec une calculette. Néanmoins, on préfère généralement consulter une table statistique ou utiliser un ordinateur.

## 10.2 Les statistiques attendues si la population est connue

Lorsque la façon dont les scores dans une population se distribuent est connue, il est possible de prédire quelle devrait être la moyenne d'un échantillon, quelle devrait être la variance et quelle devrait être l'asymétrie. Nous donnons ces résultats ici pour les quatre distributions couvertes dans ce chapitre.

Concernant la distribution binomiale, la moyenne théorique E, la variance théorique Var et l'asymétrie théorique A dépendent de $n$ et de $\pi$ :

$$E(X) = n\pi$$
$$Var(X) = n\pi(1 - \pi)$$
$$A(\mathbf{X}) = \frac{1 - 2\pi}{\sqrt{n\pi(1 - \pi)}}.$$

La distribution normale est symétrique et possède une forme en cloche. La distribution normale prédit la probabilité qu'un score soit $x$ avec la formule

$$Pr(x \mid \mu, \sigma) = \frac{1}{\sqrt{2\pi}\sigma} e^{-\frac{1}{2}\left(\frac{x - \mu}{\sigma}\right)^2}.$$

À cause de sa symétrie, la moyenne, le mode et la médiane sont situés à la même place. La moyenne, la variance et l'asymétrie prédites sont

$$E(\mathbf{X}) = \mu$$
$$Var(\mathbf{X}) = \sigma$$
$$A(\mathbf{X}) = 0.$$

Concernant la distribution de $\chi^2$, la fonction qui permet de calculer la probabilité d'un certain score est donnée par la formule :

$$Pr(x \mid \nu) = \frac{1}{2^{\frac{\nu}{2}}\Gamma\left(\frac{\nu}{2}\right)} x^{\frac{\nu}{2}-1} e^{-\frac{x}{2}}$$

où $\nu$ est le nombre de degré de liberté (i. e. $\nu$ vaut le nombre de données lorsque $\mu$ et $\sigma$ sont connus).

Cette distribution théorique a une moyenne, une variance et une asymétrie donnée par

$$E(\mathbf{X}) = \nu$$

$$Var(\mathbf{X}) = 2\nu$$

$$A(\mathbf{X}) = 2^{\frac{3}{2}} \sqrt{\frac{1}{\nu}}.$$

Finalement, la probabilité d'un score qui suit la distribution de Fisher est donnée par :

$$Pr(x \mid \nu_X, \nu_Y) = \frac{\Gamma\left(\frac{\nu_X}{2} + \frac{\nu_Y}{2}\right)}{\Gamma\left(\frac{\nu_X}{2}\right)\Gamma\left(\frac{\nu_Y}{2}\right)} \times \frac{x^{\frac{\nu_X}{2}-1}\left(\frac{\nu_X}{\nu_Y}\right)^{\frac{\nu_X+\nu_Y}{2}}}{\left(x + \frac{\nu_X}{\nu_Y}\right)^{\frac{\nu_X+\nu_Y}{2}}}$$

où $\nu_X$ est le nombre de degrés de liberté du numérateur et $\nu_Y$ est le nombre de degrés de liberté du dénominateur (voir Chapitre 2).

La moyenne de cette distribution théorique n'est pas exactement 1, mais tend vers cette valeur quand l'échantillon utilisé au dénominateur est grand. De plus, quand $n_X$ et $n_Y$ sont grands, l'asymétrie tend vers 0. Donc, cette distribution tend à devenir normale pour de grands échantillons. Formellement, lorsque $\nu_Y > 6$,

$$E(\mathbf{X}) = \frac{\nu_Y}{\nu_Y - 2}$$

$$Var(\mathbf{X}) = \frac{2\nu_Y^2(\nu_X + \nu_Y - 2)}{\nu_X(\nu_Y - 2)^2(\nu_Y - 4)}$$

$$A(\mathbf{X}) = \frac{2\sqrt{2}(2\nu_X + \nu_Y - 2)}{(\nu_Y - 6)\sqrt{\frac{\nu_X}{\nu_Y - 4}}\sqrt{\nu_X + \nu_Y - 2}}.$$

---

## Encadré 3

# Jacques Bernoulli

Jacques Bernoulli est né en 1654 à Anvers en Belgique et a vécu le plus gros de sa vie à Bâle en Suisse. On lui doit de nombreuses découvertes mathématiques, principalement sur le calcul différentiel et intégral. D'ailleurs, on lui doit le terme de calcul intégral alors que Leibniz, le fondateur de cette branche des mathématiques, favorisait le terme « calcul sommatoire ».

Il a élaboré le calcul des probabilités dans un ouvrage intitulé *Ars conjectandi*, publié à titre posthume en 1713. Il y conçoit l'essai n'ayant que deux éventualités possibles, succès ou échec avec des probabilités d'occurrences $\pi$ et $1 - \pi$. Ce concept sera plus tard nommé «essai de Bernoulli». Il démontre que la distribution de *r*, le nombre de succès sur *n* lancers, suit une distribution qu'il appelle la loi binomiale, notée $\mathcal{B}$ (*n*, $\pi$). Il meurt en 1705.

# 11. Utilisation de SPSS

## 11.1 Calculer la probabilité théorique d'obtenir un résultat avec COMPUTE

SPSS connait les distributions de Bernoulli, binomiale, normale, $\chi^2$ (écrit dans le logiciel chi2), de Fisher et d'autres encore (nous verrons plus loin la distribution de Student et la distribution des écarts studentisés). Pour calculer une probabilité, faites précéder le nom de la distribution du préfixe PDF (qui signifie *Probability Density Function*) à l'intérieur d'une commande COMPUTE:

> COMPUTE **nomcol1** = PDF.*nomdistribution* (**nomcol2**, *paramètre(s)*).

où **nomcol2** est le nom d'une colonne contenant le score dont on veut connaître la probabilité et **nomcol1** est la colonne dans laquelle on souhaite voir le résultat.

Par exemple, la commande

> COMPUTE **prob** = PDF.BERNOULLI (**score**, 1/6).

donne la probabilité d'avoir le score contenu dans la colonne **score** (codé 0 ou 1 puisque la Bernoulli n'accepte que deux résultats possibles) si $\pi$ vaut $1/6$.

Les distributions et les paramètres sont:

PDF.BERNOULLI(**nomcol**, $\pi$)

PDF.BINOMIAL(**nomcol**, *n*, $\pi$)

PDF.NORMAL(**nomcol**, $\mu$, $\sigma$)

PDF.CHI2(**nomcol**, *n*)

PDF.F(**nomcol**, $n_X$, $n_Y$)

et ces deux distributions que nous verrons plus tard

PDF.T(**nomcol**, $n_X$)              (pour la distribution de t)

PDF.SRANGE(**nomcol**, p, $dl_e$)   (pour la distribution des écarts studentisés).

## 11.2 Calculer la probabilité théorique d'obtenir un résultat égal ou inférieur avec COMPUTE

Dans ce cas, il faut remplacer le préfixe PDF par le préfixe CDF (*Cumulative Density Function*).

Par exemple,

> COMPUTE **prob** = CDF.BINOMIAL (**score**, 10, 1/6).

donne la probabilité d'avoir un nombre de succès égal ou inférieur à **score** si le paramètre $\pi$ vaut $1/6$ et qu'il y a 10 lancers (*n*).

## 11.3 Calculer un quantile théorique

L'opération inverse à la précédente est de trouver un score tel que la probabilité d'être en deçà soit de *p*. Ceci s'obtient avec le préfixe IDF (*Inverse Distribution Function*). Par exemple,

> COMPUTE **valcritique** = IDF.NORMAL(0.95, 0, 1).

donne la valeur critique telle que 95 % des scores de la population soient en deçà de cette valeur.

Si, par exemple, vous avez une colonne **score** qui contient la valeur 1.96 et faites la commande

> COMPUTE **prob** = CDF.NORMAL(**score**, 0,1).

vous obtiendrez .975. Par la suite, si vous faites l'opération inverse

> COMPUTE **valcritique** = IDF.NORMAL (**prob**, 0, 1).

vous retomberez sur la valeur du début puisque le résultat qui va apparaître dans la colonne **valcritique** sera 1.96.

## 11.4 Générer des échantillons aléatoires suivant une certaine distribution théorique

Pour demander à SPSS un échantillon de valeurs aléatoires tiré d'une population particulière, il faut utiliser le préfixe RN (*Random Value*). La syntaxe pour une population normale est :

> COMPUTE **nomcol** = RV.NORMAL ($\mu$, $\sigma$).
> EXECUTE.

où **nomcol** est la colonne où les valeurs fictives sont déposées. Par exemple, on peut demander d'obtenir le QI de personnes fictives, sachant que la population entière des QI a une moyenne de 100 et un écart type de 15. La syntaxe correspondante est:

```
COMPUTE QI = RV.NORMAL (100, 15).
EXECUTE.
```

Si la population est binaire, on peut demander des 0 ou des 1 de façon aléatoire en précisant la proportion de 1 dans la population entière. Par exemple, pour des piles ou faces, le paramètre $\pi$ vaut 0.5. On écrit alors:

```
COMPUTE lancer = RV.BERNOULLI(0.5).
EXECUTE.
```

## 11.5 *Un petit truc*

Certaines variables ne peuvent prendre que deux valeurs possibles. Ce sont des variables (nominales) binaires. Par exemple, le sexe du répondant ou la dominance manuelle (droitier ou gaucher) sont des variables binaires. On peut mettre dans le fichier de données la valeur «homme» ou la valeur «femme», ou des chiffres arbitraires comme 13 ou 31. En pratique cependant, on utilise 0 et 1. Pourquoi? Une question revient souvent à propos de variables binaires telles que le sexe: quelle est la proportion d'hommes dans l'échantillon? La façon correcte de faire est de compter le nombre d'hommes, puis de diviser par la taille de l'échantillon ($n$). Si vous avez utilisé 1 pour coder le sexe masculin et 0 pour le sexe féminin, compter le nombre d'hommes revient à additionner les 1. Au point où nous en sommes, vous pouvez aussi additionner les femmes, puisque le code utilisé est 0, avant de diviser par $n$. Autrement dit, faites la somme des données et divisez par $n$. Ceci correspond exactement à la formule de la moyenne. Il s'agit d'un cas particulier: la proportion correspond à la moyenne si les données sont codées avec des 0 et des 1. C'est pourquoi on code un succès avec 1 et un échec avec 0 plutôt qu'avec des chiffres arbitraires.

## Résumé

La distribution binomiale permet de prédire la probabilité d'un score lorsqu'on compte un nombre de succès. La distribution normale prédit la probabilité d'un score lorsque la mesure est continue (de type II) et que la théorie des erreurs est applicable. Les distributions $\chi^2$ et $F$ sont plus techniques mais leur utilité sera plus claire aux chapitres 10 à 13.

# Questions pour mieux retenir

1. Cent étudiants ont subi un examen standardisé pour lequel la moyenne est de 75 et l'écart type est de 8. Les résultats se distribuent normalement. (a) Quelle proportion des étudiants ont moins de 75 ? (b) Quelle est la probabilité qu'un étudiant ait une note supérieure ou égale à 91 ? (c) Quelle est la probabilité qu'un étudiant soit plus de deux écarts types en dessous de la moyenne ? (d) Combien s'attend-on à avoir d'étudiants avec une note entre 83 et 91 ?

2. Dans une population qui suit une distribution normale standardisée, quelle proportion des cas seront compris entre la moyenne et le score suivant : (a) −2.0 ? (b) +1.96 ? (c) +1.28 ?
   Dans cette même population, quelle proportion des cas seront situés au-dessus des scores suivants : (d) − 2.0 ? (e) +1.96 ? (f) +1.28 ?

3. À supposer qu'il existe un test psychologique valide se distribuant normalement et ayant une moyenne de 100 et un écart type de 10, en dessous de quel score se trouve ............... des participants : (a) 10 % ? (b) 5 % ? (c) 1 % ?

4. Étant donné un groupe de 500 participants de 11 ans ayant obtenu à un test une moyenne de 48 avec un écart type de 8 et un groupe de 800 participants de 14 ans ayant obtenu au même test une moyenne de 56 et un écart type de 10, et postulant la normalité des scores.
   a) Tracez la distribution théorique pour ces deux groupes de participants dans un seul graphique.
   b) Quelle proportion de participants de 11 ans ont un résultat supérieur à la moyenne obtenue chez les 14 ans ? Sur les 500 participants, cela correspond à combien de personnes ?
   c) Combien de participants de 14 ans ont des résultats inférieurs à la moyenne obtenue chez les 11 ans ?

5. Si le temps pour résoudre un Sudoku suit une distribution $\chi^2$ avec 15 degrés de liberté (exprimés en minutes), les 5 % meilleurs joueurs lors d'une compétition nécessiteront combien de temps pour terminer ? Les 5 % les plus mauvais ?

## Questions pour mieux réfléchir

6. Supposons que la hauteur de la pire crue annuelle d'une rivière, mesurée en décimètres (dm), suive une distribution $\chi^2$ avec paramètre 100 dm. Si une maison construite sur le bord de cette rivière est située à 11.85 m de hauteur (118.5 dm), quelle est la probabilité qu'elle soit inondée cette année ? Sur le long terme, elle risque d'être inondée avec quelle fréquence ? Si vous deviez faire une recommandation à son propriétaire, (a) avec quelle fréquence est-il acceptable qu'une maison soit inondée ? (b) avec ce seuil, à quelle hauteur placeriez-vous la maison ?

## Questions pour s'entraîner

7. Nous allons simuler un échantillon. Ouvrez SPSS et, dans l'éditeur de données, tapez les chiffres de 1 à 10 sur 10 lignes consécutives. Ces 10 lignes vont simuler 10 « sujets », et donc nommez cette colonne **no_sujet**.
   a) À l'aide de la syntaxe appropriée, créez une variable **lancer** qui contient de façon aléatoire un 1 ou un 0 pour pile ou face. À l'aide de la commande appropriée, calculez la moyenne de **lancer**. Vérifiez que cette moyenne vaut bien la même chose que la proportion de piles. Avez-vous obtenu exactement ½ ? Probablement pas. Pourquoi ?
   b) Simulez un second échantillon : sélectionnez toutes les commandes que vous avez écrites en (a) et exécutez-les à nouveau (pour faire rapide, utilisez les raccourcis clavier Ctrl-A pour sélectionner tout – *All* – et Ctrl-R pour exécuter – *Run*). La proportion de piles est-elle proche de ½ ? Diriez-vous qu'un échantillon de taille 10 est fiable ? Est-ce que l'erreur type est grande ?
   c) Refaites l'exercice (a) avec un échantillon plus grand (disons 25). Est-ce que la proportion de piles observée est plus proche de la proportion dans la « population » (ici, il n'y a pas vraiment de population puisqu'elle est simulée). Si vous calculez l'erreur type, est-elle plus faible avec un échantillon de 10 ou avec un échantillon de 25 ?

8. Simulez de très grands échantillons. Pour simuler de très grands échantillons, il faut avoir un très grand nombre de lignes dans l'éditeur de données. Le programme qui suit permet de générer autant de lignes que vous voulez :

```
NEW FILE.
INPUT PROGRAM.
LOOP no_sujet = 1 TO 100.
END CASE.
END LOOP.
END FILE.
END INPUT PROGRAM.
EXECUTE.
```

a) Exécutez ces instructions et les chiffres de 1 à 100 devraient apparaître dans la colonne **no_sujet**. Faites l'exercice 1(a) ci-dessus avec ces 100 « sujets ».

b) Changez le 100 pour un 1 000 et refaites le tout. Est-ce que la proportion observée est plus proche de la vraie proportion ½. Sinon, recommencez avec 100 000 ! Comment change l'erreur type dans ces cas ?

9. Dans une bibliothèque éclairée par 5 000 ampoules électriques, on a constaté que la vie moyenne des ampoules était de 1 200 heures avec un écart type de 200 heures. Ici, si on établissait un échantillon, chaque donnée brute $X_i$ serait en fait l'heure à laquelle l'ampoule a grillé, et notre échantillon **X** serait un ensemble contenant des nombres d'heures avant qu'une ampoule ne grille. La population est assumée normalement distribuée en vertu de la théorie des erreurs.

a) Si le temps de vie d'une ampoule est de 1 200 heures avec un écart type de 200 heures, et s'il ne faut jamais qu'il y ait plus de 10 % d'ampoules brûlées, après combien d'heures faut-il procéder à une maintenance ?

b) Quelle proportion d'ampoules seront en panne si on attend 1 600 heures ?

c) Comment la théorie des erreurs peut-elle être invoquée pour décrire la distribution théorique de la durée de vie d'une ampoule ?

# CHAPITRE 6

# Prendre une décision en présence de variabilité

## Sommaire

## Dans ce chapitre, vous allez apprendre :

1 Les mécanismes de base pour la prise de décision quand les données disponibles sont « bruitées ».

2 Qu'il existe un risque d'erreur dans toute décision et comment le risque est mesuré.

3 Comment poser une valeur critique basée sur le risque accepté.

4 Le rôle de l'hypothèse nulle.

## Introduction

*Décider qu'une thérapie fonctionne est un geste qui peut être lourd de conséquence. Il est donc important de savoir que toute décision est sujette à erreur. Il peut s'agir d'une erreur par commission (se commettre en déclarant le traitement efficace) ou d'une erreur par omission (ne pas se prononcer en faveur de la thérapie). Dans le but de prendre une décision éclairée, il faut identifier les conséquences d'une décision erronée et quantifier le risque qu'une telle erreur se produise. Sur la base de cette analyse, on choisit une valeur critique. Tout ce processus s'effectue avant de tester le traitement pour être le plus objectif possible.*

Les statistiques peuvent être utilisées pour décrire un échantillon et pour décrire les individus dans un échantillon. Cependant, vient un moment où il est nécessaire d'aller plus loin et de faire des recommandations: doit-on utiliser cette nouvelle thérapie? Est-ce que ce candidat doit être invité pour une seconde entrevue? Cette théorie du fonctionnement cérébral est-elle valide? Etc. À toutes ces questions il doit être répondu par un «oui» ou par un «non». On aimerait donc que les statistiques puissent aider à prendre ce genre de décision.

Les **statistiques inférentielles** proposent une méthode générale pour arriver à prendre une décision à partir de données «bruitées». Par données «bruitées», on entend un échantillon de taille limitée contenant des données variables.

Par exemple, supposons qu'un intervenant social s'intéresse aux jeunes sans domicile fixe (SDF) de Montréal et aux risques de décès liés au froid. Il pense que des travailleurs de rue faisant de la sensibilisation avec une certaine approche peuvent réduire notablement le risque de décès dans cette population. Il cherche donc à obtenir une réponse du type «oui»/«non» à la question: «Est-ce que ce programme de sensibilisation est efficace?». Pour mesurer l'impact de son approche, il va examiner les jeunes qui restent à l'extérieur quand la température descend sous les − 20 degrés Celsius. Selon lui, les SDF qui ont été sensibilisés seront moins présents dans les rues ces nuits que ceux qui n'auront pas été rejoints par les travailleurs de rue.

Que se passe-t-il si les données ne contiennent aucun bruit, i.e. si l'échantillon est de taille quasi illimitée, si les données ne sont pas du tout variables, ou les deux? Examinons le premier scénario. Après avoir réussi à obtenir un financement énorme, l'intervenant est en mesure de placer des assistants de recherche à tous les coins de rues de Montréal et peut donc recenser très précisément tous les jeunes SDF et aussi savoir très précisément qui a été sensibilisé aux risques du froid par les travailleurs de rue et qui ne l'a pas été. Cet échantillon est de grande taille puisqu'il contient toute la population concernée. Dans ce cas, on ne parle plus d'un échantillon, qui par définition est un sous-ensemble d'une population.

Disons que les résultats sont les suivants: dans les semaines précédentes, le tiers des jeunes SDF a été sensibilisé aux risques du froid (33 %). Lors d'une nuit de grand froid, l'intervenant et ses assistants localisent 90 jeunes SDF. De ce nombre, 18 ont été sensibilisés au risque du froid, soit une proportion de 20 %. Cette proportion est moindre que si le programme de sensibilisation avait été sans effet.

Est-ce que le programme de sensibilisation fonctionne? La réponse est «oui» sans nuance: il y a moins de jeunes SDF sensibilisés aux risques du froid qui sont dehors cette nuit. Ce nombre n'est pas une approximation basée sur un échantillon partiel, il s'agit d'un nombre exact obtenu par un recensement exhaustif. Dans ce premier cas idéal, il n'est pas nécessaire de faire des statistiques pour recommander ce programme de sensibilisation.

Examinons le second scénario où l'intervenant n'aurait pas reçu de financement pour conduire un recensement, mais où les sujets de son étude, les jeunes SDF, sont des robots, i.e. des entités qui donnent des réponses ou adoptent des comportements sans aucun aléa. L'intervenant, en patrouillant seul les rues, localise 1 jeune SDF seulement. Celui-ci n'a pas été approché par les travailleurs de rue. Le chercheur termine donc sa nuit avec ces résultats: 0 % de jeunes SDF sensibilisés aux risques du froid n'est resté dehors par grand froid. Encore une fois, les résultats sont clairs: le programme de sensibilisation fonctionne. Cette fois-ci, sa réponse est sans nuance car tous les jeunes SDF sont identiques (absence de variabilité): tout ce que l'on trouve pour un vaut pour tous les autres. Encore une fois, il n'est pas utile dans ce cas idéal de faire des statistiques, la réponse est immédiate. Le programme de sensibilisation doit être recommandé.

Ces deux scénarios hollywoodiens ne se rencontrent jamais en psychologie, dans les sciences sociales et dans les autres disciplines où il est difficile de contrôler tous les facteurs, comme la biologie, l'économie, la chimie, etc. Dans une vraie étude, il faut conjuguer avec des échantillons de petites tailles et des données variables.

Par exemple, supposons que vous étudiez la dépression. Avec un traitement de base (des antidépresseurs et un arrêt de travail), un tiers des personnes récupère après 2 mois (33 %). Vous essayez une nouvelle méthode (en plus du traitement de base), et trouvez après 2 mois que 5 personnes sur votre échantillon de 12 personnes ont récupéré. Bien qu'en pourcentage cela donne un encourageant 42 %, si on y pense bien, il s'agit en fait d'une seule personne de plus que le tiers attendu. Est-ce que cette nouvelle méthode fonctionne vraiment mieux que le traitement de base? Ou êtes-vous simplement tombé sur un échantillon contenant juste un peu plus d'un tiers de personnes qui ont récupéré en 2 mois, indépendamment de la thérapie reçue? Comme les échantillons sont constitués au hasard, on s'attend à ce qu'un certain nombre de ceux-ci contiennent moins que le tiers attendu de personnes qui vont guérir avec le traitement de base, et qu'un certain nombre de ceux-ci contiennent plus que le tiers attendu. C'est ce qu'on appelle de l'erreur d'échantillonnage. Est-ce le cas de l'échantillon actuel? Probablement? Que veut dire ce mot «probablement»?

Pour aider à comprendre ces concepts et les étapes à suivre pour prendre une décision en présence de données bruitées, nous allons examiner dans ce chapitre quatre situations. Dans les chapitres qui suivent, nous allons systématiser ces concepts.

# 1. Attendre son copain combien de temps ?

Imaginons qu'Annie a un bon copain, Benoît. Annie donne souvent rendez-vous à Benoît à la célèbre rondelle de la station de métro Berri-UQAM pour ensuite aller prendre une bière artisanale dans le quartier latin de Montréal. Or Benoît a la fâcheuse manie d'oublier certains de ses rendez-vous. Quand il n'oublie pas, il a tendance à arriver en retard, et comble de malheur, il est sans doute le dernier humain sur terre à ne pas avoir de portable (*téléphone cellulaire*, dit-on en Amérique du Nord). Annie se trouve donc parfois à attendre des heures en vain.

Outre du chantage psychologique, que feriez-vous à la place d'Annie ?

La solution est de se donner un temps d'attente maximal, puis de partir lorsque ce délai est passé. Par exemple, Annie pourrait décider de partir après 10 minutes d'attente. Ce nombre, 10 minutes, est le délai critique.

Sur quelle base doit-on choisir ce délai critique ? Si Annie choisit un délai critique trop court, elle risque souvent de partir alors que Benoît est en route et donc de le manquer. Si elle choisit un délai critique trop grand (disons une heure), elle risque d'attendre inutilement si Benoît a oublié le rendez-vous.

Or Annie, qui lit un livre de statistiques, a eu l'idée de collecter des données lors des 50 précédentes rencontres avec Benoît. Elle a noté chacun des retards de Benoît. On voit le graphique des fréquences à la Figure 6.1. Un retard de − 1 minute signifie que Benoît est arrivé 1 minute avant l'heure, ce qui ne s'est produit qu'une seule fois.

En examinant les statistiques descriptives sur cet échantillon ($n = 50$), on constate que le temps modal qu'a attendu Annie est de 5.5 minutes. En moyenne, elle a attendu presque 6 minutes. Par ailleurs, l'écart type dans le temps d'attente est de presque 4 minutes. Ainsi, de façon typique, elle a attendu entre 2 minutes (la moyenne moins un écart type) et 10 minutes (la moyenne plus un écart type). Si Annie met son délai critique quelque part entre 2 et 10 minutes, elle va donc fréquemment manquer son copain.

Supposons qu'Annie adopte un délai critique de 10 minutes (inclusivement). Elle peut regarder dans le passé combien de fois elle aurait manqué Benoît. Placez dans la Figure 6.1 une frontière juste en haut de l'histogramme « 9 à 10 », puis comptez le nombre de rendez-vous où Benoît est arrivé passé cette frontière. On trouve 6 sur 50. D'où un pourcentage de rendez-vous manqués de 12 %. Si le passé est garant du futur, elle aurait une probabilité de 12 % de manquer Benoît avec un délai critique de 10 minutes. En termes de risque, 12 % est presque égal à 1/8, d'où un risque de manquer Benoît une fois sur 8.

Si Annie trouve que le risque de manquer Benoît est trop élevé, elle devra choisir un autre délai critique, un délai plus grand.

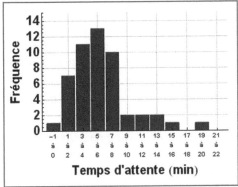

## Figure 6.1

Temps d'attentes observés de Benoît, par tranche de 2 minutes.

Comme Annie souhaite manquer Benoît le moins possible, elle désire un délai critique plus grand. Pour choisir le délai qui lui convient, il faut quantifier quel est le risque de manquer Benoît qu'Annie est prête à assumer. Supposons qu'elle est prête à le manquer une fois sur 20 (soit 5 %). Quel est le délai critique tel que 95 % des rendez-vous passés se sont produits avant ce délai ? En examinant les données de la Figure 6.1, ce délai devrait être quelque part entre 13 et 15 minutes. En effet, si elle part 15 minutes après l'heure dite, elle manque Benoît 2 fois sur 50, soit un risque de 4 % ; si elle part après 13 minutes, elle manque Benoît 4 fois sur 50, soit un risque de 8 % (les données précises de l'échantillon sont données ci-après). Le délai critique se trouve donc quelque part entre 13 et 15 minutes.

Le problème se réduit donc à trouver le délai critique tel que 95 % des délais de l'historique se trouvent sous ce délai. Autrement dit, trouver le quantile à 95 %. Nous avons vu comment calculer les quantiles au chapitre 2. Dans le cas présent, le calcul nécessite

1) le rang recherché, soit $.95 \times (n + 1) = .95 \times 51 = 48.45$ ;

2) la donnée au rang 48 (voir ci-dessous) vaut 14 et la donnée au rang 49 vaut 15. Il faut donc calculer 14 plus quarante-cinq centièmes de l'écart entre 14 et 15, soit $14 + .45 \times 1 = 14.45$.

Annie doit donc attendre 14 minutes et (presque) demie.

Voici le détail des données qu'Annie a collectées lors de ses précédents rendez-vous réussis : Temps = {0, 1, 1, 2, 2, 2, 2, 2, 3, 3, 3, 3, 3, 3, 3, 3, 4, 4, 4, 5, 5, 5, 5, 5, 5, 5, 5, 5, 5, 5, 6, 6, 7, 7, 7, 7, 7, 7, 8, 8, 8, 8, 9, 9, 11, 11, 14, 14, 15, 20}. Calculer le temps moyen $\overline{Temps}$, le temps médian, le premier et troisième quartile.

Si Annie avait toléré un risque de 1 sur 4 de manquer Benoît, quel délai critique aurait-elle pris ? Ce délai est plus court que celui adopté pour un risque de 1 sur 20. Pourquoi un risque plus élevé se traduit-il par un temps critique plus court ?

## 2. ▬ Concepts à retenir

Pour être en mesure de choisir une valeur critique de façon rationnelle (contrairement à arbitraire), il faut différents éléments :

a) Il faut prendre une position par défaut (e.g. « Benoît va arriver »). Il s'agit de l'hypothèse de travail.

b) Il faut quantifier le risque qu'on est prêt à accepter si on prend une mauvaise décision (e.g. partir trop tôt).

c) Il faut calculer la valeur critique (i.e. le délai après lequel on quitte).

d) Finalement, il ne reste plus qu'à décider. Si Annie attend plus que 14 minutes et demie, elle décide que son hypothèse de travail est erronée, que Benoît ne va pas venir. Elle se décide donc à partir sans plus attendre.

Quelques termes techniques seront souvent utilisés par la suite. L'hypothèse de travail sera appelée l'**hypothèse nulle**, souvent abrégée $H_0$ (prononcé « H-zéro »). L'hypothèse nulle doit être choisie de façon qu'il soit possible de calculer un risque. Si Annie avait eu comme hypothèse de travail que Benoît ne vient pas, elle n'aurait pas pu calculer un délai critique. Cette hypothèse n'aurait donc pas convenu.

Le risque est aussi appelé le seuil de décision, et parfois noté $\alpha$ (la lettre grecque alpha). Le seuil de décision est toujours un pourcentage ou de façon équivalente, une fraction. Dans les recherches, on accepte généralement un risque de 5 % s'il n'y a pas de vies en jeu ; ce pourcentage équivaut à un risque de 1 sur 20.

Le risque est à prendre au sérieux, car il correspond au risque d'une décision erronée. Si Annie part après 14.45 minutes, il y a un certain nombre de fois où Benoît arrivera après ce délai. Si c'est le cas, Annie s'est trompée en partant aussi tôt. Cependant, Annie a fait ce choix de façon éclairée, en sachant qu'elle avait 5 % de chance de manquer son rendez-vous. Ce risque en contrepartie lui évite de faire le pied de grue si Benoît a oublié son rendez-vous.

La valeur critique (notée $C_\alpha$ dans la suite de ce chapitre) qui découle du seuil de décision $\alpha$ peut être basée sur l'historique, si on a des données passées. Cependant, il est rare que l'on dispose d'un historique. Lorsqu'il n'y a pas d'historique, il faut utiliser une distribution théorique (comme nous verrons plus loin).

Les étapes (a) à (c) sont réalisées avant l'expérience. En effet, il ne sert à rien d'attendre Benoît une heure pour réaliser qu'on aurait dû quitter après 14.45 minutes ! L'étape (d) est l'étape du test empirique, le moment où il faut prendre des données (i.e. attendre Benoît). C'est en comparant les mesures obtenues à l'étape (d) avec la valeur critique obtenue à l'étape (c) qu'on peut prendre une décision. La décision est généralement résumée suivant ces deux formules « Rejet de $H_0$ » ou « Non-rejet de $H_0$ ».

L'ensemble de ces quatre étapes est appelé un **test statistique**. Un test statistique est une procédure à suivre pour prendre une décision, i.e. pour faire une recommandation ou encore pour faire une inférence. Pour cette raison, la branche des statistiques qui conçoit des tests statistiques est parfois appelée les statistiques inférentielles.

Ces termes sont, vous l'aurez reconnu, du jargon. Cependant, nous les utiliserons fréquemment dans la suite de cet ouvrage car ils ont l'avantage d'être compacts. Cependant, ne vous laissez pas étourdir par eux. S'ils sont abstraits, replacez-les dans un contexte concret, comme Annie en train d'attendre Benoît dans le métro.

# 3. Une ou deux valeurs critiques ?

Cédric aussi donne rendez-vous à la rondelle du métro Berri-UQAM. Sauf que Cédric, quand il se présente (ce qu'il ne fait pas toujours), a horreur de ne pas trouver la personne avec qui il a rendez-vous.

Zoé, qui est du genre à ne pas arriver trop à l'avance (nous allons voir ses paramètres au prochain exemple), a donc une double exigence lorsqu'elle rencontre Cédric : elle ne doit pas arriver trop tard pour ne pas déplaire à Cédric, mais aussi elle ne veut pas attendre indéfiniment s'il ne vient pas. Zoé a donc besoin de deux valeurs critiques : le moment à laquelle elle doit arriver et le moment où elle peut partir.

Elle consulte l'historique des temps d'arrivée de Cédric (disponible sur Internet ?) et compile le graphique des fréquences qui suit.

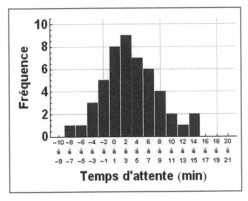

Figure 6.2
L'historique des délais de Cédric.

Le détail des données une fois triées sont : **Temps** $= \{-7, -6, -4, -4, -3, -2, -2, -1,$ $-1, -1, 0, 0, 0, 0, 1, 1, 1, 1, 2, 2, 2, 2, 2, 3, 3, 3, 3, 4, 4, 4, 4, 5, 5, 5, 6, 6, 6, 7, 7, 7, 8, 8,$ $9, 9, 10, 10, 12, 14, 15\}$ en minutes pour $n = 49$. Elle doit décider quel est (a) le risque qu'elle est prête à accepter de voir Cédric en colère, et (b) le risque de manquer Cédric parce qu'elle est partie trop tôt. Elle pourrait ajuster ces deux risques séparément, mais elle va suivre l'usage qui a cours en statistiques : choisir un niveau de risque global et le répartir également entre les deux éventualités. Elle choisit un risque de 10 % (avec le caractère qu'a Cédric, elle ne tient pas tant que cela à le rencontrer !), ce qui donne un risque de 5 % qu'il arrive avant elle et un risque de 5 % qu'elle parte avant qu'il n'arrive.

Dans le premier cas, il faut trouver dans l'historique de Cédric le temps critique tel que dans 5 % du temps, il soit arrivé avant ce temps. Le calcul requiert:

- le rang pour .05, soit .05 × (n + 1) = .05 × 50 = 2.50;

- et donc, la valeur qui se trouve juste entre le second et le troisième temps de Cédric. On trouve que la donnée au rang deux est − 6 minutes et celle au rang trois est − 4 minutes. En intrapolant comme on l'a vu au chapitre 3, on obtient − 5 minutes (soit 5 minutes avant l'heure du rendez-vous).

Dans le second cas, il faut le temps critique tel que 95 % du temps, Cédric soit arrivé. Le second temps critique se trouve au rang 47.5, ce qui donne (nous sautons les calculs) 13 minutes.

En somme, Zoé adopte la règle suivante quand il faut rencontrer Cédric: arriver 5 minutes avant l'heure du rendez-vous et partir 13 minutes après l'heure.

Cet exemple illustre une situation où il y a deux valeurs critiques. Nous nommons la plus petite la **valeur critique à gauche** et la plus grande la **valeur critique à droite**. S'il faut des symboles, on peut utiliser $C_{\alpha/2}^-$ et $C_{\alpha/2}^+$ respectivement. Ces deux valeurs critiques sont basées sur la moitié du risque de se tromper.

Par ailleurs, la règle que s'est donnée Zoé est dite **bicaudale** car, pour l'établir, elle a utilisé les deux extrémités (aussi appelées queues) du graphique de fréquences de Cédric. Plusieurs tests dans les chapitres suivants sont bicaudaux.

# 4.▬ Prendre une décision sans historique

Finalement, imaginons que Benoît ait donné rendez-vous à Zoé. C'est son premier rendez-vous avec elle, il ignore totalement combien de temps Zoé fait attendre les gens. Autrement dit, il n'a pas d'historique. Or voilà que passe le professeur Tournesol (dont le pendule se trémousse au-dessus de la rondelle). Dans un moment de rare lucidité, il affirme (et il ne se trompe jamais dans ces cas-là) que le nombre de minutes de retard de Zoé suit une distribution normale et que les paramètres de cette distribution sont $\mu$ = 25 minutes et $\sigma$ = 10 minutes. Par contre, il affirme aussi que Zoé peut décider de ne pas venir à ce rendez-vous. Puis il repart comme il est arrivé.

Benoît n'a pas l'historique des temps d'arrivée de Zoé, mais il a une distribution théorique qui l'informe que Zoé est généralement en retard de 25 minutes (en moyenne), et que ce délai varie typiquement de 10 minutes (écart type).

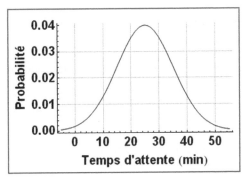

**Figure 6.3**

Les temps d'attente théoriques de Zoé suivent une distribution normale avec les paramètres $\mu = 25$ et $\sigma = 10$.

Après avoir dessiné la distribution théorique $\mathcal{N}(25,10)$, il obtient la courbe de la Figure 6.3. Il y a toujours une mince probabilité que Zoé arrive avant l'heure (les temps d'attentes négatifs) mais cette chance est faible. Il y a aussi une certaine probabilité que Benoît doive attendre plus de 50 minutes... Avec un logiciel, Benoît calcule ces deux probabilités : 0.6 %. Elles sont égales car la distribution normale est symétrique et 0 min se trouve à deux écarts types et demi sous la moyenne alors que le temps 50 minutes se trouve à deux écarts types et demi au-dessus de la moyenne. Cette probabilité le rassure car elle veut dire qu'il a environ 6 chances sur mille (moins de 1 sur 100) d'attendre 50 minutes ou plus.

Comme il ne veut vraiment pas manquer ce rendez-vous, mais ne veut quand même pas attendre toute la journée, il décide que le risque de manquer Zoé doit être très faible. Il le place à un demi de 1 pour 100 (soit 0.5 %). Il ne veut qu'une seule valeur critique (à droite) et place donc la totalité du risque du même côté. Toujours avec un logiciel (il n'a pas de GSM mais il a son *portable* !), il trouve que le délai critique devrait être de quelques secondes supérieures à 50 minutes. Pour trouver ce chiffre, il a calculé le quantile théorique à 99.5 %, prenant pour acquis une distribution normale avec $\mu = 25$ et $\sigma = 10$.

Si nous mettons tout cela en jargon, nous avons :

a) $H_0$ : Zoé arrive.

b) Seuil de décision $\alpha$ de 0.5 %, soit 5 sur 1 000.

c) Valeur critique $C_{0.5\%}^{+}$ vaut 50 minutes.

d) La décision sera dictée par la règle suivante « Rejet de $H_0$ si l'attente dépasse 50 minutes ».

La valeur obtenue en (c) découle des informations données par le professeur Tournesol. Dans la suite, toute la difficulté sera de trouver quelle distribution théorique est légitime dans un certain contexte (nous n'avons pas en permanence un professeur Tournesol pour nous indiquer la bonne réponse).

# 5. D'où viennent les hypothèses de travail?

Dans les exemples précédents, nous avons utilisé des hypothèses. Le contenu d'une hypothèse typique telle que

$$H_0 : \text{Zoé arrive}$$

est en fait une contraction de

$$H_0 : \text{Zoé arrive avec un temps normalement distribué}$$
et les paramètres $\mu = 25$ minutes et $\sigma = 10$ minutes.

Elle est donc composée de deux aspects:

a) La loi de distribution. Dans l'exemple, le professeur Tournesol a affirmé que les retards de Zoé suivent une distribution normale.

b) Les paramètres de cette distribution. Ici, il a affirmé que $\mu = 25$ et $\sigma = 10$.

Grâce à ces informations, l'hypothèse nulle permet de calculer des probabilités (e.g. la probabilité que Zoé arrive après 50 minutes) et donc de quantifier des risques (e.g. le risque de manquer Zoé si Benoît part après 50 minutes est de 5 sur 1 000).

En général, la loi de distribution est choisie suivant des raisons théoriques. Par exemple, on sait qu'il y a un grand nombre de facteurs qui influencent l'heure à laquelle nous arrivons à un rendez-vous (la circulation, les feux, le conducteur, les choses à faire avant de partir, etc.). Ces facteurs peuvent réduire notre retard (tel un chauffeur de taxi qui connaît bien le quartier) ou l'accroître (tel que le nombre de voitures dans les rues) dans une proportion sensiblement égale. Comme nous l'avons vu au chapitre précédent, ces conditions impliquent que la distribution des retards suit une distribution normale (en conformité avec la théorie des erreurs). Cependant, ces conditions ne disent pas ce que valent les paramètres de la distribution.

La loi normale est très générale et est présupposée dans un grand nombre d'hypothèses de travail mais, dans certains cas, elle n'est pas valable. Ces cas incluent:

1. Les situations où les observations sont discrètes. La distribution normale prédit une infinité de mesures possibles (e.g. le retard peut être de 15 minutes, 15 minutes 1 seconde, 15 minutes 1 seconde et 1 centième, etc.). Par contre, si on examine le port de lunette chez les pilotes, il n'y a que deux résultats possibles et la loi de distribution sera plutôt la distribution binomiale.

2. Les situations où les observations ne sont pas distribuées de façon symétrique autour de la moyenne. Supposons que le score mesuré s'obtient en additionnant des nombres au carré (on verra au chapitre 7 pourquoi on voudrait faire une telle chose). La mise au carré n'a pas le même effet pour les grands et les petits nombres. Un petit nombre (e.g. 0.9) mis au carré est réduit légèrement ($0.9^2 = 0.81$); à l'opposé, un grand nombre (e.g. 10) mis au carré est très agrandi ($10^2 = 100$). Il y a donc de fortes chances que la queue de droite de la distribution de tels scores soit très étirée par rapport à la queue de gauche. La distribution attendue n'étant pas symétrique, on ne postule pas la distribution normale (dans ce cas-ci, la distribution $\chi^2$ sera sans doute plus appropriée).

Pour ce qui est de la valeur des paramètres, il faut soit se fier à des situations où elles ont des valeurs connues, ou alors utiliser des astuces. Voici deux exemples :

Un instituteur, ancien scout, a la conviction que son passage dans cette organisation l'a aidé à se développer autant physiquement que mentalement. En particulier, il croit que faire des nœuds et des bonnes actions ont accru son QI. Il croit par ailleurs que cela est général et que tous les scouts ont un QI amélioré. Les tests de QI sont connus et l'on sait qu'ils donnent en moyenne un QI de 100 et un écart type de 15. Il construit donc une hypothèse de travail basée sur cette connaissance préalable :

$H_0$ : Le QI moyen des scouts vaut 100.

Pourquoi a-t-il choisi cette hypothèse qui est contraire à ce qu'il croit ? Rappelez-vous que l'hypothèse de travail doit permettre de calculer des probabilités. S'il avait choisi « $H_0$ : Le QI moyen des scouts dépasse 100 », le terme « dépasse 100 » est flou et il n'aurait pas pu être en mesure de calculer des probabilités. Le chercheur prend donc l'hypothèse inverse et souhaite qu'au terme de son étude, elle soit invalidée (rejetée).

Techniquement, l'hypothèse complète de ce chercheur est : « $H_0$ : les scores de QI des scouts suivent une distribution normale et cette distribution a pour paramètre $\mu = 100$ et $\sigma = 15$ ». Il ne doute pas de la première partie de l'hypothèse sur la base de la théorie des erreurs ; quant au paramètre $\sigma$, l'instituteur se fie aux qualités psychométriques du test de QI.

Lorsque l'instituteur fera les mesures, il obtiendra peut-être un QI moyen de 110. Si oui, il rejette l'hypothèse (il est content). Mais s'il obtient 108, rejette-t-il l'hypothèse ? S'il obtient 104 ? 102 ? 101 ? Où place-t-il la barre ? C'est ici que la valeur critique doit intervenir.

Cet exemple illustre une situation où le chercheur teste une hypothèse portant sur un seul groupe (il utilise un schème à un groupe).

Un second exemple : une thérapeute croit avoir trouvé un traitement cognitif-comportemental qui permet de réduire les symptômes de la dépendance au sirop d'érable. Pour mesurer la gravité des symptômes, elle a créé un questionnaire. Elle sait que les gens très atteints par cette dépendance obtiennent un score très faible, mais comme le questionnaire est récent, elle ne connaît pas avec précision le score moyen des dépendants. Elle ne peut donc pas, contrairement à son collègue scout, avoir une hypothèse de travail du genre « $H_0$ : Les dépendants ayant reçu le traitement cognitif-comportemental ont un score de x » car le x n'est pas connu. Ici, la thérapeute s'en tire grâce à une astuce : elle ne connaît pas le score typique des dépendants, mais elle croit que ceux ayant reçu le traitement seront moins affectés. Son hypothèse est donc :

$H_0$ : Les dépendants traités ont en moyenne le même score
que les dépendants non traités.

Autrement dit, il n'y a pas de différence entre la population traitée et celle non traitée. Si on compare le paramètre $\mu$ des personnes traitées au paramètre $\mu$ des personnes non traitées, on devrait n'obtenir aucune différence (zéro écart). Voici l'astuce, car grâce à ce zéro, on peut calculer des probabilités. Encore une fois, cette hypothèse ne correspond pas à ce qu'elle croit. Si elle choisit l'hypothèse

H$_0$ : Les personnes traitées ont un meilleur score que les personnes non traitées elle ne pourra pas calculer le risque car « meilleur que » est vague.

Ce second exemple illustre une situation où la thérapeute a besoin d'avoir deux groupes pour tester son hypothèse (un schème à deux groupes indépendants). Nous verrons dans les chapitres qui suivent des tests où il y a plus de deux groupes, des tests où un groupe de participants est mesuré plusieurs fois, des tests où un groupe de personnes est classé selon un ou plusieurs critères, etc.

Les hypothèses peuvent être de toutes sortes. Par exemple, une hypothèse peut porter sur la moyenne d'une population, sur la médiane de cette population ou encore sur l'écart type des scores de cette population. Elles peuvent être écrites avec des symboles mathématiques (e.g. H$_0$ : $\mu_{scout}$ = 100) ou en texte (e.g. H$_0$ : les scouts ont un QI de 100). Cependant : (a) H$_0$ postule toujours une situation précise (i.e. une égalité) pour pouvoir calculer le risque ; (b) l'hypothèse porte sur une population mais sera évaluée à partir d'un échantillon.

# 6. Le rôle de l'échantillon

Dans l'exemple où Annie attend Benoît, elle va prendre une décision sur une seule mesure (et encore, Annie risque de partir avant Benoît s'il est très en retard). L'échantillon est donc composé d'une seule observation. Il s'agit d'une situation, dans le jargon statistique, où $n = 1$.

Cette situation n'est pas souhaitable. Prenez l'exemple des QI chez les scouts. Si l'instituteur ne mesure qu'un seul scout et que celui-ci obtient un score de QI élevé, l'instituteur sera satisfait, mais vous, serez-vous convaincu par sa « preuve » ?

Si les scouts sont des robots et que le QI d'un d'entre eux vaut exactement le QI de n'importe quel autre, effectivement, une étude où $n = 1$ est satisfaisante. Dans le cas contraire, il faut reconstituer une image fidèle de la population étudiée au travers de quelques membres de cette population. Ainsi, dans le premier exemple, on cherche à examiner le QI du scout typique, et ici typique veut dire moyen. On peut donc collecter un échantillon de QI provenant de $n$ scouts et réduire la diversité de l'échantillon à une quantité, le QI moyen.

De façon idéale, l'échantillon devrait toujours être très grand, mais en pratique, on se bute à des problèmes d'échéancier et à des problèmes financiers : il faut du temps pour mesurer un grand nombre de personnes et il faut de l'argent pour payer les assistants de recherches (et pour compenser les participants dans certaines études).

Chaque mesure que vous rajoutez à l'échantillon permet d'avoir une idée plus claire des caractéristiques de la population. Par exemple, si vous êtes intéressé par la capacité de la mémoire de travail et que, plus précisément, vous voulez connaître la capacité typique (i.e. moyenne). Cette capacité est mesurée en demandant à des participants de mémoriser une liste de chiffres tout en lisant un texte à voix haute. Si seulement deux personnes sont mesurées, la moyenne risque d'être très incertaine : une capacité moyenne de 3 ou de 10 est tout aussi possible. Par contre, si 100 personnes ont été mesurées, les résultats possibles ne seront pas aussi incertains. Peut-être obtiendrez-vous 6.8 ou 7.2, mais la marge d'incertitude sera plus petite.

On a vu au chapitre 2 l'erreur type. Cette statistique a justement pour but d'indiquer la marge d'incertitude probable dans les données. Si l'échantillon sur la capacité mnésique contient ces mesures $\mathbf{C} = \{3, 5, 5, 6, 7, 7, 7, 8, 8, 10, 11\}$ obtenues chez 11 personnes, alors on peut calculer la moyenne et l'erreur type: $\bar{C} = 7.0$, $SE_{\bar{c}} = \frac{1{,}955}{\sqrt{11}} = 0{,}59$ (puisque l'écart type $s_C$ vaut 1.955 et $n$ vaut 11). Ce que ces deux statistiques disent, c'est que la moyenne de la population est probablement $7 \pm 0.59$, c'est-à-dire qu'elle se trouve probablement dans l'intervalle [6.41, 7.59]. Si l'échantillon n'avait compris que trois mesures, disons $\mathbf{C} = \{5, 7, 9\}$, la moyenne ± l'erreur type aurait été de $7.0 \pm 1.15$. La moyenne de la population est peut-être réellement 7, mais la marge d'erreur est presque le double de celle estimée par l'échantillon plus grand.

# 7. Significatif, vous avez dit significatif ? Comme c'est significatif...

Un autre mot de jargon qui va revenir comme un mantra est le mot **significatif**. Exemple de phrases utilisant ce mot: « Les scouts n'ont pas un QI significativement supérieur à 100 » ou « l'effet du traitement cognitif-comportemental est significatif ».

Ce mot est en fait synonyme de « notable ». La phrase « Les scouts n'ont pas un QI notablement supérieur à 100 » indique qu'ils ont un score proche de 100 et s'il est supérieur à 100, il l'excède par une quantité qu'on peut attribuer à de l'erreur expérimentale plutôt qu'à une vraie différence. On verra dans les chapitres suivants comment on décide que l'erreur expérimentale est plus probablement en cause.

Pour décider ce qui est significatif, on choisit généralement des risques d'erreurs assez faibles (e. g. 1 %, 5 % ou au plus 10 %). Certains tests utilisent une valeur critique à gauche, d'autres une valeur critique à droite, d'autres encore utilisent deux valeurs critiques. Par convention, un quantile théorique donne toujours la probabilité d'être plus bas que la valeur critique. Or, dans une situation où on veut une valeur critique à droite, on veut la valeur telle que la probabilité d'être au-dessus soit faible. Si on veut un risque de 5 % à droite, il faut donc chercher la valeur telle que la probabilité d'être en deçà soit de 95 % (soit 100 % − 5 %). Allez voir les tables de l'appendice et notez en pourcentage quels sont les risques d'erreur tabulés.

# 8. Les types d'erreurs

Pour examiner les types d'erreurs possibles plus en détail, prenons un nouvel exemple.

Un biologiste spécialiste des poissons d'eau douce s'inquiète que l'utilisation massive d'hormones de croissance par les éleveurs bovins dans la région de la rivière Yamaska risque d'accroître le poids des achigans qui vivent dans cette rivière, avec des conséquences néfastes pour l'équilibre écologique de cette rivière déjà malmenée par l'élevage intensif.

Il adopte temporairement l'hypothèse

$H_0$ : le poids des achigans de la Yamaska est normal.

Comme il ne connaît pas le poids d'un achigan normal, il va dans une rivière comparable mais exempte de déversement agricole, la rivière Saint-François, prélever un échantillon. Cet échantillon de référence constitue « l'historique » sur lequel il pourra se baser (on parle ici d'un échantillon normatif).

Les résultats de l'échantillon normatif ($n = 20$) sont **Poids** = {0.7, 1.1, 1.1, 1.3, 1.3, 1.3, 1.3, 1.3, 1.5, 1.5, 1.5, 1.7, 1.7, 1.7, 1.7, 1.9, 1.9, 1.9, 1.9, 2.3} kilogramme. La Figure 6.4 donne le graphique des fréquences :

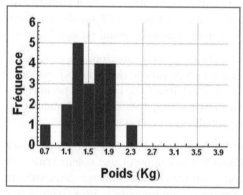

Figure 6.4

Graphique de fréquences des achigans de l'échantillon normatif (rivière Saint-François).

L'achigan moyen pèse 1.53 kg et le quantile à 95 % vaut 2.28 kg. Le biologiste décide que 2.28 kg est le poids critique.

Il se rend à la rivière Yamaska et suite à une pêche non miraculeuse sur laquelle il ne veut pas s'étendre (l'hormone de croissance rend peut-être l'achigan plus malin ?), il récupère un seul spécimen.

Deux cas sont possibles :

    1. Le spécimen pèse plus que la valeur critique (disons qu'il pèse 2.4 kg). Il rejette donc l'hypothèse nulle : le poids des achigans dans la Yamaska n'est pas comparable à celui de l'échantillon normatif.
    En prenant cette décision, il y a un risque qu'il se trompe. Il est peut-être tombé sur un achigan tout ce qu'il y a de normal (les hormones n'ont pas d'effet)

mais qui s'adonne à être un individu extrême de sa population. Après tout, il y avait dans l'échantillon normatif un achigan de 2.3 kg. Dans ce cas (rejet de $H_0$ erroné), on parle d'une erreur de type I ou une erreur par commission. Cependant, le risque d'une erreur de type I a été choisi par le biologiste (5 %).

2. Le spécimen pèse moins que la valeur critique (disons 2.1 kg). Dans ce cas-ci, il ne rejette pas $H_0$ : les poids des achigans de la Yamaska sont comparables à ceux de l'échantillon normatif.

Le problème ici est qu'il commet peut-être un autre type d'erreur (non-rejet de $H_0$ erroné). Cette erreur, qui est différente de la précédente, est appelée une erreur de type II ou encore une erreur par omission (il a omis de rejeter $H_0$). En effet, on n'a aucune idée du poids d'un achigan qui serait réellement affecté par les hormones de croissance. Peut-être sont-ils très lourds mais très variables, ce qui fait que plusieurs d'entre eux auraient un poids inférieur au poids critique (cf. Figure 6.5, gauche).

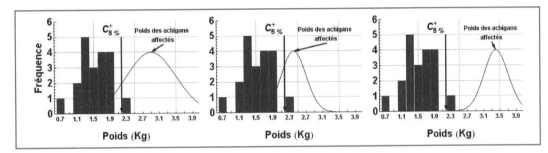

**Figure 6.5**

**Trois scénarios possibles lors d'une erreur de type II.**

Peut-être encore sont-ils peu variables mais plus lourds de seulement quelques grammes (Figure 6.5, centre). Ou, un cas plus favorable, sont-ils très lourds et peu variables (Figure 6.5, droite). Dans ce dernier cas, il y a peu de chance qu'une erreur de type II soit commise, mais dans les deux cas précédents, le risque est élevé. Tout le problème est qu'on ignore quel scénario est réel lorsqu'il y a non-rejet de $H_0$. En conséquence, quand un chercheur conclut au non-rejet de $H_0$, il ne peut pas quantifier le risque qu'il se trompe. Pour cette raison, on préfère conclure « maintien du statu quo », autrement dit : nous ne savons pas plus maintenant si les achigans sont affectés qu'avant l'étude car il n'y a pas d'évidence suffisamment forte pour conclure à une absence d'effet. Ici, les évidences ne sont pas suffisantes car le risque d'erreur est inconnu (je devrais plutôt dire « l'évidence n'est pas suffisante » car $n = 1$).

Le Tableau 6.1 résume les situations possibles :

## Tableau 6.1

**Types de décisions possibles et façon de les interpréter.**

| | Dans l'échantillon | | Dans la réalité |
|---|---|---|---|
| Le chercheur trouve | Ce qui est à interpréter comme | $H_o$ est faux | $H_o$ est vrai |
| valeur observée ⊁ valeur critique | Absence d'évidence définitive et donc, *statu quo* (non-rejet de $H_o$) | Erreur de type II (Niveau de risque : inconnu) | Décision correcte |
| valeur observée > valeur critique | Évidences fortes (rejet de $H_o$) | Décision correcte | Erreur de type I (Niveau de risque : $\alpha$) |

Lorsque le risque d'une erreur de type II est faible, on parle d'un test qui a une puissance statistique élevée. Si la puissance est inconnue (comme c'est généralement le cas) ou faible, le *statu quo* est la conclusion adéquate lorsqu'il y a absence d'évidence. Le chapitre 15 va examiner différentes stratégies pour qu'une absence d'évidence puisse être considérée comme une évidence forte.

Le risque d'une erreur de type I et le risque d'une erreur de type II sont étroitement liés. Pour l'illustrer, examinons deux cas :

- L'investigateur adopte un risque d'erreur assez élevé en prenant un $\alpha$ de, disons, 10 %. La valeur critère qui en résulte est alors moins extrême (voir Figure 6.6, gauche). Si l'hypothèse nulle est vraie, le risque de commettre une erreur de type I (rejeter $H_0$) va se produire plus souvent (10 % du temps). Par contre, si $H_0$ n'est pas vraie, une erreur par omission sera plus rare tellement la valeur critique est basse.

- Inversement, l'investigateur adopte un seuil de décision sévère (disons 1 %). La valeur critique est alors très haute (Figure 6.6, droite). Dans ce cas, le risque d'une erreur par commission (de type I) est amoindri (1 % de chance) mais le risque d'une erreur par omission s'accroît.

En somme, lors de la planification d'un test statistique, moins le seuil de décision choisi est sévère (i.e. un seuil à 10 % plutôt qu'à 5 %), plus on risque de commettre une erreur de type I. Inversement, plus le seuil de décision choisi est sévère (i.e. un seuil à 1 % plutôt que 5 %), plus on risque de commettre une erreur de type II.

## Figure 6.6

À gauche : un seuil de décision de 10 % augmente le risque d'une erreur de type I (région en gris) ; à droite : un seuil de décision de 1 % augmente le risque d'une erreur de type II (région en gris).

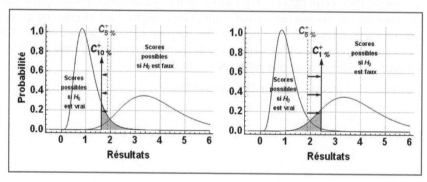

Lors de la planification d'un test statistique, le seuil de décision doit être choisi en fonction des conséquences possibles de l'une ou l'autre de ces deux erreurs. Si le rejet de l'hypothèse nulle, lorsqu'elle est vraie, cause un résultat catastrophique, la valeur $\alpha$ doit être relativement petite (plutôt 0.01). D'autre part, si le non-rejet de l'hypothèse nulle, alors qu'elle est fausse, entraîne une plus grande catastrophe, il faut choisir un seuil de signification moins sévère (disons 0.10) ou lire le chapitre 15.

Il arrive qu'il soit plus grave de commettre une de ces deux erreurs que l'autre, mais en général, l'impact de l'une ou l'autre de ces erreurs est tout aussi important. Il s'agit d'essayer de concilier les deux risques. C'est généralement le cas en psychologie où les seuils choisis varient entre 0.05 et 0.01. Voici un exemple où l'on doit concilier les deux sources d'erreurs.

Une compagnie pharmaceutique a développé un médicament destiné à guérir un certain type de cancer. Ce médicament semble efficace mais comporte certains effets secondaires. La compagnie veut donc vérifier statistiquement si ce médicament permet vraiment d'arrêter la maladie ($H_0$ : le médicament n'a pas d'effet). Dans ce cas, si le seuil est trop élevé (disons 0.10), il existe un risque de commettre une erreur de type I en rejetant $H_0$ (croire que le médicament fonctionne) alors que le médicament est sans effet. Une telle erreur amènera inutilement des malaises aux patients qui utiliseront ce médicament alors qu'il est inefficace. Par ailleurs, si le seuil de signification est trop sévère (0.001), il y a risque de ne pas rejeter $H_0$ (croire que le médicament est sans effet) alors qu'elle est fausse et de commettre une erreur de type II. On croira à tort que le médicament est inefficace alors que des personnes auraient pu être soignées.

# 9. Comment rapporter un test statistique ?

L'écriture d'un rapport de recherche (ou d'un projet dans le but d'obtenir une approbation) peut sembler une aventure linéaire. Il n'en est rien. Le processus d'écriture scientifique est rempli de détours (parfois de retours en arrière). De plus, on peut penser que tout doit être rapporté dans le rapport. Une fois encore, il n'en est rien. L'hypothèse, les valeurs critiques, la règle de décision, etc., ne sont absolument pas présentées dans la section Méthodologie ni dans la section Résultats. Ce sont des balises que se donne l'auteur pour bien remplir son travail mais tout ce jargon doit rester invisible. La seule chose qui doit transparaître des analyses statistiques sont quelques petits codes, souvent mis entre parenthèse. Ces codes sont les mêmes dans à peu près toutes les disciplines scientifiques : (1) l'utilisation du mot « significativement », (2) l'inclusion du résultat du test entre parenthèses, suivi du seuil $\alpha$ suivant cette écriture très stricte : « (nom-de-la-distribution-théorique (degrés de liberté, s'il y a) = *résultat du test*, $\underline{p} <$ seuil $\alpha$) » si le test est significatif. S'il n'est pas significatif, il faut aussi rapporter la statistique, mais cette fois, (« $\underline{p} >$ seuil $\alpha$ »). Le signe plus petit signifie que la probabilité d'obtenir ce résultat à cause d'erreur expérimentale est plus faible que $\alpha$, ce qui implique qu'on rejette $H_0$.

La Figure 6.7 montre ce que cache la façade d'un rapport de recherche.

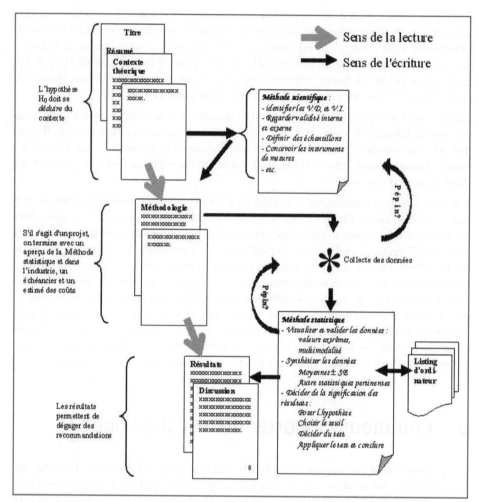

## Figure 6.7
**Le rapport technique et ses méandres**

---

## Encadré 4
## Egon Pearson and Jerzy Neyman

E. Pearson (Angleterre, 1895-1980, voir photo ci-bas) est le fils de Karl Pearson. Longtemps dans l'ombre de son père, il n'a vraiment commencé à produire des recherches intéressantes qu'à la suite de sa rencontre en 1925 avec Jerzy Neyman (Moldavie, 1894, États-Unis, 1981), alors postdoctorant en Angleterre. Ensemble, ils ont développé le cadre des tests d'hypothèses nulles. Dans ce cadre, la première étape est de poser une hypothèse nulle, puis de vérifier si elle peut être rejetée. Bien que ce cadre soit utilisé universellement aujourd'hui, il est parfois critiqué pour le manque de symétrie entre le rejet et le non-rejet et pour la difficulté à établir la puissance statistique.

---

# 10. Utilisation de SPSS

## 10.1 *Obtenir une valeur critique à partir d'un échantillon avec FREQUENCIES*

À partir d'un échantillon présent dans l'éditeur de données, on peut obtenir un certain quantile avec la commande FREQUENCIES comme nous l'avons vu au chapitre 3. Pour obtenir le quantile 90 %, il faut obtenir le 9ᵉ décile avec

```
FREQUENCIES VARIABLE = colvd
        /NTILE = 10
        /FORMAT = NOTABLE.
```

Si vous voulez obtenir le quantile 2.5 % ou 97.5 %, il faut calculer les 40-tiles (car $1/40$ vaut 2.5 %) et donc remplacer 10 par 40.

## 10.2 Obtenir une valeur critique à partir d'une distribution théorique avec COMPUTE

Nous avons vu la commande pour obtenir un quantile théorique au chapitre 5. Si la population théorique est normale standardisée (i. e. si $\mu$ vaut 0 et $\sigma$ vaut 1) et que vous voulez la valeur critique à droite pour un risque de 5 %, faites (assurez-vous qu'il y a une ligne de données dans l'éditeur de données):

```
COMPUTE valcrit = IDF.NORMAL (0.95, 0, 1).
```

Vérifiez le résultat avec celui se trouvant dans la table normale standardisée de l'appendice. Vous pouvez remplacer NORMAL par n'importe quelle autre distribution théorique et ajuster les paramètres selon la situation. Pour l'attente de Zoé, la commande serait :

```
COMPUTE valcrit = IDF.NORMAL (0.995, 25, 10).
```

## Résumé

Le processus de prise de décision se compose de quatre étapes : (1) poser une hypothèse de travail ; (2) choisir le seuil de décision ; (3) calculer la ou les valeurs critiques ; et (4) faire le test et conclure. Les exemples présentés dans ce chapitre sont artificiels car (a) ils supposent qu'un historique est disponible ou que la distribution théorique est connue ; (b) une seule mesure a été prise pour décider ($n = 1$). Dans les sept chapitres qui suivent, nous verrons différentes situations où l'échantillon possède plus d'une mesure et où la distribution théorique est postulée ou déduite du contexte.

## Questions pour mieux retenir

1. Imaginez une personne qui arrive en moyenne toujours à l'heure avec un délai typique de 1 minute en plus ou en moins. Ses délais suivent une distribution normale. En acceptant 5 % de risque de la manquer, après combien de temps pouvez-vous partir ? (a) quelle table convient ? (b) quel quantile théorique faut-il ? (c) cette valeur critique est-elle à droite ou à gauche ? (d) s'il est important de ne pas manquer cette personne, que faites-vous ? (e) si vous lui dites que vous l'attendrez jusqu'à 15 minutes, que lui dites-vous ?

2. Quelle serait l'hypothèse nulle en ce qui concerne
   a) l'efficacité d'un médicament donné à un groupe expérimental comparé à un groupe placébo ;
   b) une formation dans l'entreprise comparée à la productivité avant la formation ;
   c) l'impact de l'alcool sur la prise de risque chez les hommes de 18-25 ans, chez les hommes de 45-55 ans et chez deux groupes témoins de mêmes âges mais ne prenant pas d'alcool ;
   d) la résistance à aller chercher des soins médicaux chez des personnes âgées avec peu d'éducation et avec une formation universitaire.

## Questions pour mieux réfléchir

3. Un médecin affirme avoir trouvé une pilule qui immunise à vie contre le sida. Pour vous en convaincre, utilisera-t-il un seuil de décision usuel (5 %), plus sévère (1 %) ou moins sévère (10 %) ? Pourquoi ?

4. Un ingénieur développe un scanner permettant selon lui un meilleur diagnostic du cancer du sein. Comme ce scanner est basé sur les scanners traditionnels, il fonctionne au moins aussi bien que les anciens systèmes. Cependant, il coûte très cher (8 M$ chacun). Pour vous convaincre d'en acheter, faut-il un seuil de décision sévère ou moins sévère que le 5 % usuel ? Pourquoi ?

## Questions pour s'entraîner

5. Trouvez une valeur critique à partir d'un historique.
   a) Générez 50 lignes dans l'éditeur de données portant les numéros 1 à 50 (vous pouvez le faire à la main ou en utilisant la syntaxe vue à l'exercice 2 du chapitre précédent).
   b) Simulez dans ces lignes 50 valeurs aléatoires tirées d'une population qui suit une distribution $\chi^2$ avec le paramètre de valeur 7.
   c) Faites le graphique des fréquences. Ce graphique devrait ressembler à celui des retards de Benoît à la Figure 6.1.
   d) Prétendons qu'il s'agit effectivement de l'historique de Benoît. Comment faire pour trouver la valeur critique telle que Benoît soit arrivé 95 % du temps avant cette valeur ?

6. Trouvez une valeur critique à partir d'une distribution théorique.
   a) Effacez l'éditeur de données (ou exécutez la commande NEW FILE.). Ne conservez qu'une seule ligne en entrant « 1 » dans la première colonne.
   b) Supposons que le professeur Tournesol vous apprend que les retards de Benoît suivent une distribution $\chi^2$ avec paramètre 7. Pouvez-vous trouver la valeur critique telle que 95 % des retards soient inférieurs à cette valeur ?

# CHAPITRE 7
# Tests utilisant la distribution binomiale

---

## Sommaire

## Dans ce chapitre, vous allez apprendre :

1 Comment réaliser les tests utilisant la distribution binomiale : le test sur une proportion, le test sur une médiane et le test sur deux mesures répétées.

## Introduction

*Ce chapitre s'intéresse aux situations où la variable examinée est mesurée avec une échelle nominale n'ayant que deux valeurs possibles (une échelle binaire, souvent la présence ou l'absence d'un attribut). Pour décider si une hypothèse de travail doit être rejetée, le nombre de personnes dans l'échantillon qui ont l'attribut est comparé à une valeur critique obtenue à l'aide de la distribution théorique binomiale. À l'aide d'une astuce, il est aussi possible de prendre des décisions si la mesure est de type II lorsque l'hypothèse porte sur la médiane ou lorsque l'hypothèse porte sur deux mesures répétées.*

La logique décrite au chapitre précédent peut être utilisée dès qu'il existe un échantillon normatif suffisamment important pour constituer un historique. Cependant, ces situations sont rares et, la plupart du temps, il faut recourir à une distribution théorique pour pallier notre manque d'historique.

Dans ce chapitre, nous introduisons trois tests statistiques. Tous les trois utilisent la même loi de distribution théorique, la loi binomiale : le premier permet de tester une proportion, le second la médiane d'une population, et le troisième, l'effet d'un traitement en utilisant un schème avant-après.

# 1. Test sur une proportion

Le test de proportion s'applique dans les situations où on examine la proportion de sujets ayant une certaine caractéristique. Par exemple, quelle proportion de personnes dans les bibliothèques portent des lunettes ? Une hypothèse possible est que les usagers des bibliothèques ne portent pas plus de lunettes que le reste de la population. Puisqu'en Occident, une personne sur deux porte des lunettes (ou des lentilles), on a $\pi_{Lunettes} = \frac{1}{2}$. Pour tester cette hypothèse, il faut procéder à une collecte de données, c'est-à-dire mesurer un échantillon représentatif des usagers de bibliothèques. Notons $n$ l'effectif total et $n_{Lunettes}$ l'effectif des gens ayant la caractéristique recherchée dans l'échantillon (l'effectif n'ayant pas la caractéristique est donc $n - n_{Lunettes}$). Le ratio $n_{Lunettes}/n$ est la proportion observée $p$ de cas ayant la caractéristique recherchée (et $n_{Lunettes}/n \times 100\ \%$ est le pourcentage).

Supposons que nous avons planifié de mesurer 50 usagers de bibliothèques. Si l'hypothèse est vraie, on verra idéalement dans l'échantillon 25 personnes avec des lunettes (la moitié des 50 personnes, soit $50 \times \frac{1}{2}$). On verra plus probablement un nombre proche de 25, tel que 24, 27 ou encore 29. Si l'hypothèse est vraie, peut-on s'attendre à obtenir 31 personnes avec des lunettes ? 35 ? 39 ? Où place-t-on la limite ? À partir de quelle valeur cessera-t-on de croire que l'hypothèse est vraie ? Il faut une valeur critique.

Une façon de trouver les valeurs critiques est de se constituer un historique. Pour ce faire, aller dans la population générale, former des centaines de groupes de 50 personnes puis compter le nombre de personnes ayant des lunettes dans ces groupes. Un grand nombre de groupes en contiendra 25, plusieurs auront 24 ou 26, d'autres encore en auront 23 ou 27, etc. Les résultats de cette démarche empirique sont illustrés à la Figure 7.1, gauche. Vous l'aurez deviné, il faut consacrer beaucoup d'énergie pour réaliser cette étape préalable. Or les résultats obtenus sont entièrement prévisibles : en effet, si la caractéristique mesurée est binaire, la distribution théorique binomiale peut être utilisée pour prédire les résultats. Pour calculer des probabilités avec cette distribution, il suffit de connaître $n$ et $\pi$. Que vous utilisiez l'historique ou la distribution théorique, vous obtiendrez des valeurs critiques presque identiques (l'historique contenant de l'erreur échantillonnale n'est pas aussi fiable que la distribution théorique).

Examinons un exemple similaire. Supposons qu'on souhaite examiner le sexe des étudiants en psychologie à l'Université de Montréal. Vous entrez dans une classe et comptez 41 femmes sur les 50 étudiants présents. Ce nombre représente un pourcentage de 82 %. Est-il surprenant ?

Pour répondre à la question, il faut s'entendre sur ce qu'on veut dire par « surprenant ». Si on entend « la représentativité des femmes dans ces classes est-elle la même que dans la population en général ? », la question est plus précise mais il faut spécifier quelle est la proportion de femmes dans la population générale. Supposons qu'elle est de 50 %. La question devient donc : y a-t-il 50 % de femmes dans les classes de psychologie ?

Dans cette classe très précise, la réponse est non (il y en a 82 %, point à la ligne). Par contre, si on considère cette classe comme un échantillon représentatif de toutes les classes de psychologie, et que l'on veuille généraliser la réponse, on doit tenir compte du hasard. Est-ce que 41 femmes sur 50 dans une classe particulière est compatible avec l'idée qu'en général, 50 % des étudiants en psychologie sont des femmes ou est-ce notablement différent ?

Posons l'hypothèse de travail :

$$H_0 : \pi_{femme} = \tfrac{1}{2}$$

où $\pi_{femme}$ est la proportion hypothétique de femmes en psychologie.

L'historique qui nous dirait quels résultats sont plausibles, probables ou improbables pourrait être consulté mais il est inutile puisque la distribution binomiale permet de prédire les résultats possibles.

La Figure 7.1, droite, donne les probabilités théoriques pour les différents résultats possibles (la probabilité qu'une classe de 50 personnes contienne 0 femme, contienne une femme, etc.) si la proportion dans la population est de $\tfrac{1}{2}$, c'est-à-dire si l'hypothèse est vraie. Notez que la distribution théorique ressemble beaucoup à l'historique constitué chez les gens ayant des lunettes. C'est normal puisque ces deux populations ont le même paramètre ($\pi = \tfrac{1}{2}$) et sont mesurées sur des groupes de même taille ($n = 50$). Le graphique de droite est plus « lisse » que celui de gauche car étant un graphique théorique, l'erreur d'échantillonnage est absente.

On voit qu'obtenir une classe contenant 25 femmes est l'événement le plus probable (l'histogramme le plus haut). La distribution théorique prédit qu'environ 84 % des groupes auront entre 20 et 30 femmes inclusivement, et qu'environ 90 % des groupes auront entre 19 et 31 femmes inclusivement. Le nombre de femmes observé dans la classe de psychologie (42) ne tombe pas du tout dans cet intervalle. Il semble donc qu'il faille rejeter l'hypothèse $H_0$.

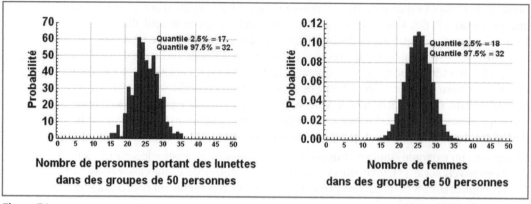

## Figure 7.1

Gauche : Fréquences de groupes contenant zéro, un, deux, etc., personnes avec des lunettes, réalisé à partir de l'observation de 500 groupes de 50 personnes. Droite : Probabilité de compter un certain nombre de femmes (axe horizontal) dans une classe de 50 personnes s'il y a dans la population une personne sur deux qui est une femme.

Pour formaliser le processus de prise de décision, il faut décider d'un niveau de risque puis localiser les valeurs critiques à gauche et à droite. Ici, il faut deux valeurs critiques car si la proportion n'est pas de ½, elle peut être notablement moindre ou notablement supérieure. Si le résultat obtenu excède ces valeurs critiques, comme cela semble être le cas, il faut rejeter $H_0$ et conclure que la proportion de femmes en psychologie diffère significativement de la proportion de femmes dans la population en général.

Posons le risque de se tromper à 5 % (seuil de décision) et répartissons-le également à gauche (2.5 %) et à droite (2.5 %). En utilisant un ordinateur, nous trouvons que la valeur critique à gauche, que nous notons $b_{2.5\%}^{-}$ (50, 1/2) vaut 18 et la valeur critique à droite $b_{2.5\%}^{+}$ vaut 32. La Figure 7.2 montre les valeurs critiques superposées au graphique.

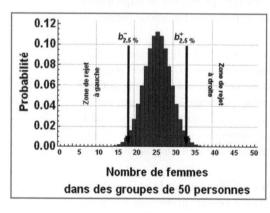

Nombre de femmes
dans des groupes de 50 personnes

## Figure 7.2

Les valeurs critiques à gauche et à droite dans le cas d'un échantillon de 50 personnes avec une proportion hypothétique de ½ pour un risque d'erreur de 5 %. La zone de rejet est la zone en deçà de la valeur critique à gauche ou au-delà de la valeur critique à droite.

De façon générale, le test est de la forme:

$$\text{Rejet de } H_0 \text{ si} \begin{cases} n_{Femme} < b_{\alpha/2}^-(n, \pi) \\ \text{ou} \\ n_{Femme} > b_{\alpha/2}^+(n, \pi) \end{cases} \qquad 7.1$$

c'est-à-dire dans la situation présente

$$\text{Rejet de } H_0 \text{ si} \begin{cases} n_{Femme} < 18 \\ \text{ou} \\ n_{Femme} > 32 \end{cases}$$

Puisque c'est le cas, dans la classe de psychologie (42 excède la valeur critique à droite), nous concluons sur la base de cet échantillon qu'en psychologie, il y a significativement plus de femmes que d'hommes (i.e. que la proportion de femmes est différente de ½).

Le test ci-dessus est appelé un test sur une proportion. Les valeurs critiques sont trouvées à l'aide de la loi de distribution binomiale, soit en utilisant un logiciel ou en consultant une table statistique. Dans les deux cas, il faut connaître (1) la taille totale de l'échantillon $n$, (2) la proportion postulée par l'hypothèse $\pi$. Notez que la valeur critique est exclue; si on avait mesuré 32 femmes, on n'aurait pas rejeté $H_0$.

Ce test porte sur des effectifs, i.e. sur un décompte de cas ayant une certaine caractéristique. Il ne faut pas confondre les effectifs avec les statistiques de tendance centrale telles que la moyenne ou la médiane. Par exemple, il ne fait aucun sens de poser la question « Quel est le sexe moyen dans les classes de psychologie ? ». Nous verrons au prochain chapitre des cas où on veut examiner la moyenne. Une façon de savoir si le test de proportion s'applique est d'examiner si les résultats possibles sont binaires (n'ont que deux valeurs possibles). Le sexe des individus est binaire, le port de lunettes est binaire, l'obtention d'un diplôme l'est aussi; la taille ne l'est pas.

## 1.1 *Un dernier exemple*

Un généticien souhaite tester la proportion de personnes porteuses du syndrome de Bezières, un syndrome anodin, n'affichant aucun symptôme (et fictif) et pour lequel les gens vont rarement consulter. Suite aux recherches sur le génome humain, ce généticien prédit que, si le modèle standard de transmission des gènes est vrai, ce syndrome devrait être présent chez un quart de la population. Il procède donc à une expérience, un test de dépistage génétique préliminaire sur un échantillon de 20 humains. Il observe 3 cas de syndrome de Bezières. Est-ce un résultat en faveur du modèle standard ?

Comme la présence du syndrome est binaire (porteur ou non porteur), le test de proportion est tout à fait approprié pour tester l'hypothèse et donc tester le modèle standard. Dans ce qui suit, on subdivise la procédure à suivre dans ses quatre étapes.

*Poser l'hypothèse.* L'hypothèse nulle est que la population montre une proportion $\pi$ de ¼ de gens souffrant de ce syndrome, ce qui donne en symbole:

$$H_0: \pi_{Bezières} = ¼$$

*Choisir le seuil.* Puisqu'il n'y a pas de vies en jeu et que l'expérience met en jeu des techniques de manipulation génétique assez routinières, il n'y a pas lieu de choisir un seuil très élevé ou très bas. Le généticien choisit le seuil standard $\alpha = 0.05$.

*Chercher le test.* Ce qu'il faut ici, c'est un test qui dira si 3 sur 20 (soit 15 %) est significativement différent de 25 %. Si la proportion dans la population vaut réellement ¼, le nombre de personnes ayant ce syndrome suit une distribution binomiale avec les paramètres $\pi = ¼$ et $n = 20$. Par ailleurs, si la proportion ne vaut pas ¼, elle peut être plus petite ou plus grande. Le généticien souhaite donc avoir deux valeurs critiques et divise le risque d'erreur en deux.

Le test est de la forme :

$$\text{Rejet de } H_0 \text{ si } \begin{cases} n_{Bezières} < b^-_{5\%/2}(20, 1/4) \\ \text{ou} \\ n_{Bezières} > b^+_{5\%/2}(20, 1/4) \end{cases}$$

Avec la table statistique de la distribution binomiale se trouvant en appendice, il trouve les valeurs critiques 2 et 9 à gauche et à droite respectivement. La Figure 7.3 montre la distribution théorique pour chaque résultat possible ainsi que la valeur critique à gauche et à droite.

*Appliquer le test et conclure.* Le test est facile à appliquer, puisqu'il n'y a pas de calculs à faire et que la seule statistique nécessaire est le nombre de personnes sur les 20 mesurées ayant le syndrome, $n_{Bezières}$. Nous avons vu que $n_{Bezières}$ vaut 3, qui n'est pas dans une ou l'autre zone de rejet. Le chercheur conclut que les résultats obtenus ne remettent pas en cause le modèle standard (non-rejet de $H_0$).

Comme on le voit à la Figure 7.3, il est toujours possible, sur 20 essais de Bernoulli, d'obtenir 0 ou 1 personne ayant le syndrome, mais la probabilité d'un tel événement causé par l'erreur d'échantillonnage est faible. De la même façon, la probabilité d'avoir 10 personnes ou plus avec le syndrome est faible. Si on observe un nombre de personnes porteuses du syndrome dans ces zones, on doit décider entre ces deux alternatives (a) l'erreur expérimentale est en cause, ou (b) l'hypothèse nulle est fausse. Comme l'erreur d'échantillonnage est peu probable (5 %), on conclut que l'hypothèse est plus probablement fausse et que la proportion de ¼ dont nous avons fait l'hypothèse ne doit pas être vraie dans la population (rejet de $H_0$).

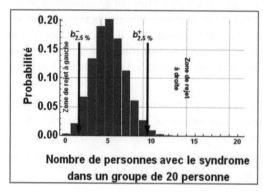

**Figure 7.3**

Zones de rejets, i. e. zones où la probabilité d'obtenir un résultat est inférieure à $\alpha$.

# 2. Test sur la médiane

La statistique la plus fréquemment utilisée en sciences humaines est la moyenne. En conséquence, les hypothèses portent très souvent sur les moyennes de population, d'où la nécessité des tests de moyennes (nous les verrons dans les chapitres suivants). Cependant, il existe des situations où la population d'où provient l'échantillon a une distribution très asymétrique. Un exemple de population problématique pour un test de moyenne est le revenu. En effet, dans la population nord-américaine, le revenu annuel est en général assez faible (de l'ordre de 20 à 40 K\$). Cependant, il existe une petite quantité de millionnaires, et une infime quantité de milliardaires. Or, pour un milliardaire et mille personnes avec un revenu de 10 K\$, le revenu moyen est supérieur à 1 000 000 \$! Dans ce contexte, la moyenne comme statistique de la tendance centrale est loin de représenter l'individu typique.

Une alternative est d'utiliser le test sur la médiane qui suit. Ce test n'est pas aussi puissant (il mène plus souvent au statu quo: non-rejet de H$_0$), mais il est valable peu importe la façon dont se répartissent les mesures dans la population (très asymétrique, avec données extrêmes, avec multimodalité).

L'idée fondatrice du test de médiane est que la médiane, par définition, partage les observations en deux classes de tailles égales. Ainsi, 50 % des observations de l'échantillon doivent être supérieures à la médiane hypothétique et 50 % doivent être inférieures à cette médiane hypothétique (appelons-la M). Si la proportion observée n'est pas d'une demie, c'est que la médiane de l'échantillon diffère significativement de la médiane hypothétique. Il suffit donc de prendre l'échantillon et de compter le nombre de personnes ayant une mesure supérieure à la médiane hypothétique. Notons par $n_{Revenue>M}$ le nombre de ces personnes. La suite du test est identique à un test sur une proportion dans lequel la proportion attendue de succès est de ½.

Un exemple: supposons que le revenu médian lors du dernier recensement pan-canadien ait été mesuré à 24 500 \$ (chiffre fictif). Il ne s'agit pas d'une statistique puisqu'un recensement mesure la population en entier. Une démographe veut savoir si le revenu médian a baissé depuis ce recensement qui date de 3 ans. Bien entendu, elle ne peut pas se payer un recensement exhaustif. Elle va donc procéder à un échantillonnage. Elle observe sur un échantillon de 11 répondants, 2 personnes ayant un revenu supérieur au revenu médian de l'année du recensement. Si les revenus n'ont pas changé, à combien de personnes aurait-elle dû s'attendre? Que doit-elle conclure?

*Poser l'hypothèse.* L'hypothèse nulle est que la médiane de la population est restée inchangée à 24 500 \$. Dans l'exemple ci-dessus, la démographe postule donc l'hypothèse:

$$H_0: M = 24\,500\ \$.$$

*Choisir le seuil.* Elle opte pour le seuil de décision standard $\alpha = 0.05$. Comme cette démographe soupçonne une baisse de revenu, elle décide de procéder à un test unicaudal: elle met la totalité du risque de se tromper du même côté (elle ne divise pas $\alpha$ par 2). Il faut alors une seule valeur critique à gauche: $b_{5\%}^{-}$.

*Chercher le test.* Le test est de la forme :

$$\text{Rejet de } H_0 \text{ si } n_{Revenu > 24\,500\$} < b^{-}_{5\%}(11, 1/2).$$

Après un examen dans la table binomiale pour les paramètres $n = 11$ et $\pi = \frac{1}{2}$, elle trouve que la valeur critique est 3. La Figure 7.4 illustre la distribution théorique avec la valeur critique en dessous de 3. La règle de décision devient :

$$\text{Rejet de } H_0 \text{ si } n_{Revenu > 24\,500\$} < 3.$$

*Appliquer le test et conclure.* La règle de décision ne nécessite aucun calcul. Comme le nombre de personnes ayant un revenu supérieur à 24 500 \$ ($n_{Revenu > 24\,500\$}$) est inférieur à la valeur critique, elle rejette l'hypothèse : le revenu médian est significativement inférieur à ce qu'il était lors du dernier recensement. On peut noter que, dans cette étude, l'échantillon est petit, et vu le faible coût lié à ce type de sondage, la démographe aurait pu rechercher un échantillon plus large. Néanmoins, la méthode statistique est sans faille.

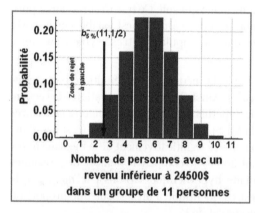

**Figure 7.4**
Zone de rejet pour une binomiale $\mathcal{B}$ (11, ½).

Si la démographe avait eu une hypothèse de travail plus vague (le revenu médian a changé, sans avoir d'hypothèse sur la direction du changement), elle se serait retrouvée avec un test moins puissant. En effet, si le test est **non directionnel**, la règle de décision doit tenir compte des deux extrêmes à la fois (répartir $\alpha/2$ à droite et $\alpha/2$ à gauche et donc avoir deux valeurs critiques). Après un regard à la Table de la distribution binomiale, elle aurait trouvé que $b^{-}_{2.5\%}$ vaut 2 et que $b^{+}_{2.5\%}$ vaut 9. Comme $n_{Revenu > 24\,500\$}$ n'est pas dans la zone critique, elle n'aurait pas pu rejeter l'hypothèse nulle. Ceci montre l'importance d'avoir une hypothèse la plus spécifique possible étant donné le contexte de recherche, à défaut de quoi on perd de la puissance décisionnelle.

Comme l'illustre cet exemple, l'hypothèse porte sur la médiane de la population ($M$) et pourtant le test porte sur un effectif ($n_{Revenu > 24\,500\$}$). La statistique retenue n'a rien à voir avec une médiane. Le test exploite une propriété de la médiane : 50 % des observations devraient être supérieurs à celle-ci si elle est juste.

On aurait aussi pu écrire l'hypothèse nulle de cette façon :

$$H_0 : n_{Revenu > 24\,500\$} = n \times \pi_{Revenu > 24\,500\$}$$

où $n$ est la taille totale de l'échantillon et $\pi_{Revenu > 24\,500\$}$ est la proportion de personnes dont le revenu est supérieur à 24 500 $. Puisque l'on pense que 24 500 $ est le revenu médian, il s'ensuit que $\pi_{Revenu > 24\,500\$}$ vaut ½, ce qui permet d'écrire l'hypothèse :

$$H_0 : n_{Revenu > 24\,500\$} = 5.5.$$

On pourrait aussi écrire l'hypothèse comme

$$H_0 : \pi_{Revenu > 24\,500\$} = ½.$$

Toutes ces hypothèses sont équivalentes. La première est plus proche de la question de la démographe (le revenu médian est-il le même que lors du précédent recensement ?) ; la dernière découle de la définition de la médiane ; l'avant-dernière est plus proche du test qui est basé sur l'effectif observé.

Le test consiste donc en

$$\text{Rejet de } H_0 \text{ si } n_{Revenu < 24\,500\$} <^* 5.5$$

où le signe $<^*$ se lit « est significativement moins que 5.5 ».

# 3. Test sur des mesures répétées

Le dernier test que nous présentons dans cette section s'applique aux schèmes à deux mesures répétées. Il s'applique aussi aux schèmes à groupes appariés et aux schèmes avant-après (chapitre 1).

Pour comprendre ce test, il faut savoir qu'il est très improbable qu'un sujet obtienne exactement le même score lors de deux mesures. Plus probablement, la seconde mesure sera un peu plus ou un peu moins élevée que la première. Sur l'ensemble des sujets, certains seront un peu plus hauts après qu'avant alors que d'autres seront un peu plus bas après qu'avant. Dans l'ensemble, si le traitement est sans effet, on s'attend à ce que la moitié des sujets soient plus hauts lors de la seconde mesure. Cette constatation sert de base pour ce test : par pur hasard, 50 % des sujets vont avoir un score plus élevé et 50 % auront un score moins élevé si le traitement est inopérant.

## 3.1 Un dernier exemple (suite !)

Supposons que le généticien, suite à sa première expérience, ait besoin d'une thérapie pour soigner les traumatismes psychologiques consécutifs à un diagnostic positif du syndrome de Bezières. Le généticien devenu thérapeute songe à une thérapie béhavioriste. Cependant, pour vérifier qu'elle fonctionne, et étant donné qu'il ne veut pas donner un traitement placebo à la moitié des patients, il décide de procéder à une mesure traumatique avant le début de la thérapie béhavioriste et une seconde mesure après la thérapie. Si amélioration il y a, il va l'imputer à son traitement.

*Poser l'hypothèse.* L'hypothèse nulle est que la population n'est pas affectée par la thérapie, et donc que son taux de morbidité après (appelons-le $M_{après}$) est identique à celui d'avant ($M_{avant}$). Il postule donc l'hypothèse :

$$H_0: M_{avant} = M_{après}$$

Si la population est inchangée, il s'attend à observer que la moitié des personnes auront un taux de morbidité réduit. Si le nombre d'améliorations s'écarte significativement de $n/2$, il peut rejeter l'hypothèse $H_0$. Il pose donc cette hypothèse équivalente :

$$H_0: n_{Amélioration} = n/2.$$

Comme le généticien-thérapeute a 10 patients (le 11$^e$ n'a pas supporté le choc), l'hypothèse complète est

$$H_0: n_{Amélioration} = 5.$$

*Choisir le seuil.* Le généticien-thérapeute opte pour un $\alpha = 0.10$ puisque la thérapie est très exploratoire, et qu'il ne prétend pas avoir la thérapie parfaite du premier coup. Il veut plutôt une indication que la piste peut être prometteuse.

*Chercher le test.* Il espère une amélioration de l'état des patients. Par ailleurs, il est établi que, dans ce genre de situation post-traumatique, une thérapie béhavioriste ne nuit jamais. Il met donc tout le risque d'erreur du même côté. Le test est donc de la forme :

$$\text{Rejet de } H_0 \text{ si } n_{Amélioration} > b_{10\%}^+ (n, 1/2).$$

Après consultation dans la table de la distribution binomiale, la valeur critique est située à 7 et est illustrée à la Figure 7.5.

*Appliquer le test et conclure.* Il observe qu'après la thérapie, sept patients montrent une amélioration de leur état par rapport à leur état précédant la thérapie. Comme 7 n'est pas supérieur à la valeur critique, il ne rejette pas l'hypothèse : avec l'échantillon disponible, la thérapie n'a pas d'effet notable. Ceci signifie que soit la thérapie n'est pas efficace ou qu'elle a un effet modéré qui ne peut pas être mis en évidence avec un si petit échantillon (manque de puissance statistique). Ce résultat négatif signifie donc le *statu quo*.

Comme notre apprenti thérapeute n'est pas devenu généticien avec des *statu quo*, il décide de s'obstiner et augmente son échantillon à 20 patients au lieu de 10. Dans ce cas, la valeur critique (après examen dans la table binomiale) est de 13. Il observe que 14 patients se sont améliorés après le traitement, soit exactement la même proportion que précédemment. Or, cette fois-ci, le nombre d'améliorations observées est supérieur à la valeur critique. Il conclut donc (enfin !) que la thérapie a significativement amélioré l'état de ces traumatisés.

Le fait d'accroître la taille de l'échantillon a permis de prendre une décision différente. Est-ce signe que les statistiques sont inconséquentes ? Non. La différence vient du fait que plus l'échantillon est grand, plus la statistique qu'on observe est fiable. Avec un échantillon de 10, la proportion observée de 7 sur 10 avait toutes les chances d'être très incertaine. Avec un échantillon de taille double, la même proportion 14 sur 20 est plus fiable. Le test tient compte de la taille des échantillons (via la lecture des valeurs critiques dans la table binomiale), et plus l'échantillon est grand, plus les valeurs critiques sont resserrées autour de la proportion idéale de $n/2$. La règle d'or est donc d'avoir le plus de sujets possibles. Surtout qu'ici, la thérapie n'est pas miraculeuse : elle réduit l'incidence des comportements morbides, mais ne les élimine pas complètement. Plus l'effet est petit, plus il faut compenser avec beaucoup de sujets pour qu'il puisse franchir le seuil de décision. Nous reviendrons sur la puissance des tests au dernier chapitre.

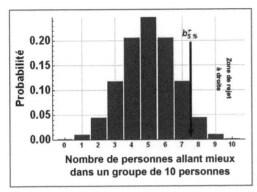

Figure 7.5

Zone de rejet pour une binomiale $\mathcal{B}$ (10, ½).

# 4. Comment rapporter le résultat d'un test utilisant la distribution binomiale ?

Comme toujours, il ne faut pas utiliser de jargon statistique. Les seules exceptions sont l'utilisation du mot « significatif » et des codes identifiant la distribution théorique, ses paramètres et si la/les valeurs critiques sont dépassées. La distribution théorique est identifiée par la lettre B et les paramètres sont $n$ et $\pi$.

Dans le tout premier exemple, on écrirait : « La proportion de femmes dans les classes de psychologie diffère significativement de 50 % (B(50, ½) = 42, p < .05) ». Le généti-cien-thérapeute quant à lui aurait écrit après son premier échec « La thérapie béhavio-riste n'améliore pas significativement l'état des patients (B(10, ½) = 7, p > .05). »

# 5. Utilisation de SPSS

## 5.1 Effectuer un test binomial sur une proportion avec NPAR TEST

Cette commande permet de tester l'hypothèse suivante :

$$H_0 : \pi = proportion$$

où *proportion* est la valeur proposée par l'hypothèse nulle. Pour réaliser ce test, il faut indiquer à SPSS dans quelle colonne se trouve codé le succès ou l'échec de l'observation (**nomcol**), et quelles valeurs codent un succès, un échec (généralement 1 et 0, mais peut-être d'autres valeurs). La commande est :

```
NPAR TEST
/BINOMIAL (proportion)=nomcol(val-succès, val-échec).
```

où *proprtion* est la proportion de l'hypothèse, entre 0.00 et 0.99.

Par exemple, pour tester que la colonne **lancer** contient bien un sixième de ⊡ (et 1/6 vaut 0.166666), il faut utiliser la commande :

```
NPAR TEST
/BINOMIAL (0.166666)=lancer(1,0).
```

Un résultat sur des lancers d'un dé est montré à la Figure 7.6. On voit que, dans ce fichier de données, il y avait 23 fois le nombre 1 (un succès) sur les 100 lignes, une proportion de 0.23 comparée à la proportion attendue de 0.166666. Le listing ne rapporte pas les valeurs critiques, il ne rapporte que la *signification* (*Sig.*), c'est-à-dire le seuil $\alpha$ qu'il aurait fallu choisir pour que le test soit tout juste significatif. Puisque nous avons (probablement) choisi un seuil de décision 5 % et que le seuil reporté (0.063) est plus grand, le test n'est pas significatif. Ce dé est normal selon toute vraisemblance.

| | | Modalité | N | Proportion observée. | Test de proportion | Signification asymptotique (unilatérale) |
|---|---|---|---|---|---|---|
| lance | Groupe 1 | 1,00 | 23 | ,230000 | ,166666 | ,063[a] |
| | Groupe 2 | ,00 | 77 | ,770000 | | |
| | Total | | 100 | 1,000000 | | |
| a. Basée sur l'approximation de Z. | | | | | | |

*Test binomial*

## Figure 7.6

**Résultat du test de proportion.**

La commande NPAR TEST va dans un premier temps compiler le nombre de succès (le nombre de 1 dans la colonne **lancer** par exemple) et le nombre d'échecs (le nombre de zéros). Cependant, si vous avez déjà compilé les effectifs, il est possible d'informer SPSS. Par exemple, si vous avez ces deux colonnes :

| lancer | nombre |
|---|---|
| 1 | 23 |
| 0 | 77 |

où le nombre de succès et d'échecs est déjà calculé, vous pouvez précéder la commande NPAR TEST de cette commande :

```
WEIGHT BY nombre.
```

qui indique que le nombre de lancers réussis et échoués se trouve en fait dans la colonne nombre.

## 5.2 ▬ *Effectuer un test sur deux mesures répétées avec NPAR TEST*

Ce test permet de tester l'hypothèse:

$$H_0: M_1 = M_2$$

où $M_1$ est la mesure d'une caractéristique avant et $M_2$, la mesure de cette même caractéristique après. Pour réaliser ce test, le fichier doit contenir deux colonnes par sujet, une colonne indiquant son score avant, l'autre colonne, son score après. La syntaxe est:

```
NPAR TEST
    /SIGN=nomcol1 WITH nomcol2.
```

## 5.3 ▬ *Effectuer un test sur une médiane avec NPAR TEST*

Pour faire un test sur la médiane d'un seul groupe, il faut rajouter une colonne qui contient la valeur de la médiane à tester (e.g. **m**), puis faire un test sur deux mesures répétées comparant le score et la colonne contenant la médiane:

```
COMPUTE m = unevaleur.
NPAR TEST
    /SIGN= m with nomcol.
```

où la colonne **nomcol** contient les données observées. Par exemple, avec les revenus des Canadiens, les commandes seront:

```
COMPUTE m = 24500.
NPAR TEST
    /SIGN= m with revenus.
```

Dans le listing produit par SPSS, on voit que 10 personnes avaient des revenus inférieurs à **m** (24 500 $) et une seule avait un revenu supérieur. L'hypothèse que la médiane soit 24 500 $ est rejetée avec une signification de .01 (plus petit que .05).

| Fréquences | | |
|---|---|---|
| | | N |
| revenu - m | Différences négatives[a] | 10 |
| | Différences positives[b] | 1 |
| | Ex aequo[c] | 0 |
| | Total | 11 |
| a. revenu < m | | |
| b. revenu > m | | |
| c. revenu = m | | |

**Figure 7.7**

Output SPSS pour un test des signes.

## Résumé

Les tests utilisant la table binomiale permettent de prendre une décision éclairée lorsqu'un attribut observé est binaire (ou peut le devenir). Il est entre autres possible de tester une médiane hypothétique, ce qui est très à propos lorsque la population a une distribution de scores très asymétrique. Cependant, la médiane n'est pas la statistique de tendance centrale la plus intuitive. Le prochain chapitre examine des tests de moyenne.

## Questions pour mieux retenir

1. Quelle est la valeur critique pour un test binomial où $p = ½$ avec $n = 20$, unicaudal à droite utilisant un seuil de : (a) 1 % ; (b) 5 % ; (c) 10 % ?

2. Quelles sont les valeurs critiques pour un test binomial où $p = ½$ ? avec $n = 20$, bicaudal utilisant un seuil de : (a) 1 % ; (b) 5 % ; (c) 10 % ?

3. Soit 10 sujets mesurés sous deux conditions : **X** = [15, 23, 30, 7, 3, 22, 12, 30, 5, 14] puis **Y** = [28, 19, 34, 19, 6, 26, 13, 47, 16, 9]. Est-ce que les sujets sont meilleurs en **Y** ? Suivez les quatre étapes.

4. Est-ce que la médiane de cet échantillon peut être de 20 ? **X** = [1, 3, 5, 9, 10, 14, 15, 17, 21, 45, 49, 110, 230, 666, 7542].

5. Un manufacturier clame qu'avec sa chaîne de montage robotisée, 20 % ou moins des barres de chocolat qu'il produit sont défectueuses. Suite à un sondage (vous mangez 20 barres de chocolat), vous en découvrez 7 défectueuses. A-t-il raison ?

## Questions pour mieux réfléchir

6. Dans l'exemple sur le revenu médian, que doit faire la démographe si elle obtient une observation $X_i$ exactement égale à la médiane hypothétique de 24 500 $? Doit-elle compter cette observation comme étant supérieure à M ou non? Rappelez-vous que chaque essai doit être binaire, il ne peut donc pas y avoir une troisième catégorie «égal à M».

7. Est-ce qu'on peut avoir cette hypothèse: $H_0$: $\pi = 0$? Comment la teste-t-on?

## Questions pour s'entraîner

8. Simulez une pièce de monnaie non truquée.
   a) Entrez dix lignes dans l'éditeur de données ayant dans la colonne **no_suj** les nombres de 1 à 10.
   b) Simulez des 0 et des 1 avec RV.BERNOULLI où la proportion de la population est 0.5.
   c) Testez l'hypothèse selon laquelle la proportion de 1 est bien de ½. Rejetez-vous l'hypothèse nulle? Devriez-vous?
   d) Si vous refaites les étapes (b) et (c) 100 fois, arrive-t-il que vous rejetiez l'hypothèse nulle? Si oui, de quel type d'erreur s'agit-il?

9. Simulez une pièce de monnaie truquée.
   a) Simulez des 0 et des 1 avec dans une proportion de 75 % de 1.
   b) Testez l'hypothèse que la pièce est non truquée. Rejetez-vous l'hypothèse? Devriez-vous?
   c) Si vous refaites (a) et (b) 100 fois, arrive-t-il que vous ne rejetiez pas l'hypothèse nulle? Si oui, de quel type d'erreur s'agit-il?
   d) Si la pièce est truquée pour retourner des 1 dans 90 % des lancers, quelle différence cela fait-il?

# CHAPITRE 8

# Tests sur une ou deux moyennes utilisant la distribution z

## Sommaire

## Dans ce chapitre, vous allez apprendre :

1 La relation entre la distribution de la moyenne d'un groupe
et la distribution des scores individuels.

2 La relation entre la distribution de l'écart entre deux moyennes
et la distribution des scores individuels.

3 La relation entre la distribution de l'écart entre deux mesures
corrélées et la distribution des scores individuels.

4 Comment réaliser des tests sur des moyennes utilisant
la distribution normale standardisée : le test $z$ sur un groupe,
le test $z$ sur deux groupes indépendants et le test $z$
sur deux mesures répétées.

## Introduction

*Ce chapitre examine les situations où les mesures proviennent d'une population dotée d'une distribution théorique normale et pour laquelle l'écart type est connu. Les tests qui en résultent se déclinent en trois saveurs : le test z sur un seul groupe, le test z sur deux groupes et le test z sur deux mesures répétées.*

Soit la question « Les hommes sont-ils plus grands que les femmes ? » Cette question est ambiguë et il n'est pas possible d'y répondre dans sa forme actuelle. En effet, si on veut en réalité savoir « Est-ce que tous les hommes sont plus grands que toutes les femmes ? », on voit bien que la réponse est non car il existe moult femmes plus grandes que des hommes. La question pourrait être entendue comme « Existe-t-il un homme plus grand que toutes les femmes ? » ou encore « Tous les hommes sont-ils plus grands qu'une femme ? », auquel cas le livre Guinness des records semble dire oui (le plus grand humain adulte jamais mesuré est un homme alors que le plus petit est une femme).

L'ambiguïté dans ce genre de question tient à la façon dont on passe du particulier au général. La population testée contient un grand nombre d'individus et il faut spécifier comment ces individualités sont insérées dans la question.

En règle générale, nos questions portent sur l'individu moyen. La question ci-dessus devient « Est-ce que la taille moyenne des hommes est supérieure à la taille moyenne des femmes ? » (auquel cas la réponse est oui). Bien que l'on n'y pense plus, ce glissement vers « l'individu moyen » ne va pas de soi (l'individu moyen n'existe pas). Pour cette raison, il est important dans l'énoncé d'une hypothèse de bien préciser que l'on fait référence à la moyenne.

Dans ce chapitre, nous allons examiner une famille de tests qui permet d'examiner la performance moyenne : le test z. Ce test (tout comme les tests t du prochain chapitre) se décline en trois saveurs :

- Test sur un seul groupe : ce test est utilisé lorsqu'il n'y a qu'un groupe mais qu'il est possible de dire quelle devrait être sa moyenne.

- Test sur deux groupes : ce test est utilisé quand il y a un second groupe qui est comparé au premier. Ce groupe sert de « groupe témoin » ou « groupe contrôle ». Dans ce cas, l'hypothèse de travail est l'égalité de la performance moyenne des deux groupes.

- Test sur deux mesures répétées (ou encore, sur des données avant-après ou des données appariées, cf. chapitre 1). L'hypothèse est que la performance lors d'une mesure est en moyenne égale à la performance lors de l'autre mesure.

Les tests z sont rarement utilisés (nous verrons pourquoi) mais ils permettent de mieux comprendre les tests t qui suivent au prochain chapitre.

# 1. Tester la moyenne d'un groupe avec le test $z$

Le test $z$ sur un seul groupe permet d'évaluer une hypothèse portant sur la moyenne d'une population, et cette hypothèse est testée en examinant la moyenne d'un groupe d'individus représentatif de cette population (l'échantillon). En jargon, on écrit :

$$H_0 : \mu = \underline{\hspace{1.5em}}$$

où ___ est la moyenne suggérée par l'hypothèse et $\mu$ réfère à la moyenne de la population d'où est tiré l'échantillon. Par exemple, si vous testez des QI, l'hypothèse nulle pourrait être :

$$H_0 : \mu = 100.$$

Pour qu'il soit permis d'utiliser ce test, il y a deux conditions à satisfaire :

1) les individus de la population doivent se répartir suivant une loi normale ;

2) le paramètre $\sigma$ de cette population doit être connu.

Le second point est le plus problématique. Si la moyenne de la population étudiée n'est pas connue, il y a de fortes chances que son écart type ne le soit pas non plus ! C'est pour cette raison que les tests $z$ sont rarement utilisés. Poursuivons néanmoins en ignorant pour l'instant cette difficulté.

En connaissant la loi de distribution suivie par la population (la loi de distribution normale), le paramètre $\sigma$, et en ayant une hypothèse qui suggère une valeur possible pour $\mu$, on a tout ce qu'il faut pour calculer des probabilités sur une donnée brute.

Par exemple, quelle est la probabilité qu'une personne de l'échantillon ait un QI entre 85 et 115 si l'hypothèse suggère que la moyenne est 100 et que l'écart type est de 15 ? Pour y arriver, standardisez le score en utilisant la moyenne hypothétique et l'écart type :

$$\frac{85 - 100}{15} = -1 \text{ et } \frac{115 - 100}{15} = +1,$$

puis déterminez la probabilité d'obtenir une valeur entre $-1$ et $+1$ avec une table normale standardisée (ou utilisez la Figure 5.10 du chapitre 5). On trouve 68.2 %.

Cependant, le test ne cherche pas à établir des risques sur le score d'une personne unique, mais sur le score moyen d'un groupe de personnes. Pour calculer des probabilités portant sur une moyenne, il faut savoir quelle est la loi de distribution théorique suivie par les moyennes et quels sont les paramètres de cette loi.

## 1.1 Relation entre la loi de distribution suivie par des individus d'un groupe et la loi de distribution suivie par la moyenne de ces individus

Pour trouver cette relation, imaginons l'expérience de pensée qui suit : plutôt que de collecter un seul groupe, ce qui donne une seule moyenne, collectons $m$ groupes, et donc calculons $m$ moyennes.

Quel devrait être la moyenne de ces moyennes ? Idéalement, la moyenne des moyennes devrait être la moyenne de la population, soit $\mu$. En effet, chacune des moyennes devrait être proche de $\mu$, légèrement inférieure ou légèrement supérieure. La moyenne de ces moyennes devrait être le centre de gravité de tous ces nombres et donc donner $\mu$.

Quel devrait être l'écart type de ces moyennes ? L'écart type d'une moyenne, que l'on peut noter $s_{\overline{X}}$, dépend de deux facteurs : si les individus sont très variables, les moyennes aussi risquent d'être très variables ; si par contre, chaque échantillon est très grand, les moyennes seront plus précises, plus proches de $\mu$ et donc moins variables. En langage mathématique, on dit que la variance des moyennes est proportionnelle à la variance des individus de la population et inversement proportionnelle à la taille de l'échantillon. Vous reconnaissez sans doute l'erreur type $SE_{\overline{X}}$ vue au chapitre 2 : $\sigma_{\overline{X}}^2$ est la même chose que $SE_{\overline{X}}^2$ et vaut $\frac{\sigma_{\overline{X}}^2}{n}$. La variance étant trouvée, il faut prendre la racine carrée pour obtenir l'écart type de $\overline{X}$ : $s_{\overline{X}} = SE_{\overline{X}} = \frac{\sigma}{\sqrt{n}}$. L'erreur type est au groupe ce qu'est l'écart type est à l'individu.

Finalement, quelle est la loi de distribution de ces moyennes ? Si les données brutes sont symétriquement distribuées autour de $\mu$, alors les moyennes le seront aussi. En fait, à cause de la propriété de fermeture de la distribution normale (chapitre 5), et comme la moyenne nécessite d'additionner les scores individuels (chacun suivant une distribution normale), le total suit aussi une distribution normale.

On peut illustrer ceci avec des données fictives. Imaginons 10 000 individus dont on mesure le QI. Supposons que les QI suivent une distribution normale ayant comme paramètres une moyenne $\mu_{QI}$ de 100 et un écart type $\sigma_{QI}$ de 15. La Figure 8.1, gauche, montre la distribution de ces individus.

Si on sélectionne au hasard 400 groupes de 25 personnes dans cette population, on peut calculer 400 moyennes. La Figure 8.1, droite, montre la distribution de ces moyennes. Notez que cette seconde distribution est très symétrique (asymétrie de 0.07) et suit la loi normale (courbe en forme de cloche). De plus, la moyenne est presque 100 (99.9 exactement) et l'écart type est presque 3 (3.01 exactement). Cette dernière valeur est la valeur attendue puisque $\sigma_{\overline{QI}}$ doit valoir $\frac{\sigma_{QI}}{\sqrt{n}} = \frac{15}{\sqrt{25}}$, soit 3.

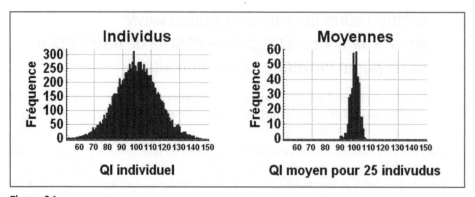

**Figure 8.1**

**Distribution de QI des individus d'une population (gauche) et des QI moyens en formant des sous-groupes de 25 individus (droite).**

En résumé, si la distribution des membres d'une population suit une distribution normale, alors la distribution des moyennes est aussi normale avec le paramètre d'écart type réduit par un facteur $\sqrt{n}$ où $n$ est la taille de l'échantillon.

Ce résultat montre comment on peut calculer la probabilité d'obtenir une moyenne particulière. Reprenons l'exemple des QI précédemment indiqué, où $H_0: \mu = 100$. Vingt-cinq personnes sont mesurées. Quelle est la probabilité d'obtenir une moyenne de groupe entre 85 et 115 ? Le paramètre d'écart type de la moyenne $\sigma_{\bar{x}}$ est $\frac{15}{\sqrt{25}} = 3$.

Si on normalise les limites, on trouve que $\frac{85 - 100}{3}$ vaut $-5$ et que $\frac{115 - 100}{3}$ vaut $+5$. Il n'est pas nécessaire de consulter une table $z$ pour voir que la probabilité d'être entre $-5$ et $+5$ est une quasi-certitude (la probabilité exacte est 99.9999 %!) Alors qu'un individu a une probabilité non négligeable d'être en deçà de 85 ou au-delà de 115 (100 % − 68.3 % = 31.7 %), la probabilité qu'un groupe de 25 personnes ait une telle moyenne est virtuellement nulle.

Si on trouve un individu ayant un QI de 130, doit-on être étonné ? Si on trouve qu'un groupe de 25 personnes prises au hasard a une moyenne de 106, doit-on être plus ou moins étonné ?

## 2. Procédure pour tester une moyenne avec le test $z$

Reprenons le tout avec ordre, en utilisant les quatre étapes du chapitre 6.

*Poser l'hypothèse.* L'hypothèse nulle est du genre

$$H_0: \mu = \underline{\hspace{1cm}}$$

où \_\_\_ est un chiffre précis déduit de connaissances antérieures et où $\mu$ fait référence à la moyenne de la population étudiée.

*Choisir le seuil.* Il s'agit du risque d'erreur de type I que nous sommes prêts à accepter. Il s'agit d'un pourcentage, souvent 5 % s'il n'y a pas d'enjeu particulier.

*Chercher le test.* Si la population suit une distribution normale avec un écart type connu, noté $\sigma_X$, alors le test adéquat est le test z sur une moyenne. Pour appliquer le test z, il faut choisir les valeurs critiques au-delà desquelles nous ne croyons plus en l'hypothèse nulle.

Nous ne croyons plus en $H_0$ si la moyenne est trop haute ou trop basse par rapport à $\mu$, c'est-à-dire si l'écart entre la moyenne de l'échantillon et l'hypothèse, $\overline{X} - \mu$, est trop grand. Pour simplifier, cette moyenne est standardisée en utilisant l'erreur type de la moyenne, d'où un écart standardisé $\dfrac{\overline{X} - \mu}{\sigma_{\overline{X}}} = \dfrac{\overline{X} - \mu}{\sigma_X / \sqrt{n}}$. S'il est possible que l'hypothèse nulle soit fausse en surestimant ou en sous-estimant la moyenne, on va utiliser deux valeurs critiques, une à droite et une à gauche après avoir divisé le risque d'erreur $\alpha$ en deux. Dans le cas d'une moyenne qui serait trop haute, à partir de quelle valeur le risque de l'obtenir est-il inférieur à $\alpha/2 = 2.5$ %? Comme les quantiles sont par convention calculés à partir de la gauche, il faut trouver la valeur critique telle que la probabilité de ne pas l'excéder soit de $1 - \alpha$. En consultant une table normale standardisée (souvent appelée une table z), on trouve la valeur critique à droite, notée $z_{\alpha/2}^{+}$, soit + 1.96 si $\alpha$ vaut 5 %. Dans le cas d'une moyenne qui serait trop basse, on trouve que la valeur critique à gauche, notée $z_{\alpha/2}^{-}$, vaut − 1.96. Comme la loi de distribution z est symétrique autour de zéro, la valeur critique à gauche est toujours, à un signe négatif près, la même valeur que la valeur critique à droite. On illustre ces valeurs critiques sur la Figure 8.2.

Le test est donc:

$$\text{Rejet de } H_0 \text{ si } \begin{cases} \dfrac{\overline{X} - \mu}{\sigma / \sqrt{n}} < z_{\alpha/2}^{-} \\ \text{ou} \\ \dfrac{\overline{X} - \mu}{\sigma / \sqrt{n}} > z_{\alpha/2}^{+} \end{cases} \qquad 8.1$$

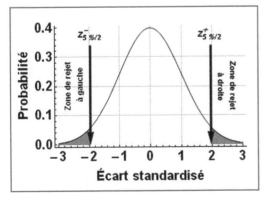

**Figure 8.2**

Illustration des valeurs critiques à gauche et à droite d'une distribution z.

Puisque la distribution est symétrique autour de zéro, on peut simplifier la règle de décision si on enlève les signes partout :

$$\text{Rejet de H}_0 \text{ si } \frac{\left| \overline{X} - \mu \right|}{\sigma / \sqrt{n}} > z_{\alpha/2}$$

où les symboles | | se lisent « valeur absolue » et enlève le signe de $\overline{X} - \mu$ et où $z_{\alpha/2}$ est la valeur critique sans signe (soit $z_{\alpha/2}^+$ ou encore $|z_{\alpha/2}^-|$). Si $\alpha$ est de 5 %, alors $z_{\alpha/2}$ donne 1.96.

*Appliquer le test et conclure.* La seule chose qu'il reste à faire est d'obtenir l'échantillon, de calculer sa moyenne et son erreur type, puis d'appliquer la règle du test $z$ sur une moyenne. Cette règle nécessite plusieurs calculs : (a) l'écart entre l'hypothèse et la moyenne observée (le numérateur), (b) l'erreur type de la moyenne (le dénominateur) et (c) le ratio entre (a) et (b).

Un exemple. Supposons qu'un nutritionniste examine la taille de personnes adultes ayant souffert de malnutrition entre 0 et 2 ans. Il cherche à savoir si la malnutrition a ralenti leur croissance au point qu'à l'âge adulte, ces personnes sont moins grandes que la population normale.

Prenons pour acquis que la taille moyenne de la population mondiale est de 1 m 65, avec un écart type de 15 cm (nombres fictifs). Par ailleurs, nous sommes d'accord pour dire que la taille est influencée par un grand nombre de facteurs, favorables et défavorables en proportions semblables en vertu de la théorie des erreurs (Chapitre 5). La distribution des tailles suit donc une distribution normale.

Le chercheur procède par ordre :

*Poser l'hypothèse.* L'hypothèse est $H_0 : \mu = 165$ cm.   — $\mu$ = nombre

*Choisir le seuil.* Le seuil est $\alpha = 5\,\%$.

*Chercher le test.* Puisque la distribution est normale et l'écart type $\sigma$ connu, il peut réaliser un test $z$. Le test est

$$\text{Rejet de H}_0 \text{ si } \frac{\left| \overline{X} - 165 \text{ cm} \right|}{15 \text{ cm} / \sqrt{n}} > z_{\alpha/2}.$$

En consultant une table $z$, il trouve que $z_{\alpha/2} = 1.96$.

*Appliquer le test et conclure.* Le chercheur mesure 225 personnes ayant eu des problèmes de malnutrition dans la petite enfance, et trouve pour ces personnes une taille moyenne de 1 m 60. Le test devient donc

$$\text{Rejet de H}_0 \text{ si } \frac{\left| 160 \text{ cm} - 165 \text{ cm} \right|}{15 \text{ cm} / \sqrt{225}} = \frac{5 \text{ cm}}{15 \text{ cm} / 15} = \frac{5 \text{ cm}}{1 \text{ cm}} = 5 > 1.96.$$

Puisque 5 est plus grand que la valeur critique, il rejette l'hypothèse nulle : la malnutrition a notablement affecté la taille à l'âge adulte.

Il faut souligner que le nutritionniste commet peut-être une erreur (ici, il commet peut-être une erreur de type I). La confiance à accorder à une décision statistique est toujours relative et sujette à une erreur. Cependant, le chercheur a choisi le risque de commettre une erreur de type I (il s'agit de $\alpha$, le seuil de confiance). Il s'agit donc d'une décision éclairée.

## 3. La structure d'un test statistique

Regardons à nouveau le test $z$:

$$\text{Rejet de } H_0 \text{ si } \frac{|\overline{X} - \mu|}{\sigma_X / \sqrt{n}} > z_{\alpha/2},$$

où $\mu$ est la moyenne de l'hypothèse.

Si nous décortiquons cette équation, nous trouvons trois parties:

*Le numérateur.* $|\overline{X} - \mu|$. Cette quantité représente l'écart entre la moyenne observée et la moyenne avancée par l'hypothèse. On appelle aussi cette quantité la taille d'effet. Plus cette quantité est proche de zéro, plus l'hypothèse semble confirmée. En fait, si la taille d'effet est parfaitement zéro, il est inutile de faire un test statistique puisque l'hypothèse est parfaitement corroborée par l'échantillon. À l'inverse, si la taille d'effet est trop grande (différente de zéro), il faudra rejeter l'hypothèse. L'hypothèse

$$H_0 : \mu = \underline{\qquad}$$

pourrait s'écrire

$$H_0 : \mu - \overline{X} = 0$$

où $\overline{X} - \mu$ est la taille d'effet. Nous reverrons la notion de taille d'effet plus loin et au dernier chapitre.

*Le dénominateur.* Le terme $\sigma_X / \sqrt{n}$ est, on l'a vu précédemment, l'erreur type de la moyenne. L'erreur type permet de pondérer la taille de l'effet. En effet, la taille d'effet dépend de trois facteurs: (i) de ce que l'on mesure (si les mesures sont quantifiées par des grands chiffres, la taille d'effet sera probablement un grand chiffre), (ii) de la variabilité des individus dans la population étudiée (si les individus diffèrent grandement les uns des autres, la taille d'effet peut être plus grande) et (iii) de la taille de l'échantillon (un petit échantillon a plus de chances d'être peu représentatif). L'erreur type permet de quantifier simultanément (i), (ii) et (iii). Il s'agit donc d'un «étalon de mesure», d'un point de comparaison. Si on trouve une taille d'effet de 15 et que l'erreur type est de 5, alors la taille d'effet est «3 fois l'erreur type». Diviser la taille d'effet par l'erreur type permet d'exprimer le premier en quantité d'erreurs types ($15/5 = 3$).

*La valeur critique.* $z_{\alpha/2}$ est la valeur critique. Elle indique le point au-delà duquel l'hypothèse doit être rejetée.

Tous les tests de moyennes possèdent ces trois éléments: une taille d'effet, une erreur type et une valeur critique (ou deux, une à gauche et une à droite). Par contre, ils diffèrent sur la procédure à suivre pour quantifier ces valeurs.

Imaginons la situation où l'effet trouvé est moyen (disons que $|\overline{X} - \mu|$ vaut 7.5). Supposons de plus que l'écart type $\sigma$ vaille 15 mais que l'échantillon est de petite taille (disons que $n$ vaut 9). Dans ce cas, l'étalon de mesure, $SE_{\overline{x}}$ vaut 5. Le test retourne la valeur 1.5 (7.5/5). On ne rejette pas $H_0$.

Imaginons maintenant la même situation mais avec un échantillon énorme (disons 900). Dans ce cas, $SE_{\overline{x}}$ devient 0.5 ($15 / \sqrt{900}$). En divisant l'effet par l'erreur type, on obtient 15. La même moyenne conduit cette fois-ci au rejet de $H_0$!

Dans le test $z$, l'impact de la taille de l'échantillon se répercute sur l'erreur type. Avec 900 participants, on s'attend à avoir commis une erreur typique de 0.5. En obtenant 5, l'effet excède l'erreur typique par un facteur 15. La valeur critique indique que l'erreur expérimentale pourrait être en cause si ce ratio n'excédait pas 2 (1.96 pour être précis). Comme l'erreur expérimentale ne peut pas expliquer ce ratio de 15, il ne reste plus qu'une option : l'hypothèse nulle doit être fausse.

# 4. Intervalles de confiance et barres d'erreur

Il est possible de transformer un test statistique en un **intervalle de confiance**. L'idée d'un test statistique est d'arriver à une règle de décision telle que :

$$\text{Rejet de } H_0 \text{ si } \frac{|\overline{X} - \mu|}{SE_{\overline{x}}} > z_{\alpha/2}.$$

Si le résultat de la formule n'est pas plus grand que $z_{\alpha/2}$, la moyenne est considérée comme ne différant pas de $\mu$ (ne conduisant pas à un rejet de $H_0$).

Procédons à une légère modification de la formule ci-dessus :

$$\text{Rejet de } H_0 \text{ si } |\overline{X} - \mu| > z_{\alpha/2} \times SE_{\overline{x}}$$

ce qui donne si on se débarrasse des valeurs absolues :

$$\text{Rejet de } H_0 \text{ si } \begin{cases} \overline{X} - \mu > z_{\alpha/2} \times SE_{\overline{x}} \\ \text{ou} \\ \overline{X} - \mu < -z_{\alpha/2} \times SE_{\overline{x}} \end{cases}$$

ou encore

$$\text{Rejet de } H_0 \text{ si } \begin{cases} \mu < \overline{X} - z_{\alpha/2} \times SE_{\overline{x}} \\ \text{ou} \\ \mu > \overline{X} + z_{\alpha/2} \times SE_{\overline{x}} \end{cases}.$$

En inversant la phrase, on obtient :

$$\text{Non-rejet de } H_0 \text{ si } \overline{X} - z_\alpha \times SE_{\overline{x}} \leqslant \mu \leqslant \overline{X} + z_\alpha \times SE_{\overline{x}}$$

Ceci signifie que pour ne pas rejeter l'hypothèse, la valeur hypothétique de $\mu$ doit se trouver incluse entre deux bornes données par la moyenne observée plus ou moins la valeur critique multipliée par l'erreur type. Si le seuil de confiance est de 5 %, l'intervalle de non-rejet est fiable à 95 %. Il s'agit d'un intervalle dans lequel vous êtes confiant à 95 % que la vraie valeur $\mu$ se trouve incluse. On parle alors d'un intervalle de confiance à 95 %.

Quand vous rapportez une moyenne avec la notation $\overline{X} \pm SE_{\overline{x}}$, telle que nous l'avons suggérée au chapitre 2, il ne s'agit pas d'un intervalle de confiance puisque la valeur critique $z_{\alpha/2}$ n'est pas utilisée. Cependant, pour beaucoup de tests, la valeur $z_{\alpha/2}$ pour un seuil de 95 % est proche de 2, ce qui fait qu'à l'œil, on estime rapidement qu'il y a 95 % de chances que $\overline{X}$ soit à $\pm 2 SE_{\overline{x}}$. Il s'agit d'une indication évidemment, et non pas d'un test formel.

Par exemple, si un document rapporte que la moyenne est de 105 ± 3, on en déduit que cette moyenne ne diffère probablement pas de 100. L'intervalle de confiance va de $105 - 1.95 \times 3$ à $105 + 1.96 \times 3$ qu'on arrondit à l'intervalle allant de $105 - 2 \times 3$ à $105 + 2 \times 3$ d'où un intervalle de confiance à 95 % de [99, 111].

Le fait que le nombre 1.96 soit presque égal à 2 donne un autre avantage à l'erreur type: supposons que nous avons un graphique illustrant deux moyennes, chacune avec une barre d'erreur de chaque côté, comme dans l'exemple de la Figure 8.3. L'erreur type au-dessus de la condition « blanc » monte jusqu'à 15 et l'erreur type sous bleu descend jusqu'à 15. C'est-à-dire que les barres d'erreurs se touchent. En conséquence, il y a deux erreurs types entre la moyenne des blancs et la moyenne des bleus. Cependant, on a vu que dans un test z (et beaucoup de tests t que l'on verra au prochain chapitre), il faut un écart de presque deux erreurs types pour que la différence soit significative. Ce qui veut dire que *si les barres d'erreur se touchent, il y a de très grandes chances que la différence ne soit pas significative*. Voilà pourquoi il est important de mettre les barres d'erreur type sur le graphique de moyennes. Évidemment, si le test adéquat n'est pas un test z, il se peut que la différence soit significative même si les barres d'erreur ne se touchent pas (nous en verrons des exemples avec le test t lorsque le nombre d'observations est faible). Cependant, il s'agit dans tous les cas d'une bonne indication pour évaluer l'importance de la différence entre deux moyennes.

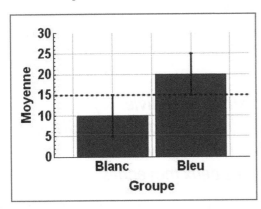

**Figure 8.3**

Moyennes hypothétiques obtenues dans deux conditions; les barres d'erreurs représentent une erreur type. Les barres d'erreurs se touchent, ce qui suggère que les deux groupes ne diffèrent pas significativement.

## 5. Tester les moyennes de deux groupes avec le test *z*

Dans certaines situations, il n'est pas possible de formuler une hypothèse chiffrée. Par exemple, un producteur de sirop d'érable croit qu'en épandant des cendres riches en minéraux dans son érablière, la récolte de sève d'érable sera plus importante au printemps suivant. Sachant qu'il faut 37 l de sève d'érable (appelée eau d'érable à cause de son extrême limpidité) pour obtenir 1 l de sirop d'érable, toute augmentation de la récolte de sève se traduit par une augmentation de la production de sirop. L'hypothèse nulle est de postuler que les cendres n'ont pas d'effet et que la récolte sera inchangée : le nombre de litres moyen récolté par érable sera identique qu'il y ait de la cendre ou pas. Or, si l'aériculteur n'a pas de statistiques provenant des années passées, il ne peut pas quantifier son hypothèse nulle :

$H_0$ : Nombre de litres de sève moyen = ?

et s'il n'a pas une hypothèse de travail précise, il ne peut pas quantifier les risques et trouver la valeur critique.

La solution consiste à faire deux récoltes avec les deux méthodes : avec épandage de cendres et sans épandage de cendres. Pour ce faire, il divise son exploitation en deux de façon arbitraire, une moitié recevant le traitement par les cendres, l'autre pas. Puis, il compare la production moyenne dans les deux moitiés. Appelons **X** la récolte en litres avec épandage de cendres, et **Y** la récolte sans épandage. L'hypothèse de l'aériculteur est alors :

$H_0$ : Récolte moyenne avec cendres = Récolte moyenne sans cendre,

autrement dit, l'épandage ne change rien quant à la production de sève. Est-ce mieux ? En fait, oui. Cette situation est équivalente à dire qu'il n'y a pas de différence entre les récoltes, ce qui peut aussi s'écrire :

$H_0$ : Récolte moyenne avec cendres − Récolte moyenne sans cendres = 0.

Comme on le verra ci-après, cette hypothèse correspond à une situation précise pour laquelle il est possible de calculer des risques et des valeurs critiques. Voyons comment.

## 5.1 *Relation entre la loi de distribution suivie par deux groupes d'individus provenant de populations identiques et la loi de distribution suivie par la différence entre leurs deux moyennes*

On a vu précédemment que pour un groupe dont les individus suivent une distribution normale, la moyenne de ce groupe est aussi une distribution normale mais avec un écart type réduit de $\sqrt{n_X}$ où $n_X$ est la taille du groupe **X**. Il en va de même pour un groupe **Y**.

Si on prend l'écart entre $\bar{X}$ et $\bar{Y}$ (ou vice-versa, l'ordre n'est pas important), quelle valeur s'attend-on à trouver? Puisque tous les deux devraient idéalement être égales à $\mu$, leur différence devrait idéalement être de zéro. Dans les faits, ces nombres sont affectés par une erreur, quantifiée par $\frac{\sigma}{\sqrt{n_X}}$ et par $\frac{\sigma}{\sqrt{n_Y}}$. Quelle est l'erreur type de la soustraction de $\bar{X}$ et $\bar{Y}$?

Pour répondre à la question, il faut savoir que les erreurs au carré s'additionnent toujours (voir les compléments mathématiques). Aussi, pour trouver l'erreur type au carré de la différence entre $\bar{X}$ et $\bar{Y}$, il faut additionner le carré des erreurs types individuelles. Si les deux groupes sont de tailles égales, disons de taille $n$, on a

$$
\begin{aligned}
SE^2_{\bar{X}-\bar{Y}} &= SE^2_{\bar{X}} + SE^2_{\bar{Y}} \\
&= \frac{\sigma^2}{n} + \frac{\sigma^2}{n} \\
&= 2\frac{\sigma^2}{n}.
\end{aligned}
$$

Si les deux groupes sont de tailles différentes, c'est juste un peu plus complexe:

$$
\begin{aligned}
SE^2_{\bar{X}-\bar{Y}} &= SE^2_{\bar{X}} + SE^2_{\bar{Y}} \\
&= \frac{\sigma^2}{n_X} + \frac{\sigma^2}{n_Y} \\
&= \sigma^2\left(\frac{1}{n_X} + \frac{1}{n_Y}\right) \\
&= \sigma^2 / \left(\frac{1}{\frac{1}{n_X} + \frac{1}{n_Y}}\right).
\end{aligned}
$$

Puisque $\tilde{n} = \dfrac{2}{\frac{1}{n_X} + \frac{1}{n_Y}}$ en vertu de la définition de la moyenne harmonique (Chapitre 2), nous pouvons remplacer la quantité $\frac{1}{\frac{1}{n_X} + \frac{1}{n_Y}}$ par la moitié de $\tilde{n}$, soit $\tilde{n}/2$. Donc,

$$
\begin{aligned}
SE^2_{\bar{X}-\bar{Y}} &= \frac{\sigma^2}{\tilde{n}/2} \\
&= 2\frac{\sigma^2}{\tilde{n}}.
\end{aligned}
$$

Autrement dit, l'erreur type d'une différence (au carré) est proportionnelle à la variance des scores individuels, inversement proportionnelle à la taille de l'échantillon, et proportionnelle au nombre de groupes. Il ne reste plus qu'à prendre la racine carrée pour obtenir l'erreur type:

$$
SE_{\bar{X}-\bar{Y}} = \sqrt{2}\,\frac{\sigma}{\sqrt{\tilde{n}}}.
$$

Finalement, comme la distribution normale est fermée (Chapitre 5), la différence entre $\bar{X}$ et $\bar{Y}$ est aussi normalement distribuée.

Le test devient donc

$$
\text{Rejet de } H_0 \text{ si } \frac{|\bar{X} - \bar{Y}|}{\sqrt{2}\,\frac{\sigma}{\sqrt{\tilde{n}}}} > z_{\alpha/2} \tag{8.2}
$$

où $z_{\alpha/2}$ est lu dans une table de la distribution normale standardisée.

Mis à part le terme $\sqrt{2}$ qui tient compte du fait qu'il y a deux groupes et l'utilisation de $\tilde{n}$ au lieu de $n$ si les deux groupes sont de tailles inégales, il s'agit de la même règle de décision que pour le test $z$ sur un groupe. Puisque $n_X$ et $n_Y$ sont connus et que $\sigma$ est supposé connu dans le test $z$, il n'y a aucune inconnue et donc, on peut calculer des probabilités quant à l'écart entre $\bar{X}$ et $\bar{Y}$, bien que cela ne soit pas possible sur chaque groupe isolément.

## 5.2 Réaliser un test de moyenne sur deux groupes avec le test z

Les étapes du test $z$ sur la moyenne de deux groupes indépendants sont :

*Poser l'hypothèse.* L'hypothèse nulle est

$$H_0 : \mu_X = \mu_Y \qquad \rightarrow \text{hypothèse}$$

où $\mu_X$ dénote la moyenne de la population du premier groupe et $\mu_Y$ dénote la moyenne de la population du second groupe. Si les deux groupes proviennent de la même population (le traitement est sans effet), alors leurs moyennes ne sont qu'une seule et même moyenne, d'où l'égalité.

*Choisir le seuil.* S'il n'y a pas d'enjeu particulier, on choisit un seuil de 5 %.

*Chercher le test.* Si les deux populations sont normalement distribuées, ou si on a de bonnes raisons de le croire, et si l'écart type de ces populations est connu et quantifié par $\sigma$, alors le test $z$ sur deux groupes s'applique. Par analogie avec le test $z$ sur un groupe, il faut prendre la taille d'effet, pondérer cette taille par l'erreur type, et la comparer à une valeur critique.

La taille d'effet est l'écart entre les moyennes observées, sans tenir compte du signe, $|\bar{X} - \bar{Y}|$. L'erreur type d'une différence, on l'a vu ci-dessus, est $\sqrt{2}\,\frac{\sigma}{\sqrt{\tilde{n}}}$.

Le test est donc de la forme :

$$\text{Rejet de } H_0 \text{ si } \frac{|\bar{X} - \bar{Y}|}{\sqrt{2}\,\frac{\sigma}{\sqrt{\tilde{n}}}} > z_{\alpha/2}$$

où $z_{\alpha/2}$ est la valeur critique sans signe puisque la distribution est symétrique (la valeur critique à droite ou la valeur critique à gauche sans le signe négatif).

*Appliquer le test et conclure.* Il faut (a) obtenir la moyenne dans les deux conditions, pour calculer leur écart (le numérateur) ; (b) obtenir le nombre de sujets par groupe (ou la moyenne harmonique de ces nombres si les groupes sont inégaux) pour obtenir l'erreur type d'une différence (le dénominateur) ; finalement (c) calculer le ratio entre (a) et (b). Terminer en comparant le ratio obtenu avec la valeur critique.

## 5.3 Un exemple

Reprenons l'exemple de l'acériculteur. Supposons que l'on connaisse l'écart type de la production de sève d'un érable du Canada pour une période de 24 heures. Cet écart type, noté $\sigma$ est de 3 décilitres (dl). Autrement dit, un érable produit une quantité d'eau d'érable qui varie typiquement de ± 3 dl d'une journée à l'autre et d'un arbre à l'autre. De plus, l'acériculteur a de bonnes raisons de croire que la production d'un érable varie suivant une distribution normale car un grand nombre de facteurs influencent la production (ensoleillement, température, épaisseur de la neige au sol, etc.), certains de ces facteurs étant favorables, d'autres pas, à la production.

À l'automne, il a procédé à l'épandage de cendres autour de 81 érables et laissé 81 autres érables sans cendre (autrement dit, ces érables constituent les sujets de son échantillon). Le printemps venu, il mesure la production moyenne de ces deux groupes d'érables au cours d'une période de 24 heures. Le groupe avec cendres (appelons-le X) produit en moyenne 118 dl d'eau d'érable par érable. Le groupe sans cendre (appelons-le Y) produit en moyenne 110 dl. L'épandage de cendres a-t-il un effet?

a) L'hypothèse de travail dit non: $H_0 : \mu_X = \mu_Y$.

b) Le seuil est placé à 5 %.

c) Le test est

$$\text{Rejet de } H_0 \text{ si } \frac{\left| \overline{X} - \overline{Y} \right|}{\sqrt{2} \frac{\sigma}{\sqrt{\tilde{n}}}} > z_{\alpha/2}$$

où $z_{\alpha/2} = z_{2.5\%}$ est lue sur une table $z$ et vaut 1.96.

d) Appliquer le test. Nous avons $\overline{X} = 118$ dl, $\overline{Y} = 110$ dl, $\sigma = 3$ dl, $\tilde{n} = 81$ (les deux groupes étant égaux, $\tilde{n} = n_X = n_Y$). Donc,

$$\text{Rejet de } H_0 \text{ si } \frac{\left| 118 \text{ dl} - 110 \text{ dl} \right|}{\sqrt{2} \frac{3 \text{ dl}}{\sqrt{81}}} > 1.96.$$

Or, $\dfrac{\left| 118 \text{ dl} - 110 \text{ dl} \right|}{\sqrt{2} \frac{3 \text{ dl}}{\sqrt{81}}} = \dfrac{8 \text{ dl}}{\sqrt{2} \frac{3 \text{ dl}}{9}} = 16.97$. Si l'hypothèse était plausible, le résultat aurait dû être près de zéro. On voit que 16.97 est nettement plus grand que la valeur critique. L'augmentation de production n'est que de 7 % (8 dl par rapport à 110 dl) mais l'échantillon est grand (81 arbres dans chaque groupe) et la variabilité (écart type de 3 dl) est modérément faible par rapport à la production (3 dl par rapport à 110 dl). Aussi, l'effet se démarque très nettement comme n'étant pas dû à un hasard échantillonnal.

L'acériculteur conclut que l'épandage de cendres a un effet significatif ($z = 16.97$, $p < .05$). La production augmente de 8 décilitres par arbre et par jour en moyenne si le sol est traité.

## 6. Test *z* sur deux mesures répétées

Dans le schème à deux mesures répétées (ou le schème avant-après), on a deux mesures pour chaque sujet (il s'agit alors de données bivariées). Il est possible que certaines personnes obtiennent systématiquement des scores hauts, peu importe le traitement, d'autres systématiquement des scores bas.

Par exemple, imaginons une formation pour réduire l'anxiété. Annie, qui était la plus anxieuse du groupe, l'est encore après la formation même si son anxiété est légèrement moindre (son anxiété s'est réduite de 2 points sur une échelle de 1 à 20). Zara, qui était modérément anxieuse avant la formation ne l'est presque plus (une réduction de deux points pour elle aussi). Le Tableau 8.1 donne les résultats pour la mesure de l'anxiété (où très anxieux donne un score de 20). Supposons que le questionnaire a été conçu pour avoir un écart type de 3 ($\sigma = 3$).

Tableau 8.1

**Résultats avant et après une formation pour réduire l'anxiété. La corrélation entre les deux mesures est de +0.96.**

| Participant | Avant | Après | Différence |
|---|---|---|---|
| Zara | 9 | 7 | 2 |
| Cedrik | 12 | 11 | 1 |
| Benoît | 15 | 12 | 3 |
| Annie | 16 | 14 | 2 |
| Moyenne | 13 | 11 | 2 |
| Écart type | 3.0 | 3.0 | 0.82 |

Comme on le voit au Tableau 8.1, l'amélioration moyenne est de deux points. Si on réalise un test *t* sur deux groupes comme à la section précédente, on trouve

$$\text{Rejet de H}_0 \text{ si } \frac{|\overline{X} - \overline{Y}|}{\sqrt{2}\frac{\sigma}{\sqrt{n}}} > z_{\alpha/2}.$$

Or, $\dfrac{|\overline{X} - \overline{Y}|}{\sqrt{2}\frac{\sigma}{\sqrt{n}}} = \dfrac{|13 - 11|}{\sqrt{2}\frac{3}{\sqrt{4}}} = \dfrac{2}{2.12} = 0.94$ qui n'est pas plus grand que la valeur critique 1.96, d'où non-rejet de H$_0$: la formation ne semble pas fonctionner.

Cependant, ce qui nous intéresse vraiment, c'est l'amélioration vécue par chaque participant. Si on ne retient que l'amélioration (la différence entre le score Avant et le score Après; Tableau 8.1, colonne 4), on trouve alors les améliorations suivantes, notées D: {2, 1, 3, 2}. Si la formation n'a aucun effet, l'hypothèse nulle est que l'amélioration moyenne vaut zéro:

$$\text{H}_0: \overline{D} = 0$$

(supposons momentanément que $\sigma_D$ vaut l'écart type des différences observées, soit 0.82). Puisque nous sommes dans la situation vue au début de ce chapitre, on peut faire un test $z$ sur un groupe :

$$\text{Rejet de H}_0 \text{ si } \frac{\left| \overline{D} - 0 \right|}{\frac{\sigma_D}{\sqrt{n}}} > z_{\alpha/2}.$$

Or, $\left| \overline{D} - 0 \right| / (\frac{\sigma_D}{\sqrt{n}})$ vaut $\left| 2 - 0 \right| / (\frac{0.82}{\sqrt{4}}) = 2/0.41 = 4.88$. Nous avons maintenant un rejet de H$_0$ ! Ce sont pourtant les mêmes données vues selon deux points de vue différents (les données brutes vs. l'écart entre les mesures). D'où vient cette inconsistance ?

L'inconsistance vient du fait que les données bivariées sont corrélées : les scores hauts le sont sur les deux mesures, les scores faibles le sont aussi sur les deux mesures. Ceci fait que l'écart entre deux mesures sont très stables. Cette stabilité réduit l'erreur type (le dénominateur) et plus le dénominateur est petit, plus l'effet a des chances d'être significatif.

## 6.1 ■ Relation entre l'écart type de la population et l'écart type d'une différence quand les mesures sont corrélées

Supposons un cas extrême où les données bivariées sont parfaitement corrélées et où la formation réduit l'anxiété de deux points. Les individus varient beaucoup mais tous s'améliorent très précisément de deux points. Dans ce cas, la thérapie fonctionne sans aucune variabilité, autrement dit, $\sigma_D$ vaut zéro.

Dans le scénario opposé, les données sont parfaitement corrélées, mais avec une corrélation négative. Dans ce cas (un peu bizarre certes), une personne ayant eu une faible anxiété avant la formation a une grande anxiété après, et vice versa. L'écart entre le score avant et le score après, au lieu d'être toujours 2, devient en fait plus grand et l'écart type augmente.

Pour illustrer ces deux scénarios plus un troisième où il n'y a pas de corrélation, le Tableau 8.2 présente des données fictives. Dans le second scénario, les données du premier sont remaniées pour que la corrélation devienne négative. La moyenne Avant et la moyenne Après est donc la même dans les trois scénarios. Les écarts types aussi. Dans la partie du bas du Tableau 8.2, on calcule l'amélioration (la différence entre Avant et Après) ; un nombre négatif signifie que l'anxiété a augmenté.

Comme avant, l'écart type d'une différence est proportionnel à l'écart type des individus et inversement proportionnel à la taille de l'échantillon. Ce qui est nouveau est que l'écart type de la différence dans le cas de données bivariées augmente avec l'absence de corrélation positive. La formule suivante synthétise l'erreur type de la différence moyenne quand les données sont bivariées

$$SE_{\overline{X} - \overline{Y}} = \sqrt{2} \, \frac{\sigma}{\sqrt{n}} \sqrt{1 - \rho}$$

où $\varrho$, la lettre grecque rho, est la corrélation entre le score **Avant** et le score **Après** dans la population. L'erreur type de la différence sur des données bivariées ressemble à l'erreur type de la différence entre deux groupes indépendants, mais s'y rajoute le terme $\sqrt{1-\varrho}$. Pour pouvoir utiliser ce test, il faut donc connaître les paramètres $\sigma$ et $\varrho$.

## Tableau 8.2

**Résultats possibles avant et après une formation pour réduire l'anxiété dans lesquels les données sont positivement (à gauche), négativement (à droite) ou non corrélées (au centre).**

| Sujet | Positivement corrélé $r=+1.00$ | | Sans corrélation $r=.00$ | | Négativement corrélé $r=-1.00$ | |
|---|---|---|---|---|---|---|
| | Avant | Après | Avant | Après | Avant | Après |
| Zara | 9 | 7 | 13 | 7 | 19 | 7 |
| Cédrick | 13 | 11 | 19 | 11 | 15 | 11 |
| Benoît | 15 | 13 | 9 | 13 | 13 | 13 |
| Annie | 19 | 17 | 15 | 17 | 9 | 17 |
| Moyenne | 14 | 12 | 14 | 12 | 14 | 12 |
| Écart type | 4.2 | 4.2 | 4.2 | 4.2 | 4.2 | 4.2 |

| Sujet | Différence Avant-Après | Différence Avant-Après | Différence Avant-Après |
|---|---|---|---|
| Zara | +2 | +6 | +12 |
| Cédrick | +2 | +8 | +4 |
| Benoît | +2 | −4 | 0 |
| Annie | +2 | −2 | −8 |
| Moyenne | +2 | +2 | +2 |
| Écart type | 0.00 | 5.9 | 8.4 |

De plus, quelle est la distribution de la différence? Toujours à l'aide de la propriété de fermeture de la distribution normale, si les scores **Avant** et **Après** sont normalement distribués, la différence le sera aussi. Si l'effet n'existe pas, la différence moyenne sera zéro.

Le test devient donc

$$\text{Rejet de } H_0 \text{ si } \frac{|\overline{X}-\overline{Y}|}{\sqrt{2}\,\frac{\sigma}{\sqrt{n}}\sqrt{1-\rho}} > z_{\alpha/2} \qquad 8.3$$

dans lequel $z_{\alpha/2}$ est la valeur critique lue sur une table z.

Dans l'exemple sur l'anxiété du début de cette section, les étapes sont donc:

*Poser l'hypothèse.* L'hypothèse nulle suppose que la formation est sans effet:

$$H_0: \text{Anxiété moyenne Avant} = \text{Anxiété moyenne Après}$$

ou en symbole:

$$H_0: \mu_{\text{Avant}} = \mu_{\text{Après}}.$$

*Choisir le seuil.* 5 % parce qu'il n'y a aucune raison de choisir un seuil sévère ou non.

*Chercher le test.* Les données sont bivariées (proviennent d'un schème à deux mesures répétées ou un schème avant-après ou encore un schème à groupes appariés). Le test est donc

$$\text{Rejet de } H_0 \text{ si } \frac{\left|\overline{Avant} - \overline{Après}\right|}{\sqrt{2}\,\frac{\sigma}{\sqrt{n}}\sqrt{1-\rho}} > z_{\alpha/2}$$

où $\sigma$ est l'écart type du questionnaire utilisé pour mesurer l'anxiété (qui vaut 3.0, on l'a indiqué plus haut) et où la valeur critique est lue sur une table normale standardisée et vaut 1.96.

Si on prend pour $\varrho$ la corrélation observée dans les données, soit 0.96, on peut calculer

$$\frac{\left|\overline{Avant} - \overline{Après}\right|}{\sqrt{2}\,\frac{\sigma}{\sqrt{n}}\sqrt{1-\rho}} = \frac{|13 - 11|}{\sqrt{2}\,\frac{3.0}{\sqrt{4}}\sqrt{1-0.96}}$$

$$= \frac{2}{1.41 \times 1.5 \times 0.2}$$

$$= \frac{2}{0.42} = 4.73\,.$$

Nous dépassons la valeur critique et rejetons $H_0$. Notez que nous obtenons (à des erreurs d'arrondissements près) le même résultat que lorsque le test sur les différences a été réalisé. Il en va toujours de même.

# 7. Limitation des tests *z*

Les tests *z* sont utiles pour comprendre deux notions : la taille d'effet et l'erreur type. La taille d'effet quantifie l'effet observé dans l'échantillon. Il s'agit de l'écart entre l'hypothèse et la moyenne observée (test sur un groupe) ou l'écart entre les deux moyennes (tests sur deux groupes). Autrement dit, la taille d'effet mesure l'incongruité entre l'hypothèse et les données.

L'erreur type est basée sur l'écart type de la population ($\sigma$) et la taille du ou des échantillons. La formule de base est $\frac{\sigma}{\sqrt{n}}$ où $n$ est la taille du groupe, auquel il faut rajouter un facteur $\sqrt{2}$ s'il y a deux groupes. Dans le cas de groupes inégaux, on utilise $\tilde{n}$ au lieu de $n$. Aussi, on rajoute $\sqrt{1-\rho}$ s'il s'agit de mesures répétées plutôt que de groupes indépendants.

Les tests *z* prennent pour acquis que les observations suivent une distribution normale. On peut valider ce postulat soit en invoquant la théorie des erreurs (chapitre 5), soit en examinant la répartition des données (avec un graphique de fréquences, chapitre 1). Nous verrons une troisième approche au chapitre 14. Par ailleurs, le théorème central limite que nous verrons au prochain chapitre indique que les données n'ont pas à suivre très précisément une distribution normale.

La principale difficulté avec les tests *z* réside dans le fait qu'on suppose que $\sigma$ est connu (ainsi que $\varrho$ s'il s'agit de mesures répétées). Or ce paramètre n'est généralement pas connu. Il existe quelques rares exceptions où $\sigma$ est connu (la plus célèbre est la mesure du QI dont le questionnaire a été conçu pour que $\sigma = 15$). Cependant, pour à peu près n'importe quelle autre mesure, $\sigma$ est inconnu. Nous allons voir au chapitre suivant une parade qui consiste à estimer $\sigma$ en prenant l'écart type des données. Les tests qui en résultent seront appelés des tests $t$.

## 8. À quoi s'attendre lors du calcul d'un test z?

Essentiellement, le test $z$ vérifie si l'effet du traitement dans la population est nul. L'effet observé sur lequel le test se base est selon le type de schème expérimental :

a) l'écart entre l'hypothèse et la moyenne du groupe ;

b) l'écart entre les moyennes des deux groupes ;

c) l'écart entre les moyennes des deux mesures.

L'hypothèse, dans tous les cas, est :

$$H_0 : \text{L'effet est nul}$$

où l'effet est synonyme de l'écart entre les deux moyennes.

Le calcul, une formule telle que

$$\frac{\left| \overline{X} - \overline{Y} \right|}{\sqrt{2 \frac{\sigma}{\sqrt{n}}} \sqrt{1 - \rho}}$$

a pour but de calculer l'effet observé (numérateur) et de le pondérer par l'erreur type de l'effet. Si l'hypothèse est vraie, on devrait donc trouver zéro (au numérateur) divisé par une erreur type (au dénominateur). Comme zéro divisé par un nombre donne zéro, on s'attend donc à trouver zéro ou un résultat proche de zéro. Si par contre on souhaite rejeter l'hypothèse nulle (comme c'est souvent le cas), on désire alors un nombre fortement différent de zéro. Le test est donc équivalent à

$$\text{Rejet de } H_0 \text{ si } \frac{\text{effet}}{\text{erreur type de l'effet}} \neq^* 0$$

où le symbole $\neq^*$ pourrait se lire « diffère significativement de ».

## 9. Comment rapporter un test z?

Le test $z$ est rapporté de façon très succincte en utilisant quatre codes : l'utilisation du mot « significativement » qui indique qu'un test a été réalisé, l'utilisation de la lettre z qui précise que la valeur critique a été trouvée en consultant une table z, la valeur qui a été calculée par le test, et finalement, le seuil de décision avec le terme « p </> $\alpha$ » où $\alpha$ est le seuil choisi (souvent 5 %). La lettre p est utilisée plutôt que la lettre grecque $\alpha$ car les anciennes dactylos disposaient rarement de lettres grecques... Le signe « < » est utilisé si la différence est significative (i.e. s'il y a un rejet de $H_0$) et le signe « > » si la différence n'est pas significative (i.e. pas de rejet de $H_0$).

Ces quatre codes semblent compliqués, mais ils ont pour but de s'assurer que le jargon statistique ne prenne pas les devants dans un rapport scientifique. L'important est de savoir si le traitement fonctionne, pas si l'auteur s'y connaît en statistique.

Si on reprend l'exemple du nutritionniste au début du chapitre, il a procédé à un test statistique $z$ en quatre étapes (poser l'hypothèse, choisir le seuil, choisir le test, puis appliquer le test et conclure). Or il ne va rien écrire de tout cela. Le lecteur veut savoir si la malnutrition au cours de la petite enfance a des répercussions sur la taille à l'âge adulte. Il ne veut pas savoir si le nutritionniste est ordonné, s'il sait calculer, s'il maîtrise le jargon statistique, etc. Voici ce qu'il va écrire.

« Nous avons mesuré 225 personnes répondant aux critères de notre étude. Dans cet échantillon, la taille moyenne était de 1m 60. Cette taille diffère significativement de la taille moyenne de la population générale ($z = 5.0$, $p < .05$). L'effet de la malnutrition dans la petite enfance est donc avéré, et réduit la taille chez l'adulte de 5 cm en moyenne. »

Qu'est-ce qui est plus clair : le paragraphe précédent ou les quatre étapes ci-dessus ? Pouvez-vous localiser les quatre codes dans le paragraphe précédent ? Remarquez que le nutritionniste a aussi rapporté la taille de l'effet (5 cm). Nous verrons pourquoi c'est une bonne idée de le faire au cours du dernier chapitre.

# 10. Compléments mathématiques

## 10.1 *Preuve que les variances sont additives*

On veut savoir quelle est la variance si on additionne (soustrait) deux scores, $\text{Var}(X + Y)$. On peut récrire cette formule comme

$$Var(\mathbf{X} \pm \mathbf{Y}) = \frac{1}{n-1} \sum_{i=1}^{n} \left( (\mathbf{X}_i \pm \mathbf{Y}_i) - (\overline{X} \pm \overline{Y}) \right)^2$$

$$= \frac{1}{n-1} \sum_{i=1}^{n} \left( (\mathbf{X}_i - \overline{X}) \pm (\mathbf{Y}_i - \overline{Y}) \right)^2$$

$$= \frac{1}{n-1} \sum_{i=1}^{n} (\mathbf{X}_i - \overline{X})^2 + \frac{1}{n-1} \sum_{i=1}^{n} (\mathbf{Y}_i - \overline{Y})^2 \pm \frac{2}{n-1} \sum_{i=1}^{n} (\mathbf{X}_i - \overline{X})(\mathbf{Y}_i - \overline{Y})$$

$$= Var(\mathbf{X}) + Var(\mathbf{Y}) \pm 2\,Cov(\mathbf{X}, \mathbf{Y}).$$

Si X et Y sont indépendants (des groupes distincts ou pas de corrélation), alors $\text{Cov}(X, Y)$ vaut zéro. Il reste donc :

$$Var(X + Y) = Var(X) + Var(Y).$$

## 10.2 Variance d'une différence sur des données corrélées

La variance de la différence entre deux variables est égale à la variance du premier score plus la variance du second score (les erreurs sont toujours additives) moins deux fois la covariance (voir ci-dessus).

Si les deux mesures sont tirées de la même population avec une variance de $\sigma$ et si la corrélation entre les mesures dans la population est de $\rho$, alors,

(1) $SE_{\overline{X}} = SE_{\overline{Y}} = \sigma / \sqrt{n}$ et

(2) puisque $\rho = \dfrac{cov(\overline{X}, \overline{Y})}{\sigma_{\overline{X}} \times \sigma_{\overline{Y}}}$, alors $cov(\overline{X}, \overline{Y}) = \rho \times \sigma_{\overline{X}} \times \sigma_{\overline{Y}} = \rho \ SE_{\overline{X}} \ SE_{\overline{Y}} = \rho \dfrac{\sigma^2}{n}$.

Tout cela mis dans le résultat de la section précédente, on obtient :

$$Var(\overline{X} - \overline{Y}) = Var(\overline{X}) + Var(\overline{Y}) - 2\,Cov(\overline{X}, \overline{Y})$$

$$= \frac{\sigma^2}{n} + \frac{\sigma^2}{n} - 2\rho\frac{\sigma^2}{n}$$

$$= \frac{\sigma^2}{n}(1 + 1 - 2\rho)$$

$$= \frac{\sigma^2}{n}(2 - 2\rho) = 2\frac{\sigma^2}{n}(1 - \rho)$$

d'où il s'ensuit que

$$SE_{\overline{X} - \overline{Y}} = \sqrt{2}\,\frac{\sigma}{\sqrt{n}}\,\sqrt{1 - \rho}\,.$$

---

### Encadré 5
## Johann Carl Friedrich Gauss

Le prince des mathématiciens, Gauss est considéré comme le plus grand mathématicien de tous les temps. Il est né en 1777 en Allemagne d'une famille modeste et mourut en 1855. Il a contribué à des découvertes importantes en astronomie et en physique. En mathématique, ses découvertes sont innombrables et plusieurs d'ailleurs n'ont été connues qu'après la publication de son journal intime en 1898. On lui doit entre autres la méthode des moindres carrés, communément utilisée pour estimer des paramètres, des études sur les nombres premiers, et surtout en 1809, le livre *Theoria Motus Corporum Coelestium in Sectionibus Conicis Solem Ambientum* sur le mouvement des corps célestes dans lequel il introduit pour la première fois la théorie des erreurs et la distribution dite « normale ».

Jusqu'à l'introduction de l'Euro, un portrait de Gauss et de la courbe normale figurait sur le billet de 10 deutsche mark.

---

# 11. Utilisation de SPSS

Il n'existe aucune commande SPSS pour réaliser des tests *z*.

## Résumé

Les tests *z* postulent tous la normalité de la population et le fait que l'écart type de la population soit connu. Ce sont deux limitations sévères qui restreignent beaucoup la portée de ces tests. Le chapitre 14 va revenir sur le premier postulat alors que le chapitre suivant propose une alternative sans ces deux limitations, les tests *t*.

## Questions pour mieux retenir

1. Quelle est la valeur critique pour un test *z* unicaudal à gauche utilisant un seuil de : (a) 1 % ; (b) 5 % ; (c) 10 % ?

2. Quelle est la valeur critique pour un test *z* bicaudal utilisant un seuil de : (a) 1 % ; (b) 5 % ; (c) 10 % ?

3. Étant donné les statistiques descriptives portant sur deux échantillons indépendants : $\mathbf{X} = 23$, $n_{\mathbf{X}} = 6$, $\mathbf{Y} = 20$, $n_{\mathbf{Y}} = 12$, et $\sigma = 3$.
   (a) Calculez l'erreur type de la différence entre $\mathbf{X}$ et $\mathbf{Y}$.
   (b) Trouvez la valeur critique pour un seuil de 5 % (bicaudal).
   (c) Faites un test *z*.
   (d) Rédigez une interprétation des résultats.

4. On administre un test d'aptitude à 42 sujets de 10 ans. La moyenne est de 53.3. Si l'on postule que la population est normalement distribuée avec un écart type de 10, est-ce que la moyenne de la population peut être de 50 ?

5. Un échantillon de 2 304 personnes mesurées lors d'un test de QI donne une moyenne de 101.41 et l'écart type est de 16. Est-ce que cet échantillon provient d'une population ayant un QI de 100 (avec un seuil de 1 %) ?
   (a) Quel test faut-il faire (en quelle saveur) ?
   (b) Quelle est la taille de l'effet ?
   (c) Quelle est l'erreur type ?
   (d) Faites le test et rédigez une interprétation.

## Questions pour mieux réfléchir

6. À la question 5, pourquoi un si petit effet est-il significatif ? Pouvez-vous imaginer une expérience examinant le QI qui trouverait un effet statistiquement significatif mais théoriquement insignifiant ? Comment sait-on qu'un effet statistiquement significatif est insignifiant ?

## Questions pour s'entraîner

Aucun exercice sur ordinateur ne concerne les tests z.

# CHAPITRE 9

# Tests sur une ou deux moyennes utilisant la distribution *t*

## Sommaire

## Dans ce chapitre, vous allez apprendre :

1   Le théorème central limite pour remplacer le postulat de normalité.

2   Les deux différences entre le test *t* et le test *z*.

3   Comment réaliser un test *t* sur un groupe, sur deux groupes indépendants et sur deux mesures répétées.

## Introduction

> *Les tests t remplacent dans leurs calculs l'écart type de la population (généralement inconnue) par une estimation de cet écart type : l'écart type du groupe ou l'écart type regroupé des deux groupes s'il y a deux groupes indépendants. Jumelés au théorème central limite, ces tests deviennent applicables dans toutes les situations où la variable est de type II et où l'asymétrie n'est pas extrême.*

Au chapitre précédent, nous avons examiné une famille de tests permettant de comparer des moyennes, les tests *z* (test *z* sur la moyenne d'un groupe, test *z* sur les moyennes de deux groupes, et test *z* sur deux mesures répétées). Cependant, pour que les tests *z* soient applicables, deux conditions doivent être remplies : (a) la population doit être distribuée suivant la distribution normale, et (b) l'écart type de la population doit être connu. Nous allons considérer ces deux limitations et voir qu'elles sont rarement satisfaites. Nous allons ensuite voir les tests *t* qui sont semblables aux tests *z* mais qui n'ont pas leurs limitations.

# 1. Limites et solutions aux problèmes des tests *z*

*La population doit être distribuée suivant la loi normale.* Cette condition signifie que les mesures sont réparties de façon symétrique autour de la moyenne. Par exemple, si 50 personnes ont des scores supérieurs à la moyenne, il doit y avoir 50 personnes avec des scores inférieurs à la moyenne ; s'il y a 20 personnes avec des scores très élevés, il doit y avoir 20 personnes avec des scores très bas, etc.

Ces affirmations semblent aller de soi, mais ce n'est pas le cas. Supposons que l'on mesure le revenu annuel en $ de la population américaine. Pour 20 personnes qui gagnent 100 000 000 $ de plus que le salaire moyen, il est impossible de trouver 20 personnes qui gagnent 100 000 000 $ de moins que le salaire moyen. Un autre exemple : vous mesurez le temps d'attente dans une file d'attente à la banque. Pour chaque personne qui attend 20 minutes ou plus, vous aurez une dizaine de personnes qui attendent moins d'une minute. Encore une fois, ces scores ne se répartissent pas de façon symétrique. Dernier exemple : vous mesurez l'aptitude d'une personne à résoudre des casse-têtes en mesurant le temps pour solutionner 10 casse-têtes de difficulté moyenne. Certains de ces casse-têtes sont solutionnés rapidement, d'autres lentement. Cependant, si un de ces casse-têtes donne du fil à retordre au participant, son temps de résolution peut être 2, 3 voire 4 fois plus lent que la moyenne des autres alors qu'un casse-tête facile ne sera pas 2, 3 voire 4 fois plus rapide que la moyenne.

Les mesures qui suivent une distribution normale sont plutôt l'exception que la norme. Exemple d'exceptions : un questionnaire comportant un grand nombre d'items devrait donner un score total qui suit une distribution normale (à cause de la théorie des erreurs, chapitre 5). En conséquence, beaucoup de questionnaires standardisés en psychologie donnent des scores normalement distribués (e.g. le WISC-R, le score d'anxiété de Beck, etc.).

*L'écart type de la population doit être connu.* Le fait que le score des individus d'une population ne suit pas une distribution normale est un problème qui empêche l'utilisation d'un test *z*. Cependant, ce n'est pas aussi problématique que le fait que l'écart type de la population (généralement noté $\sigma$) doit aussi être connu. Le WISC-R créé par Weschler pour mesurer le QI est une mesure qui est calibrée sur un échantillon comportant des milliers de personnes. Cet échantillon est tellement grand que l'écart type de l'échantillon est virtuellement égal à l'écart type de la population. On peut donc prendre pour acquis dans ce cas particulier que l'écart type de la population est connu. Cependant, il s'agit sans doute de la seule exception dans l'ensemble des sciences humaines et sociales. Pour toutes les autres mesures, l'écart type de la population en général n'est pas connu ou est connu avec peu de précision.

Pour outrepasser ces deux limitations, deux pistes doivent être examinées.

## 1.1 ▬ *La distribution d'une moyenne de mesures provenant d'une population qui n'est pas normale : le théorème central limite*

Le **théorème central limite** a été envisagé par Gauss aux environs de 1812 dans le cadre de sa théorie des erreurs. Cependant, la preuve complète n'a été obtenue qu'au début du xx$^e$ siècle, indépendamment par deux mathématiciens, dont Alan Turing, l'inventeur des ordinateurs modernes. Si on rajoute les mots manquants, ce théorème serait appelé *le théorème de la distribution limite de l'estimateur de la tendance centrale*, ou en français, *le théorème de la distribution d'une moyenne quand n est grand*. Par « limite », on entend les situations où l'échantillon est de grande taille.

Le nœud de ce théorème est de supposer que l'on ignore la distribution de la population entière. Par contre, le théorème postule que les scores de la population ont une valeur moyenne (inconnue, mais appelons-la $\mu$) et une variance (inconnue aussi, et notée $\sigma^2$). Ces postulats sont très généraux ; on peut s'attendre à ce qu'ils soient vrais de notre population mystère. Par la suite, prenons un échantillon $\mathbf{X}_1$ contenant $n$ données brutes, et calculons la moyenne de l'échantillon, $\bar{X}_1$, puis un second échantillon avec une moyenne $\bar{X}_2$, puis un troisième, etc. Maintenant, oublions les données brutes, et considérons que nous avons un échantillon $\mathbf{Y}$ ne contenant que des moyennes d'échantillons $\{\bar{X}_1, \bar{X}_2, \bar{X}_3, ..., \bar{X}_m\}$. Autrement dit, faisons maintenant des statistiques descriptives sur des statistiques descriptives plutôt que sur des données brutes. La question est : peut-on savoir comment se distribue $\mathbf{Y}$ ? La réponse est oui.

Le théorème central limite démontre que les moyennes se distribuent normalement autour de $\mu$. On peut illustrer ce théorème avec des données fictives. Imaginons 10 000 personnes dont on mesure le temps pour résoudre un Sudoku. La distribution des données, illustrée à la Figure 9.1, gauche, n'est pas du tout normale et est très asymétrique (asymétrie = 1.1). La moyenne est de 6 min 15 secondes et l'écart type de 45 secondes.

Si on sélectionne au hasard 400 groupes de 25 personnes, on peut calculer 400 moyennes. La distribution de ces 400 moyennes est illustrée à la Figure 9.1, droite. Cette distribution est très symétrique (asymétrie de presque 0 à 0.2). Elle a une moyenne de 6 min et 15 secondes (la même que pour les données brutes) et un écart type de 9 secondes et des poussières. Ce 9 secondes correspond à l'écart type de la moyenne $SE_{\bar{x}}$ qui devrait valoir en théorie $\sigma/\sqrt{n}$. Or 45 secondes divisées par $\sqrt{25}$ donnent bien 9 secondes.

En résumé, même si la population des scores ne suit pas une distribution normale, la distribution des moyennes suit une distribution normale. Ceci s'applique si l'échantillon est de grande taille. Le terme « grande taille » est vague et dépend surtout de l'asymétrie dans les données brutes. Si l'asymétrie est modérée (asymétrie entre $-1$ et $+1$), un échantillon de 30 données convient amplement. Si l'asymétrie est importante (entre $-2$ et $+2$), il faut doubler la taille de l'échantillon. Si l'asymétrie est extrême (inférieure à $-3$ ou supérieure à $+3$), comme c'est le cas avec des revenus, il vaudrait mieux utiliser un test de médiane. Nous reviendrons sur ceci au cours du chapitre 14.

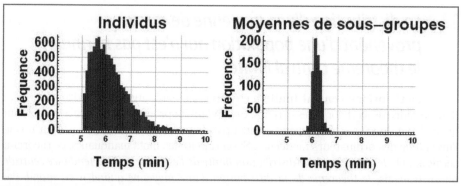

**Figure 9.1**

**Distribution des temps individuels pour faire un Sudoku (gauche) et distribution des temps moyens en formant des sous-groupes de 25 individus (droite).**

Il faut bien comprendre la puissance de ce théorème, puissance qui provient du fait que ses postulats de base sont très peu contraignants : peu importe le type de population et la façon dont se répartissent ses scores, la moyenne obtenue d'un échantillon sera normalement distribuée. Ceci signifie que, si l'on extrayait un très grand nombre de moyennes, 95 % d'entre elles se trouveront à ± 1.96 écart type. Ceci signifie aussi que l'on peut faire des tests statistiques sur des moyennes, et que le test à utiliser est un test basé sur la normale (un test *z*).

Précisons qu'il existe des populations où le théorème central limite ne s'applique pas. Par exemple, il est possible d'imaginer une population où la moyenne serait de 30 quand il y a un nombre pair d'observations, et 40 quand il y a un nombre impair. Dans ce cas, il n'existe pas de moyenne définie pour cette population, et on ne peut donc pas appliquer le théorème central limite. Ce genre de population existe sur papier, mais elles sont rarement présentes dans la nature...

Le théorème central limite est central en statistiques inductives puisqu'il permet de remplacer une condition restrictive (la population suit précisément une distribution normale) par une condition peu contraignante (la population doit posséder une moyenne et un écart type). Très peu de chercheurs vont disputer ce point.

## 1.2 La distribution d'un score standardisé dans lequel l'écart type n'est pas connu avec certitude : la distribution t de Student

Grâce au théorème central limite, nous sommes en mesure de faire un test sans que la population ne soit normalement distribuée. Bien que les choses s'améliorent, il reste encore une condition gênante, celle qui dit que la variance de la population d'où est extrait l'échantillon est connue.

Dans le chapitre précédent, pour réaliser un test $z$ sur un groupe, nous avons utilisé la formule :

$$\frac{\overline{X} - \mu}{\sigma_X / \sqrt{n}} .$$

Or, puisque le paramètre $\sigma_X$ de la population est inconnu, on peut le remplacer par l'écart type observé $s_X$. Ce faisant, on divise par une statistique observée dans l'échantillon, l'écart type de l'échantillon. L'équation devient donc :

$$\frac{\overline{X} - \mu}{s_X / \sqrt{n}} .$$

Alors qu'additionner et soustraire des valeurs ne changent pas le fait que $\overline{X}$ est normalement distribué (propriété de fermeture de la normale), diviser une valeur par une autre peut résulter en une distribution de forme différente. Nous allons voir que la distribution théorique résultante est symétrique mais beaucoup plus aplatie que la normale.

Manipulant l'équation précédente, nous avons :

$$\frac{\overline{X} - \mu}{s_X / \sqrt{n}} = \frac{(\overline{X} - \mu) / (\sigma_X / \sqrt{n})}{s_X / \sigma_X} = \frac{(\overline{X} - \mu) / \sigma_{\overline{X}}}{\sqrt{(n - 1) \frac{s_X^2}{\sigma_X^2} / (n - 1)}} .$$

Comme nous le verrons au chapitre suivant, le terme $(n - 1)\frac{s_X^2}{\sigma_X^2}$ peut être remplacé par $\mathbf{G}^2$ (chapitre 5). On a donc que

$$\frac{\overline{X} - \mu}{s_X / \sqrt{n}} = \frac{(\overline{X} - \mu) / \sigma_{\overline{X}}}{\sqrt{\mathbf{G}^2 / (n - 1)}}$$

où le numérateur suit une normale standardisée et le dénominateur est la racine carrée d'une variable $\chi^2$ divisée par $n - 1$.

Gosset a démontré en 1908 quelle est la distribution théorique résultante d'une division d'un écart observé par une erreur type observée. Il s'agit d'une distribution qu'il a appelée la distribution $t$, encore connue comme la distribution de Student. Cette distribution ressemble beaucoup à la distribution normale excepté qu'elle est plus aplatie aux queues et plus pointue au centre. Le degré d'aplatissement de cette distribution dépend de la taille de l'échantillon.

- Quand le nombre de données dans l'échantillon excède 100, l'incertitude sur l'écart type de la population (estimé par $s_X$) est tellement faible que c'est tout comme si nous divisions par $\sigma_X$ et le résultat est identique à la distribution normale.

- Lorsque l'échantillon est de petite taille, on se trouve à l'occasion (1) à diviser un écart (qui devrait être proche de zéro) par un écart type observé trop grand (plus grand que $\sigma_X$ à cause d'erreur échantillonnale), ce qui donne un nombre vraiment proche de zéro ; (2) à diviser l'écart par un écart type observé plus petit que $\sigma_X$, ce qui donne un nombre éloigné de zéro. Les scores typiques (autour de $+1$ ou $-1$) tendent à disparaître au profit du mode et des queues, ce qui explique la forme de la distribution qui est plus pointue au centre et plus étirée aux queues.

La distribution dépend du terme $n - 1$. Comme ce terme est le dénominateur dans la formule de l'écart type, il est appelé par analogie le **degré de liberté du test** dans le contexte du test *t*. Il faut tenir compte des degrés de liberté lorsque l'on recherche une valeur critique. Si *n* est petit, la distribution est aplatie et les valeurs critiques se retrouvent plus loin de zéro que pour des *n* grands. La Figure 9.2 illustre la distribution de *t* avec 3 (gauche) et 25 (droite) degrés de liberté. Avec trois degrés de liberté, la distribution théorique est très aplatie (courbe de gauche).

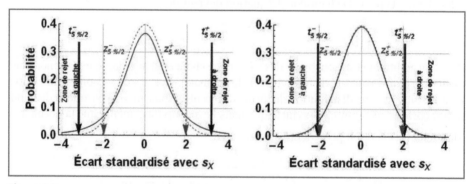

## Figure 9.2

**Deux exemples de distributions de Student, avec 3 degrés de liberté (gauche) et 25 degrés de liberté (droite). En pointillés, la distribution normale avec ses valeurs critiques.**

Lorsqu'un écart type observé est utilisé pour standardiser un effet, on utilise parfois le néologisme **effet studentisé** pour le souligner. Puisqu'il est possible de calculer des risques, il est possible de prendre des décisions. Les tests qui suivent, basés sur la distribution théorique *t*, s'appellent des tests *t*.

# 2. Test *t* sur une moyenne

Le test *t* sur la moyenne d'un groupe est très semblable au test *z* sur un groupe. Il est basé sur l'idée que la moyenne de l'échantillon est normalement distribuée. Ce résultat est garanti par le théorème central limite puisqu'il est très probable que la population possède une moyenne et une variance définies. Cependant, comme on ne connaît pas l'écart type de la population, on utilise l'écart type de l'échantillon.

Le test d'une hypothèse nulle telle que :

*nombre donner/moyen* ✗

$$H_0 : \mu = \underline{\quad}$$

(où ___ est une valeur hypothétique) est le suivant, dans sa forme avec deux valeurs critiques :

$$\text{Rejet de } H_0 \text{ si } \begin{cases} \dfrac{\overline{X} - \mu}{s_{\overline{X}}} > t_{\alpha/2}^{+}(n - 1) \\ \text{ou} \\ \dfrac{\overline{X} - \mu}{s_{\overline{X}}} < t_{\alpha/2}^{-}(n - 1) \end{cases}$$

Puisque la valeur critique nécessite les degrés de liberté, soit $n - 1$, on les précise entre parenthèses à la suite des symboles $t_{\alpha/2}^{+}$ et $t_{\alpha/2}^{-}$. De plus, comme la distribution *t* est symétrique autour de zéro (tout comme la distribution normale), les valeurs critiques à gauche et à droite sont les mêmes, à un signe près, et le test peut être récrit de façon plus compacte en enlevant les signes partout :

$$\text{Rejet de } H_0 \text{ si } \frac{|\overline{X} - \mu|}{s_{\overline{X}}} > t_{\alpha/2}(n - 1). \qquad 9.1$$

Il n'est pas obligatoire de diviser le risque d'erreur en deux et d'utiliser deux valeurs critiques. La totalité du risque peut être mise à gauche (à droite) s'il y a de bonnes raisons *a priori* de croire qu'une augmentation (diminution) est exclue.

## 2.1 *Un exemple*

Une ergonome cognitive de l'Université de Montréal défend depuis de nombreuses années l'argument que l'anxiété au travail est fortement influencée par la façon de gérer son agenda de travail. Dernièrement, elle a développé une formation d'une semaine présentant des techniques de gestion et de planification du temps de travail. Selon ses dires, cette formation permet de réduire notablement l'anxiété (de 20 points). Elle décide donc de lancer une grande étude pour valider son affirmation.

Dans une expérience 1, elle donne sa formation à 40 cadres choisis au hasard dans une grande entreprise, puis administre la traduction française de l'inventaire de Beck, un test d'anxiété. Ce test a une moyenne de 100 et un score faible signifie une anxiété faible. Cependant, l'écart type de ce test n'est pas connu avec précision.

Elle obtient les résultats suivants pour son échantillon **X** = {37, 41, 43, 56, 60, 60, 61, 62, 65, 67, 68, 71, 72, 74, 80, 82, 87, 89, 89, 91, 94, 94, 96, 96, 98, 102, 102, 107, 107, 108, 109, 110, 112, 117, 118, 123, 125, 130, 137, 139}.

*Poser l'hypothèse.* L'hypothèse nulle dicte que l'anxiété n'est pas affectée par la formation (absence d'effet). Dans ce cas, l'échantillon devrait avoir une anxiété de 100 même s'il a suivi la formation. Dans l'expérience 1, l'ergonome recherche une baisse de l'anxiété, et donc elle utilise un test unicaudal à gauche. L'hypothèse nulle est :

$$H_0: \mu = 100.$$

*Choisir le seuil.* Elle opte pour un seuil standard de 5 %.

*Chercher le test.* Le test est de la forme :

$$\text{Rejet de } H_0 \text{ si } \frac{\overline{X} - \mu}{s_{\overline{X}}} < t_\alpha^- \ (n - 1).$$

Pour obtenir le degré de liberté permettant de savoir la forme de la distribution *t* à utiliser, il faut soustraire 1 au nombre d'observations *n* (40 dans l'expérience 1). Après un regard dans la table statistique de l'appendice, on trouve une valeur critique $t_\alpha^-$ égale à − 1.686 (puisque le degré de liberté 39 n'est pas tabulé, utilisez un ordinateur ou le degré de liberté inférieur le plus proche, soit 38 ici).

*Appliquer le test et conclure.* La moyenne des données $\overline{X}$ vaut 89.5, et l'écart type des données $s_X$ vaut 26.5. L'erreur type devient $s_{\overline{X}} = s_X / \sqrt{n} = 4.19$. Le résultat total $(\overline{X} - \mu) / s_{\overline{X}} = (89.5 - 100) / 4.19$ vaut donc − 2.51. Ce résultat étant inférieur à la valeur critique à gauche, elle conclut que la formation permet de baisser significativement l'anxiété au travail (t(39) = − 2.51, p < .05).

Notez au passage que la moyenne du groupe obtenue est significativement supérieure à 80 (faites le test), ce qui indique que la formation n'est pas aussi efficace qu'elle l'a proclamé...

## 3. Test *t* sur deux groupes indépendants

Une première chose à savoir est que, si la moyenne d'une population est normalement distribuée et la moyenne d'une autre population **Y** l'est aussi, alors la combinaison des deux l'est aussi (propriété de fermeture de la normale). Dans ce cas, l'écart entre deux moyennes $\overline{X} - \overline{Y}$ suit aussi une distribution normale.

Pour construire l'erreur type, il faut estimer l'écart type de la population. Doit-on l'estimer en prenant (1) l'écart type du premier échantillon ? (2) l'écart type du second échantillon ? Une ou l'autre de ces solutions fait que l'on n'utilise que la moitié des données disponibles. Or, pour avoir une statistique fiable, il est préférable d'avoir le plus de données possibles. On peut faire mieux : (3) regrouper les échantillons X et Y en un méga-échantillon puis calculer l'écart type sur cet échantillon ? (4) moyenner les écarts types $s_X$ et $s_Y$ ? Les solutions (3) et (4) sont très raisonnables mais les mathématiciens affirment que la meilleure façon d'estimer l'écart type d'une population quand on a accès à deux échantillons consiste à calculer ce qu'on appelle la **variance regroupée**, notée $s_g^2$.

Cette solution part de l'observation qu'une variance se compose d'une somme des carrés (au numérateur) et de degrés de liberté (au dénominateur). Pour obtenir la variance regroupée, il faut regrouper (d'où le nom) les sommes des carrés, les degrés de liberté, puis terminer avec la division de l'un par l'autre. En symbole, on obtient:

$$s_g^2 := \frac{SC_X + SC_Y}{dl_X + dl_Y}.$$

Comme une façon d'obtenir la somme des carrés est de multiplier la variance par les degrés de liberté, la formule précédente est équivalente à celle-ci:

$$s_g^2 = \frac{(n_X - 1)s_X^2 + (n_Y - 1)s_Y^2}{(n_X - 1) + (n_Y - 1)}$$

où $n_X$ est la taille de l'échantillon X et $n_Y$, de l'échantillon Y.

Il ne reste plus qu'à considérer que $s_g^2$ est la variance de la première population et de la seconde population puis s'attaquer à l'erreur type de la différence:

$$SE_{\overline{X} - \overline{Y}}^2 = SE_{\overline{X}}^2 + SE_{\overline{Y}}^2$$
$$= \frac{s_g^2}{n} + \frac{s_g^2}{n} = 2\,\frac{s_g^2}{n}$$

d'où $SE_{\overline{X}-\overline{Y}} = \sqrt{2}\,\frac{s_g}{\sqrt{n}}$. Pour la même raison qu'au chapitre précédent, on peut remplacer $n$ par $\tilde{n}$ si les deux groupes sont de tailles inégales.

Si on rassemble le tout, le test devient:

$$\text{Rejet de H}_0 \text{ si} \begin{cases} \dfrac{\overline{X} - \overline{Y}}{\sqrt{2}\,\frac{s_g}{\sqrt{\tilde{n}}}} > t_{\alpha/2}^+ (n_X + n_Y - 2) \\[2mm] \text{ou} \\[2mm] \dfrac{\overline{X} - \overline{Y}}{\sqrt{2}\,\frac{s_g}{\sqrt{\tilde{n}}}} < t_{\alpha/2}^- (n_X + n_Y - 2) \end{cases}$$

Comme le test met en relation deux moyennes, on perd deux degrés de liberté et donc la forme de la distribution $t$ à utiliser dépend du nombre total de sujets moins 2. Vu la symétrie autour de zéro de la distribution $t$, on peut enlever les signes partout, ce qui donne:

$$\text{Rejet de H}_0 \text{ si } \frac{|\overline{X} - \overline{Y}|}{\sqrt{2}\,\frac{s_g}{\sqrt{\tilde{n}}}} > t_{\alpha/2}(n_X + n_Y - 2). \tag{9.2}$$

À part le fait qu'on a remplacé la variance de la population $\sigma$ (inconnue) par la variance regroupée et que la valeur critique est lue dans une table de la distribution $t$, ce test a la même forme que le test $z$ sur deux groupes.

## 3.1 Un exemple (suite)

Une critique qui peut être faite à l'expérience 1 et que l'ergonome avait prévue est la suivante: comme on le sait tous, un test est calibré pour une population restreinte et une époque précise. Or l'inventaire de Beck, traduit pour une population française, a été administré à un échantillon composé de Québécois et on soupçonne qu'ils sont de façon générale moins anxieux que les Français. Dans ce cas, la formation n'a peut-être rien à voir avec les résultats obtenus à l'expérience 1. Pour pallier cette critique, l'ergonome conduit donc une expérience 2 dans laquelle elle mesure deux groupes de participants indépendants. Pour le premier groupe, les sujets suivent la formation; le second groupe suit une formation placébo (des cours de secourisme) pour un même nombre d'heures. Elle prédit que le premier groupe aura un score moyen, lorsque mesuré avec l'inventaire de Beck, qui sera significativement inférieur au second groupe.

Les scores obtenus sur deux groupes de 40 participants sont:

- premier groupe, $\mathbf{X}$ = {23, 30, 38, 39, 41, 49, 52, 56, 57, 58, 58, 63, 66, 68, 69, 71, 74, 74, 81, 81, 82, 83, 85, 88, 90, 96, 96, 98, 102, 104, 106, 108, 110, 117, 123, 123, 123, 124, 129, 136};

- second groupe, $\mathbf{Y}$ = {40, 43, 49, 60, 65, 66, 67, 67, 70, 73, 73, 76, 76, 79, 83, 90, 91, 92, 95, 95, 98, 99, 100, 109, 112, 113, 114, 122, 124, 124, 126, 127, 128, 128, 129, 133, 135, 137, 139, 153}.

Les données ont été triées pour mieux détecter la médiane. La Figure 9.3 montre les résultats moyens pour les deux groupes.

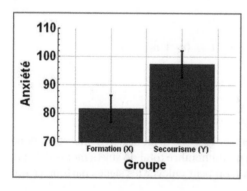

### Figure 9.3

Anxiété moyenne obtenue dans le groupe avec formation et dans le groupe placébo. Les barres d'erreurs montrent l'erreur type.

On voit que les barres d'erreurs ne se touchent pas. Ceci suggère que la séparation entre les deux groupes est supérieure à deux erreurs types. Selon toute vraisemblance, la différence sera significative, ce que l'ergonome confirme formellement en réalisant un test *t*.

*Poser l'hypothèse nulle.* L'hypothèse est que les deux groupes ne diffèrent pas quant à leur anxiété moyenne, ce qui est noté avec des symboles:

$$H_0: \mu_X = \mu_Y$$

où $\mu_X$ est l'anxiété moyenne d'une population ayant suivi la formation et $\mu_Y$ est l'anxiété moyenne d'une population suivant une formation placébo.

*Choisir le seuil.* Une fois encore, un seuil de 5 % est utilisé. Elle cherche spécifiquement une réduction de l'anxiété et met tout le risque d'erreur du même côté.

*Chercher le test.* Le test est de la forme :

$$\text{Rejet de H}_0 \text{ si } \frac{\overline{X} - \overline{Y}}{\sqrt{2} \, \frac{s_g}{\sqrt{n}}} < t_\alpha^- (n_X + n_Y - 2).$$

Dans ce cas-ci, $n_X + n_Y - 2$ indique le nombre de degrés de liberté pour le test $t$ à deux groupes indépendants, soit $40 + 40 - 2 = 78$. Après un regard dans la table, on trouve que la valeur critique $t_{5\%}^-(78)$ vaut $-1.665$.

*Appliquer le test et conclure.* Les moyennes sont : $\overline{X} = 81.8$ et $\overline{Y} = 97.5$. Les écarts types sont : $s_X = 29.6$ et $s_Y = 29.5$. De ces écarts types, on déduit les sommes des carrés $SC_X = 39 \times 876.2$, soit $34\ 170.2$ et $SC_Y = 39 \times 870.3$, soit $33\ 939.8$. La variance regroupée est donc :

$$s_g^2 = \frac{34\ 170.2 + 33\ 939.8}{39 + 39} = 873.2.$$

Au total, le calcul devient :

$$\frac{81.8 - 97.5}{\sqrt{2} \, \frac{\sqrt{873.2}}{\sqrt{n}}} = \frac{-15.7}{1.41 \frac{29.5}{\sqrt{40}}} = \frac{-15.7}{6.58} = -2.39.$$

Comme $-2.39$ est inférieur à la valeur critique $-1.665$, l'hypothèse nulle est rejetée : les participants ayant suivi la formation sont significativement moins anxieux que le groupe contrôle.

# 4.　Test *t* sur deux mesures répétées

L'approche utilisant des mesures répétées (ou schème avant-après) est une approche plus puissante car elle permet d'éliminer une certaine variabilité. Dans l'expérience 2, une part de la variabilité provient du fait que ce sont des individus différents qui forment les deux groupes. Certains peuvent avoir un score élevé, d'autres un score faible et la répartition des scores peut être inégale simplement par pur hasard (erreur d'échantillonnage). Dans un schème à mesures répétées, le même individu prend place dans les deux conditions. S'il a un score élevé, son score risque d'être élevé pour les deux mesures, peu importe l'efficacité du traitement. Autrement dit, les données risquent d'être corrélées. Si la corrélation est positive, une part de la variabilité peut être éliminée en examinant l'écart type de la différence (comme on l'a vu au chapitre précédent).

Le test est très semblable au test $z$ sur deux mesures répétées sauf qu'à la place de $\sigma$ (inconnu) on utilise la meilleure estimation disponible, $s_g$, et à la place de $\varrho$ (inconnu), on utilise la corrélation observée $r_{XY}$ (chapitre 4). Au total, le test devient :

$$\text{Rejet de H}_0 \text{ si } \frac{\overline{X} - \overline{Y}}{\sqrt{2} \, \frac{s_g}{\sqrt{n}} \sqrt{1 - r_{XY}}} > t_\alpha^+ \ (n - 1) \qquad 9.3$$

où *n* est le nombre de personnes dans le groupe qui ont été mesurées deux fois. Notez que comparativement au test sur deux groupes, on n'enlève qu'un seul degré de liberté et que *n* n'est pas le nombre total de mesures mais le nombre de sujets qui ont été mesurés deux fois.

## 4.1 — *Un exemple (fin/enfin)*

Une dernière critique qui peut être adressée à l'ergonome concerne son objectivité dans le choix des participants. En principe, les participants doivent être assignés au hasard dans l'une ou l'autre des conditions de l'expérience 2. Cependant, il est possible que des facteurs inconscients l'aient incitée à assigner les sujets qui semblaient moins anxieux à la condition 1. Bien qu'elle soit certaine de ne pas avoir été victime de ce biais, elle procède néanmoins à une expérience 3 pour répondre à cette critique possible.

Dans cette expérience, elle a opté pour un schème de type avant-après, dans lequel chaque sujet est mesuré avant le début de l'expérience, puis après la formation sur la gestion du temps.

Les résultats obtenus sur 40 participants sont les suivants:
- avant la formation: **X** = {54, 131, 103, 45, 84, 94, 119, 156, 125, 109, 129, 64, 143, 111, 67, 123, 61, 119, 105, 74, 55, 155, 122, 128, 59, 75, 45, 109, 78, 64, 117, 95, 98, 125, 101, 89, 100, 50, 117, 142};
- après la formation: **Y** = {48, 133, 97, 7, 59, 147, 116, 186, 116, 108, 77, 23, 150, 116, 29, 122, 29, 95, 147, 63, −23, 148, 91, 139, 53, 63, 39, 59, 71, 13, 54, 83, 82, 93, 46, 110, 92, 17, 140, 135}.

Ici, l'ordre des données est important: le premier participant a obtenu 54 avant la formation et 48 après. Si on change l'ordre (en triant les échantillons par exemple), il n'est plus possible de calculer une corrélation. Les résultats sont montrés en Figure 9.4. Les barres d'erreurs se touchent; cependant, la variabilité liée à la corrélation entre les mesures est présente dans la Figure mais sera retirée par le test. Dès que le schème expérimental utilise des mesures répétées, la plupart des logiciels (incluant SPSS) affichent des barres d'erreurs inexactes.

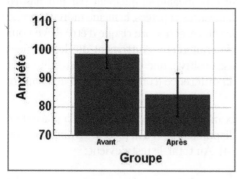

**Figure 9.4**

Anxiété moyenne avant et après une formation sur la gestion de l'agenda censée réduire l'anxiété.

*Poser l'hypothèse.* L'hypothèse nulle précise que l'anxiété n'est pas affectée par la formation (absence d'effet). Dans l'expérience 3, l'ergonome recherche un abaissement de l'anxiété et donc utilise un test unicaudal. L'hypothèse nulle est :

$$H_0 : \mu_{\text{avant}} = \mu_{\text{après}}$$

où les $\mu$ représentent l'anxiété moyenne avant la formation et après.

*Choisir le seuil.* L'ergonome opte pour un seuil standard de 5 %.

*Chercher le test.* Le test est de la forme :

$$\text{Rejet de } H_0 \text{ si } \frac{\overline{X} - \overline{Y}}{\sqrt{2 \frac{s_g}{\sqrt{n}}} \sqrt{1 - r_{XY}}} > t_\alpha^+ (n - 1).$$

Dans ce test, pour obtenir le degré de liberté, il faut soustraire 1 au nombre de sujets dans le groupe $n$ (40 dans l'expérience 3). Après un regard dans la table $t$, on trouve une valeur critique $t_\alpha^+ (39)$ égale à 1.685.

*Appliquer le test et conclure.* Nous calculons les moyennes $\overline{X} = 98.5$ et $\overline{Y} = 84.3$. Les écarts types sont $s_X = 31.2$ et $s_Y = 48.0$. La corrélation entre les mesures avant et après $r_{XY}$ vaut 0.83, soit une corrélation assez élevée.

Toutes les valeurs nécessaires sont maintenant disponibles. Calculons la variance regroupée :

$$s_g^2 = \frac{(40 - 1)(31.2)^2 + (40 - 1)(48.0)^2}{(40 - 1) + (40 - 1)} = 1638.7,$$

ce qui donne un écart type regroupé $s_g$ de 40.5. Si on met tout ensemble :

$$\frac{98.5 - 84.3}{\sqrt{2 \frac{40.5}{\sqrt{40}}} \sqrt{1 - 0.83}} = \frac{14.2}{1.41 \frac{40.5}{6.3} 0.41} = \frac{14.2}{3.7} = 3.84.$$

Ce résultat étant supérieur à la valeur critique, l'ergonome conclut (encore une fois) que la formation dans l'expérience 3 entraîne une réduction significative de l'anxiété.

En somme, on peut affirmer que la formation fonctionne : les résultats étaient significatifs pour les expériences 1, 2 et 3. Bien qu'une erreur de type I puisse s'être produite, le fait que les trois expériences convergent vers le même résultat permet d'accroître la confiance dans son efficacité. Cependant, dans l'expérience 1, le résultat obtenu n'inclut pas dans son intervalle de confiance la valeur 80, et dans l'expérience 3, l'accroissement est significativement inférieur à 20 points.

On peut tester cette dernière affirmation en ayant l'hypothèse

$$H_0 : \mu_{\text{avant}} = \mu_{\text{après}} + 20$$

qui correspond à

$$H = : \mu_{\text{avant}} - (\mu_{\text{après}} + 20) = 0$$

et utilisant le test

$$\text{Rejet de } H_0 \text{ si } \frac{\overline{X} - (\overline{Y} + 20)}{\sqrt{2 \frac{s_g}{\sqrt{n}}} \sqrt{1 - r_{XY}}} > t_\alpha^+ (n - 1).$$

L'ergonome devrait donc réviser ses prétentions ; il semble certain que sa formation réduise l'anxiété de 10 points, peut-être plus, mais pas jusqu'à 20 points.

# 5. ▬ Comment rapporter un test *t* ?

Pour rapporter le résultat d'un test *t*, les codes sont le mot « significatif », la lettre t pour désigner la table de la distribution théorique de Student et les degrés de liberté. Pour l'expérience 3, l'interprétation est : « L'amélioration des performances est significative (t̲(39) = 3.84, p̲ < .05). L'anxiété des participants s'est améliorée en moyenne de 14.2 points ».

# 6. ▬ Compléments mathématiques

## 6.1 ▬ *La loi de distribution théorique de Student*

La loi de distribution de Student permet de prédire les résultats possibles lorsqu'on normalise des scores en utilisant un écart type observé plutôt que l'écart type de la population (qui est généralement inconnue). Certains auteurs utilisent alors de terme **studentisation** plutôt que standardisation. La probabilité d'obtenir un score x est donnée par la formule :

$$Pr(x \mid \nu) = \frac{\Gamma\left(\frac{\nu+1}{2}\right)}{\sqrt{\nu\pi}\ \Gamma\left(\frac{\nu}{2}\right)} \left(1 + \frac{x^2}{\nu}\right)^{-\frac{\nu+1}{2}}$$

où $\Gamma(x)$ est la fonction Gamma et la lettre grecque $\nu$ représente le nombre de degrés de liberté.

Cette distribution, tout comme la distribution normale standardisée, est centrée à zéro et est symétrique. Les statistiques attendues des membres de cette population sont :

$$E(\mathbf{X}) = 0$$
$$Var(\mathbf{X}) = \frac{\nu}{\nu - 2}$$
$$A(\mathbf{X}) = 0.$$

Encadré 6
# William Sealy Gosset, alias Student

Gosset (1876-1937) a travaillé toute sa vie comme chimiste pour la brasserie Guinness à la recherche de la meilleure variété d'orge possible. Lors d'un stage dans le laboratoire de K. Pearson en 1908, il a publié un article décrivant un test statistique valable pour de petites tailles d'échantillon. Comme Guinness avait une politique de non-divulgation interdisant à ses employés de publier quelque article que ce soit, Gosset a signé cet article d'un pseudonyme, Student. Contrairement à Pearson et Fisher, Gosset n'a pas apporté énormément aux statistiques, mais le test $t$, communément appelé le test $t$ de Student, est parmi les outils statistiques les plus fréquemment utilisés dans la plupart des sciences quantitatives. Très modeste par rapport à cette découverte, il avait coutume de dire « De toute façon, Fisher l'aurait découvert. »

Encadré 7
# Alan Mathison Turing

Alan Turing (1912-1954) était un mathématicien anglais. Après un passage à Princeton, il publie en 1932 une des premières preuves du théorème central limite. Il élabore en 1936 la première définition de l'ordinateur moderne, la machine de Turing, et démontre grâce à cette machine l'incomplétude des mathématiques. En 1950, il publie l'article fondateur de l'intelligence artificielle où il décrit le test de Turing. Le premier programme qui passera ce test recevra de la Fondation Loebner un prix d'un million de dollars.

Grâce à Turing, les Anglais ont pu décoder en temps réel les communications allemandes au cours de la Seconde Guerre mondiale. Cet exploit a cependant longtemps été classé secret d'État, empêchant de donner à Turing les honneurs qui lui étaient dus.

Il s'est suicidé en 1954 en croquant dans une pomme trempée dans le cyanure. Depuis 1966, le prix Turing, l'équivalent du prix Nobel pour l'informatique, est décerné chaque année pour souligner une contribution majeure. Est-ce un hasard si Steve Jobs et Stephen Wozniak ont adopté la pomme croquée comme logo pour leur entreprise, Apple ?

# 7. Utilisation de SPSS

## 7.1 Réaliser un test t sur un groupe unique avec T-TEST

Le test *t* à un groupe peut être utilisé si le graphique des fréquences ne montre pas d'anomalies importantes (multimodalité, asymétrie extrême). Il permet de tester l'hypothèse:

$$H_0 : \mu = \underline{\quad}$$

La commande SPSS est

```
T-TEST TESTVAL = μ
        /VARIABLE = colVD.
```

où $\mu$ est la valeur choisie *a priori* dans l'hypothèse nulle. Par exemple, pour un test de QI, l'hypothèse nulle est:

$$H_0 : \mu = 100$$

et la commande devient:

```
T-TEST TESTVAL = 100
        /VARIABLE = QI.
```

L'output ressemble à celui de la Figure 9.5. Il comprend une première partie avec les statistiques descriptives pertinentes puis une seconde partie avec le résultat du calcul (colonne t) et les degrés de liberté (colonne ddl). Les valeurs critiques ne sont pas données. Par contre, la colonne signification (« sig ») nous apprend que si le seuil de décision choisi avait été de .035 (3.5 %), le test aurait été tout juste significatif. Si, en réalité, notre seuil est de 5 %, le test indique une différence significative puisque le seuil de décision 5 % est moins sévère que 3.5 % et donc les valeurs critiques sont moins éloignées.

**Statistiques sur échantillon unique**

|    | N | Moyenne | Ecart-type | Erreur standard moyenne |
|----|---|---------|------------|-------------------------|
| QI | 80 | 96,1708 | 15,92240 | 1,78018 |

**Test sur échantillon unique**

| | | | | | Intervalle de confiance 95% de la différence | |
|----|---|-----|------------------|---------------------|------------|-----------|
| | t | ddl | Sig. (bilatérale) | Différence moyenne | Inférieure | Supérieure |
| QI | -2,151 | 79 | ,035 | -3,82919 | -7,3725 | -,2858 |

Valeur du test = 100

**Figure 9.5**

Output produit par SPSS lors d'un test sur un groupe.

## 7.2 Réaliser un test t sur deux groupes indépendants avec T-TEST

Ce test permet de comparer deux groupes indépendants. Le fichier doit contenir au moins deux colonnes: une colonne indiquant la réponse de chaque sujet et une seconde colonne indiquant le groupe auquel le sujet appartient, indiqué par un numéro de groupe. L'hypothèse est du genre:

$$H_0 : \mu_X = \mu_Y$$

où les moyennes des deux populations, $\mu_X$ et $\mu_Y$ sont inconnues mais supposées identiques et estimées par les moyennes des groupes X et Y. La syntaxe est:

```
T-TEST GROUPS = colgroupe
       /VARIABLE = colVD.
```

où l'option GROUPS permet d'indiquer dans quelle colonne se trouve le numéro de groupe. L'option VARIABLE spécifie la colonne contenant la mesure.

Un exemple d'output est donné à la Figure 9.6 qui compare des QI moyens. L'output contient plusieurs informations qui seront expliquées au chapitre 14 (les colonnes « Test de Levene » et la ligne « Hypothèse de variances inégales »). Dans l'exemple, le calcul (colonne t) donne 0.135, pour 78 degrés de liberté, ce qui n'est pas significatif (colonne « sig. » = 0.893, plus grand que le seuil 5 %).

| Statistiques de groupe | | | | | |
|---|---|---|---|---|---|
| | grp | N | Moyenne | Ecart-type | Erreur standard moyenne |
| QI | 1 | 40 | 96,4121 | 16,35853 | 2,58651 |
| | 2 | 40 | 95,9295 | 15,67882 | 2,47904 |

**Figure 9.6**

Output produit par SPSS lors d'un test sur deux groupes indépendants.

| Test d'échantillons indépendants | | | | | | | | |
|---|---|---|---|---|---|---|---|---|
| | | Test de Levene sur l'égalité des variances | | Test-t pour égalité des moyennes | | | | |
| | | F | Sig. | t | ddl | Sig. (bilatérale) | Différence moyenne | Différence écart-type |
| QI | Hypothèse de variances égales | ,431 | ,514 | ,135 | 78 | ,893 | ,48265 | 3,58269 |
| | Hypothèse de variances inégales | | | ,135 | 77,860 | ,893 | ,48265 | 3,58269 |

## 7.3 Réaliser un test t avec des mesures répétées avec T-TEST

Le test *t* sur deux mesures répétées est utilisé quand on possède une paire d'observations sur un individu, par exemple, des données avant traitement et après traitement. L'hypothèse est du genre:

$$H_0 : \mu_{avant} = \mu_{après}.$$

Pour pouvoir faire un tel test, il faut deux colonnes : une colonne contenant la performance avant et une colonne contenant la performance après, une ligne pour chaque sujet. La commande est

T-TEST PAIRS = **colVD1** WITH **colVD2**.

où **colVD1** est le score obtenu lors de la première mesure et **colVD2** est le score obtenu lors de la seconde mesure.

L'output de ce test est très semblable à celui de la Figure 9.5 excepté que la corrélation est aussi indiquée.

## Résumé

Aux chapitres 7 et 9, nous avons vu comment décider si la proportion d'un attribut correspond à une proportion hypothétique (le test sur une proportion utilisant la table binomiale lorsque l'échelle de mesure est binaire) et comment décider si la moyenne d'un groupe correspond à une moyenne hypothétique (test *t* sur un groupe lorsque l'échelle de mesure est de type II). Nous avons aussi vu les tests sur deux moyennes (il n'existe pas un test sur deux proportions universellement reconnu). Dans le chapitre qui vient, nous généralisons l'échelle de mesure binaire pour examiner le cas où l'échelle est nominale avec deux ou plusieurs catégories.

## Questions pour mieux retenir

1. Quelle est la valeur critique pour un test *t* sur deux groupes de 10 personnes, unicaudal à droite avec un seuil de (a) 5 % ; (b) 1 % ; (c) mêmes questions s'il s'agit de mesures avant et après ; (d) mêmes questions s'il s'agit d'un seul groupe de 20 personnes.

2. Un échantillon comprend 40 participants et la somme des écarts à la moyenne au carré est de 404. (a) Calculez l'erreur type de la moyenne. (b) La moyenne vaut 104 et l'hypothèse suggère que la moyenne vaut 100. L'hypothèse est-elle corroborée ?

3. Étant donné deux groupes indépendants avec respectivement 12 et 10 données brutes
   a) quel est le degré de liberté pour réaliser un test comparant la moyenne des deux échantillons ?
   b) quelle est la valeur critique si nous appliquons un test unicaudal avec $\alpha$ = 5 % ?

4. À partir des statistiques suivantes, faites le test statistique bicaudal approprié avec un seuil de 5 % : un premier groupe a une moyenne de 5.5 et un écart type de 4.25. Le second groupe a une moyenne de 4.9 et un écart type de 2.58. Au total, 42 participants ont été étudiés dans des groupes égaux.

5. Un article mentionne deux groupes indépendants de participants dont les moyennes sont de 23.76 et 42.33. L'erreur type est de 2.58 et le degré de liberté est de 21. Combien de sujets cette étude comporte-t-elle au total ?

## Questions pour mieux réfléchir

6. Soit une expérience à mesures répétées, où les données brutes sont, dans l'ordre des sujets Avant = [25, 23, 30, 7, 3, 22, 12, 30, 5, 14] et Après = [29, 20, 35, 11, 7, 27, 14, 48, 17, 10].
   a) Les résultats sont-ils meilleurs après ?
   b) Existe-t-il plus d'un test applicable dans cette situation ? Si oui, lequel est le meilleur ? Lequel est basé sur les postulats les plus restrictifs (et donc plus à même de ne pas être satisfaits) ?

## Questions pour s'entraîner

7. Un problème fréquent dans les centres de soins de longue durée concerne l'incontinence urinaire. Un certain nombre de personnes souffrent de ce problème et, outre l'inconfort que cela occasionne, les centres doivent aussi débourser pour des couches. Un directeur d'un de ces centres décide d'examiner si un entraînement visant à renforcer les muscles de la région pelvienne ne pourrait pas réduire le nombre de pertes. Il invite donc 10 pensionnaires à participer à une étude sur ce sujet. Il mesure au temps 0 le nombre de pertes urinaires au cours d'une semaine. Par la suite, ces 10 personnes participent à un cours d'activité physique qui, entre autres, renforce les muscles du bas du ventre. Trois mois plus tard, il mesure à nouveau le nombre de pertes urinaires au cours d'une semaine.
   Les données sont Avant = [8, 12, 15, 2, 5, 11, 22, 14, 11, 12] et Après = [6, 9, 17, 3, 6, 10, 18, 15, 8, 12].

a) Quelles sont les hypothèses du directeur de ce centre ?
b) Il vous engage, car il ne comprend rien aux statistiques. Quelle sera votre recommandation ? Éviter le jargon, car, même si le directeur n'a jamais visité la Chine, il se sent plus à l'aise dans un autobus rempli de Chinois que face à un texte rempli de statistiques.
c) Étant du genre suspicieux, il engage un statisticien pour expertiser votre travail. Communiquez-lui les hypothèses formelles, le test choisi, le seuil choisi et les résultats du test en utilisant le jargon officiel.

# CHAPITRE 10

## Tests utilisant la distribution de $\chi^2$

---

## Sommaire

Test utilisant
la distribution de $\chi^2$

## Dans ce chapitre, vous allez apprendre :

1 La notion d'effectifs attendus selon une hypothèse.

2 Comment calculer la statistique $G^2$ et utiliser la distribution théorique $\chi^2$ pour trouver une valeur critique.

3 La différence entre un test où la directionnalité est libre et un test qui ne peut être qu'unidirectionnel.

4 Comment réaliser des tests utilisant la distribution de $\chi^2$ : le test sur la répartition des fréquences dans une liste, le test sur la répartition des fréquences dans un tableau ; le test sur une variance.

5 Comment réaliser le test sur deux variances en utilisant la distribution $\mathcal{F}$ .

## Introduction

*La distribution théorique $\chi^2$ peut être utilisée dans plusieurs contextes différents : a) pour décider si les effectifs observés correspondent à des effectifs hypothétiques lorsque l'échelle de mesure est nominale ; (b) pour décider si une variabilité observée correspond à une variabilité hypothétique lorsque l'échelle de mesure est de type II. En cours de route, nous verrons un test qui n'a de sens que s'il est directionnel à droite, montrant que la directionnalité n'est pas toujours libre. Nous verrons aussi pour la première fois la notion d'interaction qui apparaît dès que les résultats peuvent être disposés dans un tableau. Finalement, pour anticiper sur le prochain chapitre, nous verrons un test comparant la variabilité observée de deux groupes indépendants. Ce test utilise une autre distribution théorique pour choisir une valeur critique, la distribution $\mathcal{F}$.*

Dans ce chapitre, nous allons examiner des situations où les hypothèses ne portent pas sur l'individu moyen. Les deux premières sections portent sur des mesures qui ne se moyennent pas. Par exemple, lorsque l'on dit qu'il y a 30 % de fumeurs, on ne peut pas dire que l'individu moyen fume à 30 %. De même, lorsqu'on rapporte que 50 % des fumeurs meurent du cancer du poumon, ça ne veut pas dire que le fumeur typique est à moitié mort (quoique...). Ces statistiques sont basées sur des mesures de type nominales (comme on l'a vu au chapitre 1). Dans les sciences sociales, plusieurs données (ex. le sexe, l'origine ethnique, etc.) proviennent de variables pouvant être mesurées uniquement par une échelle nominale.

Les deux dernières sections examinent la situation où la mesure peut être moyennée, mais où ce n'est pas cette moyenne qui nous intéresse. Par exemple, on peut considérer le conformisme en psychologie sociale. Un groupe d'individus qui se conforme à une idéologie devrait être beaucoup moins variable qu'un groupe non conformiste. Si on fait passer à un groupe de skinheads un questionnaire mesurant le libéralisme ou le conservatisme à adopter dans la gouvernance d'un pays, ce groupe sera probablement très conservateur (une moyenne haute sur ce questionnaire). À l'inverse, un groupe de punks cotera probablement très libéral (une moyenne basse). Cependant, malgré leurs différences, ces deux groupes auront une variabilité comparable. De plus, celle-ci sera moindre que la variabilité de la population en général.

Les tests qui suivent vont examiner ces différentes questions. Tous sauf le dernier utiliseront la distribution du $\chi^2$ pour trouver une valeur critique.

# 1. Test sur la fréquence d'une caractéristique dans une liste

Il y a plusieurs situations où la variable que l'on souhaite mesurer est de type nominal (catégoriel). Par exemple, l'itinérance frappe-t-elle autant les hommes que les femmes ? Les accidents de voitures sont-ils plus fréquents vers la fin de la semaine (e. g.

jeudi, vendredi et samedi) que les autres jours ? Dans ce cas, on peut prendre des mesures mais ces mesures ne sont pas continues (pas de type II). Pour s'en convaincre, il suffit de se demander si on peut calculer le sexe moyen des itinérants (non) ou le jour moyen des accidents (non plus ; il est cependant possible de calculer le jour modal où les accidents ont lieu, c'est-à-dire le jour où le nombre d'accidents est le plus élevé).

Le nombre d'accidents observés un certain jour est une fréquence, ou encore un effectif. Il est possible de tester des effectifs si on a une hypothèse sur ce qu'ils devraient être. Par exemple, l'itinérance frappe-t-elle plutôt les hommes ? Pour vérifier cette question, il faut une hypothèse nulle, e.g. le nombre de femmes sans domicile fixe (SDF) égale le nombre d'hommes SDF. Si un total de 180 SDF est interrogé, $H_0$ suggère que 90 seront des hommes. L'hypothèse est donc :

$$H_0 : a_{Femme} = 90 ; a_{Homme} = 90.$$

où $a_i$ est utilisé dans ce contexte pour indiquer les effectifs attendus dans la catégorie $i$. Concernant les accidents de voitures, si l'échantillon contient les accidents ayant eu lieu la semaine passée et qu'il y en a eu 427, on s'attend (l'hypothèse nulle) à un nombre égal d'accidents par jour, soit ici $427/7 = 61$. Autrement dit :

$$H_0 : a_{Dimanche} = 61 \text{ et } a_{Lundi} = 61 \text{ et } ... \text{ et } a_{Samedi} = 61.$$

Suite à la collecte des données, on peut faire un tableau énumérant les effectifs attendus ($a_i$) et les effectifs observés (notés par la lettre $n_i$ – chapitre 2) et voir s'ils se ressemblent. Les Tableaux 10.1 et 10.2 donnent les effectifs observés et attendus pour les deux exemples :

## Tableau 10.1

**Le sexe de 180 SDF.**

| Sexe | $a_i$ | $n_i$ |
|---|---|---|
| Femmes | 90 | 67 |
| Hommes | 90 | 113 |
| Total | 180 | 180 |

## Tableau 10.2

**Le nombre d'accidents par journée.**

| Jour | $a_i$ | $n_i$ |
|---|---|---|
| Dimanche | 61 | 31 |
| Lundi | 61 | 60 |
| Mardi | 61 | 46 |
| Mercredi | 61 | 64 |
| Jeudi | 61 | 57 |
| Vendredi | 61 | 82 |
| Samedi | 61 | 87 |
| Total | 427 | 427 |

Dans le cas du sexe des SDF, l'attribut mesuré est binaire : il s'agit d'un homme ou il ne s'agit pas d'un homme. Dans ce cas spécifique, il est possible de calculer la proportion d'hommes SDF (113/180 = 62.8 %) et de faire un test de proportion comme on l'a vu au chapitre 7. Cependant, dans le cas des accidents de la route, la classification n'est pas binaire et il est donc impossible d'utiliser le test de proportion.

En comparant les attendus et les observés, on voit que les chiffres ne concordent pas. Est-ce dû à des fluctuations relevant de l'erreur d'échantillonnage ou ces nombres reflètent-ils une réelle différence entre les attendus et les observés ? Combien êtes-vous prêts à parier sur votre décision ? En d'autres termes, quel est le risque d'une erreur si vous concluez à une différence ? Pour répondre à cette question, il faut (a) trouver une façon de résumer les différents écarts entre les observés et les attendus en une seule quantité, puis (b) trouver une valeur critique qui dépend du seuil de décision. Si la quantité trouvée en (a) excède la valeur critique trouvée en (b), on conclut que les écarts à l'hypothèse sont notables et on préfère rejeter l'hypothèse nulle.

## 1.1 Une statistique qui résume les écarts entre des effectifs observés et des effectifs attendus : le $G^2$

Une approche simple serait de calculer les écarts individuels puis de les additionner (ou de les moyenner). Cependant, cette approche ne fonctionne pas pour la même raison que la somme des écarts à la moyenne ne fonctionne pas (chapitre 2) : le résultat est toujours zéro. On le voit à la quatrième colonne du Tableau 10.3 qui reprend les données du tableau 2 :

Tableau 10.3

**Grille de calculs impliquant le nombre d'accidents observés et attendus par journée.**

| Jour | $a_i$ | $n_i$ | $n_i - a_i$ | $(n_i - a_i)^2$ | $(n_i - a_i)^2/a_i$ |
|---|---|---|---|---|---|
| Dimanche | 61 | 31 | − 30 | 900 | 14.75 |
| Lundi | 61 | 60 | − 1 | 1 | 0.016 |
| Mardi | 61 | 46 | − 15 | 225 | 3.69 |
| Mercredi | 61 | 64 | + 3 | 9 | 0.15 |
| Jeudi | 61 | 57 | − 4 | 16 | 0.26 |
| Vendredi | 61 | 82 | + 21 | 441 | 7.23 |
| Samedi | 61 | 87 | + 26 | 676 | 11.08 |
| Total | 427 | 427 | 0 | 2 268 | 37.18 |

Le problème vient du fait que les écarts négatifs sont exactement compensés par les écarts positifs, les deux colonnes devant donner le même total. Une façon de contourner ce problème (vous commencez à deviner ce qui vient ?) est de mettre les écarts au carré avant de les additionner. On obtient alors (voir colonne 5 du Tableau 10.3) un total de 2 268. Le défaut de cette statistique est qu'elle dépend en bonne partie de l'ampleur des nombres : si les effectifs attendus et observés sont des nombres dans les milliers, le résultat de la colonne 5 risque d'être colossal (peut-être dans les millions). Une solution consiste à diviser chaque écart au carré par l'effectif attendu avant de faire le total (on verra une raison supplémentaire de faire cela à la section suivante). On appelle la statistique qui en résulte le $G^2$ (l'exposant 2 fait partie du nom). En équation, on écrit :

$$G^2 := \sum_{i=1}^{c} \frac{(n_i - a_i)^2}{a_i} \qquad\qquad 10.1$$

où $c$ est le nombre de catégories (7 dans l'exemple des accidents de voiture). La colonne 6 du Tableau 10.3 résume les calculs à réaliser pour obtenir le $G^2$.

## 1.2 Le test du $\chi^2$

Si l'hypothèse est vraie, l'effectif observé devrait être proche ou même identique à l'effectif attendu. Dû aux erreurs d'échantillonnage, il sera parfois plus grand, parfois plus petit. En fait, les raisons qui font que la valeur observée n'est pas exactement la valeur attendue sont nombreuses et favorisent un effectif observé parfois trop grand, parfois trop petit. De plus, la proportion d'effectifs trop élevés et d'effectifs trop faibles est à peu près égale. En conséquence, en vertu de la théorie des erreurs (chapitre 5), la façon dont varie l'effectif observé d'une catégorie dans un échantillon suit la distribution normale.

Les mathématiciens vont plus loin et démontrent que la variance de l'effectif observé est égale à l'effectif prévu. Mis ensemble, on a donc que l'effectif observé suit une distribution normale avec une moyenne égale à l'effectif attendu (si l'hypothèse est la bonne bien entendu) et avec un écart type égal à la racine carrée de l'effectif attendu (c'est-à-dire que $\mu = a_i$ et $\sigma = \sqrt{a_i}$).

Si on calcule $\frac{n_i - a_i}{\sqrt{a_i}}$, on se trouve à calculer $\frac{n_i - \mu}{\sigma}$, c'est-à-dire un score standardisé. Si on met ces scores $z$ au carré et qu'on les additionne, on trouve donc une statistique qui doit suivre la distribution théorique $\chi^2$ vue au chapitre 5. La forme de cette distribution change selon le nombre de classes additionnées. S'il y a un très grand nombre de classes, la distribution est très symétrique ; si le nombre de classes est petit, la distribution est très asymétrique. Par ailleurs, comme l'effectif total est donné, la dernière prédiction (e.g. $a_{\text{Samedi}}$) n'est pas libre : cette prédiction doit faire en sorte que le total donne 427. On perd donc un degré de liberté.

Comme on additionne des nombres au carré pour obtenir un $G^2$, le total est toujours positif. Il est donc impossible d'avoir un $G^2$ inférieur à zéro (contrairement à la statistique $t$ ou la statistique $z$ des chapitres précédents). Il est possible d'obtenir un $G^2$ égal à zéro lorsque (dans le cas sans doute rare) les effectifs observés sont exactement égaux aux effectifs attendus de l'hypothèse que vous avez énoncée *a priori*. Dans ce cas, l'hypothèse ne doit pas être rejetée.

De ces deux points, on déduit que : (a) il n'y a pas de valeur critique à gauche. Le plus bas que $G^2$ peut-être, c'est zéro, et dans ce cas, l'hypothèse nulle est parfaitement corroborée. Le test sur les effectifs ne possède qu'une seule valeur critique, du côté droit de la distribution du $\chi^2$. On parle d'un test unicaudal. (b) En conséquence, le risque d'erreur n'a pas à être divisé en deux pour trouver la valeur critique. (c) Le test décide si les effectifs observés diffèrent des effectifs attendus. Si un des effectifs observés est notablement plus grand que l'effectif attendu, forcément, un ou des effectifs dans les autres classes sont plus petits que l'effectif attendu. Autrement dit, ce test peut détecter des différences significatives mais il ne peut pas cibler spécifiquement des différences en moins ou en plus, le test est donc non directionnel.

Le test est de la forme

$$\text{Rejet de } H_0 \text{ si } G^2 = \sum_{i=1}^{c} \frac{(n_i - a_i)^2}{a_i} > k_\alpha^+ (c - 1) \qquad 10.2$$

où $k_\alpha^+ (c - 1)$ est la valeur critique à droite obtenue par la distribution du $\chi^2$ ayant $c - 1$ degré de liberté. La table du $\chi^2$ en appendice présente les valeurs critiques.

## 1.3 ▬ À quoi doit-on s'attendre quand on calcule un $G^2$ ?

Rappelez-vous la signification de l'écart type (chapitre 2): il s'agit de l'écart typique. Une donnée quelconque a toutes les chances d'être à ± 1 écart type de sa moyenne. Une fois standardisée, une donnée a toutes les chances d'avoir une cote z de ± 1. S'il y a sept classes, le résultat a donc toutes les chances d'être 7 (on additionne 7 fois une valeur qui sera probablement 1). Si le résultat, après avoir obtenu les effectifs observés, donne 7, l'hypothèse doit être la bonne.

Ici, pour être exact, il faut tenir compte du fait que l'on perd un degré de liberté: comme le total des effectifs prédits est ajusté pour être égal au total des effectifs observés, le $G^2$ est toujours légèrement meilleur qu'il ne devrait l'être. En fait, les mathématiciens démontrent que le $G^2$ a toutes les chances d'être égal au nombre de classes moins un. Ainsi, s'il y a sept classes, le résultat a toutes les chances d'être égal à 6 (i.e. le nombre de degrés de liberté).

En somme, l'hypothèse:

$$H_0: a_1 = n_1, a_2 = n_2, ..., a_c = n_c$$

où $a_i$ est l'effectif prédit dans la $i^{\text{ème}}$ classe et $c$ est le nombre de classe peut aussi s'écrire:

$$H_0: G^2 = c - 1$$

et la règle de décision est alors

$$\text{Rejet de } H_0 \text{ si } G^2 >^* c - 1$$

où le signe $>^*$ voudrait dire «significativement supérieur à». La valeur critique à droite $k_\alpha^+ (c - 1)$ est toujours un nombre plus grand que $c - 1$ (vérifiez dans la table du $\chi^2$). Si le $G^2$ dépasse $k_\alpha^+ (c - 1)$, c'est qu'on est sûr (avec un risque $\alpha$) que $G^2$ n'est pas comparable à $c - 1$.

## 1.4 Un exemple

Le Québec est particulièrement riche en nids-de-poule. Un nid-de-poule est un trou laissé dans une route lorsqu'un morceau de bitume est arraché. Selon certaines sources, les nids-de-poule seraient causés lors du dégel printanier : une infiltration d'eau, en gelant, prend du volume. Lorsque cette infiltration fond au printemps, il y a un espace vide. Suite au passage d'un véhicule lourd, cette partie de la route s'effondre puis finit par s'émietter, laissant un trou circulaire ayant jusqu'à 50 cm de diamètre pour 15 cm de profond.

Une conséquence de cette hypothèse est que les nouveaux nids-de-poule devraient apparaître au printemps plus qu'à toute autre saison. *A contrario*, l'hypothèse nulle postule que les nids-de-poule apparaissent n'importe quand dans l'année.

Pour vérifier l'hypothèse, les équipes de voirie d'un arrondissement de Montréal ont pour consigne de noter la date d'apparition de tout nouveau nid-de-poule. Les observations sont ensuite cotées en fonction de la saison d'apparition. Les hommes de la voirie ont observé 576 nouveaux nids-de-poule. Si on répartit également ces 576 nids-de-poule entre les quatre saisons (576/4), l'hypothèse nulle devient

$$H_0: a_{\acute{E}t\acute{e}} = 144, \ a_{Automne} = 144, \ a_{Hiver} = 144, \ a_{Printemps} = 144,$$

Les résultats obtenus sont présentés au Tableau 10.4.

### Tableau 10.4

**Nombre de nids-de-poule observés en fonction de la saison.**

| saison | $a_i$ | $n_i$ |
|---|---|---|
| Été | 144 | 102 |
| Automne | 144 | 89 |
| Hiver | 144 | 108 |
| Printemps | 144 | 277 |
| Total | 576 | 576 |

Si l'hypothèse tient la route, on devrait obtenir un $G^2$ à peu près égal au nombre de degrés de liberté (ici, $4 - 1$, soit 3). Le calcul donne $G^2 = \dfrac{(102 - 144)^2}{144} + \dfrac{(89 - 144)^2}{144} + \dfrac{(108 - 144)^2}{144} + \dfrac{(277 - 144)^2}{144} = 165.1$. Ce résultat est énormément plus grand que ce à quoi on pourrait s'attendre. Pour confirmer, on trouve la valeur critique dans une table de $\chi^2$ avec trois degrés de liberté. On trouve 7.8. Comme le $G^2$ est plus grand que la valeur critique, on rejette l'hypothèse nulle : les nids-de-poule n'apparaissent pas également à toutes les saisons.

Un chercheur de l'école Polytechnique de Montréal, après avoir examiné en détail les matériaux, les fluctuations de températures, etc., affirme que les nids-de-poule doivent être trois fois plus fréquents au printemps qu'à toute autre saison.

Ce qu'il affirme revient à dire que s'il y a $x$ nids-de-poule en été, $x$ en automne et $x$ en hiver, il y en aura $3x$ au printemps. Divisons 576 par 6 (le nombre de $x$), ce qui permet d'avoir son hypothèse nulle :

$$H_0: a_{\acute{E}t\acute{e}} = 96, \ a_{Automne} = 96, \ a_{Hiver} = 96, \ a_{Printemps} = 288,$$

Cette hypothèse est tout à fait légitime et se vérifie de la même façon que la précédente : $G^2 = \dfrac{(102-96)^2}{96} + \dfrac{(89-96)^2}{96} + \dfrac{(108-96)^2}{96} + \dfrac{(277-288)^2}{288} = 2,81$. Comme ce résultat est plus petit que le nombre de classes, il n'est même pas nécessaire de chercher la valeur critique pour voir qu'on ne la dépassera pas (par ailleurs, la valeur critique n'a pas changé puisqu'on n'a pas changé le nombre de classes). Il semble donc que le chercheur tient une hypothèse valable (non-rejet de $H_0$), ce qui suggère que ses analyses vont dans la bonne direction.

## 1.5 ▬ *Une mise en garde*

Pour que les effectifs dans chaque catégorie puissent avoir une chance de suivre une distribution normale, les effectifs attendus doivent être assez grands : si vos hypothèses vous amènent à postuler pour une (ou quelques) catégorie des effectifs inférieurs à 5, il ne reste pas assez de marge pour que l'effectif observé soit inférieur ou supérieur à 5 avec des probabilités égales (l'effectif observé a plus de chances d'être supérieur à 5 qu'être entre 0 et 4). Pour éviter cette situation où le test n'est plus applicable, il faut fusionner certaines catégories jusqu'à ce que tous les effectifs attendus excèdent 5.

Par exemple, dans le cas des nids-de-poule, si le chercheur avait prédit 4 nids-de-poule en été et 4 en automne, il aurait dû créer une super-catégorie Été-Automne avec un effectif attendu de 8.

Cette procédure où on fusionne des catégories prédisant des effectifs inférieurs à 5 s'appelle le correctif de Yates.

## 2. ▬ Test directionnel et caudalité

Deux façons de caractériser un test statistique est de dire (a) s'il est unicaudal ou bicaudal et (b) s'il est directionnel ou non. D'emblée, il faut dire que (a) n'est pas synonyme de (b).

(a) *Test unicaudal vs. test bicaudal.* Ces termes indiquent quelle(s) extrémité(s) de la distribution est utilisée pour trouver une valeur critique. Est-ce que l'on prend une seule valeur critique ou est-ce que l'on en prend deux ? Dans certains tests, seules des grandes valeurs sont suspectes et mènent au rejet de $H_0$. C'est le cas du test de la fréquence de cette section et de l'ANOVA détaillée au prochain chapitre. Dans un test bicaudal, il faut deux seuils, un à droite et un à gauche de la distribution théorique, comme on le voit à la Figure 10.1. Dans ce cas, le risque de rejeter $H_0$ doit être réparti également de chaque côté et la valeur critique est choisie en fonction de $\alpha/2$.

(b) *Test directionnel vs. test non directionnel.* Cette distinction indique le type de conclusion qu'on souhaite obtenir avec le test. Si on souhaite mettre en évidence une différence (peu importe si cette différence est en plus ou en moins), il faut utiliser un test non directionnel. Si cependant on souhaite spécifiquement mettre en évidence un accroissement, il faut utiliser un test directionnel (idem si on vise à mettre en évidence une diminution).

Pour le test des effectifs que l'on vient de voir, il n'est pas possible de ne cibler qu'un accroissement (car si une catégorie est plus élevée qu'attendu, une autre sera moins élevée qu'attendu). Ce test n'est donc disponible qu'en version non directionnelle. Pour d'autres tests, on est libre de choisir si on le veut directionnel ou non directionnel. S'il est directionnel, une seule valeur critique est utilisée (et donc le test devient unicaudal).

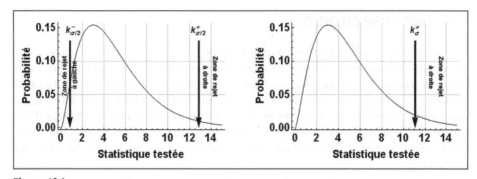

Figure 10.1

Deux placements possibles pour la valeur critique selon que le type de test adopté est bicaudal (panneau de droite) ou unicaudal (panneau de gauche). La distribution illustrée est la $\chi^2(5)$.

Le Tableau 10.5 synthétise les différents cas selon le test.

Tableau 10.5

Directionnalité et caudalité selon le test statistique

| Test | Directionnalité | Caudalité |
|---|---|---|
| Tests binomiaux | Libre | Selon la directionnalité |
| Tests z/t | Libre | Selon la directionnalité |
| Tests sur fréquences | Non | À droite uniquement |
| Tests de variance(s) | Libre | Selon la directionnalité |
| ANOVA | Non | À droite uniquement |

# 3. Test sur la fréquence dans un tableau et fréquences marginales

Dans la section précédente, l'effectif total était subdivisé en sous-effectifs suivant un seul critère classificatoire (le sexe, le jour de la semaine). Dans d'autres situations, les observations peuvent être classées suivant deux ou plusieurs critères. Par exemple, les nids-de-poule pourraient être classés selon la saison d'apparition et le type de route sur lequel ils sont apparus (e. g. route départementale RD, route nationale RN, autoroute AR). On obtient alors un tableau qu'on appelle techniquement un **tableau de contingence** (qui contient des contingents). Le Tableau 10.6 illustre des résultats possibles.

Dans cet exemple, chaque nid-de-poule est mesuré sur deux variables : sur quel type de route est-il situé ? À quelle saison est-il apparu ? Il s'agit donc d'une situation bivariée. Cependant, comme les deux mesures ne sont pas de type II, il est impossible de calculer une corrélation.

On peut regarder ce tableau de deux façons : soit on regarde les effectifs dans chaque situation (e. g. les nids-de-poule apparus au printemps sur une autoroute, soit 50), soit on regarde les effectifs marginaux (e. g. les nids-de-poule apparus au printemps peu importe le type de route, 274, ou encore les nids-de-poule apparus sur une autoroute peu importe la saison, 56).

Le point de vue des marges est plus simple à comprendre. Cependant, il faut s'assurer que les marges ne sont pas mensongères. Regardez attentivement la situation pour les autoroutes au printemps. La marge du bas laisse croire que les autoroutes sont les moins touchées. Or, au printemps, elles dépassent les routes nationales. Cette fragilité serait passée inaperçue si on n'avait regardé que les marges.

## Tableau 10.6

**Répartition de l'apparition des nids-de-poule selon la saison et le type de route.**

| Saison | Type de route | | | Total |
|---|---|---|---|---|
| | **RD** | **RN** | **AR** | |
| Été | 80 | 20 | 2 | 102 |
| Automne | 62 | 25 | 2 | 89 |
| Hiver | 62 | 47 | 2 | 111 |
| Printemps | 186 | 38 | 50 | 274 |
| Total | 390 | 130 | 56 | 576 |

Cette disparité entre ce que suggèrent les effectifs marginaux et ce que montre le détail des effectifs s'appelle une **interaction**. S'il y a une interaction, il faut éviter de regarder les marges car elles induisent en erreur.

Par exemple, en regardant les marges, les effectifs marginaux au printemps sont de 274 sur 576 (près de 50 %) et les effectifs marginaux sur les autoroutes sont de 56 sur 576 (près de 10 %). Les marges suggèrent donc que près de 10 % des 274 nids-de-poule trouvés au printemps le sont sur une autoroute, soit près de 27. Ce que les marges suggèrent dans cette situation diffère beaucoup de l'effectif réellement observé (50). Quand c'est le cas, il est important de s'assurer lors de la rédaction de vos résultats que le lecteur a accès au tableau complet. S'il n'y a pas d'interaction (i. e. si les marges sont un bon reflet du tableau complet), vous pouvez uniquement rapporter les résultats marginaux, plus simples à comprendre.

Pour calculer ce que prédisent les marges, la formule est :

$$a_{ij} = \frac{n_{i\cdot} \times n_{\cdot j}}{n_{Total}}$$

où $a_{ij}$ est l'effectif attendu à l'intersection de la ligne $i$ et de la colonne $j$ si on se fie aux marges, $n_{i\cdot}$ est l'effectif marginal de la ligne i, et $n_{\cdot j}$ est l'effectif marginal de la colonne j. Le calcul précédent se résume donc à $\frac{274 \times 56}{576}$, ce qui donne 26.6.

Le test qui suit permet de décider s'il y a une interaction significative. Si oui, il faut éviter de regarder les effectifs marginaux (et même, ne pas les calculer du tout). Il s'agit donc d'un test qui nous aiguille sur la bonne façon de regarder les résultats.

Le test est de la forme

$$\text{Rejet de } H_0 \text{ si } \sum_{i=1}^{l} \sum_{j=1}^{c} \frac{(n_{ij} - a_{ij})^2}{a_{ij}} > k_\alpha^+ ((c-1) \times (l-1)) \tag{10.3}$$

où $l$ est le nombre de lignes, $c$ est le nombre de colonnes, et où la valeur critique $k_\alpha^+ ((c-1) \times (l-1))$ est lue sur une table de distribution $\chi^2$ avec $(c-1) \times (l-1)$ degrés de liberté. Ce test ne cherche que les grandes déviations (un $G^2$ de zéro veut dire que les marges sont parfaitement fidèles) ; il ne nécessite donc qu'une seule valeur critique à droite.

## 3.1 Un exemple

Supposons que dans l'étude du chapitre 7 sur la répartition des sexes en psychologie, nous voulions aussi savoir si la répartition dans les champs de spécialisation (disons clinique C, neuropsychologie N et fondamentale F) est comparable. Nous obtenons de façon générale que 20 personnes sur un échantillon de 60 sont des hommes, soit un tiers. On peut se poser la question à savoir si cette répartition est présente peu importe la discipline. À partir de l'échantillon, on établit le Tableau 10.7 :

Tableau 10.7

**Effectifs observés selon le sexe de la personne et sa spécialisation (à gauche) et effectifs attendus selon les marges (à droite).**

| | Observés | | Total | Attendus | | Total |
|---|---|---|---|---|---|---|
| | Hommes | Femmes | | Hommes | Femmes | |
| Clinique | 7 | 26 | 33 (55 %) | 11 | 22 | 33 |
| Neuropsychologie | 3 | 12 | 15 (25 %) | 5 | 10 | 15 |
| Fondamentale | 10 | 2 | 12 (20 %) | 4 | 8 | 12 |
| Total | 20 | 40 | 60 | 20 | 40 | 60 |
| | (33 %) | (66 %) | | (33 %) | (66 %) | |

À partir de la marge du bas, nous voyons que les femmes sont majoritaires dans l'échantillon. De la marge de droite, nous apprenons que 55 % des personnes interrogées se dirigent en clinique.

Nous avons mis les effectifs attendus dans la seconde partie du Tableau 10.7. Par exemple, concernant la première cellule (les hommes qui se dirigent vers la psychologie clinique), l'effectif attendu s'obtient avec l'effectif marginal des personnes qui se dirigent vers la clinique (soit 33) et l'effectif marginal du nombre d'hommes (soit 20). L'effectif attendu est alors

$$a_{C\sigma} = \frac{n_C . \times n_{.\sigma}}{n_{Total}} = \frac{33 \times 20}{60} = 11.$$

Comme on le voit, il semble exister des différences importantes (surtout chez les femmes en fondamentale) entre les effectifs observés et les effectifs attendus. Y aurait-il donc interaction ? Pour répondre à cette question, le test sur la répartition des fréquences dans un tableau est utilisé.

*Poser l'hypothèse.* L'hypothèse nulle prédit que les effectifs observés correspondent aux effectifs prédits par les marges. Nous pouvons alors écrire :

$H_0$ : Absence d'interaction entre le sexe et la spécialisation sur les effectifs.

*Choisir le seuil.* Nous adoptons dans cet exemple un seuil usuel de 5 %.

*Chercher le test.* Le test d'interaction est :

$$\text{Rejet de } H_0 \text{ si } \sum_{i=1}^{l} \sum_{j=1}^{c} \frac{(n_{ij} - a_{ij})^2}{a_{ij}} > k_\alpha^+ ((c-1) \times (l-1))$$

où la valeur critique $k_\alpha^+ ((c-1) \times (l-1)) = k_{5\%}^+(2)$ vaut 5.99.

*Appliquer le test et conclure.* Nous trouvons :

$$\sum_{i=\{C,N,F\}} \sum_{j=\{\sigma,\varphi\}} \frac{(n_{ij} - a_{ij})^2}{a_{ij}} = \frac{(n_{C\sigma} - a_{C\sigma})^2}{a_{C_\sigma}} + \frac{(n_{N\sigma} - a_{N\sigma})^2}{a_{N\sigma}}$$

$$+ \frac{(n_{F\sigma} - a_{F\sigma})^2}{a_{F\sigma}} + \frac{(n_{C\varphi} - a_{C\varphi})^2}{a_{C\varphi}} + \frac{(n_{N\varphi} - a_{N\varphi})^2}{a_{N\varphi}} + \frac{(n_{F\varphi} - a_{F\varphi})}{a_{F\varphi}}$$

$$= \frac{(7-11)^2}{11} + \frac{(3-5)^2}{5} + \frac{(10-4)^2}{4} + \frac{(26-22)^2}{22} + \frac{(12-10)^2}{10} + \frac{(2-8)^2}{8}$$

$$= \frac{16}{11} + \frac{4}{5} + \frac{36}{4} + \frac{16}{22} + \frac{4}{10} + \frac{36}{8} = 16.9$$

ce qui montre que la façon dont les hommes se répartissent dans les différents champs de spécialisation n'est pas comparable à la façon dont les femmes se répartissent dans les différents champs de spécialisation ($\chi^2 (2) = 16.9$. $p < .05$). Les hommes tendent à être plus présents en fondamentale que les femmes et moins dans les deux autres champs de spécialisation, effet qu'on ne voit pas si on regarde les effectifs marginaux.

On peut parfois mieux voir l'interaction en faisant un graphique des effectifs observés et un graphique des effectifs attendus comme celui de la Figure 10.2. On voit que les effectifs observés chez les hommes croisent ceux chez les femmes lorsqu'ils sont en fondamentale alors que les effectifs attendus ne se croisent pas.

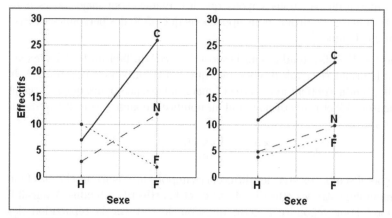

## Figure 10.2

**Effectifs observés (à gauche) et attendus en fonction des marges (à droite) selon le champ de spécialisation et le sexe des répondants.**

Si le graphique des fréquences observées contient un ou des croisements, il est probable que l'interaction est significative car les marges sont incapables de suggérer la présence de croisements.

# 4. Test sur une variance

Jusqu'à présent, nous avons vu des tests sur les statistiques de la tendance centrale (médiane, Chapitre 7, mais surtout moyenne, chapitres 8 et 9) et sur des effectifs (proportion, Chapitre 7, et fréquences, sections précédentes). Cependant, n'importe quelle statistique descriptive peut être soumise à un test statistique si cela est pertinent. Les deux dernières sections couvrent des tests sur la dispersion des données et utilisent la variance.

Le test que nous voyons ici est un test de la variance. Plus précisément, il s'agit d'un test qui permet de savoir si la variance est telle qu'attendue selon une hypothèse nulle.

Par exemple, une politologue s'intéresse à l'adhésion politique chez les punks. Elle a collecté un échantillon portant sur 40 punks ayant rempli un test mesurant le degré de libéralisme ou de conservatisme. Supposons que ce test est bien calibré, tel que la population en général a un score moyen de 50 et un écart type de 10.

Comme on devrait s'y attendre, le score moyen des punks est inférieur à 50 car ils sont généralement libertaires. Leur cote moyenne est de 38. Cependant, s'ils ont exprimé leurs opinions librement sans chercher à suivre un credo idéologique, leurs scores varieront autant d'un punk à l'autre que d'une personne de la population générale à l'autre. Les punks devraient donc exhiber un écart type de 10. L'écart type de leur groupe est de 8.5. Est-ce significativement inférieur à 10?

Le test sur une variance est de la forme

$$\text{Rejet de } H_0 \text{ si } \begin{cases} (n-1)\frac{s_X^2}{\sigma_X^2} > k_{\alpha/2}^+ (n-1) \\ \text{ou} \\ (n-1)\frac{s_X^2}{\sigma_X^2} < k_{\alpha/2}^- (n-1) \end{cases} \qquad 10.4$$

où $n$ est le nombre de personnes mesurées dans le groupe, $s_X^2$ est la variance (et non l'écart type) observée dans le groupe, $\sigma_X^2$ est la variance hypothétique attendue et $k_{\alpha/2}^- (n-1)$ et $k_{\alpha/2}^+ (n-1)$ sont les valeurs critiques à gauche et à droite obtenues par une table de la distribution du $\chi^2$ avec $n-1$ degrés de liberté (les compléments mathématiques décrivent l'origine de ce test).

Si l'on s'attend spécifiquement à ce que la variance observée soit moindre (supérieure) que la variance attendue, le ratio $(n-1)\frac{s_X^2}{\sigma_X^2}$ devrait alors être petit (grand). On peut alors mettre tout le risque d'erreur du même côté et n'utiliser qu'une seule valeur critique à gauche (à droite). Ainsi, bien que ce test utilise la même table que le test sur les fréquences, celui-ci peut être non directionnel ou directionnel au choix.

À quoi doit-on s'attendre ?. Ce test calcule le ratio de la variance obtenue dans l'échantillon par la variance attendue selon l'hypothèse. Si l'hypothèse nulle est vraie, les deux variances sont égales et le ratio donne 1. Si on multiplie ce ratio par $n-1$, la partie de gauche devrait donner une valeur proche de $n-1$.

L'hypothèse

$$H_0: \sigma_X^2 = 10$$

devient alors

$$H_o : \frac{s_X^2}{\sigma_X^2} = 1.$$

En multipliant chaque côté par $n-1$, l'hypothèse nulle devient :

$$H_o : (n-1)\frac{s_X^2}{\sigma_X^2} = n-1.$$

Le test revient à tester ceci :

$$\text{Rejet de } H_0 \text{ si } \frac{s_X^2}{\sigma_X^2} \neq^* 1$$

ou de façon équivalente :

$$\text{Rejet de } H_0 \text{ si } (n-1)\frac{s_X^2}{\sigma_X^2} \neq^* n-1.$$

## 4.1 Exemple

Pour tester l'adhésion des punks, la politologue procède par ordre:

*Poser l'hypothèse.* Son hypothèse nulle est

$$H_0: \text{Les punks sont aussi variables que les autres,}$$

ce qu'elle traduit plus formellement en

$$H_0: \text{la variance des punks vaut } 10^2.$$

*Choisir le seuil.* Elle adopte le seuil de 5 % qu'elle répartit également à droite et à gauche (on ne sait jamais avec les punks).

*Chercher le test.* Le test est de la forme:

$$\text{Rejet de } H_0 \text{ si} \begin{cases} (n-1)\frac{S^2_{Punk}}{\sigma^2_{Punk}} > k^+_{2.5\%}(n-1) \\ \text{ou} \\ (n-1)\frac{S^2_{Punk}}{\sigma^2_{Punk}} < k^-_{2.5\%}(n-1) \end{cases}$$

où les valeurs critiques sont: $k^-_{2.5\%}(39) = 22.878$ et $k^+_{2.5\%}(39) = 56.895$ avec 39 degrés de liberté. La distribution $\chi^2$ n'étant pas symétrique, les deux valeurs critiques sont toujours différentes. La Figure 10.3 qui suit montre les deux valeurs critiques.

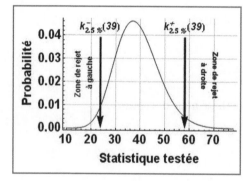

**Figure 10.3**

Placement des valeurs critiques $k^+_{2.5\%}(39)$ et $k^-_{2.5\%}(39)$ sur la distribution $\chi^2$.

*Appliquer le test et conclure.* Le test devient:

$$\text{Rejet de } H_0 \text{ si} \begin{cases} (40-1)\frac{S^2_{Punk}}{10^2} < 22.9 \\ \text{ou} \\ (40-1)\frac{S^2_{Punk}}{10^2} > 56.9 \end{cases}$$

ce qui devient:

$$\text{Rejet de } H_0 \text{ si} \begin{cases} 39\frac{8.5^2}{100} = 28.2 < 22.9 \\ \text{ou} \\ 39\frac{8.5^2}{100} = 28.2 > 56.9 \end{cases}$$

La valeur obtenue (28.2) n'étant pas supérieure à la valeur critique à droite ni inférieure à la valeur critique à gauche, on ne rejette pas $H_0$: la variance chez les punks ne diffère pas significativement de la variance dans la population en général. On ne peut pas dire que l'opinion des punks est forgée par le conformisme à une idéologie.

# 5. Test sur deux variances provenant de deux groupes indépendants

Le dernier test que nous voyons ici n'utilise pas la distribution de $\chi^2$ pour trouver des valeurs critiques, mais complète bien le test précédent. Il s'agit d'un test sur deux variances provenant de deux groupes indépendants.

Le test suppose que l'on veuille comparer la variance de deux groupes indépendants. L'hypothèse nulle stipule que les deux groupes (disons X et Y pour faire changement) ont la même variance, e. g.:

$$H_0 : \sigma_X^2 = \sigma_Y^2.$$

Le test est de la forme

$$\text{Rejet de } H_0 \text{ si} \begin{cases} \frac{s_X^2}{s_Y^2} < F_{\alpha/2}^- (n_X - 1, n_Y - 1) \\ \text{ou} \\ \frac{s_X^2}{s_Y^2} > F_{\alpha/2}^+ (n_X - 1, n_Y - 1) \end{cases} \qquad 10.5$$

où $n_X$ est la taille du premier groupe, $n_Y$ est la taille du second groupe, et $F_{\alpha/2}^+ (n_X - 1, n_Y - 1)$ est la valeur critique à droite. Comme la distribution $\mathcal{F}$ n'est pas symétrique, les deux valeurs critiques sont différentes. Ce test fait le ratio entre deux variances, et on a vu au chapitre 5 que ce type de statistique suit une distribution $\mathcal{F}$. Les degrés de liberté sont le nombre d'observations dans chaque groupe auquel on ampute 1 car calculer une variance sur un groupe nécessite de connaître la moyenne.

L'hypothèse nulle peut aussi être écrite de cette façon équivalente:

$$H_0 : \frac{s_X^2}{s_Y^2} = 1$$

et le test devient équivalent à

$$\text{Rejet de } H_0 \text{ si } \frac{s_X^2}{s_Y^2} \neq^* 1.$$

## 5.1 *Pour en finir avec l'exemple*

La politologue souhaite aussi examiner les skinheads. Selon elle, ces derniers auront une vision tronquée du monde politique et donc la variabilité des réponses à un questionnaire sur l'adhésion politique sera moins moindre que dans la population en général et que celle chez les punks. Pour comparer les skinheads aux punks, elle utilise un test sur deux variances.

*Poser l'hypothèse.* L'hypothèse nulle prédit que la variance des deux groupes sera égale :

$$H_0: \sigma^2_{Skinheads} = \sigma^2_{Punks}.$$

*Choisir le seuil.* Elle choisit un $\alpha = 5\ \%$. Puisqu'elle ne sait pas si un groupe sera plus variable que l'autre ou pas, elle prend un test non directionnel (avec deux valeurs critiques).

*Choisir le test.* Le test est de la forme

$$\text{Rejet de } H_0 \text{ si} \begin{cases} \frac{s^2_{SkinHeads}}{s^2_{Punks}} < F^-_{\alpha/2}(n_{Skinheads} - 1, n_{Punks} - 1) \\ \text{ou} \\ \frac{s^2_{SkinHeads}}{s^2_{Punks}} > F^+_{\alpha/2}(n_{Skinheads} - 1, n_{Punks} - 1) \end{cases}$$

Comme il y a 40 participants dans les deux groupes, elle utilise un ordinateur pour trouver les deux valeurs critiques, soit : $F^-_{2.5\%}(39,39) = 0.53$ et $F^+_{2.5\%}(39,39) = 1.89$.

*Appliquer le test et conclure.* Voici les résultats trouvés : les punks ont une variabilité de 8.5 (l'écart type) et les skinheads, de 6.1 (écart type aussi). Le calcul donne

$$\frac{8.5^2}{6.1^2} = \frac{2817.8}{1451.2} = 1.94.$$

qui est supérieur à la valeur critique à droite. On rejette donc l'hypothèse nulle : les deux groupes n'ont pas une variance comparable ($F(39,39) = 1.94$, $p < .05$). Les skinheads sont significativement moins variables que les punks.

# 6. Comment rapporter un test de $\chi^2$ ?

La seule nouveauté est l'utilisation de la table $\chi^2$. Si les caractères grecs ne sont pas disponibles, la convention veut que l'on utilise le nom anglais de cette lettre : chi2. Dans le cas d'un tableau d'effectifs, il faut indiquer s'il y a une interaction ou non. S'il y en a une, le lecteur doit voir le tableau complet. Sinon, vous pouvez rapporter uniquement les effectifs marginaux.

Par exemple, la politologue qui a étudié l'adhésion politique des punks écrirait : « La variabilité des réponses chez les punks est comparable à la variabilité dans la population en général (chi2(39) = 28.2, p < .05). »

# 7. Compléments mathématiques

## 7.1 Distribution d'un ratio entre une variance observée et une variance prédite

Examinons la variance d'un échantillon $s_X^2$. Si nous faisons une manipulation algébrique, nous avons :

$$(n-1)s_X^2 = \sum_{i=1}^{n}(\mathbf{X}_i - \overline{X})^2.$$

Sachant que

$$(\mathbf{X}_i - \mu)^2 = [(\mathbf{X}_i - \overline{X}) + (\overline{X} - \mu)]^2$$
$$= (\mathbf{X}_i - \overline{X})^2 + 2(\mathbf{X}_i - \overline{X})(\overline{X} - \mu) + (\overline{X} - \mu)^2$$

il s'ensuit que

$$\sum_{i=1}^{n}(\mathbf{X}_i - \mu)^2 = \sum_{i=1}^{n}(\mathbf{X}_i - \overline{X})^2 + 2\sum_{i=1}^{n}(\mathbf{X}_i - \overline{X})(\overline{X} - \mu) + \sum_{i=1}^{n}(\overline{X} - \mu)^2$$
$$= \sum_{i=1}^{n}(\mathbf{X}_i - \overline{X})^2 + 2(\overline{X} - \mu)\sum_{i=1}^{n}(\mathbf{X}_i - \overline{X}) + \sum_{i=1}^{n}(\overline{X} - \mu)^2.$$

Se rappelant que la somme des écarts à la moyenne donne toujours zéro (chapitre 2), on simplifie :

$$\sum_{i=1}^{n}(\mathbf{X}_i - \mu)^2 = \sum_{i=1}^{n}(\mathbf{X}_i - \overline{X})^2 + 0 + n(\overline{X} - \mu)^2.$$

En réorganisant, on obtient :

$$\sum_{i=1}^{n}(\mathbf{X}_i - \overline{X})^2 = \sum_{i=1}^{n}(\mathbf{X}_i - \mu)^2 - n(\overline{X} - \mu)^2.$$

Si l'on divise les deux côtés de la première équation par $\sigma_X^2$, où $\sigma_X^2$ est la variance prédite par l'hypothèse nulle, on obtient :

$$(n-1)\frac{s_X^2}{\sigma_X^2} = \frac{1}{\sigma_X^2}\sum_{i=1}^{n}(\mathbf{X}_i - \overline{X})^2$$
$$= \frac{1}{\sigma_X^2}\sum_{i=1}^{n}(\mathbf{X}_i - \mu)^2 - \frac{n}{\sigma_X^2}(\overline{X} - \mu)^2$$
$$= \sum_{i=1}^{n}\frac{(\mathbf{X}_i - \mu)^2}{\sigma_X^2} - \frac{(\overline{X} - \mu)^2}{\sigma_X^2 / n}.$$

La partie de droite est a) une somme de scores bruts normalisés plus b) une moyenne d'échantillon normalisée par son erreur type. Si vous vous rappelez de votre chapitre 5, on voit que a) suit une distribution théorique $\chi^2$ avec $n$ degrés de liberté et que b) suit une distribution théorique $\chi^2$ avec un seul degré de liberté (il n'y a qu'un terme). Ceci signifie que la partie de gauche, contenant les éléments de l'hypothèse (variance observée et variance prédite) est distribuée comme une $\chi^2$ avec $n - 1$ degrés de liberté. Il ne nous en faut pas plus pour faire un test statistique.

---

**Encadré 8**

## Karl Pearson

Karl Pearson (Angleterre, 1857-1936) est un pilier des statistiques modernes. On lui doit le test du $\chi^2$ communément utilisé pour examiner des fréquences ; il a en grande partie développé la notion de régression linéaire et de corrélation. Finalement, il a fondé le premier département de statistique en 1911. Il a débuté ses recherches en mathématiques à la suite de la publication par Francis Galton de son livre *Natural Inheritance* appuyant l'eugénisme en vogue à cette époque.

---

# 8. Utilisation de SPSS

## 8.1 *Réaliser un test de répartition des effectifs dans une liste avec NPAR TEST*

Le test permet d'examiner une hypothèse nulle portant sur des effectifs tels que :

$$H_0: n_1 = a_1, n_2 = a_2, \text{etc.}$$

où $a_i$ représente l'effectif attendu pour la $i^{\text{ème}}$ catégorie.

Le fichier de données contient une série d'observations qui sont classées dans une ou l'autre des catégories possibles à raison d'une observation par ligne. Par exemple, si on veut savoir si autant d'hommes que de femmes entrent dans une certaine boutique, on pourrait noter 1 pour femme, 2 pour homme, et le fichier de données ne contiendrait qu'une seule colonne avec des 1 et des 2.

La commande est la suivante:

```
NPAR TEST
        /CHISQUARE=nomcol (cmin, cmax)
        /EXPECTED=a1, a2, etc.
```

ou si l'hypothèse précise des effectifs égaux:

```
NPAR TEST
        /CHISQUARE=nomcol (cmin, cmax)
        /EXPECTED=EQUAL.
```

Dans ces commandes, *cmin* et *cmax* sont les numéros assignés à la première et à la dernière catégorie respectivement, et *ai* est l'effectif attendu selon l'hypothèse nulle.

Parfois, plutôt que d'avoir un long fichier ne contenant que le numéro dans lequel a été classifiée l'observation, il arrive que les données soient déjà compilées, par exemple, comme au Tableau 10.8 où la seconde colonne indique le nombre d'observations allant dans la catégorie 1 (43) et la catégorie 2 (76).

## Tableau 10.8

**Effectifs selon le sexe.**

| Sexe | Effectif |
|---|---|
| 1 (hommes) | 43 |
| 2 (femmes) | 76 |

Dans ce cas, on peut faire précéder la commande npar test par la commande:

```
WEIGHT BY nomcol.
```

où **nomcol** indique la colonne contenant les effectifs dans chaque catégorie (i. e. **Effectif** dans le tableau ci-dessus).

Voici un exemple. Le directeur d'une école secondaire veut savoir si la cafétéria est fréquentée également par les étudiants de tous les niveaux (du secondaire 1 au secondaire 5, la classe terminale). Les effectifs observés sont le nombre d'étudiants qui sont allés à la cafétéria (les données sont déjà compilées). Il choisit un seuil de 5 %. Il procède à un échantillon et observe les données indiquées dans le Tableau 10.9.

## Tableau 10.9

**Effectifs obtenus selon le niveau des étudiants dans une école secondaire.**

| Secondaire | Effectif |
|---|---|
| 1 | 24 |
| 2 | 34 |
| 3 | 25 |
| 4 | 31 |
| 5 | 15 |

Entrez ces données dans un fichier puis vérifiez l'hypothèse d'une répartition égale entre les niveaux. Comme les données sont compilées, il faut ajouter la commande WEIGHT BY **effectif** avant la commande NPAR TESTS. La syntaxe complète est donc:

```
WEIGHT BY effectif.
NPAR TEST
        /CHISQUARE = Secondaire (1,5)
        /EXPECTED = EQUAL.
```

L'output est présenté à la Figure 10.4. La partie du haut montre les effectifs observés et attendus (théorique). La seconde partie calcule le $G^2$ (8.326) et donne les degrés de libertés (4). La commande n'indique pas la valeur critique, mais indique que, si le seuil de décision avait été de 8 % (.080), le test aurait été tout juste significatif. Comme ce nombre n'est pas plus petit que le seuil de décision choisi par le directeur, il ne rejette pas l'hypothèse nulle: tous les niveaux utilisent également la cafétéria ($\chi^2(4) = 8.326$, $p > .05$). La note (a) spécifie qu'il n'y a pas lieu d'utiliser le correctif de Yates.

**Fréquences**

| | Modalité | Effectif observé | Effectif théorique | Résidu |
|---|---|---|---|---|
| | | Secondaire | | |
| 1 | 1,00 | 24 | 25,8 | -1,8 |
| 2 | 2,00 | 34 | 25,8 | 8,2 |
| 3 | 3,00 | 25 | 25,8 | -,8 |
| 4 | 4,00 | 31 | 25,8 | 5,2 |
| 5 | 5,00 | 15 | 25,8 | -10,8 |
| Total | | 129 | | |

**Test**

| | Secondaire |
|---|---|
| Khi-deux | 8,326[a] |
| ddl | 4 |
| Signification asymptotique | ,080 |

a. 0 cellules (.0%) ont des fréquences théoriques inférieures à 5. La fréquence théorique minimum d'une cellule est 25.8.

**Figure 10.4**

Output du test de fréquence sur une liste.

## 8.2 *Réaliser un test d'interaction avec CROSSTABS*

La commande suivante permet d'examiner la répartition des observations dans un tableau de contingence avec l'hypothèse:

$$H_0 : \text{Absence d'interaction}$$

qui est un raccourci pour dire que les effectifs déduits à partir des marges reflètent bien les effectifs observés dans chacune des cellules. La commande est:

```
CROSSTABS VARIABLES=nomcol1 (cmin, cmax) nomcol2 (cmin, cmax)
    /TABLES=nomcol1 BY nomcol2
    /CELLS=COUNT EXPECTED
    /STATISTICS=CHISQ.
```

Encore une fois, si les données sont déjà compilées et donc, s'il existe une colonne contenant les effectifs observés dans chaque combinaison de catégories, il est possible de faire précéder la commande CROSSTABS par:

```
WEIGHT BY nomcol.
```

## Résumé

La distribution de $\chi^2$ est utile dans plusieurs contextes (tester des fréquences si la mesure est nominale; tester une variabilité si la mesure est de type II). Au prochain chapitre, nous revenons aux tests de moyennes et généralisons le schème à groupes indépendants pour les situations où il y a plus de deux groupes quand la mesure est de type II.

## Questions pour mieux retenir

1. En une heure, les nombres d'utilisateurs de 6 guichets automatiques sont les suivants: 12, 32, 21, 41, 67, 37. Vérifiez que ces guichets sont également visités sur la base de votre échantillon avec un seuil de décision de 1 %.

2. Un nouveau vaccin a été testé sur 150 enfants, dont 70 dans un groupe contrôle. Six enfants traités sont malades contre 25 dans le groupe contrôle. Choisissez un seuil et vérifiez l'efficacité du vaccin.

3. Un candidat à la mairie de Montréal demande un sondage. Effectué auprès de 111 hommes et 133 femmes, il révèle que 49 personnes sont contre lui alors que 171 lui sont favorables, et 24 incertaines. Parmi les femmes, ces nombres deviennent 35 contre, 80 pour. Est-ce que le candidat peut compter également sur les hommes et les femmes pour être élu?

4. Un journal rapporte le nombre de meurtres commis à Montréal, la seconde plus grande ville de langue francaise au monde avec plus d'un million et demi d'habitants au cours des années 1994 à 1999: 34, 27, 41, 25, 18, 35. Vérifiez l'hypothèse d'une répartition égale avec un seuil de 5 %.

5. Une chaîne de boutiques observe que les ventes du dernier mois se répartissent comme suit dans leurs 5 commerces: 81, 84, 75, 78, 82, en K$. Doit-elle fermer une boutique (seuil de 1 %)? Si oui, laquelle?

## Questions pour mieux réfléchir

6. Un sociologue fait une étude auprès de deux petits groupes d'étudiants (littérature et optométrie). Il s'intéresse à la variable «Qualité de vie» qu'il mesure suivant le nombre d'heures accordées aux divertissements par semaine. Lequel, parmi les tests suivants, doit-il réaliser et pourquoi? Un test $z$, un test sur la médiane, un test $t$, un test $\chi^2$?

7. Un sondage effectué auprès des 12 employés d'un bureau rapporte que 4 d'entre eux ont une opinion favorable envers leur nouveau patron, 5 sont défavorables, et 3 restent neutres. Ces opinions se répartissent-elles également? (Attention à la pogne).

8. Dans le tableau 10.7, les effectifs observés sont tels que les effectifs attendus sont tous des nombres entiers. Est-ce possible d'avoir des effectifs observés tels que les effectifs attendus ne sont pas des nombres entiers? Que faut-il faire avec les effectifs attendus dans ce cas-là?

## Questions pour s'entraîner

9. a) Entrez les données concernant les accidents par jours (ces données sont compilées) et réalisez le test adéquat.
   b) Refaites le fichier de données sans compiler les données. Combien de lignes contient-il? Puis faites le test et vérifiez que les résultats sont identiques à ceux trouvés en (a).

10. Soit les données (compilées) du Tableau 10.6, comment faut-il entrer ces données dans SPSS? Faites-le puis réalisez le test qui vérifie la présence d'une interaction.

# CHAPITRE 11

# L'analyse de variance avec un facteur

## Sommaire

## Dans ce chapitre, vous allez apprendre :

1  Pourquoi on ne peut pas faire plusieurs tests t
   pour comparer plusieurs moyennes entre elles.

2  La notion de variance intragroupe et de variance intergroupe
   et comment interpréter le ratio de ces deux variances.

3  Comment réaliser une analyse de variance sur des données
   provenant de deux groupes indépendants ou plus.

4  Comment faire suivre l'analyse d'une analyse de comparaison
   de moyennes *a posteriori*.

# Introduction

*Dans les chapitres 11 à 13, nous examinons des schèmes expérimentaux plus souples dans lesquels il est possible d'avoir plus de deux groupes, plus de deux mesures et même d'avoir plusieurs groupes mesurés plusieurs fois. Lorsque la variable est mesurée suivant une échelle de type II, il est possible de calculer la performance moyenne. Le test dit de l'analyse de variance permet de décider si les moyennes sont affectées par le traitement dans toutes ces situations.*

Pour décider si une variable a un effet sur le comportement, il faut utiliser un schème expérimental qui permet de comparer une ou quelques conditions entre elles. Assez souvent, deux conditions suffisent, une où les participants ont reçu un traitement et une où les participants n'ont pas reçu de traitement. Cependant, il existe des situations où il y a plus de deux conditions pertinentes. Par exemple, l'effet de l'alcool dans le sang sur la dextérité manuelle dépend de la dose d'alcool qui peut prendre plusieurs valeurs. Le chercheur risque de ruiner son expérience s'il compare un dosage trop faible avec un dosage trop fort. De plus, s'il obtient un décrément dans la dextérité pour un dosage particulier, disons .08, qu'en est-il à .04? La dextérité revient-elle à la normale sous .08 mg d'alcool par litre de sang? Pour des raisons de généralisation, le chercheur a donc tout intérêt à tester plusieurs dosages.

Un schème avec deux groupes indique seulement la présence ou l'absence d'un effet de la variable. Une expérience dont le schème comprend plus de deux groupes donnera une information plus complète et plus détaillée de la relation entre la variable et les diverses conditions. Cependant, l'utilisation d'un schème contenant plus de deux conditions entraîne un problème technique: il faut pouvoir comparer toutes les conditions entre elles. Une solution simple est de faire un test *t* pour comparer chaque paire de conditions. Hélas, cette solution a de très grandes chances d'induire en erreur au moins une fois. Supposons par exemple que nous utilisions 5 dosages différents d'un médicament sur le comportement des dépressifs. En utilisant des tests *t*, il faudra comparer le résultat des participants ayant reçu le dosage 1 avec ceux ayant reçu le dosage 2, le dosage 1 avec le dosage 3, ... le dosage 4 avec le dosage 5. Il faudra alors procéder à 10 comparaisons. Ceci pose un problème car le nombre de fausses alarmes (erreur de type I) s'accroît. En effet, si la probabilité d'une erreur de type I est de 5 % pour un test unique, la probabilité de commettre au moins une erreur $\alpha$ lorsque nous effectuons 10 tests est de 40 %! (Voir les compléments mathématiques.) Ce risque est inadmissible, raison pour laquelle il n'est pas permis de faire des tests *t* multiples.

Lorsqu'il y a plus de deux conditions à comparer, il faut utiliser un test connu sous le nom d'**analyse de variance** (ANOVA). Remarquez que l'ANOVA peut aussi être utilisée quand il y a deux conditions puisqu'alors elle retourne la même conclusion qu'un test *t* (voir les compléments mathématiques). L'ANOVA permet de contourner le problème d'erreur de type I gonflé car elle ne réalise qu'un seul test.

Dans la suite, ce qui différencie une condition d'une autre sera appelé le facteur. L'exemple plus haut manipule le facteur Dosage. Le terme facteur est synonyme de **variable indépendante**. Le nombre de conditions sera aussi appelé le nombre de **niveaux** du facteur. Dans l'exemple ci-dessus, il y a cinq niveaux (i.e. 5 dosages). Ce nombre sera noté dans l'abstrait avec la lettre $p$. Dans ce chapitre, chacun des $p$ niveaux du facteur (chacune des conditions) est assigné à un groupe différent de participants et il y a donc $p$ groupes différents. On parle alors d'un **schème à $p$ groupes indépendants**.

# 1. Comment les choses varient-elles ?

Le principe derrière l'analyse de variance est simple. Examinons sa philosophie : le monde est variable. Quoi que vous fassiez, peu importe le degré de soin que vous apportez pour contrôler un phénomène, il ne se reproduira jamais deux fois de façon identique. Cette variabilité, l'erreur expérimentale, accompagne le phénomène et constitue une espèce de signature. Si vous avez accès à deux points de vue différents sur un même phénomène, les deux devront avoir la même variabilité.

Dans le cas où les deux mesures de la variabilité ne sont pas comparables, deux conclusions sont possibles : (1) ce ne sont pas les mêmes phénomènes qui ont été comparés, ou (2) un des phénomènes a été affecté à un point tel que sa « signature » n'est plus la même.

Le but de l'ANOVA est d'offrir deux points de vue sur des données. Ces points de vue sont appelés « intragroupe » et « intergroupe ». Ces deux points de vue sont obtenus à partir des données d'une seule expérience, ce qui exclut l'interprétation (1) ci-dessus. Examinons un exemple avant de décrire la façon de calculer la variabilité selon ces points de vue intragroupe et intergroupe.

# 2. Les points de vue intragroupe et intergroupe

Imaginons une linguiste qui souhaite examiner la langue seconde utilisée par les Amérindiens vivant sur le territoire québécois. Son hypothèse est que plus la communauté habite proche des États-Unis, plus elle adoptera l'anglais comme langue seconde et moins elle maîtrisera le français. Elle envoie donc des questionnaires d'évaluation du français langue seconde à des Mohawks dont le territoire traditionnel s'étend de part et d'autre de la frontière Québec-États-Unis, à des Abénakis vivant au sud du fleuve Saint-Laurent à une centaine de kilomètres de la frontière, et à des Montagnais vivant au nord du lac Saint-Jean, à plus de 1 000 km de n'importe quelle frontière. Le questionnaire retourne un score entre 0 et 20, où 20 indique une excellente maîtrise du français. Quinze personnes ont retourné le questionnaire par la poste.

Les résultats (fictifs) sont donnés au Tableau 11.1.

## Tableau 11.1

**Résultats à un test de maîtrise du français pour 15 Amérindiens provenant de trois tribus.**

|  | Tribu d'appartenance | | |
|---|---|---|---|
|  | Mohawks | Abénakis | Montagnais |
|  | 2 | 11 | 14 |
|  | 4 | 9 | 13 |
|  | 6 | 10 | 15 |
|  | 6 | 12 | 18 |
|  | 2 | 13 | 15 |
| Moyenne | 4 | 11 | 15 |

La performance moyenne est aussi illustrée dans le graphique de la Figure 11.1.

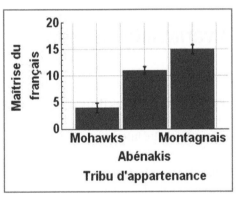

## Figure 11.1

**Performance moyenne à un test de maîtrise du français selon la tribu.**

Le premier point de vue suggéré par l'ANOVA consiste à regarder les individus dans leur groupe respectif (point de vue intragroupe). La variabilité dans chaque groupe ne relève uniquement que de l'erreur expérimentale. Pour l'instant, ignorons les calculs et faisons des estimations grossières : les individus Mohawks semblent varier de ± 2 autour de la moyenne des Mohawks (les scores vont de 2 à 6, soit 2 de moins que la moyenne à 2 de plus que la moyenne) ; les Abénakis varient aussi de ± 2 autour de leur moyenne ; finalement, les Montagnais varient peut-être légèrement plus, disons ± 3 autour de leur moyenne. Si on regroupe ces mesures de variabilités pour avoir une mesure unique, on trouve que les individus varient grosso modo de ± 2 (peut-être ± 2.3 puisque les Montagnais varient légèrement plus).

Cette première quantité (disons 2.3) est une indication de la variabilité intrinsèque liée à la passation d'un questionnaire d'évaluation du français par des Amérindiens. Elle mesure donc l'erreur expérimentale. Cette mesure de la variabilité obtenue grâce au point de vue intragroupe s'appelle la **variabilité intragroupe**.

Le second point de vue consiste à occulter les individus et à se concentrer sur les groupes uniquement. Ce point de vue est appelé intergroupe. Les trois groupes ont obtenu des moyennes de 4, 11 et 15. Si les groupes ont la même maîtrise du français (même phénomène sans lien avec la localisation géographique), la seule raison pour que ces moyennes ne soient pas identiques est l'erreur expérimentale, la variabilité intrinsèque à la mesure. Or, en examinant ces moyennes, on voit qu'elles varient beaucoup. La moyenne globale est de 10, et les groupes varient de ±5, ± 6 autour de cette moyenne globale.

Cette seconde quantité (disons 5.5) est la **variabilité intergroupe**. Sa valeur est plus de deux fois supérieure à la variabilité intragroupe. Il y a de la variabilité *entre* les groupes qu'on ne voit pas quand on regarde *dans* les groupes uniquement (variabilité intergroupe vs. variabilité intragroupe). Puisque la localisation géographique est le seul facteur qui distingue ces groupes, il faut conclure que la mesure (la maîtrise du français) est affectée par la localisation géographique. Comme la variabilité intergroupe est basée sur des moyennes, ce sont les moyennes qui varient trop et donc on termine en concluant que les moyennes diffèrent.

# 3. Comment quantifier la variabilité intragroupe et intergroupe ?

Dans cette section, nous examinons la façon de calculer les deux mesures de la variabilité et comment les unir pour obtenir une seule statistique. Cette dernière sera comparée à une valeur critique pour décider si la variabilité intergroupe dépasse significativement la variabilité intragroupe.

Pour calculer la variabilité intragroupe, on utilise la formule de la variance regroupée vue au chapitre 9. Pour l'obtenir, il faut premièrement calculer la variance dans chaque groupe. On obtient

$$s^2_{Mohawks} = 4.0 \; ;$$
$$s^2_{Ab\acute{e}nakis} = 2.5 \; ;$$
$$s^2_{Montagnais} = 3.5.$$

Par la suite, on regroupe ces trois variances en (1) en additionnant les sommes des carrés de chaque groupe, (2) en additionnant les degrés de liberté de chaque groupe, puis (3) en divisant (1) par (2).

Pour obtenir la somme des carrés lorsque la variance est disponible, il faut multiplier la variance par les degrés de libertés. On trouve donc :

$$SC_{Mohawks} = (5 - 1) \times 4.0 = 16.0 \; ;$$
$$SC_{Ab\acute{e}nakis} = (5 - 1) \times 2.5 = 10.0 \; ;$$
$$SC_{Montagnais} = (5 - 1) \times 3.5 = 14.0.$$

Pour terminer, on additionne les sommes des carrés (au numérateur), on additionne les degrés de liberté (au dénominateur) et on fait la division :

$$s_g^2 = \frac{16.0 + 10.0 + 14.0}{4 + 4 + 4}$$

$$= \frac{40.0}{12} = 3.33.$$

Cette quantité, la variance regroupée, s'appelle aussi la **variance intragroupe** regroupant les 3 groupes (notée $s_{intra}^2$). Le numérateur (40.0) est aussi appelé la **somme des carrés intragroupe** (noté $SC_{intra}$) et le dénominateur (12), les **degrés de liberté intragroupe** (noté $dl_{intra}$). Ces termes vont revenir souvent.

Pour calculer la **variabilité intergroupe** (notée $s_{inter}^2$), il faut se concentrer sur les moyennes obtenues uniquement et oublier les scores individuels. Ces moyennes sont examinées par rapport à la moyenne globale. Il faut appliquer la formule de la variance vue au chapitre 2 sur les trois moyennes des trois groupes à une différence près: chaque terme est pondéré par le nombre de personnes dans le groupe:

$$s_{inter}^2 = \frac{5 \times (4 - 10)^2 + 5 \times (11 - 10)^2 + 5 \times (15 - 10)^2}{3 - 1}$$

$$= \frac{5 \times (-6)^2 + 5 \times (1)^2 + 5 \times (5)^2}{2}$$

$$= \frac{5 \times 36 + 5 \times 1 + 5 \times 25}{2}$$

$$= \frac{180 + 1 + 125}{2}$$

$$= \frac{310}{2} = 155.$$

Le numérateur (310) s'appelle aussi la **somme des carrés intergroupe** (noté $SC_{inter}$) et le dénominateur (2), les **degrés de liberté intergroupe** (noté $dl_{inter}$).

Les résultats obtenus peuvent être de grands nombres car la variance est une mesure au carré. Si on prend la racine carrée, on trouve les écarts types intergroupe et intragroupe. Par exemple, l'écart type intergroupe $s_{inter}$ est $\sqrt{155} = 12.4$. Il indique que, pour que des moyennes de groupes diffèrent autant, il faudrait que les individus aient différé typiquement les uns des autres d'environ 12. Cependant, l'ANOVA n'utilise pas les écarts types mais continue avec les variances.

Pour terminer, il faut comparer les deux mesures de la variabilité obtenues selon les points de vue intragroupe et intergroupe pour déterminer s'ils sont comparables. Ici, clairement ils ne le sont pas ($s_{intra}^2 = 3.33$ et $s_{inter}^2 = 155$). En effet, le second est plus de 40 fois supérieur au premier (ce que l'on trouve en faisant le ratio $\frac{155}{3.33} = 46.5$).

Nous avons deux estimés de l'erreur expérimentale, soit la variance intergroupe et la variance intragroupe. Tous les deux mesurent la même chose: l'erreur expérimentale, mais le font avec deux points de vue différents, comme le suggère la Figure 11.2:

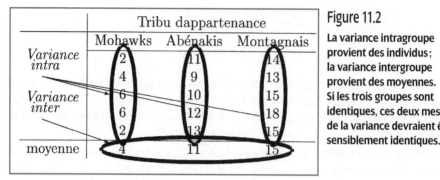

**Figure 11.2**

La variance intragroupe provient des individus ; la variance intergroupe provient des moyennes. Si les trois groupes sont identiques, ces deux mesures de la variance devraient être sensiblement identiques.

En faisant le rapport de ces deux estimés, le résultat attendu devrait être près de 1, et donc

$$\frac{\text{variance intergroupe}}{\text{variance intragroupe}} = \frac{\text{erreur expérimentale}}{\text{erreur expérimentale}} \approx 1$$

Par contre, si les moyennes diffèrent d'un groupe à l'autre, la variance intergroupe, en plus de refléter l'erreur expérimentale toujours présente, reflète aussi l'effet du facteur qui différencie les groupes. Dans ce cas, la variance intergroupe reflète l'effet du facteur et l'erreur expérimentale alors que la variance intragroupe ne reflète que l'erreur expérimentale. Ainsi,

$$\frac{\text{variance intergroupe}}{\text{variance intragroupe}} = \frac{\text{erreur expérimentale} + \text{effet du traitement}}{\text{erreur expérimentale}} > 1. \qquad 11.1$$

Le ratio *variance intergroupe/variance intragroupe* est la base de l'ANOVA.

De façon plus générale, dans un schème à $p$ groupes indépendants, nous allons utiliser cette nomenclature. Le groupe 1 a un total de $n_1$ participants, le groupe 2 a $n_2$ participants, etc. Si les groupes ont tous le même nombre de participants, on utilise $n$ pour noter le nombre de participants par groupe. On utilise $\mathbf{X}_{ij}$ pour représenter la performance du sujet i dans le groupe j. La moyenne du groupe i sera notée $\bar{X}_i$ et regroupe $n_i$ observations. Finalement, la moyenne globale sera notée $\bar{\bar{X}}$ et regroupe toutes les données (il y a au total $n_1 + n_2 + ... + n_p$ participants, ou si les $p$ groupes ont tous $n$ participants, $p \times n$ participants).

Il faut retenir qu'il ne s'agit pas d'un test des variances (en dépit du nom de ce test) mais bien d'un test sur les moyennes, telles qu'elles varient d'une condition à l'autre. Si elles varient trop (le point de référence étant la variance intragroupe), on déclare que les groupes ont été affectés par le traitement.

# 4. Répartition de la somme des carrés et des degrés de liberté

En plus des points de vue intra (les sujets par rapport à leur groupe) et inter (les groupes par rapport à la moyenne globale), il existe un troisième point de vue, le point de vue total (les sujets par rapport à la moyenne globale). Dans l'exemple précédent, la variance totale est la variance des 15 scores par rapport à la moyenne globale (10.). Si on la calcule, on obtient :

$$s^2_{Total} = 25 = \frac{350}{14}$$

où, comme à l'habitude, le numérateur (350) est la **somme des carrés totale** et le dénominateur (14), le **degré de liberté total**. On peut démontrer (voir compléments mathématiques) que la somme des carrés totale équivaut à l'addition de la somme des carrés intergroupe et de la somme des carrés intragroupe. Ceci est aussi vrai pour les degrés de liberté. On le voit avec l'exemple puisque :

$$SC_{Total} = SC_{inter} + SC_{intra}$$
$$350 = 310 + 40$$
$$dl_{Total} = dl_{inter} + dl_{intra}$$
$$14 = 12 + 2.$$

Cette propriété, qui est toujours vraie peu importe les données, signifie qu'aucune information n'a été perdue avec les points de vue inter et intra. Pour cette raison, on parle aussi de « répartition de la somme des carrés totale » puisqu'elle est répartie en somme des carrés intergroupe et somme des carrés intragroupe.

Avant d'aller plus loin, il faut préciser un autre terme usuellement utilisé dans les ANOVA, surtout que ce terme est ambigu. Les ANOVA sont très souvent utilisées, et ce terme s'est imposé : carré moyen (CM). Ce terme réfère à la somme des carrés SC divisée par le nombre de degrés de liberté. Le carré moyen est tout simplement la variance sous un autre nom. Nous allons utiliser l'un ou l'autre terme de façon interchangeable.

Le degré de liberté total correspondent au nombre total de données moins un, car le calcule utilise la moyenne globale $\overline{\overline{X}}$. Si les groupes ont un nombre égal de sujets ($n$), le degré de liberté (dl) total équivaut à $p\,n - 1$. Le degré de liberté pour le point de vue intragroupe est de $(n_1 - 1) + (n_2 - 1) + ... + (n_k - 1)$. Nous perdons en fait un degré de liberté pour chaque moyenne utilisée, soit un par groupe. Cette formule se réduit à $p\,(n - 1)$ si tous les groupes ont un nombre égal de sujets. Le degré de liberté associé à la somme des carrés intergroupe ($SC_{inter}$) est le nombre de groupes moins un, soit $p - 1$. En effet, nous perdons encore une fois un degré de liberté puisque ce calcul nécessite la moyenne globale.

## 4.1 ___ *Tableau récapitulatif des formules*

Le diagramme de la Figure 11.3 résume la décomposition de la somme des carrés totale (gauche) et des degrés de liberté si les groupes sont de taille égale (droite) pour chacun des points de vue.

$$SC_{Total} \quad \dots\dots\dots\dots\dots\dots\dots pn - 1$$
$$\vdash SC_{intra} \quad \dots\dots\dots\dots\dots\dots p(n - 1)$$
$$\vdash SC_{inter} \quad \dots\dots\dots\dots\dots\dots p - 1$$

### Figure 11.3

**Décomposition de la somme des carrés totale et des degrés de liberté dans un schème à groupes indépendants.**

Les formules pour la somme des carrés (gauche) et pour les degrés de liberté si les groupes sont de tailles inégales (droite) sont :

$$SC_{Total} = \sum_{i=1}^{p} \sum_{j=1}^{n_i} (\mathbf{X}_{ij} - \overline{\overline{X}})^2 \qquad dl_{Total} = \left( \sum_{i=1}^{p} n_i \right) - 1$$

$$SC_{intra} = \sum_{i=1}^{p} SC_i \qquad dl_{intra} = \sum_{i=1}^{p} dl_i$$

$$SC_{inter} = \sum_{i=1}^{p} n_i (\overline{X}_i - \overline{\overline{X}})^2 \qquad dl_{inter} = p - 1 \qquad\qquad 11.2$$

où $SC_i$ est la somme des carrés dans le $i^{\text{ème}}$ groupe et $dl_i$ est le nombre de degrés de liberté dans le groupe correspondant.

En divisant une somme des carrés par les degrés de liberté correspondants, on obtient la variance, aussi appelée le carré moyen. Par exemple, le carré moyen intergroupe (la variance intergroupe) est donnée par $CM_{inter} = \dfrac{SC_{inter}}{dl_{inter}}$. Remarquer que les carrés moyens ne sont pas additifs : $CM_{Total} \neq CM_{intra} + CM_{inter}$

Le ratio entre les deux mesures de l'erreur expérimentale est généralement noté F en l'honneur du mathématicien Fisher qui a inventé cette procédure :

$$F = \frac{CM_{inter}}{CM_{intra}} = \frac{SC_{inter} / dl_{inter}}{SC_{intra} / dl_{intra}} \qquad\qquad 11.3$$

On appelle parfois $dl_{inter}$ le degré de liberté du numérateur et $dl_{intra}$, le degré de liberté du dénominateur vu leurs positions dans l'équation de $F$. De plus, le terme $CM_{intra}$ est souvent appelé le terme d'erreur. Ceci vient du fait que le dénominateur est toujours un estimé de l'erreur expérimentale uniquement. On utilise souvent l'abréviation $CM_e$ pour représenter le terme d'erreur.

# 5. À quoi peut-on s'attendre d'un ratio F ?

Le ratio *F* étant un ratio entre deux variances (donc entre deux nombres positifs), il est forcément plus grand ou égal à zéro.

- Dans le cas où les deux points de vue (inter et intra) reflètent le même phénomène (l'erreur expérimentale), le ratio devrait être proche de 1. Dans ce cas, les moyennes sont comparables.

- Si le ratio est inférieur à 1, cela signifie que les moyennes varient moins que les individus, renforçant encore plus l'idée que les moyennes sont comparables. À l'extrême, si toutes les moyennes sont scrupuleusement égales, la variance intergroupe est zéro (pas de variabilité entre les moyennes) et le ratio vaut zéro aussi.

- Si les moyennes diffèrent grandement, la variance intergroupe sera très grande, et le ratio sera notablement supérieur à 1. En conséquence, une seule valeur critique à droite est nécessaire et tout le risque d'erreur est mis du même côté (on ne divise pas $\alpha$ par 2). La valeur critique est forcément plus grande que 1, mais sa valeur exacte dépend du nombre de groupes et du nombre de mesures (pour être précis, elle dépend des degrés de liberté intergroupe et intragroupe). Le test d'ANOVA est donc toujours unicaudal (à droite).

# 6. Un autre exemple

Un phytothérapeute veut savoir si une tisane de marjolaine permet de réduire les maux de tête chez ceux qui en souffrent de façon chronique. Il recrute des participants grâce à une annonce dans un journal. À la fin de l'expérience d'une durée de 1 mois, ils remplissent un questionnaire permettant de mesurer la sévérité des céphalées sur 10 (0: aucune douleur; 10: douleur très handicapante). Ces participants sont répartis aléatoirement parmi 4 groupes, un groupe avec dosage élevé qui reçoit des sachets de marjolaine à prendre 5 fois par jour, un groupe avec dosage moyen qui doit prendre la tisane deux fois par jour, un groupe contrôle qui reçoit directement le questionnaire, et finalement un groupe placébo qui reçoit des sachets de sauge à prendre 2 fois par jour. Il y a donc un facteur (le traitement reçu) ayant 4 niveaux (dosage élevé, dosage moyen, contrôle et placébo).

Les données du Tableau 11.2 proviennent de 24 participants qui ont complété l'expérience.

Tableau 11.2

**Mesure de la force des céphalées selon le traitement suivi.**

|  | Traitement | | | |
|---|---|---|---|---|
|  | Élevé | Moyen | Placébo | Contrôle |
|  | 4 | 6 | 8 | 9 |
|  | 5 | 5 | 10 | 6 |
|  | 4 | 3 | 7 | 8 |
|  | 3 | 2 | 6 | 6 |
|  | 2 | 3 | 7 | 7 |
|  | 1 | 7 | 9 | 5 |
|  | 2 | 4 | 4 | 8 |
|  | 3 | 2 | 5 | 7 |
| Moyenne | 3 | 4 | 7 | 7 |
| Variance | 1.7 | 3.4 | 4.0 | 1.7 |

La Figure 11.4 illustre les résultats moyens :

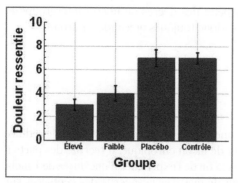

Figure 11.4

**Douleur moyenne ressentie dans les quatre groupes traités pour les céphalées.**

Dans cet exemple, les groupes sont égaux ($n_1 = n_2 = n_3 = n_4 = 8$). La moyenne globale est $\overline{\overline{X}} = 5.25$. Toutes les moyennes et toutes les variances s'obtiennent avec une calculatrice ayant des fonctions statistiques. Pouvez-vous les retrouver ? C'est tout ce dont nous avons besoin.

Les degrés de liberté sont : (total) tous les sujets moins 1, soit 31 ; (intra) tous les sujets moins 1 par groupe, soit $32 - 4 = 28$ ; (inter) le nombre de groupes moins un, soit 3.

Pour calculer la variance intragroupe, on regroupe les variances dans chaque groupe avec la formule de la variance regroupée : (1) les sommes des carrés dans chaque groupe sont $SC_{Élevé} = (8 - 1) \times 1.70 = 12$ ; $SC_{Moyen} = (8 - 1) \times 3.4 = 24$; $SC_{Placébo} = (8 - 1) \times 4.0 = 28$ et $SC_{Contrôle} = (8 - 1) \times 1.7 = 12$; (2) les degrés de liberté dans chaque groupe valent 7 ; (3) la variance intragroupe devient :

$$s^2_{intra} = \frac{12 + 24 + 28 + 12}{7 + 7 + 7 + 7} = \frac{76}{28} = 2.7 \, .$$

Quant à la variance intergroupe, on applique la formule de la variance pondérée par le nombre de participants par groupe, soit :

$$s^2_{inter} = \frac{8 \times (3.0 - 5.25)^2 + 8 \times (4.0 - 5.25)^2 + 8 \times (7.0 - 5.25)^2 + 8 \times (7.0 - 5.25)^2}{4 - 1}$$

$$= \frac{40.5 + 12.5 + 24.5 + 24.5}{3} = \frac{102}{3} = 34.0 \, .$$

À ce point-ci, il est important de ne pas perdre de vue notre objectif : nous avons maintenant deux mesures de l'erreur expérimentale. Une première est donnée par la variance intragroupe. Cet estimé, aussi appelé le $CM_{intra}$, donne dans l'exemple la valeur 2.7. Le second estimé de l'erreur expérimentale est donné par un estimé de la variance intergroupe, aussi appelé $CM_{inter}$, qui a la valeur 34.0. Lequel est le terme d'erreur ?

Comme on le voit, les deux valeurs semblent très dissemblables. En effet, la variance intergroupe est près de 12 fois supérieure à la variance intragroupe. Nous sommes loin d'obtenir un ratio proche de 1. Il est donc fort probable que cette divergence est significative. Il reste à voir comment rendre cette décision de façon formelle.

Les résultats de ces calculs sont souvent présentés dans un tableau d'ANOVA qui a la forme du Tableau 11.3.

## Tableau 11.3

**Analyse de variance.**

| Source de variation | Somme des carrés SC | Degrés de liberté dl | Carré moyen CM | Ratio F |
|---|---|---|---|---|
| Intergroupe | $SC_{inter}$ | $dl_{inter}$ | $CM_{inter} = \dfrac{SC_{inter}}{dl_{inter}}$ | $F = \dfrac{CM_{inter}}{CM_{intra}}$ |
| Intragroupe (erreur) | $SC_{intra}$ | $dl_{intra}$ | $CM_{intra} = \dfrac{SC_{intra}}{dl_{intra}}$ | |
| Total | $SC_{Total}$ | $dl_{Total}$ | | |

Dans l'exemple précédent, on a les résultats indiqués dans le Tableau 11.4.

## Tableau 11.4

**Analyse de variance du traitement de la céphalée.**

| Source de variation | Somme des carrés SC | Degrés de liberté dl | Carré moyen CM | Ratio F |
|---|---|---|---|---|
| Traitement | 102 | 3 | 34.0 | 12.6 |
| Intragroupe (erreur) | 76 | 28 | 2.7 | |
| Total | 178 | 31 | | |

La ligne « Total » est optionnelle dans un tableau d'ANOVA. On ajoute fréquemment un astérisque si l'effet est significatif.

## 7. Le test F

La valeur testée par l'hypothèse est le ratio entre deux sommes de carrés pondérés par leurs degrés de liberté respectifs. Comme nous l'avons vu au chapitre 5, si les données individuelles suivent une distribution normale, un tel ratio est distribué suivant la loi de distribution $\mathcal{F}$. On peut donc évaluer la probabilité d'obtenir un ratio quelconque (tel 12.6 de l'exemple précédent).

L'hypothèse nulle prédit que le facteur n'a aucun effet sur les moyennes. Donc, les différents groupes ont un résultat identique, nonobstant l'erreur expérimentale. Nous pouvons alors écrire :

$$H_0 : \mu_1 = \mu_2 = ... = \mu_p.$$

Autrement dit, l'hypothèse nulle ne prédit aucune différence entre les moyennes. Si l'hypothèse est rejetée, cela signifie qu'au moins un groupe diffère d'au moins un autre groupe. Dans ce cas, les deux groupes qui ont les moyennes les plus opposées diffèrent, mais il y a peut-être d'autres paires de groupes qui diffèrent aussi.

Nous adoptons un seuil de décision de 5 % s'il n'y a pas de raison particulière d'adopter un autre seuil.

Le test $F$ est de la forme :

$$\text{Rejet de } H_0 \text{ si } F = \frac{CM_{inter}}{CM_{intra}} > F_\alpha(dl_{inter}, dl_{intra}) \qquad 11.4$$

où $F_\alpha(dl_{inter}, dl_{intra})$ est une valeur critique qui dépend du seuil de décision $\alpha$ et des degrés de liberté. On a dans l'exemple ci-dessus les degrés de liberté 3 et 28 pour rechercher la valeur critique. Elle est, après inspection dans la table, de 2.947.

Nous avons trouvé que $F = \frac{CM_{inter}}{CM_{intra}}$ vaut 12.6, ce qui est supérieur à la valeur critique 2.947. On rejette donc l'hypothèse nulle. On conclut qu'il existe au moins deux groupes qui diffèrent significativement et que le traitement a affecté les céphalées. Comme les deux groupes les plus différents sont la condition Élevé (qui a la moyenne la plus basse) et en ex aequo les conditions Placébo et Contrôle (qui ont la moyenne la plus haute), on conclut que ces groupes diffèrent significativement.

## 8. À quoi s'attendre lors d'une ANOVA ?

L'ANOVA vérifie que les moyennes ne sont pas égales en regardant si les variances intergroupe et intragroupe sont comparables. L'hypothèse nulle

$$H_0 : \mu_1 = \mu_2 = ... = \mu_p$$

peut alors être récrite comme

$$H_0 : \frac{\sigma^2_{inter}}{\sigma^2_{intra}} = 1 - \text{ou de façon équivalente} - H_0 : \frac{CM_{inter}}{CM_{intra}} = 1.$$

Le test est alors de la forme :

$$\text{Rejet de } H_0 \text{ si } \frac{\sigma^2_{inter}}{\sigma^2_{intra}} > {}^* 1.$$

Pour faire plus court, on appelle F le ratio $\frac{\sigma^2_{inter}}{\sigma^2_{intra}}$ ($\frac{CM_{inter}}{CM_{intra}}$). Si l'ANOVA trouve un F inférieur à 1, il est inutile de vérifier dans une table de valeurs critiques car toutes les valeurs critiques à droite sont au-delà de 1.

# 9.▬ Comparaison de moyennes

Lorsqu'une ANOVA est significative, cela signifie qu'il existe au moins une différence significative. Pour savoir quels sont les deux groupes qui diffèrent, il faut localiser les deux groupes les plus opposés (par exemple, avec un graphique des moyennes). Dans le premier exemple, les Mohawks et les Montagnais ont les moyennes les plus différentes ($\bar{X}_{Mohawks} = 4$ et $\bar{X}_{Montagnais} = 15$). Le résultat de l'ANOVA nous apprend donc que ces deux groupes diffèrent significativement. Dans certains cas, c'est suffisant. On apprend dans le second exemple que 5 infusions de marjolaine par jour réduisent significativement la douleur des maux de tête comparativement aux groupes contrôle et placébo (ces deux derniers sont égaux). Le phytothérapeute est satisfait et peut en toute honnêteté vanter les mérites de la marjolaine. Par contre, la linguiste est insatisfaite : elle prédit une progression dans la maîtrise du français. Elle doit donc vérifier que les Abénakis ont une maîtrise du français significativement supérieure aux Mohawks mais significativement moindre que celle des Montagnais. L'ANOVA est incapable d'aller jusqu'à ce niveau de détail. Si on veut en savoir plus sur les résultats intermédiaires, il faut procéder à une analyse de **comparaison de moyennes**.

Comme on l'a vu au début, on ne peut pas juste faire des tests *t* multiples car le risque d'une erreur de type I devient trop grand. Pour éviter ce problème, il faut utiliser un test subalterne à l'ANOVA qui va corriger pour le risque accru d'erreur de type I.

Le test de comparaison de moyennes que nous allons voir s'appelle le **test de la diffé-rence honnêtement significative** de Tukey (ou plus court, le **test de Tukey**). Il s'agit d'un **test *a posteriori*** car il *doit* suivre une ANOVA significative. En effet, si les moyennes extrêmes ne diffèrent pas, il n'est pas utile de regarder les moyennes inter-médiaires. Il existe d'autres tests *a posteriori* (le Schéffé, non recommandé, ou le Dunett, s'il y a un groupe auquel on veut comparer tous les autres), mais nous ne les verrons pas.

## 9.1 Le test de Tukey

Le test de Tukey permet de comparer toutes les paires de moyennes. Pour une paire donnée, disons la $r^{\text{ième}}$ condition et la $s^{\text{ième}}$ condition, l'hypothèse nulle propose que ces deux groupes sont égaux :

$$H_0 : \mu_r = \mu_s.$$

Le test est de la forme

$$\text{Rejet de } H_0 \text{ si } \frac{|\overline{X}_r - \overline{X}_s|}{\sqrt{\frac{CM_e}{n}}} > q_\alpha \ (p, dl_e)$$

dans lequel $\overline{X}_r$ est la moyenne du $r^{\text{ième}}$ groupe, $\overline{X}_s$ est la moyenne du $s^{\text{ième}}$ groupe, et $|\overline{X}_r - \overline{X}_s|$ est l'écart entre ces deux moyennes. $CM_e$ est la variance intragroupe (le terme d'erreur) et $n$ est le nombre de participants par groupe.

Pour trouver la valeur critique $q_\alpha(p, dl_e)$, il faut utiliser une nouvelle distribution théorique, la **distribution des écarts studentisés**. Sans entrer dans les détails, cette distribution permet de prédire les écarts possibles entre deux moyennes si ces deux moyennes proviennent de la même population. Cette distribution tient compte aussi du fait qu'il y a $p$ groupes qui seront comparés deux à deux pour éviter l'accroissement de la probabilité d'une erreur de type I. Les paramètres de cette distribution sont le nombre de groupes comparés $p$ et le degré de liberté intragroupe.

Le test de Tukey prend pour acquis que les tailles des groupes sont égales, ce qui n'est pas toujours le cas. Lorsqu'elles ne sont pas égales, il est néanmoins possible d'utiliser le test de Tukey si :

a) le plus petit groupe contient plus de 10 mesures et

b) le déséquilibre entre les tailles des groupes n'est pas extrême. Si on prend le ratio entre le nombre de participants dans le groupe le plus nombreux et le groupe le moins nombreux, ce ratio ne doit pas excéder 1.25.

Si ces deux conditions sont remplies, on remplace $n$ par $\tilde{n}$.

Reprenons l'exemple de la maîtrise du français chez les Amérindiens. Nous avions obtenu une ANOVA significative, comme le récapitule le Tableau 11.5.

### Tableau 11.5

**Analyse de variance pour la maîtrise du français.**

| Source de variation | SC | dl | CM | F |
|---|---|---|---|---|
| Intergroupe | 310.0 | 2 | 155.0 | 46.5[*] |
| Intragroupe (erreur) | 40.0 | 12 | 3.33 | |
| Total | 350.0 | 14 | | |

[*] : $p < .05$

Les groupes avec les moyennes les plus extrêmes diffèrent donc (les Mohawks et les Montagnais). Les moyennes sont :

$$\overline{X}_{Mohawks} = 4, \overline{X}_{Ab\acute{e}nakis} = 11, \overline{X}_{Montagnais} = 15.$$

On peut présenter les écarts entre deux groupes dans un tableau semblable au Tableau 11.6, où l'on voit l'écart entre deux moyennes pour toutes les paires possibles.

## Tableau 11.6

**Différences de moyennes entre les groupes.**

| Écarts | $\overline{X}_{Ab\acute{e}nakis}$ | $\overline{X}_{Montagnais}$ |
|---|---|---|
| $\overline{X}_{Mohawks}$ | 7 | 11 |
| $\overline{X}_{Ab\acute{e}nakis}$ | | 4 |

On voit par exemple que l'écart entre la moyenne des Mohawks et la moyenne des Montagnais est de 11 points.

Si on manipule l'équation du test de Tukey, on obtient :

$$\text{Rejet de } H_0 \text{ si } \left| \overline{X_r} - \overline{X_s} \right| > q_{\alpha}(p, dl_e) \times \sqrt{\frac{CM_e}{n}} \qquad 11.5$$

qui se lit :

$$\text{Rejet de } H_0 \text{ si l'écart entre les deux moyennes excède } q_{\alpha}(p, dl_e) \times \sqrt{\frac{CM_e}{n}}.$$

Pour appliquer ce test, il faut connaître le nombre de groupes ($p = 3$) et les degrés de liberté intragroupe ($dl_e = 12$). Le terme $\sqrt{\frac{CM_e}{n}}$ vaut $\sqrt{\frac{3.33}{5}} = 0.82$.. Finalement, en utilisant la table de la distribution des écarts studentisés (voir appendice), on trouve la valeur critique au seuil de 5 %, soit 3.77.

Le test de Tukey devient :

$$\text{Rejet de } H_0 \text{ si } \left| \overline{X_r} - \overline{X_s} \right| > 3.77 \times 0.82$$
$$> 3.09.$$

Autrement dit, si l'écart entre deux moyennes excède 3.09, elle sera significative au seuil de 5 %.

C'est le cas pour toutes les paires de moyennes puisque les écarts sont de 4, 7 et 11. On peut dans le tableau précédent le souligner avec des astérisques, ce qui donne le Tableau 11.7.

## Tableau 11.7

**Différences de moyennes entre les groupes.**

| Écarts | $\bar{X}_{Abénakis}$ | $\bar{X}_{Montagnais}$ |
|---|---|---|
| $\bar{X}_{Mohawks}$ | 7* | 11* |
| $\bar{X}_{Abénakis}$ | | 4* |

\* : p < .05

Ce tableau indique que tous les groupes diffèrent significativement les uns des autres. Nous savions déjà que l'écart entre le groupe des Mohawks et le groupe des Montagnais était significatif puisque l'ANOVA était significative, mais nous ne le savions pas pour les autres paires. Maintenant, la linguiste est satisfaite.

Concernant les céphalées chroniques, les moyennes sont 3, 4, 7 et 7 pour les groupes avec dosage élevé, dosage faible, placébo et contrôle respectivement. Il y a quatre groupes ($p$) et $dl_e$ vaut 28. En consultant la table des écarts studentisés, on trouve la valeur critique $q_{.05}(4,28) = 3.90$. Le test est donc :

$$\left| \overline{X}_r - \overline{X}_s \right| > q_\alpha(p, \, dl_e) \times \sqrt{\frac{CM_e}{n}}$$
$$> 3.90 \times \sqrt{\frac{2.7}{8}} = \qquad .$$
$$> 3.90 \times 0.58$$
$$> 2.26.$$

Tout écart supérieur à 2.26 est significatif.

Le Tableau 11.8 montre l'écart entre toutes les paires de groupes.

## Tableau 11.8

**Différences de moyennes entre les groupes.**

| Écarts | $\bar{X}_{Faible}$ | $\bar{X}_{Placébo}$ | $\bar{X}_{Contrôle}$ |
|---|---|---|---|
| $\bar{X}_{Élevé}$ | 1.0 | 4.0* | 4.0* |
| $\bar{X}_{Faible}$ | | 3.0* | 3.0* |
| $\bar{X}_{Placébo}$ | | | 0.0 |

\* : p < .05

On voit que les groupes Dosage élevé et Dosage faible diffèrent des groupes Placébo et Contrôle. Cependant, l'effet du dosage élevé est comparable à l'effet du dosage faible (la différence n'est pas significative). Dans ce cas, la petite différence peut être causée par de l'erreur expérimentale. Finalement, l'effet du placébo est identique à l'absence de traitement (contrôle) et la différence n'est donc pas significative. La recommandation qui sort de cette étude (fictive) est que deux tisanes de marjolaine ou plus par jour sont de bons moyens pour réduire la douleur liée aux maux de tête chroniques, mais il ne sert à rien d'en prendre plus que deux.

# 10. Comment rapporter une ANOVA et des comparaisons de moyennes ?

Lorsque vient le temps de mettre par écrit ses résultats, il faut éviter de surcharger le texte. Donc, comme toujours, pas de jargon inutile et, si possible, éviter les tableaux d'ANOVA et les tableaux de différences. Ces derniers seront présentés seulement s'il y a tellement de groupes qu'il devient ardu de rédiger les résultats. Il faut rapporter l'ANOVA avant le test de Tukey si vous avez choisi de le faire.

Dans le cas des céphalées, le phytothérapeute pourrait écrire :

*Les résultats moyens dans chacune des conditions sont illustrés à la Figure 11.1. On voit que les participants dans les conditions avec dosages élevé et moyen semblent moins souffrir que dans les conditions placébo et contrôle.*

*Une analyse de variance confirme que les participants ayant consommé 5 tisanes de marjolaine par jour souffrent significativement moins que les participants du groupe contrôle et placébo ($F(3, 28) = 12.6, p < .05$).*

*Une analyse a posteriori montre que la prise de deux tisanes seulement par jour au lieu de 5 ne réduit pas significativement l'efficacité du traitement ($q(4, 28) = 1.0, p > .05$) et est significativement préférable à ne rien prendre ($q(4, 28) = 3.0, p < .05$) ou à prendre un placébo ($q(4,28) = 3.0, p < .05$).*

*Consommer plus de deux tisanes par jour n'est donc pas utile pour bénéficier de l'effet thérapeutique de la marjolaine.*

Ici, le phytothérapeute a choisi de ne pas rapporter la différence entre le groupe contrôle et le groupe placébo car il a jugé que ce n'était pas pertinent.

# 11. Compléments mathématiques

## 11.1 Accroissement du nombre d'erreurs de type I avec le nombre de comparaison

Le nombre de tests à réaliser lorsqu'il y a $p$ groupes et que l'on veut comparer toutes les paires possibles est donné par le nombre de combinaisons de 2 parmi $p$, noté $\binom{p}{2}$. Appelons ce nombre C. Il se calcule avec

$$C = \binom{p}{2} = \frac{p!}{2\,(p-2)!} = \frac{p \times (p-1)}{2}.$$

Par exemple, avec 5 groupes, il y a $5 \times (5-1)/2$, soit 10 paires à comparer.

Pour connaître la probabilité de faire au moins une erreur de type I parmi n'importe laquelle des C comparaisons, il faut résoudre :

$$Pr(\text{Au moins une erreur parmi } C \text{ tests}).$$

Répondre à une question de probabilité ayant la structure « Au moins une » n'est pas facile. Or une façon d'approcher la question est d'examiner la question inverse :

$$Pr(\text{Aucune erreur parmi } C \text{ tests}).$$

Il n'y aura aucune erreur de type I si chaque test individuel est sans erreur, c'est-à-dire si chaque test individuel n'est pas une erreur de type I. Puisque la probabilité d'une erreur de type I est choisie par le chercheur (généralement 5 %), on peut regarder la probabilité que C tests soient sans erreur sachant que la probabilité d'une erreur sur un test est de $1 - \alpha$ (généralement 95 % si le seuil usuel de 5 % est choisi). Il s'agit du même problème qu'avec des dés : quelle est la probabilité d'obtenir $n$ ⊡ si la probabilité d'en obtenir un sur un seul lancer est de $1/6$ : il faut multiplier les probabilités autant de fois qu'il y a de dés. Aussi :

$$Pr(\text{Aucune erreur parmi } C \text{ tests}) = \underbrace{(1-\alpha) \times (1-\alpha) \times \cdots \times (1-\alpha)}_{C \text{ fois}}$$
$$= (1-\alpha)^C,$$

ce qui permet de revenir à la question originale qui est la probabilité inverse, soit

$$Pr(\text{Au moins une erreur parmi } C \text{ tests}) = 1 - (1-\alpha)^C.$$

À titre d'illustration, si une recherche compare 5 groupes, il y a $\binom{5}{2} = 10$ paires de groupes à comparer, et la probabilité d'une erreur de type I si aucun des groupes ne diffère réellement est de $1 - (1 - 5\,\%)^{10} = 1 - 0.95^{10} = 1 - 0.60 = 0.40 = 40\,\%$. Autrement dit, il y a presque une chance sur deux que la recherche indique qu'au moins une paire de groupes diffère sans que ce soit le cas dans la population.

## 11.2 Répartition de la somme des carrés

Le point de départ consiste à subdiviser l'écart de n'importe quelle donnée $\mathbf{X}_{ik}$ à la moyenne globale $\overline{\overline{X}}$ en deux parties :

$$(\mathbf{X}_{ik} - \overline{\overline{X}}) = (\mathbf{X}_{ik} - \overline{X}_i) + (\overline{X}_i - \overline{\overline{X}})$$

où $\mathbf{X}_{ik}$ dénote la donnée du sujet $k$ dans la condition $i$, $\overline{X}_i$ dénote la moyenne du $i^{\text{ième}}$ groupe, et $\overline{\overline{X}}$ la moyenne globale.

La première partie $(\mathbf{X}_{ik} - \overline{X}_i)$ est l'écart entre une donnée et la moyenne de son groupe. La seconde partie $(\overline{X}_i - \overline{\overline{X}})$ est l'écart entre une moyenne et la moyenne des moyennes. Autrement dit, nous avons retranché $\overline{X}_i$ et nous l'avons rajouté.

Si on élève au carré le terme $(\mathbf{X}_{ik} - \overline{\overline{X}})$ et qu'on additionne cette quantité pour tous les sujets $k$ de chaque groupe $i$, on obtient la somme des carrés totale $SC_T$. Examinons ce qui se produit lorsqu'on élève au carré la partie de droite de l'équation.

$$(\mathbf{X}_{ik} - \overline{\overline{X}})^2 = [(\mathbf{X}_{ik} - \overline{X}_i) + (\overline{X}_i - \overline{\overline{X}})]^2$$
$$= (\mathbf{X}_{ik} - \overline{X}_i)^2 + 2(\mathbf{X}_{ki} - \overline{X}_i)(\overline{X}_j - \overline{\overline{X}}) + (\overline{X}_i - \overline{\overline{X}})^2$$

L'étape suivante consiste à faire la somme pour chaque sujet appartenant au groupe $i$:

$$\sum_{k=1}^{n_i}(\mathbf{X}_{ik} - \overline{\overline{X}})^2 = \sum_{k=1}^{n_i}[(\mathbf{X}_{ik} - \overline{X}_i)^2 + 2(\mathbf{X}_{ik} - \overline{X}_i)(\overline{X}_i - \overline{\overline{X}}) + (\overline{X}_i - \overline{\overline{X}})^2]$$
$$= \sum_{k=1}^{n_i}(\mathbf{X}_{ik} - \overline{X}_i)^2 + \sum_{k=1}^{n_i}2(\mathbf{X}_{ik} - \overline{X}_i)(\overline{X}_i - \overline{\overline{X}}) + \sum_{k=1}^{n_i}(\overline{X}_i - \overline{\overline{X}})^2$$
$$= \sum_{k=1}^{n_i}(\mathbf{X}_{ik} - \overline{X}_i)^2 + 2(\overline{X}_i - \overline{\overline{X}})\sum_{k=1}^{n_i}(\mathbf{X}_{ik} - \overline{X}_i) + \sum_{k=1}^{n_i}(\overline{X}_i - \overline{\overline{X}})^2$$
$$= \sum_{k=1}^{n_i}(\mathbf{X}_{ik} - \overline{X}_i)^2 + 0 + \sum_{k=1}^{n_i}(\overline{X}_i - \overline{\overline{X}})^2$$
$$= \sum_{k=1}^{n_i}(\mathbf{X}_{ik} - \overline{X}_i)^2 + n_i(\overline{X}_i - \overline{\overline{X}})^2.$$

À la ligne 4 ci-dessus, on se rappelle que la somme des écarts à la moyenne donne toujours zéro. En faisant la somme pour les $p$ groupes, on obtient :

$$\sum_{i=1}^{p}\sum_{k=1}^{n_i}(\mathbf{X}_{ik} - \overline{\overline{X}})^2 = \sum_{i=1}^{p}\left[\sum_{k=1}^{n_i}(\mathbf{X}_{ik} - \overline{X}_i)^2 + n_i(\overline{X}_i - \overline{\overline{X}})^2\right]$$
$$= \sum_{i=1}^{p}\sum_{k=1}^{n_i}(\mathbf{X}_{ik} - \overline{X}_i)^2 + \sum_{i=1}^{p}n_i(\overline{X}_i - \overline{\overline{X}})^2,$$

soit trois sommes de carrés.

Comme on le voit dans l'équation, la somme des écarts au carré est additive quand on regarde la $SC$ totale (partie de gauche) et la $SC$ intragroupe et intergroupe. On note généralement en abrégé :

$$SC_{total} = SC_{intra} + SC_{inter}.$$

Suivant cette relation, si la $SC$ totale et la $SC$ intragroupe sont connues, vous pouvez trouver la somme des carrés intergroupe.

## 11.3 Un test F sur deux groupes est identique à un test t élevé au carré

Lorsqu'il y a deux groupes, deux tests sont possibles : le test $t$ ou le test $F$. Lequel est préférable ? En fait, ils sont, dans ce cas particulier, un seul et même test.

Pour le voir, il faut examiner les deux règles de décisions :

$$\text{Rejet de } H_0 \text{ si } \frac{|\overline{X}_1 - \overline{X}_2|}{\sqrt{2s_g/\sqrt{n}}} > t_{critique}$$

$$\text{Rejet de } H_0 \text{ si } \frac{SC_{inter} \,/\, (p-1)}{SC_{intra} \,/\, (p(n-1))} > F_{critique}$$

où $p$ est le nombre de groupe, soit 2 dans le cas présent.

Mettre les éléments de la première règle de décision au carré ne change rien :

$$\text{Rejet de } H_0 \text{ si } \frac{(\overline{X}_1 - \overline{X}_2)^2}{2s_g^2 / n} > t_{critique}^2 \,,$$

règle qui peut être réorganisée comme suit :

$$\text{Rejet de } H_0 \text{ si } \frac{(n/2)\,(\overline{X}_1 - \overline{X}_2)^2}{s_g^2} > t_{critique}^2 \,.$$

Pour conclure la démonstration, il suffit de démontrer que les numérateurs dans les deux règles sont égaux, que les dénominateurs sont égaux et que les valeurs critiques sont égales.

La variance regroupée $s_g^2$ est, comme on l'a vue dans ce chapitre, la même chose que la variance intragroupe, soit $SC_{intra}/dl_{intra}$. Quant à la quantité $(n/2)\,(\overline{X}_1 - \overline{X}_2)^2$, uniquement lorsqu'il y a deux groupes, elle est égale à la variance entre les deux moyennes, ce qui donne bien $SC_{inter}$. Finalement, si vous examinez quelques valeurs critiques pour un test $t$ et pour un test $F$ avec 2 groupes, vous verrez que les premières au carré sont toujours égales aux secondes. Par exemple, pour 5 observations par groupe dans deux groupes, la valeur critique à un seuil de 5 % est de $t_{critique}(8) = 2.306$ pour le test $t$, alors que la valeur critique est $F_{critique}(1,8) = 5.318$ pour le test d'ANOVA. On vérifie que $2.306^2 = 5.318$.

On peut faire la preuve plus formellement. Elle tient même si les groupes sont de tailles inégales et elle est valable aussi s'il s'agit de mesures répétées (nous verrons l'ANOVA sur les mesures répétées au Chapitre 13).

## 11.4 La distribution théorique des écarts studentisés

Soit $p$ groupes ayant $\nu$ degrés de liberté chacun. S'ils sont tous tirés d'une même population (i.e. $\mu_1 = \mu_2 = \dots = \mu_p$), les moyennes de ces groupes différeront légèrement à cause d'erreurs expérimentales. L'un de ces groupes aura la plus faible moyenne (disons $\overline{X}_{(1)}$) et un autre aura la moyenne la plus élevé (disons $\overline{X}_{(p)}$). Par exemple, si les scores sont des QI avec une moyenne de 100, le groupe le plus faible pourrait avoir 98 et le groupe le plus élevé 103 à cause d'erreur échantillonnale). L'écart entre ces deux moyennes (qui aurait dû être de zéro s'il n'y avait pas d'erreur expérimentale) sera un nombre positif (e. g. 5 dans l'exemple ci-dessus). Si on divise cet écart par l'erreur type de la moyenne $s_{\overline{X}}$, on se trouve à studentiser l'écart observé. Appelons $q$ cette quantité :

$$q = \frac{\overline{X}_{(p)} - \overline{X}_{(1)}}{s_{\overline{X}}}.$$

S'il n'y a que deux groupes, $q$ a toutes les chances de valoir 2 (car la moyenne la plus faible sera le plus probablement à une erreur type sous la moyenne et la plus élevée, à une erreur type au-dessus de la moyenne). Si le nombre de groupes est supérieur à 2, les moyennes extrêmes peuvent être plus extrêmes, et $q$ peut valoir plus que 2. La probabilité d'un certain $q$ dépend donc du nombre de groupes considérés et dans chaque groupe, du degré de liberté (comme pour la distribution $t$ de Student).

Si la population suit une distribution normale, il est possible de calculer la probabilité d'obtenir un $q$ valant, disons 2, d'avoir un q de 4 ou plus, quel écart studentisé est tel que 95 % des $q$ observés soient inférieurs, etc. La formule suivante permet de calculer la probabilité d'un certain $q$:

$$Pr(q \mid p, \nu) = C \int_0^\infty x^{\nu-1} e^{-\nu x^2/2} \left( p \int_{-\infty}^\infty \phi(y) \left[ \Phi(y) - \Phi(y - qx) \right]^{p-1} dy \right) dx$$

où $C = \frac{\nu^{\nu/2}}{\Gamma(\nu/2)2^{\nu/2-1}}$, $\phi(y)$ donne la probabilité d'un score $y$ si $y$ est tiré d'une population normale standardisé (i.e. où $\mu = 0$ et $\sigma = 1$; chapitre 5) et $\Phi(y) = \int_{-\infty}^y \phi(z)dz$, et où les paramètres sont $\nu$, les degrés de liberté, et $p$, le nombre de groupe.

L'écart attendu et la variabilité dans les écarts ne sont pas disponibles en formes étanches (sans intégrale). L'asymétrie dans les écarts vaut zéro. Comme cette formule n'est pas simplifiable, les probabilités et les quantiles théoriques sont estimés à l'aide de techniques d'intégration numérique.

---

Encadré 9
## Sir Ronald Aylmer Fisher

Fisher (Angleterre, 1890 – Australie, 1962) a développé les concepts de base de la théorie moderne de l'estimation de paramètre (la notion de maximum de vraisemblance et la matrice d'information). Il a aussi corrigé une erreur concernant les degrés de liberté dans le test de $\chi^2$ publié par Pearson. Depuis, les deux hommes n'ont cessé de se disputer. Il a inventé le premier test non paramétrique, le test de randomisation. Finalement, le test le plus important et innovateur, le test d'analyse de variance, est aussi une création de Fisher.

---

# 12. Utilisation de SPSS

## 12.1 *Organisation d'une banque de données pour une ANOVA*

Les données comme celles de la Figure 11.5 (provenant du Tableau 11.1) doivent être organisées suivant la règle d'or: un sujet, une ligne. Dans le cas d'une ANOVA, il faut au moins deux colonnes: l'une identifie à quel groupe le participant appartient et l'autre contient la performance de ce participant (la variable dépendante). L'ordre des colonnes est arbitraire; la Figure 11.5 montre le groupe dans la première colonne et le score dans la seconde.

**Figure 11.5**

Les données du Tableau 11.1 prêtes pour être analysées par une ANOVA.

## 12.2 *Effectuer une ANOVA avec p groupes indépendants avec GLM*

L'ANOVA permet de tester l'hypothèse que tous les groupes ont la même moyenne:

$$H_0: \mu_1 = \mu_2 = \mu_3 \ldots$$

Il existe plusieurs commandes dans SPSS pour faire une ANOVA avec $p$ groupes indépendants (ONEWAY, ANOVA, MANOVA). La commande que nous allons utiliser est GLM, car elle sera aussi utile dans les chapitres suivants.

> GLM **colvd** BY **colcondition**.

où **colvd** est le nom de la colonne contenant la variable dépendante et **colcondition** contient le numéro du groupe auquel appartient ce sujet.

Par exemple, supposons que la variable qui indique le groupe d'appartenance se nomme **tribu** (1 = Mohawks, 2 = Abenakis, et 3 = Montagnais) et que la variable dépendante se nomme **MaitriseFrancais**; l'ANOVA serait déclenchée par la commande suivante:

> GLM **MaitriseFrancais** BY **tribu**.

Avec les données de la Figure 11.5, le listing qui va être produit par cette commande est illustré à la Figure 11.6:

**Tests des effets inter-sujets**

Variable dépendante:MaitriseFrancais

| Source | Somme des carrés de type III | ddl | Moyenne des carrés | F | Signification |
|---|---|---|---|---|---|
| Modèle corrigé | 310,000[a] | 2 | 155,000 | 46,500 | ,000 |
| Ordonnée à l'origine | 1500,000 | 1 | 1500,000 | 450,000 | ,000 |
| Tribu | 310,000 | 2 | 155,000 | 46,500 | ,000 |
| Erreur | 40,000 | 12 | 3,333 | | |
| Total | 1850,000 | 15 | | | |
| Total corrigé | 350,000 | 14 | | | |

a. R deux = .886 (R deux ajusté = .867)

## Figure 11.6

**Résultat d'une commande GLM sur les données de la Figure 11.5.**

Dans ce listing, deux lignes sont importantes. La ligne débutant par le nom du facteur manipulé (Tribu) et la ligne donnant les informations sur la variance intergroupe (Erreur). On vérifie que pour trois groupes, il y a bien deux degrés de liberté. La ligne Erreur donne des informations sur la variance intragroupe. La première colonne contient la somme des carrés SC (et donc, $SC_{intra}$ vaut 40.00 et $SC_{inter}$ vaut 310.00). En divisant les SC par les degrés de liberté (colonne ddl), on trouve en troisième colonne les carrés moyens (CM). Finalement, la colonne F contient le ratio de la variance inter par la variance intra (la division du premier carré moyen par le second). En consultant une table statistique, on trouve que la valeur critique avec 2 et 12 degrés de liberté est 3.89. Comme le F obtenu dépasse le F critique, on rejette l'hypothèse nulle. Alternativement, si on ne veut pas consulter une table statistique, on peut regarder la colonne « Signification ». Si ce dernier est plus petit que le seuil de décision $\alpha$, on rejette l'hypothèse. Ici, c'est le cas et donc les groupes ont des moyennes qui diffèrent significativement ($F(2,12) = 46.5$, $p < .05$).

Les lignes « Modèle corrigé », « Ordonnée à l'origine », et « Total » sont à ignorer. La ligne « Total corrigé » donne la somme des carrés et les degrés de liberté totaux.

## 12.3 *Effectuer une comparaison de moyennes*

Avec une extension de la commande GLM, il est possible d'effectuer le test de Tukey. La syntaxe est :

```
GLM colvd BY colcondition
     / POSTHOC = colcondition (TUKEY).
```

Le résultat de cette commande donne une comparaison entre toutes les paires possibles dans les deux ordres possibles (p. ex. groupe 1 *vs* groupe 2 et aussi groupe 2 *vs* groupe 1). En conséquence, chaque comparaison apparaît deux fois...

Dans l'exemple, la syntaxe pour exécuter le test de comparaison de moyenne est :

```
GLM MaitriseFrancais BY tribu
     /POSTHOC = tribu (TUKEY).
```

Le listing reprend le contenu de la Figure 11.6 mais rajoute une section pour la comparaison de moyennes, qui est illustrée à la Figure 11.7 :

**Comparaisons multiples**

MaitriseFrancais
Test de Tukey

| (I) Tribu | (J) Tribu | Différence des moyennes (I-J) | Erreur standard | Signification | Intervalle de confiance à 95% | |
|---|---|---|---|---|---|---|
| | | | | | Borne inférieure | Limite supérieure |
| 1 | 2 | -7,0000* | 1,15470 | ,000 | -10,0806 | -3,9194 |
| | 3 | -11,0000* | 1,15470 | ,000 | -14,0806 | -7,9194 |
| 2 | 1 | 7,0000* | 1,15470 | ,000 | 3,9194 | 10,0806 |
| | 3 | -4,0000* | 1,15470 | ,012 | -7,0806 | -,9194 |
| 3 | 1 | 11,0000* | 1,15470 | ,000 | 7,9194 | 14,0806 |
| | 2 | 4,0000* | 1,15470 | ,012 | ,9194 | 7,0806 |

En fonction des moyennes observées.
Le terme d'erreur est Carré moyen(Erreur) = 3.333.

*. La différence des moyennes est significative au niveau .050.

**Figure 11.7**

**Résultat d'un test de Tukey effectué avec la commande GLM.**

La première ligne montre la comparaison de la moyenne du groupe 1 avec celle du groupe 2. Cette différence est de $-7$ (le signe n'est pas important) et elle est significative selon le test de Tukey (colonne Signification inférieur au seuil de décision $\alpha$). La troisième ligne fait la comparaison inverse (le groupe 2 avec le groupe 1) et donne le même résultat.

## Résumé

Pour évaluer l'effet d'un traitement, on peut adopter un schème avec plusieurs groupes. Ces groupes peuvent être des groupes contrôles, placébo et traitement, des groupes où le traitement est donné à différents dosages, etc. L'ANOVA à un facteur permet de décider si tous ces groupes sont comparables. Si l'hypothèse est rejetée, alors au moins une paire de groupes diffère, ce que peut décider le test de comparaison a *posteriori* de Tukey.

## Questions pour mieux retenir

1. Trouvez la valeur critique pour un seuil de décision de 5 % si
   a) le schème expérimental a 4 groupes indépendants de 10 sujets ;
   b) le schème expérimental a 4 groupes indépendants de 5 sujets ;
   c) le schème expérimental a 8 groupes indépendants de 5 sujets.

2. Si une expérience avec 4 groupes contient des groupes de tailles inégales (4 sujets dans le premier groupe, 6 dans le second, 5 dans le troisième et 8 dans le dernier), quels sont (a) le degré de liberté intragroupe ? (b) le degré de liberté intergroupe ? (c) le degré de liberté total ? (d) Si l'ANOVA est significative, pourriez-vous faire une comparaison de moyenne avec le test de Tukey ?

3. Soit ces QI pour trois groupes de 5 personnes : groupe 1 = [97, 100, 101, 103, 106], groupe 2 = [96, 98, 99, 102, 108], groupe 3 = [99, 103, 105, 110, 111]. (a) Que vaut la variance regroupée (intragroupe) ? (b) Calculez les moyennes puis la variance intergroupe. (c) Les deux variances sont-elles comparables ? (d) Réalisez les 4 étapes d'un test d'ANOVA. (e) Quelle est votre conclusion ?

4. Soit ces données sur trois groupes de 4 personnes : groupe A = [8, 11, 12, 11], groupe B = [14, 12, 15, 9], groupe C = [13, 16, 14, 16].
   a) Faites l'ANOVA pour confirmer qu'il existe une différence entre le groupe A (le plus faible) et le groupe C (le plus élevé).
   b) Faites un test de Tukey pour voir si le groupe B diffère du groupe A, si le groupe B diffère du groupe C.
   c) La réponse dans les deux cas est non. Comment est-ce possible que A diffère de C mais qu'en même temps A ne diffère pas de B et B ne diffère pas de C ?

5. Soit ces données sur deux groupes : groupe 1 = [9, 10, 11, 12], groupe 2 = [12, 14, 15, 21]. Diffèrent-ils si vous faites un test $t$ ? Diffèrent-ils si vous faites une ANOVA ?

## Questions pour mieux réfléchir

6. Si on souhaite rejeter l'hypothèse nulle, qu'est-ce qui est préférable : (a) que les participants diffèrent beaucoup les uns des autres ou (b) l'inverse ? ou encore (a) que les moyennes diffèrent beaucoup entre elles ou (b) l'inverse ? Dans chaque cas, expliquez l'impact sur le ratio $F$.

7. Pourquoi le test d'ANOVA est-il unicaudal ? Est-ce un test directionnel ou non directionnel et pourquoi ?

## Questions pour s'entraîner

8. Les données du Tableau 11.9 présentent les informations concernant des gens ayant suivi un régime amaigrissant. Il y a cinq groupes de huit personnes ayant accepté de dévoiler le nombre de kilos perdus.

Tableau 11.9

**Perte de poids de 40 personnes réparties dans 5 groupes.**

| Groupe | | | | |
|---|---|---|---|---|
| 1 | 2 | 8 | 5 | 5 |
| 2 | 5 | 7 | 6 | 6 |
| 4 | 4 | 8 | 6 | 6 |
| 3 | 1 | 7 | 8 | 4 |
| 2 | 5 | 6 | 4 | 5 |
| 3 | 4 | 8 | 7 | 4 |
| 2 | 4 | 11 | 6 | 6 |
| 5 | 1 | 7 | 5 | 7 |
| 5 | 2 | 9 | 4 | 9 |

Les gens du groupe 1 suivent le régime depuis une semaine, ceux du groupe 2, depuis deux semaines, etc., jusqu'au groupe 5 qui a suivi le régime durant cinq semaines. Est-ce que ce régime fonctionne ?

a) Y a-t-il des données aberrantes ?

b) À quoi ressemblent les résultats moyens ? Faites un graphique des moyennes.

c) Quelle est votre hypothèse nulle ?

d) Quel est votre seuil de décision ?

e) Quel test allez-vous utiliser et pourquoi ? Quelles sont les valeurs critiques ?

f) Réalisez le test avec SPSS et concluez.

g) Si vous deviez absolument prescrire un nombre de semaines avec ce régime, combien de semaines prescririez-vous ? Si une personne a complété trois semaines, peut-elle s'arrêter et bénéficier du régime ?

# CHAPITRE 12

# L'analyse de variance avec deux facteurs

## Sommaire

## Dans ce chapitre, vous allez apprendre :

1 Comment réaliser une analyse de variance sur $p \times q$ groupes provenant d'une expérience factorielle où deux facteurs ont été manipulés.

2 Comment identifier si une interaction est présente, et si oui, analyser les effets simples, sinon, analyser les effets principaux.

3 Comment faire un test *a posteriori* de Tukey sur les moyennes intermédiaires quand le nombre de niveaux est supérieur à 2.

## Introduction

*Certaines thérapies peuvent nécessiter l'application de deux traitements simultané-ment. Or, dès que deux traitements sont utilisés, il peut y avoir des interactions entre eux. Par exemple, un traitement peut annuler l'autre, l'effet de l'un peut être magnifié par l'autre, accroître le dosage peut perturber l'autre traitement, etc. Pour évaluer s'il y a une interaction, on doit exécuter un test d'interaction. Selon qu'il y a une interaction ou pas, on poursuit avec l'analyse des effets simples ou l'analyse des effets principaux.*

Un schème factoriel est une expérience dans laquelle on fait l'étude simultanée de deux ou plusieurs facteurs afin de connaître le rôle de chaque facteur, leur importance rela-tive et leur interaction. Supposons par exemple que l'on veuille évaluer, dans une même expérience, l'effet du dosage d'un médicament (3 dosages possibles) et l'effet du moment de la prise de ce médicament (au lever ou à midi) sur le bien-être des patients. Dans ce cas, on utilise un schème factoriel à deux facteurs : dosage (dose 1, dose 2, dose 3) par moment (au lever ou à midi). Le schème complet comprend six conditions, tel qu'illus-tré au Tableau 12.1.

Tableau 12.1

**Les conditions dans un schème Dosage × Moment sur le bien-être.**

| Moment | Dosage | | | Moyennes |
|---|---|---|---|---|
| | Dosage 1 | Dosage 2 | Dosage 3 | |
| Au lever | grp 1 | Grp 2 | grp 3 | $\bar{X}_{Au\ levé}$ |
| À midi | grp 4 | Grp 5 | grp 6 | $\bar{X}_{à\ midi}$ |
| Moyennes | $\bar{X}_{Dosage\ 1}$ | $\bar{X}_{Dosage\ 2}$ | $\bar{X}_{Dosage\ 3}$ | $\bar{\bar{X}}$ |

Chaque condition du schème représente une combinaison des deux facteurs. Si le schème est à groupes indépendants, un groupe a été mesuré dans chacune de ces conditions. À droite et sous le tableau, on peut résumer les résultats avec les moyennes marginales, une par condition pour le facteur Dosage, et une par condition pour le facteur Moment. Finalement, la moyenne globale donne la performance moyenne peu importe le facteur.

# 1. Les marges comme source d'information

Dans un schème à deux facteurs, il y a plusieurs points de vue possibles. Il y a toujours le point de vue intragroupe qui examine comment les participants performent par rapport à leur groupe. Au niveau intergroupe, il y a trois points de vue possibles : on peut examiner comment les dosages affectent le bien-être ; on peut examiner comment le moment de prise de médicament affecte le bien-être. Ces deux points de vue sont examinés grâces aux moyennes marginales : avec la marge du bas, on peut voir quel est l'effet du dosage sur le bien-être. Si le dosage 3 donne un bien-être moyen supérieur à celui obtenu avec un dosage de 1 ou un dosage de 2 par exemple, on peut dire que le dosage a un effet sur les patients. Avec la marge de droite, on voit l'effet du moment de la prise de médicament.

Cependant, il est possible que les moyennes marginales ne donnent pas une image fiable des moyennes dans chaque groupe. Le troisième point de vue examine comment les moyennes des groupes se comportent par rapport aux moyennes marginales. Une situation similaire a été décrite avec les tableaux d'effectifs (chapitre 10). Prenons un exemple.

Un législateur examine l'incidence de l'alcool chez les hommes et les femmes sur la sécurité de la conduite automobile (dans un simulateur bien entendu). Le premier facteur est la quantité d'alcool consommé. Il choisit d'examiner trois niveaux (un verre, deux verres, ou trois verres). Le second facteur est le sexe du conducteur (deux niveaux : hommes, femmes). Il y a donc 6 groupes. La mesure consiste à prendre le temps de réaction lorsqu'apparaît un piéton virtuel. Toutes les mesures sont en seconde ; un petit temps indique une réponse rapide (et présumément, plus sécuritaire).

Supposons que les moyennes marginales sont celles indiquées au Tableau 12.2 (ici, je cache les moyennes dans chaque condition).

## Tableau 12.2

**Moyennes marginales dans une expérience Alcool bu × Sexe.**

| Sexe | Quantité d'alcool bue | | | Moyennes |
|------|-------|-------|-------|----------|
|      | 1 verre | 2 verres | 3 verres | |
| Hommes | ? | ? | ? | 0.8 s |
| Femmes | ? | ? | ? | 1.0 s |
| Moyennes | 0.45 s | 0.9 s | 1.35 s | 0.9 s |

Sur la base de ces résultats, il semble adéquat de conclure que (1) les hommes sont plus rapides que les femmes – ce résultat ne dépend pas de la quantité d'alcool bue ; (2) boire plus de verres d'alcool réduit notablement le temps de réaction. Encore une fois, ce résultat ne dépend pas du sexe.

Si ces résultats sont généralisés, il est possible de déduire quelle devrait être la moyenne pour chaque groupe. Pour trouver la moyenne prédite du groupe à l'intersection de la ligne *i* et de la colonne *j*, il faut additionner les moyennes marginales de la ligne *i* et de la colonne *j* puis soustraire la moyenne globale. En symbole :

$$\hat{X}_{ij} = \overline{X}_{i.} + \overline{X}_{.j} - \overline{\overline{X}}$$

où $\hat{X}_{ij}$ indique la moyenne prédite à partir des marges (qui n'est pas forcément la moyenne observée, comme on le verra plus loin). En calculant toutes les moyennes prédites à partir des marges, le tableau devient celui du Tableau 12.3.

## Tableau 12.3

**Résultats moyens prédits à partir des marges.**

| Sexe | Quantité d'alcool bue | | | Moyennes |
|---|---|---|---|---|
| | 1 verre | 2 verres | 3 verres | |
| Hommes | 0.35 s | 0.80 s | 1.25 s | 0.8 s |
| Femmes | 0.55 s | 1.00 s | 1.45 s | 1.0 s |
| Moyennes | 0.45 s | 0.9 s | 1.35 s | 0.9 s |

Or il est possible que les résultats réellement obtenus soient ceux indiqués au Tableau 12.4.

## Tableau 12.4

**Résultats moyens observés.**

| Sexe | Quantité d'alcool bue | | | Moyennes |
|---|---|---|---|---|
| | 1 verre | 2 verres | 3 verres | |
| Hommes | 0.65 s | 0.40 s | 1.35 s | 0.8 s |
| Femmes | 0.25 s | 1.40 s | 1.35 s | 1.0 s |
| Moyennes | 0.45 s | 0.9 s | 1.35 s | 0.9 s |

Pour mieux voir la différence entre les deux tableaux, nous avons réalisé les graphiques de moyennes dans la Figure 12.1.

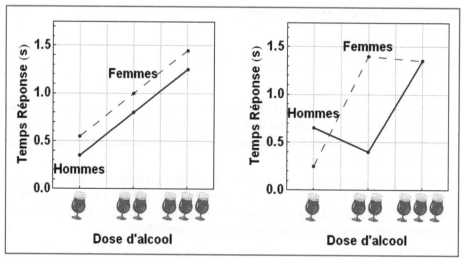

## Figure 12.1

**Résultats moyens déduits des marges (gauche) et réellement obtenus (droite) selon la dose d'alcool bue et le sexe du participant.**

Contrairement à ce que nous avions affirmé ci-dessus, les hommes ne sont pas plus rapides que les femmes. Cette affirmation dépend de la quantité d'alcool: s'ils ont bu deux verres, les hommes sont plus rapides que les femmes; à l'inverse, s'ils n'ont bu qu'un seul verre, les femmes sont plus rapides que les hommes; finalement, s'ils ont bu trois verres, les hommes et les femmes sont également rapides.

Lorsque les moyennes marginales ne permettent pas de déduire correctement les moyennes de chaque groupe, on dit qu'il y a une interaction. Aussitôt qu'il y a interaction, il faut répondre à des questions du genre « le sexe affecte-t-il le temps de réaction ? » avec des « ça dépend » car une réponse honnête doit être modulée selon les niveaux de l'autre facteur manipulé. Ici, il faut donner trois réponses, une pour chaque dose d'alcool bue. Il s'agit alors d'effets spécifiques (selon la quantité d'alcool) qu'on appelle dans le jargon des effets simples. Sur un graphique, c'est comme si on examinait les résultats par tranche: la tranche dans laquelle les participants ont bu un seul verre, la tranche où ils ont bu deux verres, et la dernière tranche où ils ont bu trois verres. Sur un tableau des résultats moyens, c'est comme si on examinait les résultats colonne par colonne (ou ligne par ligne, au choix).

S'il n'y a pas d'interaction, on peut donner une réponse générale (par exemple « oui » à la question « le sexe affecte-t-il le temps de réponse ? »). Il s'agit alors d'un effet général (vrai peu importe la quantité d'alcool bue) qu'on appelle techniquement un effet principal. Dans ce cas, l'autre facteur est aussi un effet principal (car on peut poser la seconde question « la quantité d'alcool affecte-t-elle le temps de réponse ? »). Les effets principaux se lisent en regardant les moyennes marginales.

Le point à retenir est que la façon dont on peut répondre à ces questions dépend de la présence ou de l'absence d'une interaction.

## 1.1 *Notations*

Les facteurs dans un schème factoriel représentent des variables choisies par l'expérimentateur. Dans l'exemple précédent, Sexe et Dose d'alcool sont les deux facteurs. Dans l'abstrait, les facteurs sont identifiés par des lettres majuscules du début de l'alphabet, *A*, *B*, *C*, etc. Les niveaux des facteurs représentent la liste des choix possibles pour un facteur. Par exemple, le facteur dosage prend les niveaux {Dosage 1, Dosage 2, Dosage 3} et le facteur Moment prend les valeurs {Prise au lever, Prise à midi}. Un niveau particulier peut être désigné par la lettre minuscule correspondante au facteur avec un indice. Par exemple, $a_1$ indique le premier niveau du facteur *A*. Dans le premier exemple, $a_1$ désigne le dosage 1 et $b_1$ la prise de médicament au lever. Le nombre de niveaux pour chaque traitement est désigné par les lettres *p*, *q*, *r*, etc. (au chapitre précédent, nous avons utilisé *p* puisqu'il n'y avait qu'un seul facteur administré à des groupes indépendants). Pour identifier le nombre de sujets à l'intérieur de chaque groupe, nous utilisons la lettre *n*. Si les cellules ont un nombre inégal de sujets, nous utilisons $n_{ij}$ pour indiquer le nombre de sujets dans le groupe correspondant au niveau $a_i b_j$ des facteurs A et B. La donnée obtenue par le $k^{\text{ième}}$ sujet dans le groupe $a_i b_j$ est notée $\mathbf{X}_{ijk}$. La moyenne des *k* sujets de cette condition est notée $\bar{X}_{ij}$. Finalement, la moyenne d'une colonne (à un niveau $a_i$ donné) est notée $\bar{X}_{i\cdot}$ et la moyenne d'une ligne (à un niveau $b_j$ donné) est notée $\bar{X}_{\cdot j}$.

Un schème factoriel est résumé par le nombre de niveaux de chaque facteur. Ainsi, l'appellation « schème $p \times q$ » désigne un schème factoriel à deux facteurs comportant $p$ niveaux du facteur A et $q$ niveaux du facteur B. Les exemples du début de ce chapitre sont tous les deux des schèmes $2 \times 3$ à 6 groupes indépendants. Un pharmacien qui examine simultanément le dosage, le sexe et le moment de la prise de médicament sur le bien-être utilise un schème expérimental $3 \times 2 \times 2$ avec un total de 12 groupes indépendants. Nous nous limiterons aux schèmes n'ayant que deux facteurs dans la suite.

# 2. Illustration d'effets principaux, d'effets d'interaction et d'effets simples

La force des schèmes factoriels est de permettre d'analyser plusieurs facteurs simultanément. Cependant, les types de résultats possibles se complexifient rapidement. En particulier, on peut obtenir des interactions qui n'existent pas dans les schèmes à un facteur. Afin de simplifier l'exposé, imaginons des résultats obtenus dans un schème $2 \times 2$ avec les facteurs A $(a_1, a_2)$ et B $(b_1, b_2)$. Par exemple, le schème pourrait examiner l'impact de la fatigue (24 heures sans sommeil, 36 heures sans sommeil) et de l'alcool (6 doses, 10 doses) sur le nombre moyen d'erreurs dans une tâche de mémoire. Pour illustrer les résultats hypothétiques, nous utilisons un graphique des moyennes. Les barres d'erreurs sont absentes, mais supposons que des moyennes proches ne diffèrent pas significativement.

## 2.1 Les quatre types d'effets principaux

Un **effet principal** se dit de l'effet d'un facteur qui est présent peu importe le niveau de l'autre facteur. Dans l'exemple, on dira que la fatigue a un effet principal si l'effet de la fatigue est le même peu importe la dose d'alcool. Les effets principaux sont les plus simples à analyser car ils peuvent être décrits chacun à leur tour. Quatre cas sont possibles.

*Absence d'effet autant du dosage que de la privation de sommeil (absence d'effet de A, absence d'effet de B).* Dans l'exemple, on conclut que la fatigue et l'alcool n'ont aucune influence sur le nombre d'erreurs dans la tâche de mémoire (variable dépendante). Visuellement, les résultats sont plats et non distinguables entre les niveaux de B. Le premier panneau de la Figure 12.2 en donne un exemple.

*Effet principal du dosage seulement (effet de A, absence d'effet de B).* Ici, seule la fatigue a un effet. Un plus haut niveau de fatigue amène le sujet à commettre plus d'erreurs. Le facteur alcool, pour sa part, n'a aucun impact sur les moyennes. Le second panneau de la Figure 12.2 en donne un exemple.

*Effet principal de la privation de sommeil seulement (absence d'effet de A, effet de B).* Ce scénario possible est l'inverse du cas précédent. Seul le niveau d'alcool affecte le nombre d'erreurs. Pour sa part, le niveau de fatigue n'influence pas le nombre moyen d'erreurs. Le troisième panneau de la Figure 12.2 en donne un exemple.

*Effets principaux du dosage et de la privation de sommeil (effet de A, effet de B).* Les deux patrons précédents sont jumelés dans le même graphique. Autant la fatigue que l'alcool augmentent le nombre d'erreurs dans la tâche de mémoire. De plus, l'effet des deux facteurs se conjugue, de telle façon que si $a_2$ et $b_2$ réduisent la performance, le décrément conjoint causé par $a_2$ et $b_2$ simultanément est au maximum. Autrement dit, les effets s'accumulent. Le dernier panneau de la Figure 12.2 en donne un exemple.

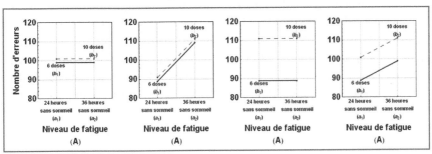

**Figure 12.2**

Les quatre types de résultats possibles dans un schème factoriel.

## 2.2 *Quelques types d'interactions*

Une **interaction** est présente lorsque les effets visualisés sur un graphique ne forment pas des lignes parallèles. Lorsqu'une interaction est présente (et significative), la notion d'effet principal n'a plus de sens. Le chercheur, après avoir rapporté la présence d'une interaction, ne doit pas rapporter des effets principaux. Il doit plutôt se concentrer immédiatement sur les **effets simples**, c'est-à-dire examiner l'effet d'un facteur (disons A) à un niveau donné de l'autre facteur (disons $b_1$). Ceux-ci forcent le chercheur à interpréter ses résultats en procédant à une **décomposition**. Décomposer une interaction signifie procéder à l'analyse des effets d'un facteur pour chaque niveau de l'autre facteur (i.e. tranche par tranche). Le choix d'interpréter A aux différents niveaux de B, ou d'interpréter B aux différents niveaux de A est libre. Cependant, le chercheur n'a pas le droit de procéder aux deux décompositions puisqu'elles s'excluent mutuellement.

Lorsque l'interaction est significative, une infinité de cas sont possibles. En voici quelques-uns.

*L'interaction conditionnelle.* Effet simple de la dose d'alcool seulement lorsque les participants ont passé 36 heures sans sommeil. Dans l'exemple du premier panneau de la Figure 12.3, avec 24 heures sans sommeil, la dose d'alcool n'influence pas la performance dans la tâche de mémoire. Cependant, après 36 heures sans sommeil, la dose d'alcool est déterminante pour savoir si les performances vont se détériorer. Ici, boire 10 doses réduit la performance significativement plus que boire 6 doses seulement.

*Interaction croisée.* Effet simple du dosage après 24 heures de privation de sommeil et effet simple inversé après 36 heures de privation de sommeil. Cet étrange patron de résultat indique que, lorsque la privation de sommeil dure 24 heures, 6 doses d'alcool sont moins nuisibles à la performance que 10. Par contre, après 36 heures de privation, 6 doses sont plus nuisibles que 10. Le second panneau de la Figure 12.3 en donne un exemple.

*Interaction sur-additive.* Cette interaction est difficile à interpréter car, si on regarde les résultats suivant le niveau de privation de sommeil, on voit que le dosage a peu d'effet au niveau $a_1$, et a un grand effet au niveau $a_2$. Par contre, si l'on porte le regard opposé, c'est-à-dire au niveau des dosages, on voit que la privation de sommeil a un effet au niveau de $b_1$ et que la privation de sommeil a aussi un effet au niveau de $b_2$. L'interaction vient du fait que l'effet du traitement A n'est pas égal aux différents niveaux de B. Le troisième panneau de la Figure 12.3 en donne un exemple.

*Interaction sous-additive.* Au niveau de $a_1$, l'effet de B est significatif. Au niveau de $a_2$, l'effet de B est peu significatif. Si le chercheur opte pour le point de vue complémentaire, il conclut que l'effet de A est significatif au niveau $b_1$ et qu'il l'est aussi au niveau $b_2$, mais moins important dans ce second cas. Le dernier panneau de la Figure 12.3 en donne un exemple.

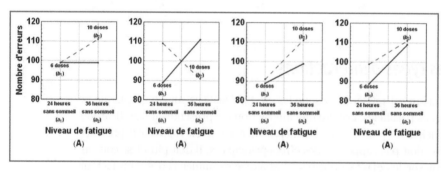

**Figure 12.3**

Quatre autres types de résultats possibles dans une expérience 2 × 2.

## 3. Comment réaliser une ANOVA factorielle ?

Une ANOVA factorielle ressemble sur plusieurs points à l'ANOVA à un facteur vue au chapitre précédent :

1. La somme des carrés totale se divise en somme des carrés intragroupe et intergroupe. Cependant, la somme des carrés intergroupe se subdivise à nouveau en somme des carrés pour le premier facteur, somme des carrés pour le second facteur et somme des carrés pour l'interaction entre ces deux facteurs. En symbole, on les représente avec $SC_A$, $SC_B$ et $SC_{A \times B}$ respectivement.

2. Les degrés de liberté se subdivisent comme les sommes des carrés : intragroupe et intergroupe ; puis le degré de liberté intergroupe se subdivise en degrés de liberté liés au premier facteur, au second facteur et ceux pour l'interaction. En symbole, $dl_A$, $dl_B$ et $dl_{A \times B}$.

La seule différence avec l'ANOVA à un facteur est qu'il faut commencer par vérifier s'il y a une interaction avant de poursuivre. S'il n'y a pas d'interaction, on calcule les effets principaux, un par facteur ; s'il y a une interaction, on calcule les effets simples du premier facteur pour chaque niveau du second facteur. L'arbre de décision de la Figure 12.4 résume l'ordre des analyses.

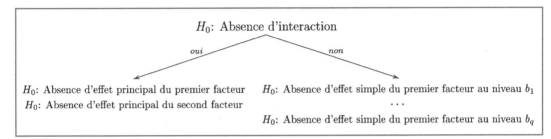

### Figure 12.4

**Arbre de décision lors d'une analyse de variance factorielle.**

La première hypothèse est donc :

$$H_0 : \text{Absence d'interaction entre A et B}$$

où A est le nom du premier facteur et B le nom du second facteur (e.g. $H_0$ : Absence d'interaction entre Fatigue et Dose d'alcool). Cette hypothèse revient à dire que les moyennes marginales sont représentatives des moyennes dans chacun des groupes.

Cette interaction est testée avec le test

$$\text{Rejet de } H_0 \text{ si } F_{A \times B} = \frac{SC_{A \times B} / dl_{A \times B}}{SC_{intra} / dl_{intra}} > F_\alpha \, (dl_{A \times B}, \, dl_{intra}) \qquad 12.1$$

dans lequel la valeur critique $F_\alpha \, (dl_{A \times B}, \, dl_{intra})$ est lue dans une table F à l'aide des degrés de liberté.

Si l'interaction n'est pas significative, on passe au test des effets principaux. On peut faire les deux tests en parallèle :

$$H_{0A} : \text{Absence d'effet principal du facteur A}$$
$$H_{0B} : \text{Absence d'effet principal du facteur B.}$$

La première hypothèse nulle veut en fait dire que les résultats de la marge horizontale sont tous comparables, i.e. dans le cas du premier exemple :

$$H_{0A} : \mu_{\text{dosage 1}} = \mu_{\text{dosage 2}} = \mu_{\text{dosage 3}}$$

alors que la seconde hypothèse nulle réfère à l'autre marge :

$$H_{0B} = \mu_{\text{au levé}} = \mu_{\text{à midi}}$$

Les effets principaux sont testés avec les règles de décision suivantes :

$$\text{Rejet de } H_{0A} \text{ si } F_A = \frac{SC_A / dl_A}{SC_{intra} / dl_{intra}} > F_\alpha \, (dl_A, dl_{intra}) \qquad 12.2$$

$$\text{Rejet de } H_{0B} \text{ si } F_B = \frac{SC_B / dl_B}{SC_{intra} / dl_{intra}} > F_\alpha \, (dl_B, dl_{intra})$$

Si l'interaction est significative, il faut procéder à l'analyse des effets simples avec les hypothèses :

$H_{0b1}$ : Absence d'effet simple du facteur A au premier niveau de B
$H_{0b2}$ : Absence d'effet simple du facteur A au second niveau de B

et ainsi de suite pour tous les niveaux de B... Ces dernières réfèrent aux moyennes, colonne par colonne, et peuvent aussi s'écrire :

$H_{0b1}$ : $\mu_{\text{au levé}} = \mu_{\text{à midi}}$ quand les sujets ont pris le dosage 1
$H_{0b2}$ : $\mu_{\text{au levé}} = \mu_{\text{à midi}}$ quand les sujets ont pris le dosage 2,

etc.

Les tests des effets simples sont de la forme

$$\text{Rejet } H_0 \text{ si } F_{A \text{ au niveau } b_i} = \frac{SC_{A \text{ au niveau } b_i} / dl_{A \text{ au niveau } b_i}}{SC_{intra} / dl_{intra}} > F_\alpha \, (dl_{A \text{ au niveau } b_i}, dl_{intra}) \qquad 12.3$$

où « A au niveau $b_i$ » est l'effet du facteur A quand on se restreint à la tranche $i$ du facteur B (i.e. la $i^{\text{ème}}$ colonne du tableau des moyennes).

# 4. Répartition de la somme des carrés et des degrés de liberté

Les équations suivantes donnent la répartition de la somme des carrés pour les schèmes à deux facteurs dans lesquels A possède p niveaux et B, q niveaux.

Nous mettons les formules pour l'effet d'interaction et les effets principaux. Cependant, il est nettement plus pratique de se fier à un ordinateur rendu à ce point-ci.

$$SC_{Total} = \sum_{i=1}^{p} \sum_{j=1}^{q} \sum_{k=1}^{n_{ij}} (X_{ijk} - \overline{\overline{X}})^2 \qquad\qquad SC_A = \sum_{i=1}^{p} n_{i.} (\overline{X_{i.}} - \overline{\overline{X}})^2$$

$$SC_{intra} = \sum_{i=1}^{p} \sum_{j=1}^{q} \sum_{k=1}^{n_{ij}} (X_{ijk} - \overline{X}_{ij})^2 \qquad\qquad SC_B = \sum_{j=1}^{q} n_{.j} (\overline{X}_{.j} - \overline{\overline{X}})^2$$

$$SC_{A \times B} = \sum_{i=1}^{p} \sum_{j=1}^{q} n_{ij} (\overline{X}_{ij} - \hat{X}_{ij})^2$$

$$= \sum_{i=1}^{p} \sum_{j=1}^{q} n_{ij} (\overline{X}_{ij} - \overline{\overline{X}}_{i.} - \overline{\overline{X}}_{.j} + \overline{\overline{X}})^2$$

où $n_{i\cdot}$ est le nombre de participants total au niveau $a_i$ et $n_{\cdot j}$, au niveau $b_j$. Les degrés de liberté sont :

$$dl_{Total} = \left( \sum_{i=1}^{p} \sum_{j=1}^{q} n_{ij} \right) - 1 \qquad\qquad dl_A = p - 1$$

$$dl_{intra} = \sum_{i=1}^{p} \sum_{j=1}^{q} (n_{ij} - 1) \qquad\qquad dl_B = q - 1$$

$$dl_{A \times B} = (p - 1) \times (q - 1)$$

Si les groupes ont des nombres égaux de participants, les formules pour les degrés de liberté peuvent être simplifiées, comme on le voit dans la Figure 12.5 qui en outre synthétise la décomposition de la somme des carrés totale.

$SC_{Total}$ . . . . . . . . . . . . . . . . . . . . . . $npq - 1$
┗ $SC_{intra}$ . . . . . . . . . . . . . . . . . . $pq(n - 1)$
┗ $SC_{inter}$ . . . . . . . . . . . . . . . . . . . . . . $pq - 1$
  ┗ $SC_{A \times B}$ . . . . . . . . . . . $(p - 1)(q - 1)$
  ┗ $SC_A$ . . . . . . . . . . . . . . . . . . . . . $p - 1$
  ┗ $SC_B$ . . . . . . . . . . . . . . . . . . . . . $q - 1$

**Figure 12.5**

Décomposition de la somme des carrés totale et du degré de liberté total lorsque les groupes sont de taille égale et lorsqu'il n'y a pas d'interaction.

Dans le cas où l'interaction est significative, il faut analyser les effets simples. À cette fin, il faut calculer pour la $j^{\text{ième}}$ colonne (si l'analyse procède par colonne), la somme des carrés suivante :

$$SC_{A \text{ au niveau de } b_j} = \sum_{i=1}^{p} n_{ij} \left( \overline{X}_{ij} - \overline{X}_{\cdot j} \right)^2 \qquad dl_{A \text{ au niveau de } b_j} = q - 1$$

pour chaque colonne. Si l'analyse procède par ligne, les formules sont

$$SC_{B \text{ au niveau de } A_i} = \sum_{j=1}^{q} n_{ij} \left( \overline{X}_{ij} - \overline{X}_{i\cdot} \right)^2 \qquad dl_{B \text{ au niveau de } a_i} = p - 1$$

et la décomposition ressemble à celle de la Figure 12.6 :

$SC_{Total}$ . . . . . . . . . . . . . . . . . $npq - 1$ $\qquad$ $SC_{Total}$ . . . . . . . . . . . . . . . . . $npq - 1$
┗ $SC_{intra}$ . . . . . . . . . . . . $pq(n - 1)$ $\qquad$ ┗ $SC_{intra}$ . . . . . . . . . . . . . $pq(n - 1)$
┗ $SC_{inter}$ . . . . . . . . . . . . . . . $pq - 1$ $\qquad$ ┗ $SC_{inter}$ . . . . . . . . . . . . . . . . $pq - 1$
  ┗ $SC_{A \times B}$ . . . . . . $(p - 1)(q - 1)$ $\qquad$ ┗ $SC_{A \times B}$ . . . . . . $(p - 1)(q - 1)$
  ┗ $SC_{A|b_1}$ . . . . . . . . . . . . . $p - 1$ $\qquad$ ┗ $SC_{B|a_1}$ . . . . . . . . . . . . . . $q - 1$
  ┗ $SC_{A|b_2}$ . . . . . . . . . . . . . $p - 1$ $\qquad$ ┗ $SC_{B|a_2}$ . . . . . . . . . . . . . . $q - 1$
  . . . $\qquad$ . . .
  ┗ $SC_{A|b_q}$ . . . . . . . . . . . . . $p - 1$ $\qquad$ ┗ $SC_{B|a_p}$ . . . . . . . . . . . . . . $q - 1$

**Figure 12.6**

Décomposition de la somme des carrés totale et du degré de liberté total lorsque les groupes sont de taille égale s'il y a une interaction et que l'on décompose l'interaction colonne par colonne (droite) ou ligne par ligne (gauche). Le signe | se lit « au niveau de ».

# 5. Exemples

## 5.1 Un exemple avec un schème factoriel 3 × 3 sans interaction

Un motivateur cherche à déterminer la meilleure méthode pour permettre à des gens timides de parler en public. Il évalue l'effet de trois types de thérapies (immersion, désensibilisation et rencontres Toast Masters) et du nombre de séances (5, 10 ou 15) sur le comportement de 45 sujets divisés en neuf groupes indépendants de 5 sujets. La variable dépendante est le nombre de minutes pendant lesquelles le participant peut parler devant un public avant de manifester des signes d'anxiété. Le seuil de signification $\alpha$ est de 5 %.

Les données brutes sont données dans le Tableau 12.5.

### Tableau 12.5

**Données dans une expérience Thérapie par Séance.**

| Thérapie | Séances | | | | | | | | | | | | | | |
|---|---|---|---|---|---|---|---|---|---|---|---|---|---|---|
| | 5 | | | | | 10 | | | | | 15 | | | | |
| Immersion | 2.5 | 3.0 | 2.0 | 2.5 | 2.0 | 4.0 | 4.5 | 4.5 | 5.0 | 4.5 | 4.0 | 7.0 | 4.5 | 5.5 | 3.5 |
| Désensibilisation | 4.0 | 4.5 | 4.0 | 4.0 | 4.0 | 6.5 | 7.0 | 6.5 | 7.0 | 6.5 | 7.5 | 6.0 | 6.5 | 5.5 | 7.0 |
| Toast Masters | 5.5 | 6.0 | 6.0 | 7.0 | 5.5 | 9.5 | 8.5 | 7.0 | 7.0 | 6.5 | 8.0 | 8.5 | 9.5 | 9.0 | 8.5 |

Le motivateur synthétise les résultats dans le Tableau des moyennes 12.6.

### Tableau 12.6

**Résultats moyens dans les 9 conditions et moyennes marginales.**

| Thérapie | Séances | | | Moyenne par thérapie |
|---|---|---|---|---|
| | 5 | 10 | 15 | |
| Immersion | 2.4 | 4.5 | 4.9 | 3.93 |
| Désensibilisation | 4.1 | 6.7 | 6.5 | 5.77 |
| Toast Masters | 6.0 | 7.7 | 8.7 | 7.47 |
| Moyenne par séance | 4.17 | 6.30 | 6.70 | 5.72 |

ou à l'aide d'un graphique des moyennes, celui-ci étant donné à la Figure 12.7.

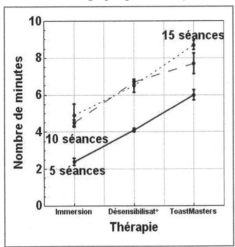

**Figure 12.7**

Résultats moyens dans les neuf conditions ; les barres d'erreurs montrent l'erreur type.

Le motivateur note que les lignes semblent parallèles, ou près de l'être. Il semble donc que l'interaction soit absente (ce qu'il confirmera avec une ANOVA juste après). Il se concentre donc sur les effets principaux : est-ce que le nombre de séances améliore le score moyen. Effectivement, il semble que oui. Un regard au tableau des moyennes, sur la marge du bas indique que les performances passent de 4.17 à 6.70, ce qui semble indiquer une amélioration notable (ce qu'il confirmera, encore une fois, avec une ANOVA). Finalement, la thérapie qui consiste à assister aux assemblées des Toast Masters semble la meilleure. Un coup d'œil sur la marge de droite indique une amélioration d'environ 3 minutes et demie, ce qui semble notable.

Pour confirmer les intuitions qu'il a obtenues en inspectant ses données, il procède à une ANOVA.

La première hypothèse qu'il doit vérifier concerne l'effet d'interaction. En effet, si une interaction est présente, il faut immédiatement passer aux effets simples. Si l'interaction n'est pas significative, on peut par la suite analyser les effets principaux comme il l'a fait informellement.

L'hypothèse est que l'interaction est absente. Formellement, il note :

$$H_0 : \text{Interaction Thérapie} \times \text{Séance absente}$$

La règle de décision est

$$\text{Rejet de } H_0 \text{ si } F = \frac{CM_{\text{Thérapie} \times \text{Séance}}}{CM_{\text{intra}}} > F_\alpha \, (dl_{\text{Thérapie} \times \text{Séance}}, \, dl_{\text{intra}})$$

dans laquelle la valeur critique $F_\alpha \, (dl_{\text{Thérapie}\times\text{Séance}}, \, dl_{\text{intra}})$ vaut $F_{5\%} \, (4, \, 36) = 2.634$. Le numérateur $CM_{\text{Thérapie}\times\text{Séance}}$ vaut 0.49 et le dénominateur $CM_{\text{intra}}$ vaut 0.58. Le ratio $F = \frac{CM_{\text{Thérapie} \times \text{Séance}}}{CM_{\text{intra}}}$ vaut donc 0.838, ce qui n'est pas supérieur à la valeur critique. Il ne rejette donc pas $H_0$, et conclut que l'interaction n'est pas significative.

Pour calculer $SC_{intra}$, il faut additionner l'écart au carré entre chaque donnée et la moyenne du groupe auquel appartient cette donnée, $\mathbf{X}_{ijk} - \overline{X}_{ij}$. Comme il y a 49 données ici, l'exercice peut être long et pénible (et il vaut mieux se fier à un ordinateur) mais on trouve 21.0. Le $dl_{intra}$ vaut la somme des dl dans chaque groupe, soit 4 dans chacun des 9 groupes, d'où $dl_{intra} = 36$. Mis ensemble, $SC_{intra}/dl_{intra} = 21.0/36 = 0.58$.

Pour calculer $SC_{Thérapie \times Séance}$, il faut calculer les moyennes prédites selon les marges ($\hat{X}_{ij}$) dans chacun des neuf groupes, puis prendre les écarts au carré avec les moyennes observées, pondérées par le nombre de participants dans ce groupe. En arrondissant, les moyennes prédites sont pour la ligne 1 : 2.4, 4.5, 4.9, pour la ligne 2 : 4.2, 6.3, 6.7, et pour la ligne 3 : 5.9, 8.0, 8.4. Les écarts au carré sont {0, 0, 0, 0.01, 0.16, 0.04, 0.01, 0.09, 0.09}. En multipliant tous ces écarts par le nombre de participants (5) et en les additionnant, on trouve 2.0. Les $dl_{Thérapie \times Séance}$ valent le nombre de colonnes moins une fois le nombre de lignes moins un, soit $2 \times 2 = 4$. Finalement, $CM_{Thérapie \times Séance} = SC_{Thérapie \times Séance} = 2/4 = 0.50$ (la petite différence vient du fait que nous avons arrondi).

Étant donné l'absence d'interaction, le motivateur peut analyser les effets principaux. Les hypothèses sont :

$$H_{0A} : \text{Absence d'effet principal du facteur Thérapie}$$
$$H_{0B} : \text{Absence d'effet principal du facteur Séance.}$$

En substance, on teste si les moyennes marginales sont les mêmes ou diffèrent.

On rejette les hypothèses $H_{0A}$ si $\dfrac{CM_{Thérapie}}{CM_{intra}} > F_\alpha\,(dl_{Thérapie}, dl_{intra})$ et $H_{0B}$ si

$\dfrac{CM_{Séance}}{CM_{intra}} > F_\alpha\,(dl_{Séance}, dl_{intra})$. Ici, les valeurs critiques sont les mêmes puisque les deux facteurs ont le même nombre de niveaux.

Pour obtenir $CM_{Séance}$, il faut prendre la marge horizontale et prendre l'écart au carré entre chaque moyenne et la moyenne des moyennes, pondéré par le nombre de sujets dans la colonne (soit 15). Ceci donne $15\,(4.17 - 5.72)^2 + 15\,(6.30 - 5.72)^2 + 15\,(6.70 - 5.72)^2 = 15 \times 2.40 + 15 \times 0.34 + 15 \times 0.98 = 36.00 + 5.10 + 14.70 = 55.80$ (encore une fois, la petite différence vient du fait que nous avons arrondi).

Les deux effets principaux excèdent la valeur critique. Le tableau d'ANOVA 12.7 synthétise les résultats des analyses statistiques.

## Tableau 12.7

**Analyse de variance dans l'expérience Thérapie par Séance.**

| Source de variation | SC | dl | CM | F |
|---|---|---|---|---|
| Intergroupe | 151.28 | 8 | | |
| Thérapie | 93.67 | 2 | 46.83 | 80.30* |
| Séances | 55.64 | 2 | 27.82 | 47.70* |
| Interaction | 1.97 | 4 | 0.49 | 0.83 |
| Intragroupe (erreur) | 21.00 | 36 | 0.58 | |
| Total | 172.28 | 44 | | |

*: $p < .05$.

Il ne reste plus qu'à conclure. Dans l'expérience, l'effet de la variable Thérapie est significatif ($F(2, 36) = 80.295$, $p < .05$). La thérapie par participation aux assemblées des Toast Masters permet aux participants de parler en public plus longtemps avant de manifester des signes d'anxiété (7.5 min) qu'avec la thérapie par immersion (3.9 min). Le nombre de séances a aussi un effet significatif ($F(2, 36) = 47.695$, $p < .05$). Les participants ayant reçu 15 sessions parlent en public en moyenne 6.7 min avant de manifester des signes d'anxiété, contre 4.2 min avec seulement 5 séances. L'interaction Séance par Thérapie n'est pas significative ($F(4, 36) = 1.97$, $p > .05$).

Puisque les marges sont fiables (absence d'interaction), on peut donner le graphique des moyennes pour chacune de ces marges, comme à la Figure 12.8 et omettre la Figure 12.7. Ces graphiques sont parfois plus simples à comprendre.

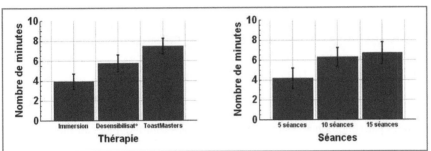

**Figure 12.8**

**Les effets principaux dans l'expérience Thérapie × Séance.**

## 5.2 *Schème 3 × 4 sur les formes archaïques de la langue française*

La Nouvelle-France a été colonisée principalement par des colons français entre les années 1550 et 1750. En 1750, la Nouvelle-France a été conquise et est devenue un Dominion britannique: le Bas-Canada. Pour cette raison, les réformes de la langue française entreprises au siècle des Lumières se sont peu ou prou rendues en Amérique. Ceci explique qu'un grand nombre de formes archaïques du français soient encore couramment utilisées au Québec. Il y a des verbes qui sont restés irréguliers (tel que égalir au lieu de égaliser), d'autres qui ont disparu en Europe (tel que maganer, qu'on retrouve pourtant presque à toutes les pages de *La Chanson de Roland*), la forme interrogative signalée par le mot « ti » (comme dans « Vous voulez ti un coup de main ? ») de plus en plus prononcé « tu » aujourd'hui (ce qui donne le très déroutant « Tu veux tu du sucre dans ton café ? »), etc.

Un linguiste qui s'étonne de la survivance de ces formes archaïques au Québec décide d'examiner leurs fréquences d'utilisation chez des locuteurs « pures laines » (québécois de souche française) selon qu'ils habitent en région éloignée ou pas et selon le diplôme le plus élevé obtenu. Les participants sont invités à raconter une anecdote de leur choix. Sur un intervalle de 15 minutes, le chercheur compte le nombre d'archaïsmes utilisés.

Il s'attend à ce que l'utilisation d'archaïsmes diminue avec la scolarité mais qu'il s'accroisse avec l'éloignement (il énonce qu'il s'attend à des effets principaux significatifs, le voyez-vous ?). Pour examiner son intuition, il va recruter des participants dans trois régions du Québec : la métropole montréalaise, la région du cœur du Québec (autour de Drummonville) et en région éloignée (la forestière Abitibi et la maritime Gaspésie). En ce qui concerne la scolarité, il va diviser ses participants selon qu'ils ont obtenu un diplôme universitaire, un diplôme collégial, un diplôme du secondaire ou aucun diplôme. Le schème expérimental est donc un $3 \times 4$ à 12 groupes indépendants ; il mesure un nombre égal de participants ($n = 6$) dans chacune de ces conditions.

Les résultats obtenus dans les 12 groupes sont donnés dans le Tableau 12.8.

## Tableau 12.8

Résultats pour les 72 participants de l'étude Localisation × Niveau d'étude sur les archaïsmes au Québec.

| Localisation | Diplôme le plus élevé obtenu | | | |
|---|---|---|---|---|
| | Pas de secondaire | Secondaire | Collégial | Universitaire |
| Métropole | 15, 11, 13, 9, 10, 12 | 12, 8, 9, 7, 14, 16 | 7, 5, 9, 8, 6, 7 | 1, 5, 3, 4, 3, 2 |
| Cœur du Québec | 12, 16, 8, 11, 13, 14 | 11, 13, 7, 9, 10, 12 | 6, 8, 9, 9, 4, 6 | 2, 4, 3, 4, 6, 1 |
| Région éloignée | 6, 5, 7, 9, 3, 8 | 5, 9, 7, 6, 11, 7 | 7, 6, 5, 6, 7, 9 | 1, 3, 4, 2, 4, 5 |

Les moyennes par condition et les moyennes marginales sont indiquées au Tableau 12.9.

## Tableau 12.9

Résultats moyens pour toutes les conditions et moyennes marginales dans l'étude Localisation × Niveau d'étude.

| Localisation | Diplôme le plus élevé obtenu | | | | Moyenne |
|---|---|---|---|---|---|
| | Pas de secondaire | Secondaire | Collégial | Universitaire | |
| Métropole | 11.7 | 11 | 7 | 3 | 8.2 |
| Cœur du Québec | 12.3 | 10.3 | 7 | 3.3 | 8.3 |
| Région éloignée | 6.3 | 7.5 | 6.7 | 3.2 | 5.9 |
| Moyenne | 10.1 | 9.6 | 6.9 | 3.2 | 7.4 |

On voit mieux les résultats dans le graphique des moyennes de la Figure 12.9. Le graphique suggère fortement une interaction : toutes les lignes ne sont pas parallèles. Une analyse de variance examinant l'interaction va confirmer ce résultat en rejetant l'hypothèse nulle. L'hypothèse est :

$H_0$ : Absence d'interaction Éloignement par Diplôme

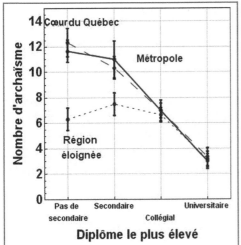

**Figure 12.9**
Le nombre d'archaïsmes moyen
dans les 12 conditions.

Le test est de la forme

$$\text{Rejet de } H_0 \text{ si } F = \frac{CM_{\text{Éloignement} \times \text{Niveau}}}{CM_{\text{intra}}} > F_\alpha \left( dl_{\text{Éloignement} \times \text{Niveau}}, dl_{\text{intra}} \right)$$

où la valeur critique $F_\alpha \left( dl_{\text{Éloignement} \times \text{Niveau}}, dl_{\text{intra}} \right) = F_{5\%} (6, 60)$ se lit dans une table F et vaut 2.25.

En réalisant les calculs (ou plus probablement à l'aide d'un logiciel), il trouve :

$$SC_{\text{Éloignement} \times \text{Niveau}} = 87.9 \,; dl_{\text{Éloignement} \times \text{Niveau}} = 6$$
$$SC_{\text{intra}} = 270.3 \,; dl_{\text{intra}} = 60$$

Il s'ensuit que la variance de l'interaction et la variance intragroupe sont respectivement :

$$CM_{\text{Éloignement} \times \text{Niveau}} = \frac{87.9}{6} = 14.65$$
$$CM_{\text{intra}} = \frac{270.3}{60} = 4.51$$

d'où le ratio

$$F = \frac{CM_{\text{Éloignement} \times \text{Niveau}}}{CM_{\text{intra}}} = \frac{14.65}{4.51} = 3.25.$$

Autrement dit, la variance liée à la présence d'une interaction est trois fois supérieure à la variance de l'erreur expérimentale. Comme le ratio $F$ trouvé excède la valeur critique, l'hypothèse nulle est rejetée.

Le linguiste vient d'obtenir la confirmation que les lignes ne sont pas significativement parallèles. Il doit donc poursuivre avec des analyses des effets simples. Procédera-t-il à une analyse par degré d'éloignement ou à une analyse par diplôme le plus élevé obtenu ? Il choisit la seconde option. En regardant le graphique de la Figure 12.9, il s'attend (1) à trouver une différence pour les gens qui n'ont pas obtenu de diplôme secondaire. Les personnes en région éloignée devraient faire significativement moins d'archaïsmes si le chercheur lit bien le graphique; (2) à ne pas trouver de différences pour les gens ayant un diplôme collégial et un diplôme universitaire. Pour la dernière condition, il n'est pas certain de ce que seront les résultats.

Les quatre hypothèses nulles sont:

$H_0$: Absence d'effet de l'éloignement pour les gens n'ayant pas de diplôme secondaire
$H_0$: Absence d'effet de l'éloignement pour les gens ayant un diplôme secondaire
$H_0$: Absence d'effet de l'éloignement pour les gens ayant un diplôme collégial
$H_0$: Absence d'effet de l'éloignement pour les gens ayant un diplôme universitaire

Pour ces quatre points de vue, les degrés de liberté sont égaux ($p - 1 = 2$). Dans les quatre cas, les tests sont de la forme

$$\text{Rejet de } H_0 \text{ si } F = \frac{CM_{\text{Éloignement}\,|\,condition}}{CM_{intra}} > F_\alpha\,(dl_{\text{Éloignement}\,|\,condition}, dl_{intra})$$

dans lesquelles les valeurs critiques valent toutes 3.15. En effectuant les calculs, il trouve:

$$SC_{\text{Éloignement}|pas\,de\,secondaire} = 129.8,$$
$$SC_{\text{Éloignement}|Secondaire} = 41.4,$$
$$SC_{\text{Éloignement}|Collégial} = 0.4,$$
$$SC_{\text{Éloignement}|Universitaire} = 0.3.$$

Les quatre ratios valent respectivement 14.4, 4.6, 0.5 et 0.04. Les décisions sont donc respectivement Rejet, Rejet, Non-rejet, et Non-rejet. Le Tableau 12.10 synthétise les résultats.

## Tableau 12.10

**Tableau d'ANOVA résumant les effets simples.**

| Source de variation | SC | dl | CM | F |
|---|---|---|---|---|
| Éloignement ∣ Pas de secondaire | 129.8 | 2 | 64.9 | 14.4* |
| Éloignement ∣ Secondaire | 41.4 | 2 | 20.7 | 4.6* |
| Éloignement ∣ Collégial | 0.4 | 2 | 0.22 | 0.05 |
| Éloignement ∣ Universitaire | 0.3 | 2 | 0.17 | 0.04 |

*: $p < .05$

En somme, il trouve que, pour les personnes n'ayant pas complété un diplôme collégial, celles en régions éloignées utilisent significativement moins d'archaïsmes que celles habitant le Cœur du Québec ou la Métropole. Il n'est pas évident d'expliquer ce fait.

# 6. Comparaison de moyennes

À nouveau, il est possible de faire suivre une ANOVA par un test de comparaison de moyennes si un des facteurs a plus de deux niveaux et qu'il faut déterminer si les niveaux intermédiaires diffèrent des niveaux significativement différents. L'hypothèse nulle est qu'une paire de moyennes ne diffère pas :

$$H_0 : \mu_r = \mu_s$$

où $r$ et $s$ représentent le $r^{\text{ième}}$ et le $s^{\text{ième}}$ groupe.

Le test à utiliser est toujours le Tukey et la règle de décision est inchangée :

$$\text{Rejet de } H_0 \text{ si } \left| \overline{X}_r - \overline{X}_s \right| > q_\alpha (\text{Nombre de niveau}, dl_e) \times \sqrt{\frac{CM_e}{n}} \, .$$

Cependant, l'interaction (significative ou non) altère la procédure :

- Si l'interaction n'est pas significative, l'analyse a été poursuivie par l'examen des effets principaux (basés sur les moyennes marginales). Si un effet principal est significatif (disons que les marges du bas du tableau de moyennes diffèrent significativement), on peut comparer ces moyennes marginales avec un test de Tukey. Le $CM_e$ est le $CM$ intragroupe obtenu dans l'ANOVA (de même pour $dl_e$). Par contre, attention : le nombre de sujets est le nombre de sujets total dans chaque colonne. Si l'autre effet principal est lui aussi significatif (i.e. l'autre marge), un test de Tukey pour comparer les moyennes de cette marge peut aussi être réalisé.

- Si l'interaction est significative, les marges sont trompeuses et ne doivent pas être regardées. Les données ont été décomposées en tranches, et pour chaque tranche, un test d'effet simple a été réalisé. Si l'effet simple pour une tranche est significatif, un test de Tukey peut suivre. Dans la formule, les $CM_e$ et $dl_e$ réfèrent au terme d'erreur obtenu dans l'ANOVA (i.e. $CM_{intra}$ et $dl_{intra}$), et $n$ est le nombre de participants par groupe (ou $\tilde{n}$ si les groupes ne sont pas de taille égale sans que le déséquilibre entre le groupe de plus grande taille et le groupe de moindre taille excède 1.25).

Le diagramme résumant les étapes est illustré à la Figure 12.10.

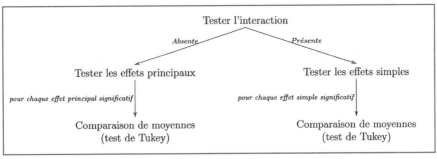

**Figure 12.10**

**Arbre de décision incluant le test de comparaison de moyennes.**

## 6.1 L'exemple de la thérapie par le nombre de séances

Dans cet exemple, l'interaction n'est pas significative. Les deux effets principaux le sont. Comme les facteurs ont plus de deux niveaux, faisons les tests de Tukey.

Concernant l'effet de la thérapie, les écarts entre les thérapies sont donnés dans le Tableau des différences 12.11.

### Tableau 12.11

**Différences (marginales) entre les thérapies.**

| Écarts | $\bar{X}_{Désensibilisation}$ | $\bar{X}_{Toast\ Masters}$ |
|---|---|---|
| $\bar{X}_{Immersion}$ | $1.9^*$ | $3.6^*$ |
| $\bar{X}_{Désensibilisation}$ | | $1.7^*$ |

$^*$: p < .05.

Le $CM_e$ est le $CM$ intragroupe et vaut $0.58$, le $dl_e$ est le $dl$ intragroupe et vaut $36$, et il y a $15$ participants dans chaque thérapie (le nombre de sujets dans une colonne du Tableau 12.5). La valeur critique $q_{5\%}(3, 36)$ vaut $3.45$ et donc, la règle de décision est:

$$\text{Rejet de } H_0 \text{ si } \left| \bar{X}_r - \bar{X}_s \right| > 3.45 \times \sqrt{\frac{0.58}{15}}$$
$$> 0.68.$$

Ainsi, les thérapies sont toutes significativement différentes les unes des autres.

Concernant l'effet du nombre de séances, les écarts sont énumérés au Tableau 12.12.

### Tableau 12.12

**Différences (marginales) entre les nombres de séances.**

| Écarts | $\bar{X}_{10\ séances}$ | $\bar{X}_{15\ séances}$ |
|---|---|---|
| $\bar{X}_{5\ séances}$ | $2.1^*$ | $2.5^*$ |
| $\bar{X}_{10\ séances}$ | | $0.4$ |

$^*$: p < .05.

Ici, $CM_e$ et $dl_e$ sont identiques à ceux de l'analyse précédente. De plus, comme le facteur Séance a le même nombre de niveaux que le facteur Thérapie, la valeur critique est aussi la même. Le test est donc identique:

$$\text{Rejet de } H_0 \text{ si } \left| \bar{X}_r - \bar{X}_s \right| > 0.68$$

et la performance ne s'améliore plus significativement au-delà de $10$ séances.

La Figure 12.11 illustre la démarche.

## 6.2 L'exemple des archaïsmes

Ici, l'interaction significative oblige à procéder à l'analyse des effets simples (i.e. tranche par tranche). On a choisi de procéder en divisant l'analyse selon le niveau du diplôme le plus élevé obtenu. Chez ceux n'ayant pas d'études secondaires, l'effet simple était significatif. On peut donc procéder à un test de Tukey sur ces trois groupes. Les écarts sont donnés au Tableau 12.13.

### Tableau 12.13

**Écarts chez les personnes n'ayant pas de diplôme secondaire.**

| Écarts | $\bar{X}_{\text{Cœur du Québec}}$ | $\bar{X}_{\text{Région éloignée}}$ |
|---|---|---|
| $\bar{X}_{\text{Métropole}}$ | 0.6 | 5.4* |
| $\bar{X}_{\text{Cœur du Québec}}$ | | 6.0* |

*: $p < .05$.

Le $CM_e$ obtenu par ordinateur vaut 4.51 et le $dl_e$ vaut 60. Il y a 6 sujets par groupes comparés. La valeur critique est donc $q_{5\%}(3, 60) = 3.40$. La règle de décision devient

$$\text{Rejet de } H_0 \text{ si } \left| \overline{X}_r - \overline{X}_s \right| > 3.40 \times \sqrt{\frac{4.51}{6}}$$
$$> 2.95.$$

Ainsi, les locuteurs de la Métropole et du Cœur du Québec ne diffèrent pas quant à l'utilisation d'archaïsmes. Lorsqu'on regarde la seconde tranche (les gens ayant un diplôme d'études secondaires), les écarts sont donnés au Tableau 12.14.

### Tableau 12.14

**Écarts chez les personnes n'ayant pas de diplôme secondaire.**

| Écarts | $\bar{X}_{\text{Cœur du Québec}}$ | $\bar{X}_{\text{Région éloignée}}$ |
|---|---|---|
| $\bar{X}_{\text{Métropole}}$ | 0.7 | 3.5* |
| $\bar{X}_{\text{Cœur du Québec}}$ | | 2.8* |

*: $p < .05$.

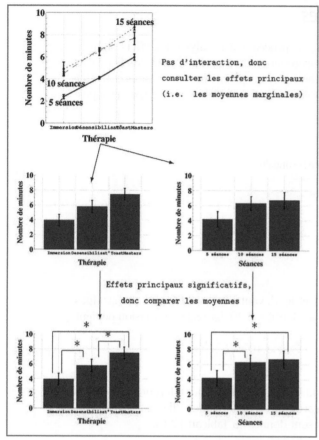

**Figure 12.11**

Démarche lorsque l'interaction n'est pas significative.

Dans le cas des effets simples, la règle de décision est toujours identique. On a donc

$$\text{Rejet de } H_0 \text{ si } |\overline{X}_r - \overline{X}_s| > 2.95.$$

Le même résultat se répète pour les personnes ayant le diplôme d'études secondaires.

Aucun Tukey ne peut être fait pour les deux dernières tranches puisqu'il n'y a pas de différences significatives trouvées par les effets simples.

La Figure 12.12 illustre la démarche.

# 7. Comment rapporter les résultats d'une ANOVA factorielle ?

Tout comme la démarche statistique change selon qu'il y a une interaction ou pas, l'écriture de l'interprétation est aussi influencée par l'interaction. Si l'interaction est significative, il faut l'écrire en tout premier avant de commencer à rapporter les effets simples. À l'inverse, si l'interaction n'est pas significative, elle doit être rapportée à la fin.

Dans le premier exemple, le motivateur va écrire « Le type de thérapie a une influence significative sur le nombre de minutes avant les premiers signes d'anxiété ($F(2, 36) =$ 80.3, $p < .05$). La thérapie par immersion est la moins bonne (une durée moyenne de 3.9 min) alors qu'assister aux rencontres des Toasts Masters est la meilleure méthode (durée moyenne de 7.5 min). Une analyse *a posteriori* montre que la thérapie par désensibilisation est significativement moins bonne que les Toasts Masters ($q(3, 36) = 1.9$, $p < .05$) et significativement supérieure à la thérapie par immersion ($q(3, 36) = 1.7$, $p < .05$).

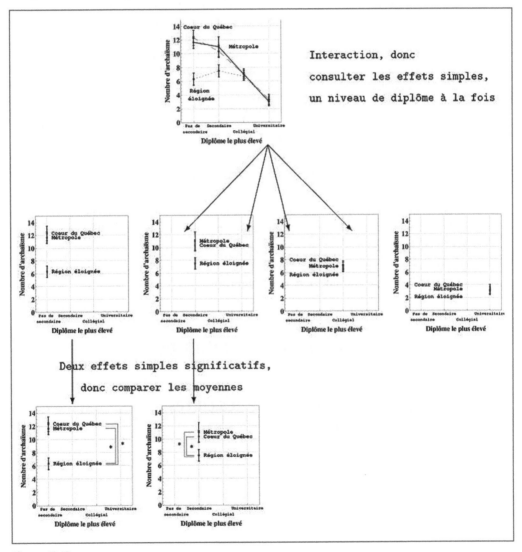

### Figure 12.12

**Démarche suivie lorsqu'il y a une interaction significative.**

Concernant le nombre de séances, 5 séances est significativement moins bénéfique que 15 ($F(2, 36) = 47.7$, $p < .05$). Cependant, suite à des tests *a posteriori*, 10 séances n'est pas moins bon que 15 séances ($q(3, 36) = 0.4$, $p > .05$) mais mieux que 5 ($q(3, 36) = 2.1$, $p < .05$).

Finalement, l'interaction n'est pas significative ($F(4, 36) = 0.49$, $p > .05$). »

Dans le second exemple, le linguiste pourrait écrire : « L'interaction étant significative ($F(6, 60) = 3.25$, $p < .05$), nous avons choisi de regarder les données un niveau de scolarité à la fois.

Concernant les personnes qui n'ont pas obtenu de diplôme secondaire, les personnes en régions éloignées utilisent significativement moins d'archaïsmes que les personnes du Cœur du Québec ($F(2, 60) = 14.4$, $p < .05$). Une analyse post-hoc montre que les personnes vivant en métropole sont significativement égales à celles vivant au Cœur du Québec ($q(3, 60) = 0.6$, $p > .05$) et significativement différentes de deux en région ($q(3, 60) = 5.4$, $p < .05$).

Concernant les personnes qui ont obtenu un diplôme secondaire, les personnes en régions éloignées utilisent elles aussi significativement moins d'archaïsmes que les personnes du Cœur du Québec ($F(2, 60) = 4.6$, $p < .05$). Une analyse post-hoc montre que les personnes vivant en métropole sont significativement égales à celles vivant au Cœur du Québec ($q(3, 60)=0.7$, $p > .05$) et significativement différentes de deux en région ($q(3, 60) = 2.8$, $p < .05$).

Finalement, les personnes qui ont un diplôme collégial et un diplôme universitaire utilisent toutes un nombre égal d'archaïsmes, peu importe la région ($F(2, 60) < 1$ dans les deux cas). »

Notez que quand un ratio F est inférieur à 1, il est inutile d'en rapporter la valeur exacte puisqu'il est certainement non significatif.

# 8. Compléments mathématiques

## 8.1 Répartition de la somme des carrés pour un schème $p \times q$

Pour démontrer la répartition de la somme des carrés, il faut procéder à des manipulations algébriques semblables à celles du chapitre précédent. On utilise comme point de départ la relation :

$$(\mathbf{X}_{ijk} - \overline{\overline{X}}) = (\mathbf{X}_{ijk} - \overline{X}_{ij \cdot}) + (\overline{X}_{ij \cdot} - \overline{\overline{X}})$$
$$= (\mathbf{X}_{ijk} - \overline{X}_{ij \cdot}) + (\overline{X}_{i \cdot \cdot} - \overline{\overline{X}}) + (\overline{X}_{\cdot j \cdot} - \overline{\overline{X}}) + (\overline{X}_{ij \cdot} - \overline{X}_{i \cdot \cdot} - \overline{X}_{\cdot j \cdot} + \overline{\overline{X}})$$

où $\mathbf{X}_{ijk}$ est la donnée du sujet $k$ dans le groupe $i, j$, $\overline{\overline{X}}$ est la moyenne globale, $\overline{X}_{ij \cdot}$ est la moyenne dans le groupe $i, j$, et finalement, $\overline{X}_{i \cdot \cdot}$ et $\overline{X}_{\cdot j \cdot}$ sont les moyennes marginales.

En élevant chaque côté au carré, en faisant la triple somme sur tous les niveaux de $a_i$, $b_j$ et tous les sujets $n$, on obtient la répartition de la somme des carrés. En substance, le premier terme de droite représente la somme des carrés des sujets par rapport à leurs traitements respectifs $SC_{intra}$, les deuxième et troisième termes sont la somme des carrés d'un traitement par rapport à la moyenne globale, soit $SC_A$ et $SC_B$. Le quatrième terme représente l'effet d'interaction, $SC_{A \times B}$.

---

Encadré 10
## John W. Tukey

John Tukey (1915-2000) a commencé par des études en chimie avant d'obtenir un doctorat en mathématiques. Il est le concepteur de la transformée de Fourier rapide (FFT) utilisée abondamment en ingénierie et plus récemment, de la méthode d'estimation par «jackknife». Tukey a inventé le terme «bit», contraction de «binary digit», qui a été à la base des travaux de Shannon sur l'information et le terme «software» (traduit par logiciel) dans les années 1950.

Il a écrit: «Far better an approximate answer to the right question, which is often vague, than an exact answer to the wrong question, which can always be made precise.»

---

# 9. ■■■ Utilisation de SPSS

## 9.1 ■■■ *L'organisation d'un fichier de données pour l'ANOVA factorielle*

La Figure 12.13 présente un extrait de données préparées pour une ANOVA factorielle. L'organisation d'un fichier de données pour une ANOVA factorielle est similaire à celle que l'on utilise pour l'ANOVA simple, c'est-à-dire «un sujet une ligne». Dans le cas d'une ANOVA factorielle à deux facteurs, le fichier de données contient minimalement ces trois colonnes:

1. Une variable identifiant le groupe auquel la personne appartient pour le premier facteur (le code « 1 » identifie le premier niveau du facteur, le code « 2 » identifie le second niveau, etc.);

2. Une variable identifiant le groupe auquel la personne appartient pour le deuxième facteur (le code « 1 » identifie le premier niveau, etc.);

3. La valeur obtenue sur la variable dépendante (le score).

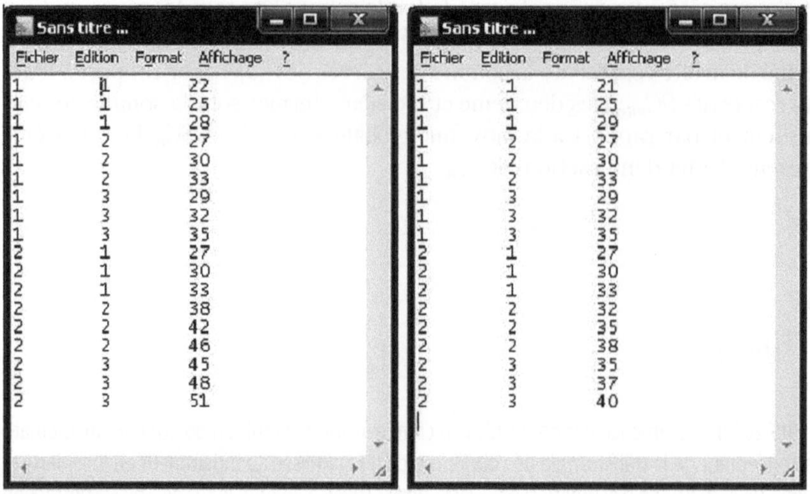

| | | |
|---|---|---|
| 1 | 1 | 22 |
| 1 | 1 | 25 |
| 1 | 1 | 28 |
| 1 | 2 | 27 |
| 1 | 2 | 30 |
| 1 | 2 | 33 |
| 1 | 3 | 29 |
| 1 | 3 | 32 |
| 1 | 3 | 35 |
| 2 | 1 | 27 |
| 2 | 1 | 30 |
| 2 | 1 | 33 |
| 2 | 2 | 38 |
| 2 | 2 | 42 |
| 2 | 2 | 46 |
| 2 | 3 | 45 |
| 2 | 3 | 48 |
| 2 | 3 | 51 |

| | | |
|---|---|---|
| 1 | 1 | 21 |
| 1 | 1 | 25 |
| 1 | 1 | 29 |
| 1 | 2 | 27 |
| 1 | 2 | 30 |
| 1 | 2 | 33 |
| 1 | 3 | 29 |
| 1 | 3 | 32 |
| 1 | 3 | 35 |
| 2 | 1 | 27 |
| 2 | 1 | 30 |
| 2 | 1 | 33 |
| 2 | 2 | 32 |
| 2 | 2 | 35 |
| 2 | 2 | 38 |
| 2 | 3 | 35 |
| 2 | 3 | 37 |
| 2 | 3 | 40 |

Figure 12.13

**Deux ensembles de données organisés pour une ANOVA factorielle.**
**Les données de gauche contiennent une interaction, celles de droite, non.**

## 9.2 *Calculer l'interaction et les effets principaux avec GLM*

La commande SPSS qui permet d'obtenir les effets principaux et l'interaction est encore la commande GLM. La syntaxe est presque identique à celle que nous avons vue au chapitre précédent excepté qu'il faut rajouter la seconde variable indépendante :

```
GLM colVD BY colfacteurA colfacteurB.
```

où **colVD** contient la variable dépendante (le score mesuré) et **colfacteurA** contient le niveau du premier facteur et **colfacteurB** contient le niveau du second facteur. Dans la sortie de cette commande, il y a des informations que nous n'utilisons pas : « Modèle corrigé », « Ordonnée à l'origine », « Constante », et « Total corrigé ». La ligne « Erreur » correspond au terme d'erreur (intragroupe).

Par exemple, soit une situation où le chercheur examine l'efficacité d'un médicament censé soigner la dépression (maladie 1) et les phobies (maladie 2). Un clinicien forme six groupes pour les deux types de **Maladie** (dépression, phobie) et pour trois **dosages** (une pilule par jour, deux et trois). Il mesure le bien-être ressenti par les participants. Il s'agit donc d'un schème expérimental 2 × 3 à 6 groupes indépendants.

Les données sont dans la partie gauche de la Figure 12.13. Le graphique des moyennes est donné à la Figure 12.14.

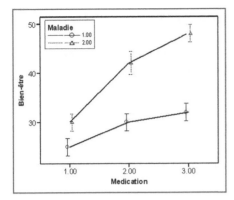

## Figure 12.14

**Graphique des moyennes selon la médication (1, 2 ou 3 pilules par jour) et selon la Maladie (lignes) sur le bien-être ressenti.**

Après avoir réalisé une ANOVA 2 × 3 avec GLM, il obtient l'output de la Figure 12.15.

**Tests des effets inter-sujets**

Variable dépendante:Bien_Être

| Source | Somme des carrés de type III | ddl | Moyenne des carrés | F | Signification |
|---|---|---|---|---|---|
| Modèle corrigé | 1126,500[a] | 5 | 225,300 | 22,161 | ,000 |
| Ordonnée à l'origine | 21424,500 | 1 | 21424,500 | 2107,328 | ,000 |
| Maladie | 544,500 | 1 | 544,500 | 53,557 | ,000 |
| Dosage | 489,000 | 2 | 244,500 | 24,049 | ,000 |
| Maladie * Dosage | 93,000 | 2 | 46,500 | 4,574 | ,033 |
| Erreur | 122,000 | 12 | 10,167 | | |
| Total | 22673,000 | 18 | | | |
| Total corrigé | 1248,500 | 17 | | | |

a. R deux = .902 (R deux ajusté = .862)

## Figure 12.15

**Output produit par SPSS dans lequel on voit l'interaction et les effets principaux.**

Il faut en tout premier lieu regarder l'interaction qui se trouve à la ligne **Maladie * Dosage**. Les deux lignes qui précèdent sont les effets principaux. L'interaction est significative ($F(2, 12) = 4.57$, $p < .05$) et on ne doit donc pas regarder ces effets principaux. Une façon de savoir que l'interaction est significative est de regarder la colonne Signification. Comme 0.033 est inférieur au seuil de décision (si vous avez adopté 5 %), l'effet d'interaction est significatif (rejet de $H_0$).

## 9.3 Calculer des effets simples avec GLM

Pour obtenir les effets simples d'une variable pour chacun des niveaux de l'autre variable, il faut rajouter une option à la commande GLM ci-dessus:

```
GLM colVD BY colfactA colfactB
    /EMMEANS = TABLES (colfactA * colfactB) COMPARE (colfactA).
```

Dans ce cas-ci, vous indiquez vouloir des effets simples pour chaque niveau du facteur **colfactA**. La commande ci-dessus reprend l'effet d'interaction, les effets principaux et rajoute les effets simples sous le titre « Tests univariés ».

Dans l'exemple précédent, la commande qui permet d'analyser l'impact du type de maladie pour chaque dosage est:

```
GLM Bien.Être BY Maladie Dosage
    /EMMEANS = TABLES (Maladie * Dosage) COMPARE (Maladie).
```

Dans le listing de la Figure 12.16, on lit que, pour le premier dosage, l'effet du type de maladie (le mot **Maladie** est remplacé par le terme **Contraste**) n'est pas significatif ($F(1, 12) = 3.69$, $p > .05$). On le voit soit en allant chercher le $F$ critique dans une table ou en regardant la colonne **Signification** (0.079).

Concernant les second et troisième dosages, l'effet du type de maladie est significatif ($F(1, 12) = 21.25$, $p < .05$ et $F(1, 12) = 37.77$, $p < .05$ respectivement). L'interaction ici tient au fait que l'effet du type de maladie n'existe pas pour le premier dosage mais est présent pour les deux autres dosages.

**Tests univariés**

Variable dépendante:Bien.Être

| Dosage | | Somme des carrés | ddl | Moyenne des carrés | F | Signification |
|---|---|---|---|---|---|---|
| 1 | Contraste | 37,500 | 1 | 37,500 | 3,689 | ,079 |
| | Erreur | 122,000 | 12 | 10,167 | | |
| 2 | Contraste | 216,000 | 1 | 216,000 | 21,246 | ,001 |
| | Erreur | 122,000 | 12 | 10,167 | | |
| 3 | Contraste | 384,000 | 1 | 384,000 | 37,770 | ,000 |
| | Erreur | 122,000 | 12 | 10,167 | | |

**Figure 12.16**

Analyse des effets simples produite par SPSS.

## 9.4 *Calculer des comparaisons de moyennes avec GLM*

Dans l'éventualité où l'interaction n'est pas significative, le test de comparaison des moyennes pour chacun des facteurs s'obtient avec la commande :

> GLM **colVD** BY **colfacteurA colfacteurB**
> /POSTHOC = **colfacteurA colfacteurB** (TUKEY).

Si l'interaction est significative, il faut réaliser le test de Tukey à la main pour comparer les moyennes de chaque effet simple significatif.

## Résumé

Les schèmes factoriels peuvent avoir autant de facteurs que désiré. Nous avons examiné le cas avec deux facteurs dans ce chapitre, ce qui introduit la possibilité d'une interaction. Avec trois facteurs, la situation se complexifie car deux des trois facteurs peuvent interagir mais pas le troisième, ou alors les trois peuvent interagir de façon parfois fort complexe. Dans le prochain chapitre, nous allons plutôt examiner les situations où un des facteurs est à mesures répétées.

## Questions pour mieux retenir

1. Trouvez les valeurs critiques pour l'interaction et les effets principaux si
   a) le schème est un 3 × 5 avec 5 sujets par groupe ;
   b) le schème est un 2 × 3 avec 6 sujets par groupe ;
   c) le schème est un 2 × 5 avec 7 sujets par groupe.

2. (a) Une expérience de type 2 × 2 a été réalisée et on trouve une interaction significative. Va-t-on faire un test de Tukey ? (b) Une expérience 2 × 3 présente une interaction significative. Va-t-on faire un test de Tukey si les groupes sont de tailles inégales ? Si le plus petit groupe contient 8 participants et le plus grand, 10 ?

3. Soit les données de droite de la Figure 12.13.
   a) Calculez les moyennes par groupe et les moyennes marginales.
   b) Faites le graphique des moyennes.
   c) À l'œil, diriez-vous qu'il y a une interaction ? Quelle serait l'étape suivante ?

## Questions pour mieux réfléchir

4.  Soit une expérience 2 × 2 à 4 groupes indépendants où on mesure le Q.I. et où les facteurs sont le sexe des participants ($a_1$ = homme et $a_2$ = femme) et l'anxiété (b1 dans une pièce calme, b2 des terroristes entrent avec des mitraillettes). Vous obtenez une interaction croisée.
    a)  Faites un graphique des moyennes représentant les résultats ?
    b)  Faites la liste de toutes les hypothèses nulles requises lors de l'analyse des résultats.
    c)  Supposant que les différences sont toutes significatives, quelle sorte d'interprétation pourriez-vous écrire ?

5.  Puisque l'ANOVA est basée sur l'analyse de variance, est-il préférable d'avoir des groupes où les sujets varient beaucoup entre eux (d'où une variabilité élevée) ?

## Questions pour s'entraîner

6.  Analyser les données de la Figure 12.13. Pour l'ensemble de gauche, vérifiez que vous obtenez les résultats donnés dans le texte.

# CHAPITRE 13

# Les analyses de variances à mesures répétées

## Sommaire

## Dans ce chapitre, vous allez apprendre :

1 Comment il est possible de retirer la variance inter-sujet de l'analyse grâce à des mesures répétées.

2 Comment réaliser une analyse de variance sur les données d'un schème avec un facteur à mesures répétées et sur un schème factoriel lorsqu'un ou les deux facteurs sont des mesures répétées.

3 Comment faire suivre l'ANOVA d'une analyse de comparaison de moyenne *a posteriori*.

## Introduction

*Les schèmes utilisant des mesures répétées permettent de recruter moins de participants. Ils permettent aussi d'éliminer la variabilité inter-sujet de l'erreur expérimentale, ce qui donne un test plus puissant de l'effet du traitement.*

Il arrive dans certaines situations qu'un même participant soit mesuré dans plusieurs conditions différentes. Par exemple, pour évaluer une méthode thérapeutique, une façon d'évaluer l'effet de la thérapie est d'opter pour une expérience avant-après. Similairement, pour évaluer les effets à long terme, on pourrait mesurer les participants, par exemple, un mois après la fin de la thérapie, 6 mois après et un an après. Dans ces deux cas, les mêmes personnes sont mesurées plus d'une fois. On appelle une expérience qui utilise cette approche une expérience basée sur un schème à mesures répétées.

Une expérience à mesures répétées n'est pas uniquement utilisée pour évaluer des thérapies. Par exemple, soit une situation où on veut savoir s'il est préférable d'utiliser des diagrammes ou des animations pour enseigner le fonctionnement d'organes (tels que le cœur, les viscères, etc.). Une façon d'explorer cette question serait d'avoir trois groupes indépendants auxquels on présente l'information (a) sous forme de texte uniquement ; (b) avec du texte et un diagramme ; ou (c) avec du texte et un diagramme animé. Il s'agit alors d'un schème 3 à trois groupes indépendants. Par contre, si l'enseignant peut préparer des présentations pour trois organes différents, il pourrait utiliser les mêmes sujets trois fois, d'où un schème à trois mesures répétées.

Inversement, un chercheur qui veut évaluer l'effet d'une thérapie n'est pas obligé de prendre un schème à mesures répétées. Par exemple, il pourrait examiner un groupe de patients après un mois, un groupe différent de patients après 6 mois et un troisième groupe de patients après un an.

Lorsqu'on utilise la notation symbolique pour représenter un schème expérimental, on utilise les parenthèses pour indiquer les facteurs à mesures répétées. Ainsi, la notation $(p)$ désigne une expérience dans laquelle un seul groupe a été mesuré $p$ fois. Le précédent exemple est appelé un schème (3) (verbalement, les parenthèses étant difficiles à prononcer, on spécifie « un schème (3) à trois mesures répétées »). La notation $p \times (q)$ désigne un schème factoriel comprenant $p$ groupes indépendants, un pour chaque niveau de $A$, chaque groupe étant mesuré $q$ fois sur chacun des niveaux du facteur $B$. Un exemple de schème (3) × 2 serait l'enseignement du fonctionnement des organes selon le type de matériel didactique (texte seulement, texte et diagramme, texte et animation) et selon le sexe (hommes, femmes). Finalement, la notation $(p \times q)$ désigne un schème factoriel avec un seul groupe, mais mesuré dans les $p \times q$ combinaisons des facteurs $A$ et $B$. Un exemple de schème (3 × 3) serait l'enseignement selon le type de matériel didactique et la matière enseignée (biologie, physique, chimie). On peut étendre cette notation aux schèmes ayant trois facteurs ou plus (e. g., un schème 5 × (3 × 3)).

Dans le cas d'un schème (2), on peut utiliser un test $t$ sur des mesures répétées ou l'ANOVA à mesures répétées, les deux méthodes donnant exactement la même décision (cf. les compléments mathématiques du chapitre 11).

Les schèmes utilisant des mesures répétées ont des avantages mais aussi des inconvénients. Le principal inconvénient est que les participants, suite à des effets d'apprentissage ou de démotivation s'ils sont mesurés trop souvent, risquent de ne plus répondre de façon comparable à la fin de l'expérience, sans que cela soit causé par le traitement. On appelle ces facteurs non désirés (fatigue, ennui, démotivation, apprentissage, habituation, etc.) des facteurs concomitants. Une façon d'éviter ces facteurs concomitants est de faire les mesures dans un ordre aléatoire lorsque cela est possible. Évidemment, quand le facteur manipulé est le temps passé, ce n'est pas possible...

Les avantages généralement compensent pour les inconvénients : (a) le chercheur recrute moins de participants ; (b) le test est plus puissant car la variabilité entre les personnes peut être « retirée » des calculs. Voyons comment.

# 1. Le point de vue des sujets

Prenons la situation hypothétique où un chercheur examine le temps pris pour résoudre des Sudoku selon le nombre de mois d'entraînement. Il recrute quatre participants qui seront mesurés à trois reprises : après un mois d'entraînement, après 2 mois et après trois mois. Le temps en minutes pour résoudre 4 Sudoku constitue la variable mesurée.

Les résultats sont donnés au Tableau 13.1.

## Tableau 13.1

**Résultat dans l'expérience sur l'apprentissage des Sudoku.**

|  | Moment | | | Moyenne par sujet |
| --- | --- | --- | --- | --- |
|  | Après un mois | Après deux mois | Après trois mois | |
|  | 19 | 16 | 13 | 16 |
|  | 37 | 33 | 29 | 33 |
|  | 22 | 19 | 19 | 20 |
|  | 22 | 20 | 15 | 19 |
| Moyenne par mois | 25 | 22 | 19 | 22 |
| Variance par mois | 66.0 | 56.7 | 50.7 | |

Ici, nous avons aligné les données car chaque ligne contient les données d'une personne unique.

La nouveauté avec ce type de schème est qu'il y a maintenant deux points de vue possibles : on peut regarder les données du point de vue des moments d'apprentissage. Ce point de vue est donné dans la marge inférieure. Il s'agit du même point de vue que le point de vue intergroupe du chapitre 11, sauf qu'il n'est pas obtenu à partir de groupes indépendants. C'est ce point de vue qui va permettre de décider si l'entraînement a permis de résoudre des Sudoku de façon significativement plus rapide.

Le second point de vue est le point de vue des sujets. Si on regarde la marge de droite du Tableau 13.1, on voit comment les participants varient. Il est normal que les participants diffèrent et nous n'allons pas tester ces différences. Néanmoins, regardez le second participant. D'après son résultat marginal, il semble être un participant plus lent que les autres (en moyenne, les participants nécessitent 22 minutes pour solutionner les 4 Sudoku mais celui-ci prend presque 50 % plus de temps). Cette lenteur se voit dans l'ensemble de ses données (il est plus lent partout). À cause de la variabilité entre les sujets, la variabilité des données (la variabilité intra-mesure) est plus grande.

Si on réalise une ANOVA comme on l'a vue au chapitre 11 en ignorant le point de vue des sujets, on va contraster la variabilité inter-moments à la variabilité intra-moments à l'aide d'un ratio. Si la variabilité intra-moment est grande, le ratio F sera petit (puisqu'il est au dénominateur) et il y a donc moins de chance que l'on dépasse une valeur critique.

Si on tient compte du point de vue des sujets, on peut aplanir les différences individuelles : puisque le sujet 2 est en moyenne 11 minutes plus lent que la moyenne, enlevons 11 à ses résultats. De la même façon, puisque le sujet 1 est 6 minutes plus rapide que la moyenne, rajoutons 6 à tous ses résultats, et ainsi de suite pour tous les participants. En formule, le score revu devient :

$$\hat{X}_{ik} = X_{ik} - \overline{X}_{\cdot k} + \overline{\overline{X}}$$

où $\overline{X}_{\cdot k}$ est la moyenne du $k^{\text{ième}}$ participant, et $\overline{X}_{\cdot k} - \overline{\overline{X}}$ est l'écart entre le participant $k$ et la moyenne globale. Pour le participant 2, $\overline{X}_{\cdot 2} - \overline{\overline{X}}$ donne $33 - 22$, soit 11, qu'il faut alors retirer à ses données.

Le tableau des résultats « aplanis » est donné au Tableau 13.2.

## Tableau 13.2

**Données où les différences individuelles ont été retirées et moyennes marginales.**

| | Moment | | | Moyenne par sujet |
|---|---|---|---|---|
| | Après un mois | Après deux mois | Après trois mois | |
| | 25 | 22 | 19 | 22 |
| | 26 | 22 | 18 | 22 |
| | 24 | 21 | 21 | 22 |
| | 25 | 23 | 18 | 22 |
| Moyenne par mois | 25 | 22 | 19 | 22 |
| Variance par mois | 0.66 | 0.66 | 2.00 | 22 |

Remarquez que (a) les résultats inter-moments (la marge inférieure) sont strictement inchangés. Il en sera toujours ainsi ; (b) les sujets sont maintenant tous comparables (le point de vue des sujets ne varie plus) ; (c) les données intra-moments sont maintenant beaucoup moins variables (comparez les variances dans le Tableau 13.1 et le Tableau 13.2). La mesure de l'erreur expérimentale exclut maintenant les différences entre les personnes.

Réalisons une ANOVA sur les données aplanies comme au chapitre 11. Commençons avec la variabilité intra.

La somme des carrés à chaque moment s'obtient en multipliant la variance par les degrés de liberté :

$$SC_{1\ mois} = 0.66 \times (4 - 1) = 2\ ;$$
$$SC_{2\ mois} = 0.66 \times (4 - 1) = 2\ ;$$
$$SC_{3\ mois} = 2 \times (4 - 1) = 6$$

d'où $SC_{intra} = 2 + 2 + 6 = 10$. Pour les degrés de liberté intra, il faut enlever 1 dans chaque groupe mais aussi 1 à chaque sujet puisqu'on utilise la moyenne par sujet. Il est donc égal au nombre de colonnes moins un multiplié par le nombre de lignes moins un (la section sur les tableaux de contingence au chapitre 10 utilise le même raisonnement) et vaut :

$$dl_{intra} = (3 - 1) \times (4 - 1) = 6.$$

Il s'ensuit que la variance regroupée, notée $CM_{intra}$ vaut

$$CM_{intra} = \frac{SC_{intra}}{dl_{intra}} = \frac{10}{6} = 1.67.$$

Poursuivons avec la variabilité inter notée $CM_{inter}$ calculée sur la marge inférieure et pondérée par le nombre de sujet :

$$SC_{inter} = 4(25 - 22)^2 + 4(22 - 22)^2 + 4(19 - 22)^2 = 4 3^2 + 0 + 4(- 3)^2 = 72$$
$$dl_{inter} = 3 - 1 = 2$$

d'où

$$CM_{inter} = 72/2 = 36.$$

Ces deux mesures représentent l'erreur expérimentale si l'entraînement n'a pas d'effet et devraient donc être comparable.

Ça ne semble pas être le cas, Pour s'en convaincre, on prend le ratio

$$F = \frac{CM_{inter}}{CM_{intra}} = \frac{36}{1.67} = 21.6.$$

Ce chiffre est bien plus grand que 1 et donc les performances moyennes à chaque moment ne sont pas égales. Si nous n'avions pas exclu le point de vue des sujets (refaites les calculs avec le Tableau 13.1 pour vous en convaincre), nous n'aurions pas obtenu de différence entre le $CM_{intra}$ et le $CM_{inter}$, car alors $F = 0.623$. On dit que le test à mesures répétées est plus puissant car il est plus apte à détecter des différences que le test à groupes indépendants.

## 1.1 ▰▰ *Notation*

La difficulté avec les schèmes à mesures répétées est qu'il n'existe pas de point de vue intergroupe puisqu'il n'y a qu'un seul groupe. Il existe trois points de vue : (1) Le point de vue qui permet de tester l'hypothèse nulle est le point de vue « inter-condition ». (2) Le point de vue inter-sujet (marge de droite) montre les différences entre les participants. Cependant, ce point de vue n'est jamais intéressant puisqu'on sait que les sujets diffèrent. (3) Le point de vue des scores une fois les différences individuelles retirées (les données « aplanies » du Tableau 13.2). Ce point de vue montre comment varient des scores quand tous les sujets sont comparables. Cette variabilité est causée par l'erreur expérimentale ; il s'agit donc du point de comparaison (le terme d'erreur) qui est mis au dénominateur dans l'ANOVA. Le terme d'erreur ne s'obtient pas sur les données originales mais sur les données après avoir retiré les particularités des sujets. Pour cette raison, on note le terme d'erreur avec l'indice $S \times A$ (si le facteur manipulé s'appelle $A$) où $S$ tient pour « sujet ».

Pour reprendre le formalisme de l'équation 11.1 du chapitre 11, on peut écrire :

$$\frac{\text{variance inter-condition}}{\text{variance des données aplanies}} = \frac{\text{erreur expérimentale sans variabilité inter-sujet}}{\text{erreur expérimentale - variabilité inter-sujet}} \approx 1$$

lorsque les deux points de vue sont comparables.

La structure du test reste inchangée. Il y a l'hypothèse nulle, telle que :

$\qquad$ $H_0$ : l'entraînement ne change pas le temps pour résoudre 4 Sudoku,

ou, si on préfère utiliser des symboles :

$$H_0 : \mu_{1 \text{ mois}} = \mu_{2 \text{ mois}} = \mu_{3 \text{ mois}}.$$

Le test est de la forme

$$\text{Rejet de } H_0 \text{ si } F = \frac{CM_A}{CM_{S \times A}} > F_\alpha \, (dl_A, dl_{S \times A}).$$

Ce qui change cependant est la façon de calculer la variance intra : il faut faire la somme des écarts à la moyenne sur les données aplanies, ce que réalise cette formule :

$$SC_{S \times A} = \sum_{i=1}^{p} \sum_{k=1}^{n} (\hat{\mathbf{X}}_{ik} - \overline{X}_{i\cdot})^2$$

$$= \sum_{i=1}^{p} \sum_{k=1}^{n} (\mathbf{X}_{ik} - \overline{X}_{i\cdot} - \overline{X}_{\cdot k} + \overline{\overline{X}})^2$$

où $\hat{\mathbf{X}}_{ik}$ est la donnée du participant $k$ dans la condition $i$ sans différences individuelles, $\overline{X}_{\cdot k}$ est la moyenne du participant $k$ (i.e. la marge de droite). Le degré de liberté tient compte du fait qu'on a utilisé les $n$ moyennes des sujets et vaut :

$$dl_{S \times A} = (n - 1)(p - 1).$$

Dans ce type de schème, on dit que la variabilité inter-sujet a été « retirée » avant de calculer la variabilité de l'erreur expérimentale.

## 1.2 *Un autre exemple : les exercices d'évacuation*

Un responsable de la sécurité dans une grande entreprise cherche à améliorer le temps d'évacuation des usines. Il choisit 7 usines parmi les usines de l'entreprise pour tester l'impact des exercices d'incendie sur les temps d'évacuation. Dans chaque usine, il fera plusieurs exercices d'incendies.

Le fait que les mêmes usines soient mesurées plusieurs fois, chacune avec ses particularités et ses employés, lui permet d'utiliser un schème à mesures répétées. Ici, les « sujets » de l'étude sont des usines !

Il enclenche 5 exercices d'incendie à des moments aléatoires, à raison d'un exercice par semaine. Il mesure le temps en minutes pour que le dernier employé sorte de l'usine. Les résultats sont donnés dans le Tableau 13.3.

### Tableau 13.3

**Temps d'évacuation de 7 usines en fonction du numéro d'exercice en minutes.**

| Usine | Numéro d'exercice | | | | | Moyenne par usine |
|---|---|---|---|---|---|---|
| | 1 | 2 | 3 | 4 | 5 | |
| 1 | 19 | 17 | 16 | 18 | 17 | 17.4 |
| 2 | 23 | 19 | 14 | 21 | 20 | 19.4 |
| 3 | 17 | 14 | 13 | 17 | 16 | 15.4 |
| 4 | 15 | 16 | 11 | 19 | 19 | 16.0 |
| 5 | 31 | 28 | 20 | 21 | 22 | 24.4 |
| 6 | 19 | 16 | 15 | 13 | 15 | 15.6 |
| 7 | 22 | 19 | 14 | 21 | 23 | 19.8 |
| Moyenne | 20.9 | 18.4 | 14.7 | 18.6 | 18.9 | 18.3 |

Le graphique des temps moyens de la Figure 13.1 permet de mieux voir la tendance : au début, les temps d'évacuation diminuent, mais après le troisième exercice, ils se mettent à augmenter.

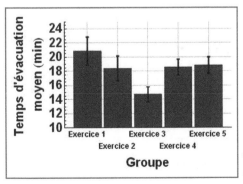

### Figure 13.1

Temps d'évacuation moyen en fonction du numéro d'exercice.

Pour s'assurer que ces résultats sont fiables, il procède à une analyse de variance (5) à 5 mesures répétées sur le temps d'évacuation moyen. Son hypothèse nulle est

$H_0$ : Absence d'effet des exercices sur le temps d'évacuation moyen.

Le test est de la forme :

$$\text{Rejet de } H_0 \text{ si } F = \frac{CM_{Exercice}}{CM_{S \times Exercice}} > F_\alpha \, (dl_{Exercice}, dl_{S \times Exercice}).$$

Les degrés de liberté sont $dl_{S \times Exercice} = (n-1)(p-1) = (7-1)(5-1) = 24$ et $dl_{Exercice} = p - 1 = 5 - 1 = 4$. La valeur critique pour un $\alpha$ de 5 % $F_{5\%}(4, 25)$ vaut 2.78.

Il procède aux calculs et trouve :

$$SC_{S \times Exercice} = \sum_{i=1}^{p} \sum_{k=1}^{n} (\mathbf{X}_{ik} - \overline{X}_{i \cdot} - \overline{X}_{\cdot k} + \overline{\overline{X}})^2$$
$$= 132.2$$

$$SC_{Exercice} = \sum_{i=1}^{p} n \, (\overline{X}_{i \cdot} - \overline{\overline{X}})^2$$
$$= 138.6.$$

En prenant le ratio entre la variance des exercices et la variance de l'erreur expérimentale, il trouve :

$$F = \frac{CM_{Exercice}}{CM_{S \times Exercice}} = \frac{SC_{Exercice} / dl_{Exercice}}{SC_{S \times Exercice} / dl_{S \times Exercice}}$$
$$= \frac{138.6 / 4}{132.2 / 24}$$
$$= 6.3.$$

Le F trouvé excédant la valeur F critique, le responsable de la sécurité rejette l'hypothèse nulle. Il conclut que les deux temps les plus différents sont réellement différents. Dans le cas présent, l'exercice numéro 3 s'est complété significativement plus rapidement que l'exercice numéro 1 (cf. Figure 13.1). Il résume ses résultats avec le Tableau d'ANOVA 13.4.

## Tableau 13.4

**Synthèse des résultats de l'ANOVA.**

| Source de variation | SC | dl | CM | F |
|---|---|---|---|---|
| Intrasujet | 270.8 | 28 | | |
| Exercice | 138.6 | 4 | 34.6 | 6.3* |
| S x Exercice | 132.2 | 24 | 5.5 | |
| Intersujet | 312.3 | 6 | | |
| Total | 583.1 | 34 | | |

*: $p < .05$.

Note : les lignes « Intrasujet », « Intersujet » et « Total » sont optionnelles.

Cependant, il observe que la tendance semble s'inverser après le troisième exercice. Si un excès d'exercices influence les employés des usines, les ralentissant lors de l'évacuation, cela voudrait dire qu'ici, plus n'est pas synonyme de mieux. Comme il est important de le savoir, il procède à une analyse *a posteriori* pour comparer le temps moyen d'évacuation de chaque exercice avec chaque autre.

Il calcule l'écart entre les temps moyens pour chaque paire de moyennes qu'il met dans un tableau d'écart comme celui du Tableau 13.5.

## Tableau 13.5

**Les écarts entre les différentes conditions.**

| Écarts | Exercice 2 | Exercice 3 | Exercice 4 | Exercice 5 |
|---|---|---|---|---|
| Exercice 1 | 2.5 | 6.2* | 2.3 | 2.0 |
| Exercice 2 | | 3.7* | 0.2 | 0.5 |
| Exercice 3 | | | 3.9 * | 4.2* |
| Exercice 4 | | | | 0.3 |

*: p < .05.

Ce tableau est calculé à l'aide de la marge inférieure du Tableau 13.3. Les degrés de liberté du terme d'erreur sont 24, et il y a 5 moyennes à comparer. Avec ces informations, il peut trouver la valeur critique d'un écart studentisé pour un seuil de décision de 5 %. Il trouve que $q_{5\%}(5, 24)$ vaut 4.17 s'il utilise un ordinateur (ou se trouve entre 4.10 et 4.23 s'il consulte la table du présent livre).

L'hypothèse nulle est qu'une paire de moyennes ne diffère pas. Il fait cette hypothèse pour toutes les paires possibles (il y en a 10).

Le test *a posteriori* est de la forme :

$$\text{Rejet de } H_0 \text{ si } \left| \overline{X}_r - \overline{X}_s \right| > q_{5\%}(p, dl_e) \times \sqrt{\frac{CM_{S \times Exercice}}{n}}$$

où la valeur critique $q_{5\%}$ vaut 4.17, la variabilité du terme d'erreur vaut 5.5 (Tableau 13.4) et $n$ vaut 7. On peut donc calculer

$$
\begin{aligned}
q_{5\%}(p, dl_e) \times \sqrt{\frac{CM_{S \times Exercice}}{n}} &= 4.17 \times \sqrt{\frac{5.5}{7}} \\
&= 4.17 \times \sqrt{0.78} \\
&= 4.17 \times 0.89 \\
&= 3.70.
\end{aligned}
$$

Pour chaque paire, il va rejeter l'hypothèse si l'écart entre ces deux moyennes excède 3.70 minutes.

On voit que le temps moyen pour l'exercice 3 diffère du temps moyen de tous les autres exercices. Par contre, avoir trop ou trop peu d'exercices n'améliore pas le temps d'évacuation. Par exemple, le temps d'évacuation après 5 exercices est statistiquement le même qu'après le premier exercice.

Il conclut que réaliser trois exercices en trois semaines est optimal pour réduire le temps d'évacuation mais qu'un quatrième ou un cinquième exercice vient annuler ce gain.

# 2. Schème avec une mesure répétée et des groupes indépendants : le schème $p \times (q)$

Il est possible d'avoir une expérience où il y a quelques groupes indépendants (disons, $p$ groupes) et où les participants dans ces groupes sont mesurés un certain nombre de fois (disons $q$ fois). Il s'agit alors d'un **schème mixte** car il présente à la fois des mesures répétées et des groupes indépendants.

La difficulté de ce type de schème est qu'il existe maintenant un grand nombre de points de vue. On peut prendre le point de vue du premier traitement et regarder les moyennes marginales à ses différents niveaux. On peut faire de même avec le second traitement. Mais on peut aussi prendre le point de vue des sujets dans chaque groupe ou encore le point de vue de l'interaction. Avec tous ces points de vue, il devient difficile de s'y retrouver et nous n'allons qu'effleurer les points de vue pertinents.

Dans un schème $p \times (q)$, il existe deux termes d'erreur, notés $SC_{S \times A \times B}$ et $SC_{S \times A}$. La grande difficulté en fait est de bien identifier le bon terme d'erreur (le dénominateur) et le bon degré de liberté. Pour calculer un ratio $F$ sur un facteur ou sur l'interaction, il faut utiliser le terme d'erreur de même catégorie (intragroupe ou intergroupe) que l'effet testé. Ainsi, l'effet de la mesure répétée $B$ et l'effet d'interaction $A \times B$ sont testés avec le terme d'erreur intragroupe ($S \times A \times B$) alors que l'effet du facteur à groupes indépendants est testé avec le terme d'erreur intergroupe $S \times A$.

## 2.1 Exemple

Chaque année se tient dans les monts Appalaches l'Odyssée Appalachienne, une rencontre où se déroulent des courses de traineaux à chiens, et qui culmine avec le 120 milles (192 km). Le club de traîneaux à chiens de Sainte-Perpétue, bien décidé à gagner des médailles, décide d'appliquer la méthode scientifique (et sa cousine, la méthode quantitative) pour augmenter ses chances de gagner.

Les entraîneurs du club identifient deux facteurs qui peuvent affecter la performance de l'attelage sans qu'ils puissent s'entendre sur la combinaison optimale : la fréquence d'entraînement et le type d'incitation donné aux chiens. Concernant la fréquence d'entraînement, ils en retiennent trois : 6 entraînements d'une heure par semaine, 3 entraînements de deux heures par semaine, et 2 entraînements de 3 heures par semaine. Pour le type d'incitation, ils retiennent : crier après les chiens ; siffler ; s'adresser aux chiens par leur nom ; et finalement aucune incitation (ce dernier étant une condition contrôle). La cédule d'entraînement, appliquée durant deux mois, nécessite forcément des attelages différents. Il s'agit donc d'un facteur à trois groupes indépendants. Pour ce qui est de l'incitation, les mêmes attelages peuvent être testés quatre fois, une fois avec chaque type d'incitation. Ce second facteur est donc à mesure répétée. La mesure est le temps pour compléter un 40 km d'entraînement. Les quatre mesures ont lieu sur quatre semaines différentes pour éviter la fatigue des chiens. Sept attelages sont recrutés dans chaque groupe. Les sujets de l'étude ne sont pas des chiens, mais l'attelage de chiens (incluant son conducteur).

Le schème expérimental est un $3 \times (4)$ à quatre mesures répétées sur le type d'incitation. Le Tableau 13.6 donne les données pour les trois groupes et les quatre mesures.

## Tableau 13.6

**Résultats dans l'étude sur les attelages de chiens ; chaque ligne représente un attelage différent.**

| Entraînement | Incitation | | | |
|---|---|---|---|---|
| | Cris | Sifflement | Nominal | Rien |
| 6 x 1 heure | 175 | 127 | 103 | 115 |
| | 101 | 137 | 113 | 125 |
| | 107 | 143 | 119 | 131 |
| | 119 | 155 | 131 | 143 |
| | 123 | 159 | 135 | 147 |
| | 127 | 163 | 139 | 151 |
| | 137 | 173 | 149 | 161 |
| 3 x 2 heures | 121 | 157 | 133 | 145 |
| | 131 | 167 | 143 | 155 |
| | 137 | 173 | 149 | 161 |
| | 149 | 185 | 161 | 173 |
| | 153 | 189 | 165 | 177 |
| | 157 | 193 | 169 | 181 |
| | 83 | 203 | 179 | 191 |
| 2 x 3 heures | 142 | 178 | 154 | 166 |
| | 152 | 188 | 164 | 176 |
| | 158 | 194 | 170 | 182 |
| | 170 | 206 | 182 | 194 |
| | 174 | 210 | 186 | 198 |
| | 178 | 214 | 190 | 202 |
| | 188 | 224 | 200 | 212 |

Les temps moyens dans chacune des conditions sont donnés dans le Tableau 13.7.

## Tableau 13.7

**Temps de parcours moyen selon la condition.**

| Entraînement | Incitation | | | | Moyenne |
|---|---|---|---|---|---|
| | Cris | Sifflement | Nominal | Rien | |
| 6 x 1 heure | 127 | 151 | 127 | 139 | 136 |
| 3 x 2 heures | 133 | 181 | 157 | 169 | 160 |
| 2 x 3 heures | 166 | 202 | 178 | 190 | 184 |
| Moyenne | 142 | 178 | 154 | 166 | 160 |

On les voit mieux avec la Figure 13.2.

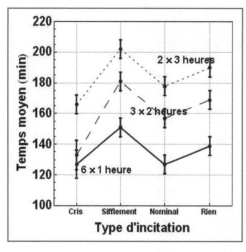

### Figure 13.2

**Temps moyens dans chacune des 12 conditions.**

Par contre, comme on peut le voir au Tableau 13.6, certains attelages sont systématiquement meilleurs que d'autres. Pour mieux voir ceci, le Tableau 13.8 donne le temps moyen pour chaque attelage (il s'agit de la troisième « marge »). Par exemple, l'attelage mené par Bobo est presque deux fois plus rapide que celui mené par Bedaine. Il y a donc une variabilité inter-sujet qui peut être retirée si on « aplanit » les données dans chaque groupe.

## Tableau 13.8

**Temps moyen par attelage.**

| | Groupe | | | | |
|---|---|---|---|---|---|
| **6 x 1 heure** | | **3 x 2 heures** | | **2 x 3 heures** | |
| Nom du leader | Temps moyen | Nom du leader | Temps moyen | Nom du leader | Temps moyen |
| Bobo | 130 | Macha | 139 | Toto | 160 |
| Micky | 119 | Moustik | 149 | Fripouillette | 170 |
| Grosses Pattes | 125 | Poilu | 155 | Carmina | 176 |
| Carno | 137 | Loulou | 167 | Pistole | 188 |
| Chaton | 141 | Tintin | 171 | Beau-Brun | 192 |
| Chien-Chien | 145 | Lebeau | 175 | Bébé | 196 |
| Bedaine | 155 | Xav | 164 | Cabriole | 206 |

Le tableau de l'ANOVA, obtenu par ordinateur, est donné au Tableau 13.9. Au niveau $\alpha = .05$, la valeur critique pour l'interaction est de 2.27 avec $(6, 54)$ degrés de liberté, alors que, pour les effets principaux, elles sont de 3.55 et 2.78 pour $(2, 18)$ et $(3, 54)$ degrés de liberté respectivement.

L'interaction entre le type d'entraînement et le type d'incitation n'est pas significative $(F(6, 54) = 1.5, p > .05)$. On peut donc interpréter directement les effets principaux sans recourir aux effets simples. Conséquemment, on se réfère à la Figure 13.3 qui illustre les moyennes marginales.

## Tableau 13.9

**Analyse de variance Entraînement × Incitation à mesures répétées sur le facteur Incitation.**

| Source de variation | SC | dl | CM | F |
|---|---|---|---|---|
| Intergroupe | 46 080 | 20 | | |
|    Entraînement | 32 256 | 2 | 16 128 | 21.0* |
|    Erreur (S x Entraînement) | 13 824 | 18 | 768 | |
| Intragroupe | 25 704 | 63 | | |
|    Incitation | 15 120 | 3 | 5 040 | 30.0* |
|    Entraînement x Incitation | 1 512 | 6 | 252 | 1.5 |
|    Erreur (S x E x I) | 9 072 | 54 | 168 | |
| Total | 71 784 | 83 | | |

*: $p < .05$.
Note : Les lignes intergroupe, intragroupe et Total sont optionnelles.

L'effet du type d'entraînement est significatif $(F(2, 18) = 21.0, p < .05)$. L'entraînement « 6 × 1 heure » permet de compléter un 40 km significativement plus rapidement qu'un entraînement de type « 2 × 3 heures ».

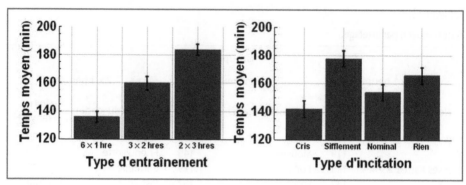

**Figure 13.3**

**Moyennes marginales pour chacun des facteurs.**

Puisqu'il y a plus de deux niveaux, il est possible de poursuivre avec un Tukey s'il est utile de savoir où se situe l'entraînement « 3 × 2 heures ». Le nombre de données à chaque niveau d'entraînement est 4 × 7 = 28. Le terme d'erreur vaut 768.0 avec 18 degrés de liberté (Tableau 13.9). Le test est de la forme :

$$\text{Rejet de } H_0 \text{ si } \left| \overline{\mathbf{X}}_r - \overline{\mathbf{X}}_s \right| > q_a\,(p, dl_e) \times \sqrt{\frac{CM_e}{n}} = 3.61 \sqrt{\frac{768}{7}} = 37.8.$$

Le Tableau 13.10 indique les écarts obtenus.

**Tableau 13.10**

**Les écarts entre les moyennes marginales.**

| Écarts | $\overline{X}_{3 \times 2\ heures}$ | $\overline{X}_{2 \times 3\ heures}$ |
|---|---|---|
| $\overline{X}_{6 \times 1\ heure}$ | 24 | 48* |
| $\overline{X}_{3 \times 2\ heures}$ | | 24 |

\* : p < .05

Le test de comparaison ne permet pas de dire que l'entraînement « 3 × 2 heures » est significativement pire que l'entraînement « 6 × 1 heure » ni qu'il est significativement meilleur que l'entraînement « 2 × 3 heures ».

Cette situation peut sembler illogique. En effet, si *x* diffère de *z* et que *y* est situé entre *x* et *z*, alors soit *y* diffère de *x*, *y* diffère de *z* ou *y* diffère de *x* et *y*. Cependant, rappelez-vous que le non-rejet d'une hypothèse nulle signifie le *statu quo* : les données actuelles ne permettent pas d'affirmer une différence. Il n'est pas clair si l'entraînement « 3 × 2 heures » est à recommander (comparable au groupe « 1 × 6 heures »), à proscrire (comparable au groupe « 2 × 3 heures »), ou est moyen (différent des deux autres). Si le club de Sainte-Perpétue veut absolument répondre à cette question, il lui faut plus de données (mesurer d'autres attelages).

Concernant le second facteur, le type d'incitation a aussi un effet significatif sur le temps de parcours ($F(3, 54) = 30.0$, $p < .05$). Les temps de parcours sont plus courts si le pilote crie après ses chiens que s'il siffle.

Une comparaison de moyenne avec le test de Tukey montre que les cris sont aussi meilleurs que rien. Plus intéressant, on trouve que les sifflements sont pires que tout autre type d'incitation. À éviter donc.

Pour s'en assurer, le test pour la comparaison des moyennes est :

$$\text{Rejet de } H_0 \text{ si } \left| \overline{\mathbf{X}}_r - \overline{\mathbf{X}}_s \right| > q_\alpha\,(q,\,dl_e) \times \sqrt{\frac{CM_e}{N}}$$
$$> 3.76 \sqrt{\frac{168}{7}}$$
$$> 18.4\,.$$

La valeur critique est trouvée avec les degrés de liberté $(4, 54)$ car il y a quatre moyennes à comparer. Au seuil de 5 %, on obtient la valeur 3.76. Donc, tout écart supérieur à 18.4 est significatif. Le Tableau 13.11 donne les écarts entre toutes les paires de type d'incitation.

## Tableau 13.11

**Écarts entre les types d'incitation.**

| Écarts | $\overline{X}_{Sifflements}$ | $\overline{X}_{Nominal}$ | $\overline{X}_{Rien}$ |
|---|---|---|---|
| $\overline{X}_{Cris}$ | 36* | 12 | 24* |
| $\overline{X}_{Sifflement}$ | | 24* | 12 |
| $\overline{X}_{Nominal}$ | | | 12 |

*: $p < .05$.

# 3. Schème ($p \times q$)

Le schème factoriel ($p \times q$) est un schème expérimental comportant deux facteurs ayant respectivement $p$ et $q$ niveaux. Dans ce schème, il n'y a qu'un seul groupe de $n$ sujets qui est mesuré $p \times q$ fois.

Dans un schème ($p \times q$), il existe trois termes d'erreurs notés $SC_{S \times A}$, $SC_{S \times B}$, et $SC_{S \times A \times B}$ utilisés pour tester les effets principaux $A$, $B$, et l'interaction $A \times B$ respectivement.

## 3.1 Exemple

Les dangers des gaz à effets de serre étant bien avérés maintenant, un citoyen concerné décide de ne plus chauffer qu'au bois, bois qu'il fera pousser sur un lopin de terre près de son domicile.

Il croit que la tronçonneuse est la façon la plus rapide de couper du bois. Or, celle-ci lors de son fonctionnement émet des gaz à effets de serre. Les alternatives sont la hache ou encore le bon vieux godendard, manipulé avec un acolyte.

Comme il n'est pas très agile avec ces outils, un facteur qui influence la rapidité est l'entraînement. Il décide donc d'examiner combien d'arbres on peut abattre avec l'un ou l'autre de ces outils en fonction du nombre de semaines d'entraînement. Il recrute 5 participants qui vont l'aider à obtenir des mesures. Ce groupe de participants va utiliser les trois outils et être mesuré au cours des quatre semaines que dure l'expérience. La mesure est le nombre de stères de bois débité en une journée de travail. Il s'agit d'un schème entièrement à mesures répétées (3 × 4).

Après la collecte des données, il obtient le Tableau 13.12.

## Tableau 13.12

**Nombre d'arbres abattus en fonction de l'outil utilisé et du nombre de semaines d'entraînement. Chaque ligne représente un participant.**

| Outils | | | | | | | | | | | |
|---|---|---|---|---|---|---|---|---|---|---|---|
| Tronçonneuse Semaine | | | | Godendard Semaine | | | | Hache Semaine | | | |
| 1 | 2 | 3 | 4 | 1 | 2 | 3 | 4 | 1 | 2 | 3 | 4 |
| 13 | 15 | 21 | 19 | 14 | 14 | 19 | 17 | 13 | 13 | 14 | 16 |
| 15 | 19 | 19 | 20 | 14 | 14 | 19 | 18 | 10 | 12 | 14 | 12 |
| 15 | 19 | 18 | 22 | 10 | 14 | 13 | 15 | 9 | 11 | 10 | 9 |
| 5 | 9 | 10 | 12 | 5 | 8 | 7 | 8 | 4 | 5 | 5 | 3 |
| 1 | 9 | 8 | 10 | 2 | 6 | 6 | 7 | 2 | 0 | 2 | 4 |

Il compile les résultats pour obtenir les moyennes dans chacune des conditions et par sujet. Il obtient alors le Tableau 13.13.

## Tableau 13.13

**Nombre moyen de stères de bois débité en une journée par condition et par sujet.**

| Outils | Semaine | | | | Moyenne |
|---|---|---|---|---|---|
| | 1 | 2 | 3 | 4 | |
| Tronçonneuse | 9.8 | 14.2 | 15.2 | 16.6 | 13.9 |
| Godendard | 9.0 | 11.2 | 12.8 | 13.0 | 11.5 |
| Hache | 7.6 | 8.2 | 9.0 | 8.8 | 8.4 |
| Moyenne | 8.8 | 11.2 | 12.3 | 12.8 | 11.3 |

| Sujet | Moyenne |
|---|---|
| Denis | 15.7 |
| Zoé | 15.5 |
| Cédric | 13.8 |
| Benoît | 6.8 |
| Annie | 4.8 |

Il y a définitivement des participants qui performent mieux, peu importe l'outil et la semaine (certains trois fois mieux que la pauvre Annie). Le citoyen concerné a donc tout avantage à utiliser un schème à mesures répétées.

Pour illustration, les moyennes sont données à la Figure 13.4.

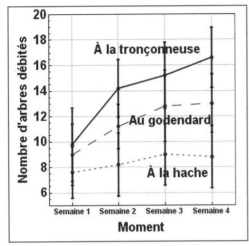

## Figure 13.4

**Nombre d'arbres débités en moyenne en fonction de l'outil et de la semaine.**

Il met le tout dans un ordinateur et reçoit en retour le Tableau 13.14.

## Tableau 13.14

**Analyse de variance Expérience Outils × Semaine.**

| Source de variation | SC | dl | CM | F |
|---|---|---|---|---|
| Intergroupe | 1275.8 | 4 | | |
| Intragroupe | 610.4 | 55 | | |
|   Outils | 309.4 | 2 | 154.7 | 28.0* |
|   Semaine | 143.7 | 3 | 47.9 | 19.5* |
|   Outils x Semaine | 43.1 | 6 | 7.2 | 4.2* |
|   *Erreur (S x Outils)* | 44.2 | 8 | 5.5 | |
|   Erreur (*S x Semaine*) | 29.4 | 12 | 2.4 | |
|   Erreur (*S x Outils x Semaine*) | 40.6 | 24 | 1.7 | |
| Total | 1886.2 | 59 | | |

* : p < .05.

Note : Les lignes Intergroupe, Intragroupe et Total sont optionnelles.

Au niveau $\alpha = .05$, la valeur critique pour l'interaction $F_{5\%}(6, 24)$ vaut 2.508. L'interaction Outils × Semaine (un $F$ observé de 4.2) est donc significative. Sur le graphique, on voit en effet que les lignes ne sont pas parallèles. Pour avoir un meilleur portrait, il réalise des effets simples. Il examine les résultats semaine par semaine. Le Tableau 13.15 synthétise les résultats des analyses d'effets simples.

## Tableau 13.15

**Analyse des effets simples de l'outil pour une semaine donnée.**

| Source de variation | SC | dl | CM | F |
|---|---|---|---|---|
| Outils \| Semaine 1 | 12.4 | 2 | 6.2 | 2.0 |
| Outils \| Semaine 2 | 90.0 | 2 | 45.0 | 16.9* |
| Outils \| Semaine 3 | 97.7 | 2 | 48.9 | 43.8* |
| Outils \| Semaine 4 | 152.4 | 2 | 76.2 | 20.1* |
| Erreur (S x Outils \| Semaine 1) | 24.3 | 8 | 3.0 | |
| Erreur (S x Outils \| Semaine 2) | 21.3 | 8 | 2.7 | |
| Erreur (S x Outils \| Semaine 3) | 8.9 | 8 | 1.1 | |
| Erreur (S x Outils \| Semaine 4) | 30.3 | 8 | 3.8 | |

* : p < .05

La valeur critère $F_{5\%}$ (2,8) vaut 4.46. Comme on le voit, les moyennes au niveau de la semaine 2 diffèrent significativement. Il en va de même pour les moyennes au niveau des semaines 3 et 4. Dans ces trois cas, l'outil le plus performant est la tronçonneuse et le moins performant est la hache. Par contre, au niveau de la semaine 1, les moyennes ne diffèrent pas entre elles. Donc, pour un citoyen peu entraîné, n'importe quel outil performe également.

Comme il veut savoir si la tronçonneuse est vraiment plus efficace que le godendard (aux semaines 2, 3 et 4), il termine avec un test de comparaison de moyenne. Les tableaux des écarts pour ces semaines sont donnés dans le Tableau 13.16.

## Tableau 13.16

**Les écarts entre les différents outils**

| Écarts Semaine 2 | $\bar{X}_{Godendard}$ | $\bar{X}_{Hache}$ |
|---|---|---|
| $\bar{X}_{Tronçonneuse}$ | 3.0 | 6.0* |
| $\bar{X}_{Godendard}$ | | 3.0 |

| Écarts Semaine 3 | $\bar{X}_{Godendard}$ | $\bar{X}_{Hache}$ |
|---|---|---|
| $\bar{X}_{Tronçonneuse}$ | 2.4 | 6.2* |
| $\bar{X}_{Godendard}$ | | 3.8* |

| Écarts Semaine 4 | $\bar{X}_{Godendard}$ | $\bar{X}_{Hache}$ |
|---|---|---|
| $\bar{X}_{Tronçonneuse}$ | 3.6* | 7.8* |
| $\bar{X}_{Godendard}$ | | 4.2* |

* : p < .05.

À la semaine 2, le godendard ne se démarque ni de la hache ni de la tronçonneuse de façon significative. À la semaine 3, la hache est significativement le pire outil, mais le godendard ne diffère toujours pas significativement de la tronçonneuse. À la semaine 4, la tronçonneuse se distingue significativement du godendard, et celui-ci se distingue significativement de la hache.

# 4. Comment rapporter les résultats d'une ANOVA et les comparaisons de moyennes?

Les ANOVA à mesures répétées sont rapportées comme les ANOVA à groupes indépendants. Le fait que la variance inter-sujet soit retirée n'est pas mentionné car il s'agit de jargon non pertinent pour le lecteur.

# 5. Compléments mathématiques

Voici les formules pour l'interaction, les effets principaux et les termes d'erreurs dans les schèmes à mesures répétées et le schème mixte. Cependant, ces équations sont données uniquement pour le lecteur curieux. En pratique, les ANOVA sont toujours réalisées sur ordinateur.

## 5.1 Les équations dans un schème (p)

Dans ce qui suit, $n$ est le nombre de sujets dans l'étude (il n'y a pas de groupes). La hiérarchie de la Figure 13.5 montre la décomposition de la somme des carrés totale et des degrés de liberté.

$$
\begin{aligned}
SC_{Total} &\quad \cdots\cdots\cdots\cdots\cdots\cdots\cdots\cdots\cdots\ np - 1 \\
\ \ \llcorner SC_{intra} &\quad \cdots\cdots\cdots\cdots\cdots\cdots\ n(p-1) \\
\quad \ \ \llcorner SC_A &\quad \cdots\cdots\cdots\cdots\cdots\cdots\ p - 1 \\
\quad \ \ \llcorner SC_{S \times A} &\quad \cdots\cdots\cdots\ (p-1)(n-1) \\
\ \ \llcorner SC_{inter} &\quad \cdots\cdots\cdots\cdots\cdots\cdots\cdots\ n - 1
\end{aligned}
$$

**Figure 13.5**

Décomposition de la somme des carrés totale et des degrés de liberté dans un plan à une mesure répétée.

$$SC_T = \sum_{i=1}^{p} \sum_{k=1}^{n} (\mathbf{X}_{ik} - \overline{\overline{X}})^2 \qquad\qquad dl_T = np - 1$$

$$SC_{intra} = \sum_{i=1}^{p} \sum_{k=1}^{n} (\mathbf{X}_{ik} - \overline{X}_{\cdot k})^2 \qquad\qquad dl_{intra} = n(p - 1)$$

$$SC_A = \sum_{i=1}^{p} n\,(\overline{X}_{i\cdot} - \overline{\overline{X}})^2 \qquad\qquad dl_A = p - 1$$

$$SC_{S \times A} = \sum_{i=1}^{p} \sum_{k=1}^{n} (\mathbf{X}_{ik} - \overline{X}_{i\cdot} - \overline{X}_{\cdot k} + \overline{\overline{X}})^2 \qquad dl_{S \times A} = (n - 1)(p - 1)$$

$$SC_{inter} = \sum_{k=1}^{n} p\,(\overline{X}_{\cdot k} - \overline{\overline{X}})^2 \qquad\qquad dl_{inter} = n - 1$$

## 5.2 Les équations dans un schème mixte p × (q)

Dans ce schème, $n$ dénote le nombre de participants si les $p$ groupes sont de taille égale; on utilise $n_i$ pour indiquer la taille du $i^{\text{ème}}$ groupe si les groupes sont inégaux. La Figure 13.6 indique la décomposition de la somme des carrés totale et des degrés de liberté.

**Figure 13.6**

Décomposition de la somme des carrés totale et des degrés de liberté dans un plan mixte (un facteur à groupes indépendants et un facteur à mesures répétées).

$$
\begin{aligned}
&SC_{Total} \dots\dots\dots\dots\dots\dots\dots npq - 1 \\
&\quad SC_{intra} \dots\dots\dots\dots\dots np(q - 1) \\
&\qquad SC_B \dots\dots\dots\dots\dots\dots\dots q - 1 \\
&\qquad SC_{A \times B} \dots\dots\dots\dots (p - 1)(q - 1) \\
&\qquad SC_{S \times A \times B} \dots\dots\dots p(q - 1)(n - 1) \\
&\quad SC_{inter} \dots\dots\dots\dots\dots\dots\dots np - 1 \\
&\qquad SC_A \dots\dots\dots\dots\dots\dots\dots p - 1 \\
&\qquad SC_{S \times A} \dots\dots\dots\dots\dots p(n - 1)
\end{aligned}
$$

$$SC_T = \sum_{i=1}^{p} \sum_{j=1}^{q} \sum_{k=1}^{n_i} (\mathbf{X}_{ijk} - \overline{\overline{X}})^2 \qquad dl_T = \left( q \sum_{i=1}^{p} n_i \right) - 1$$

$$SC_{intra} = \sum_{i=1}^{p} \sum_{j=1}^{q} \sum_{k=1}^{n_i} (\mathbf{X}_{ijk} - \overline{X}_{i\cdot k})^2 \qquad dl_{intra} = (q - 1) \sum_{i=1}^{p} n_i$$

$$SC_B = \sum_{j=1}^{q} np\,(\overline{X}_{\cdot j\cdot} - \overline{\overline{X}})^2$$

$$= \sum_{j=1}^{q} \sum_{i=1}^{p} n_i\,(\overline{X}_{\cdot j\cdot} - \overline{\overline{X}})^2 \qquad dl_B = q - 1$$

$$SC_{A \times B} = \sum_{i=1}^{p} \sum_{j=1}^{q} n_i\,(\overline{X}_{ij\cdot} - \overline{X}_{i\cdot\cdot} - \overline{X}_{\cdot j\cdot} + \overline{\overline{X}})^2 \qquad dl_{A \times B} = (p - 1)(q - 1)$$

$$SC_{S \times A \times B} = \sum_{i=1}^{p} \sum_{j=1}^{q} \sum_{k=1}^{n_i} (\mathbf{X}_{ijk} - \overline{X}_{ij\cdot} - \overline{X}_{i\cdot k} + \overline{\overline{X}}_{i\cdot\cdot})^2 \quad dl_{A \times B \times S} = (q - 1) \sum_{i=1}^{p} (n_i - 1)$$

$$SC_{inter} = npq\,(\overline{X}_{i\cdot k} - \overline{\overline{X}})^2$$

$$= \sum_{i=1}^{n_i} n_i q\,(\overline{X}_{i\cdot k} - \overline{\overline{X}})^2 \qquad dl_{inter} = \left(\sum_{i=1}^{p} n_i\right) - 1$$

$$SC_A = \sum_{i=1}^{p} n_i q\,(\overline{X}_{i..} - \overline{\overline{X}})^2 \qquad dl_A = p - 1$$

$$SC_{S\times A} = \sum_{i=1}^{p}\sum_{k=1}^{n_i} q\,(\overline{X}_{i\cdot k} - \overline{X}_{i..})^2 \qquad dl_{A\times S} = \sum_{i=1}^{p}(n_i - 1)$$

## 5.3 Les équations dans un schème (p × q)

Dans ce qui suit, $n$ est le nombre de participants dans l'étude (il n'y a qu'un seul groupe). La Figure 13.7 montre la décomposition de la somme des carrés totale et des degrés de liberté.

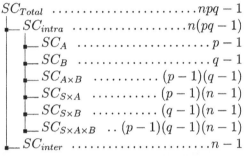

$SC_{Total}$ .................... $npq - 1$
$SC_{intra}$ ................ $n(pq - 1)$
$SC_A$ .................... $p - 1$
$SC_B$ .................... $q - 1$
$SC_{A\times B}$ .......... $(p - 1)(q - 1)$
$SC_{S\times A}$ .......... $(p - 1)(n - 1)$
$SC_{S\times B}$ .......... $(q - 1)(n - 1)$
$SC_{S\times A\times B}$ .. $(p - 1)(q - 1)(n - 1)$
$SC_{inter}$ ..................... $n - 1$

**Figure 13.7**

Décomposition de la somme des carrés totale et des degrés de liberté dans un plan à deux mesures répétées.

$$SC_T = \sum_{i=1}^{p}\sum_{j=1}^{q}\sum_{k=1}^{n} (\mathbf{X}_{ijk} - \overline{\overline{X}})^2 \qquad dl_T = npq - 1$$

$$SC_{intra} = \sum_{i=1}^{p}\sum_{j=1}^{q}\sum_{k=1}^{n} (\mathbf{X}_{ijk} - \overline{X}_{..k})^2 \qquad dl_{intra} = n\,(pq - 1)$$

$$SC_A = \sum_{i=1}^{p} nq\,(\overline{X}_{i..} - \overline{\overline{X}})^2 \qquad dl_A = p - 1$$

$$SC_B = \sum_{j=1}^{q} np\,(\overline{X}_{\cdot j\cdot} - \overline{\overline{X}})^2 \qquad dl_B = q - 1$$

$$SC_{A\times B} = \sum_{i=1}^{p}\sum_{j=1}^{q} n\,(\overline{X}_{ij\cdot} - \overline{X}_{i..} - \overline{X}_{\cdot j\cdot} + \overline{\overline{X}})^2 \qquad dl_{A\times B} = (p - 1)\,(q - 1)$$

$$SC_{S\times A} = \sum_{i=1}^{p}\sum_{k=1}^{n} q\,(\overline{X}_{ij\cdot} - \overline{X}_{i..} - \overline{X}_{..k} + \overline{\overline{X}})^2 \qquad dl_{S\times A} = (n - 1)\,(p - 1)$$

$$SC_{S\times B} = \sum_{j=1}^{q}\sum_{k=1}^{n} p\,(\overline{X}_{\cdot jk} - \overline{X}_{\cdot j\cdot} - \overline{X}_{..k} + \overline{\overline{X}})^2 \qquad dl_{S\times B} = (n - 1)\,(q - 1)$$

$$SC_{S\times A\times B} = \sum_{i=1}^{p}\sum_{j=1}^{q}\sum_{k=1}^{n} (\mathbf{X}_{ijk} - \overline{X}_{ij\cdot} - \overline{X}_{i\cdot k} - \overline{X}_{\cdot jk} + \overline{X}_{i..} + \overline{X}_{\cdot j\cdot} + \overline{X}_{..k} - \overline{\overline{X}})^2$$

$$dl_{S\times A\times B} = (n - 1)\,(p - 1)\,(q - 1)$$

$$SC_{inter} = \sum_{k=1}^{n} pq\,(\overline{X}_{..k} - \overline{\overline{X}})^2 \qquad dl_{inter} = n - 1$$

## 5.4 Répartition des écarts au carré dans les schèmes (p)

Cette section récapitule la répartition des écarts au carré dans le but de mettre en évidence la variance inter-sujet et intra-sujet. L'idée générale est de maximiser l'information soutirée par les moyennes marginales $\overline{X}_{i\cdot\cdot}$, $\overline{X}_{\cdot j}$ et $\overline{X}_{\cdot\cdot k}$. La somme des écarts au carré totale est toujours obtenue en regardant les écarts entre les données brutes et la moyenne des moyennes.

La particularité ici est que ce sont toujours les mêmes sujets d'un niveau à l'autre du traitement. Nous pouvons donc profiter du fait que nous avons une moyenne pour chaque sujet. Les écarts entre les sujets et la moyenne des sujets représentent donc une variabilité entre les individus qui est normale et peu informative. On l'appelle la variabilité inter-sujet. Nous l'évacuons de la somme des carrés dès le début du calcul, et ne l'utilisons jamais.

$$\left[\mathbf{X}_{ik} - \overline{\overline{X}}\right]^2 = \left[(\mathbf{X}_{ik} - \overline{X}_{i\cdot}) + (\overline{X}_{i\cdot} - \overline{\overline{X}})\right]^2$$
$$= \text{intrasujet} + \text{intersujet}$$

$$= \left[(\mathbf{X}_{ik} - \overline{X}_{i\cdot} - \overline{X}_{\cdot k} + \overline{\overline{X}}) + (\overline{\overline{\mathbf{X}}} - \overline{X}_{\cdot k}) + (\overline{X}_{i\cdot} - \overline{\overline{X}})\right]^2$$
$$= \qquad \text{erreur} \qquad\quad + \text{traitement} + \text{intersujet}$$

# 6. Utilisation de SPSS

## 6.1 Organisation d'un fichier de données

La règle d'or reste toujours la même: un sujet une ligne. Si vous avez un plan, disons $(3 \times 5)$ avec un total de 15 mesures répétées sur chacun des sujets, le fichier de données doit contenir 15 colonnes, une par mesure. Organisez les niveaux en ordre croissant.

Une difficulté lorsque les données sont placées en colonnes dans le but de faire une ANOVA à mesures répétées est qu'il n'est plus possible de faire un graphique des moyennes. Pour faire un graphique des moyennes, il faut que les données soient disposées comme s'il s'agissait de groupes indépendants.

## 6.2 Réaliser une ANOVA à un facteur à mesures répétées avec GLM

```
GLM colVD1 TO colVDp
    /WSFACTOR= nomfacteurA (p).
```

où **colVD1** est la colonne qui contient les mesures dans la première condition ($a_1$) et **colVDp** est la colonne contenant la dernière mesure dans la condition ($a_p$). Avec l'option WSFACTOR, vous devez donner un nom à ce facteur car SPSS ne peut pas décider d'un nom par lui-même. La lettre *p* doit être remplacée par le nombre de niveaux du schème.

L'output contient un grand nombre d'informations (nous ne verrons pas la signification de la section «tests multivariés» et des lignes «Hyunh-Feldt» et «Bornes inférieures»; la section «test de sphéricité» et les lignes «Greenhouse-Geisser» seront expliquées au chapitre 14). La seule section pertinente est la section «Tests des effets intra-sujets», que nous reproduisons dans la Figure 13.8.

Cet output montre que l'effet des exercices est significatif ($F(4, 24) = 6.3$, $p < .05$). Pour savoir quel exercice permet l'évacuation la plus rapide et lequel l'évacuation la plus lente, il faut consulter un graphique des moyennes, tel celui de la Figure 13.1.

**Tests des effets intra-sujets**

Mesure:MEASURE_1

| Source | | Somme des carrés de type III | ddl | Moyenne des carrés | D | Sig. |
|---|---|---|---|---|---|---|
| Numéro.Exercice | Sphéricité supposée | 138,571 | 4 | 34,643 | 6,288 | ,001 |
| | Greenhouse-Geisser | 138,571 | 1,878 | 73,790 | 6,288 | ,016 |
| | Huynh-Feldt | 138,571 | 2,704 | 51,250 | 6,288 | ,006 |
| | Borne inférieure | 138,571 | 1,000 | 138,571 | 6,288 | ,046 |
| Erreur(Numéro.Exercice) | Sphéricité supposée | 132,229 | 24 | 5,510 | | |
| | Greenhouse-Geisser | 132,229 | 11,267 | 11,735 | | |
| | Huynh-Feldt | 132,229 | 16,223 | 8,151 | | |
| | Borne inférieure | 132,229 | 6,000 | 22,038 | | |

**Figure 13.8**

**Output SPSS pour l'exemple des exercices d'incendie.**

# 6.3 ▰ *Réaliser une ANOVA factorielle à mesures répétées avec GLM*

Comme à la section précédente, lorsque nous utilisons un schème à mesures répétées, il faut rajouter l'option

```
GLM colVD11 TO colVDpq
    /WSFACTOR= nomfacteurA (p) nomfacteurB (q).
```

où **colVD11** est la colonne qui contient les mesures dans la première condition ($a_1b_1$) et **colVDpq** est la dernière colonne contenant les mesures dans la condition $a_pb_q$. Il est important que les colonnes soient dans cet ordre: $a_1b_1$ $a_1b_2$ $a_1b_3$ ... $a_1b_q$ $a_2b_1$ $a_2b_2$ $a_2b_3$ etc. Avec l'option WSFACTOR, vous devez donner deux noms à chacun des facteurs. Les lettres *p* et *q* sont remplacées par les nombres de niveaux des premier et second facteurs.

Par exemple, la syntaxe pour analyser le nombre d'arbres débités est:

GLM t1 to h4
  /wsfactor= outils (3) semaine (4).

où t1 est la première colonne (utilisation de la tronçonneuse lors de la première semaine) et h4 est la dernière colonne (utilisation de la hache au cours de la semaine 4). L'output est illustré à la Figure 13.9, avec un terme d'erreur pour les deux effets principaux et pour l'interaction :

**Tests des effets intra-sujets**

Mesure:MEASURE_1

| Source | | Somme des carrés de type III | ddl | Moyenne des carrés | D | Sig. |
|---|---|---|---|---|---|---|
| outils | Sphéricité supposée | 309,433 | 2 | 154,717 | 27,982 | ,000 |
| | Greenhouse-Geisser | 309,433 | 1,201 | 257,662 | 27,982 | ,003 |
| | Huynh-Feldt | 309,433 | 1,431 | 216,281 | 27,982 | ,002 |
| | Borne inférieure | 309,433 | 1,000 | 309,433 | 27,982 | ,006 |
| Erreur(outils) | Sphéricité supposée | 44,233 | 8 | 5,529 | | |
| | Greenhouse-Geisser | 44,233 | 4,804 | 9,208 | | |
| | Huynh-Feldt | 44,233 | 5,723 | 7,729 | | |
| | Borne inférieure | 44,233 | 4,000 | 11,058 | | |
| semaine | Sphéricité supposée | 143,650 | 3 | 47,883 | 19,522 | ,000 |
| | Greenhouse-Geisser | 143,650 | 1,424 | 100,910 | 19,522 | ,004 |
| | Huynh-Feldt | 143,650 | 1,986 | 72,319 | 19,522 | ,001 |
| | Borne inférieure | 143,650 | 1,000 | 143,650 | 19,522 | ,012 |
| Erreur(semaine) | Sphéricité supposée | 29,433 | 12 | 2,453 | | |
| | Greenhouse-Geisser | 29,433 | 5,694 | 5,169 | | |
| | Huynh-Feldt | 29,433 | 7,945 | 3,704 | | |
| | Borne inférieure | 29,433 | 4,000 | 7,358 | | |
| outils * semaine | Sphéricité supposée | 43,100 | 6 | 7,183 | 4,250 | ,005 |
| | Greenhouse-Geisser | 43,100 | 2,907 | 14,827 | 4,250 | ,031 |
| | Huynh-Feldt | 43,100 | 6,000 | 7,183 | 4,250 | ,005 |
| | Borne inférieure | 43,100 | 1,000 | 43,100 | 4,250 | ,108 |
| Erreur(outils*semaine) | Sphéricité supposée | 40,567 | 24 | 1,690 | | |
| | Greenhouse-Geisser | 40,567 | 11,627 | 3,489 | | |
| | Huynh-Feldt | 40,567 | 24,000 | 1,690 | | |
| | Borne inférieure | 40,567 | 4,000 | 10,142 | | |

## Figure 13.9

Output SPSS pour l'exemple du débitage d'arbres en fonction de l'outil et de l'entraînement.

## 6.4 ▬ *Réaliser une ANOVA factorielle mixte avec GLM*

Lorsque le schème est mixte, la commande reprend les aspects de la commande dans le cas où il y a un facteur à groupe indépendant et un facteur à mesures répétées :

> GLM **colVD1** TO **colVDq** BY **colFacteurA**
> /WSFACTOR= nomfacteurB (*q*).

Dans le listing, il faut chercher les sections intitulées « Tests des effets intra-sujet » et « Tests des effets inter-sujets ». L'output pour l'exemple des traîneaux à chiens ressemble à celui de la Figure 13.10.

**Tests des contrastes intra-sujets**

Mesure:MEASURE_1

| Source | Incitation | Somme des carrés de type III | ddl | Moyenne des carrés | D | Sig. |
|---|---|---|---|---|---|---|
| Incitation | Linéaire | 2419,200 | 1 | 2419,200 | 8,000 | ,011 |
| | Quadratique | 3024,000 | 1 | 3024,000 | 18,000 | ,000 |
| | Cubique | 9676,800 | 1 | 9676,800 | 288,000 | ,000 |
| Incitation * Cédule. Entrainement | Linéaire | 907,200 | 2 | 453,600 | 1,500 | ,250 |
| | Quadratique | 504,000 | 2 | 252,000 | 1,500 | ,250 |
| | Cubique | 100,800 | 2 | 50,400 | 1,500 | ,250 |
| Erreur(Incitation) | Linéaire | 5443,200 | 18 | 302,400 | | |
| | Quadratique | 3024,000 | 18 | 168,000 | | |
| | Cubique | 604,800 | 18 | 33,600 | | |

**Tests des effets inter-sujets**

Mesure:MEASURE_1
Variable tranformée:Moyenne

| Source | Somme des carrés de type III | ddl | Moyenne des carrés | D | Sig. |
|---|---|---|---|---|---|
| Ordonnée à l'origine | 2150400,000 | 1 | 2150400,000 | 2800,000 | ,000 |
| Cédule.Entrainement | 32256,000 | 2 | 16128,000 | 21,000 | ,000 |
| Erreur | 13824,000 | 18 | 768,000 | | |

## Figure 13.10

Output SPSS pour l'exemple des traîneaux à chiens.

## 6.5 Réaliser les effets simples sur un schème factoriel à mesures répétées avec MANOVA

Dans ce cas-ci, la commande GLM n'est pas appropriée et il faut utiliser une autre commande, la commande MANOVA. Celle-ci est assez semblable à GLM mais diffère par certains aspects.

> MANOVA **colVD11** TO **colVDpq**
> /WSFACTOR nomFacteurA(*p*) nomFacteurB(*q*)
> /ERROR = WITHIN
> /WSDESIGN = nomFacteurA WITHIN nomFacteurB (*unniveau*).

où *unniveau* est le niveau de B (la tranche) pour lequel vous voulez un effet simple.

L'output produit par MANOVA est un long texte. Nous extrayons les parties pertinentes en regard de l'étude sur le débitage de bois dans la Figure 13.11 :

```
Tests involving 'OUTILS WITHIN SEMAINE(1)' Within-Subject Effect.

AVERAGED Tests of Significance for MEAS.1 using UNIQUE sums of squares
Source of Variation           SS        DF         MS          F  Sig of F

WITHIN CELLS                24.27        8       3.03
OUTILS WITHIN SEMAINE(1)    12.40        2       6.20       2.04     .192


Tests involving 'OUTILS WITHIN SEMAINE(2)' Within-Subject Effect.

AVERAGED Tests of Significance for MEAS.1 using UNIQUE sums of squares
Source of Variation           SS        DF         MS          F  Sig of F

WITHIN CELLS                21.33        8       2.67
OUTILS WITHIN SEMAINE(2)    90.00        2      45.00      16.88     .001


Tests involving 'OUTILS WITHIN SEMAINE(3)' Within-Subject Effect.

AVERAGED Tests of Significance for MEAS.1 using UNIQUE sums of squares
Source of Variation           SS        DF         MS          F  Sig of F

WITHIN CELLS                 8.93        8       1.12
OUTILS WITHIN SEMAINE(3)    97.73        2      48.87      43.76     .000


Tests involving 'OUTILS WITHIN SEMAINE(4)' Within-Subject Effect.

AVERAGED Tests of Significance for MEAS.1 using UNIQUE sums of squares
Source of Variation           SS        DF         MS          F  Sig of F

WITHIN CELLS                30.27        8       3.78
OUTILS WITHIN SEMAINE(4)   152.40        2      76.20      20.14     .001
```

**Figure 13.11**

Output SPSS pour les effets simples dans l'exemple du débitage de bois.

## 6.6 Réaliser les effets simples sur un schème factoriel mixte avec MANOVA

Il faut encore utiliser la commande MANOVA. Si vous décomposez suivant les niveaux du premier facteur, la commande est

```
MANOVA colVD1 TO colVDq BY colFacteurA (p)
     /WSFACTOR nomFacteurB(q)
     /ERROR = WITHIN
     /WSDESIGN = nomFacteurB
     /DESIGN = MWITHIN colFacteurA (unniveau).
```

sinon, la commande est

```
MANOVA colVD1 TO colVDq BY colFacteurA (p)
     /WSFACTOR nomFacteurB(q)
     /ERROR = WITHIN
     /WSDESIGN = MWITHIN nomFacteurB(unniveau)
     /DESIGN = colFacteurA.
```

## 6.7 Réaliser une analyse de comparaison a posteriori sur un schème avec des mesures répétées

Dans le cas d'une variable à mesures répétées, il n'existe pas de commandes qui permettent de faire ces analyses sur des facteurs à mesures répétées. Il faut les réaliser à la main. Dans un schème mixte, si le facteur à groupe indépendant a plus de deux niveaux et si l'interaction n'est pas significative, il est possible d'utiliser GLM :

```
GLM colVD1 TO colVDq BY colFacteurA
     /WSFACTOR= nomfacteurB (q).
     /POSTHOC = colFacteurA(TUKEY).
```

## Résumé

Les schèmes à mesures répétées sont une très bonne option pour décider si un traitement fonctionne, à la condition que les participants qui seront mesurés plusieurs fois (a) ne se démotivent pas, (b) ne bénéficient pas d'un effet d'entraînement ou d'habituation. Ces facteurs sont des facteurs concomitants qui peuvent contaminer les résultats. Dans le cas contraire, il faut préférer un schème à groupes indépendants. Ce dernier est moins puissant statistiquement parlant, mais il ne risque pas d'introduire des facteurs concomitants. Nous terminons avec ce chapitre les tests statistiques qui permettent de tester une hypothèse. Au chapitre suivant, nous passons en revue les tests de moyennes pour voir les situations où il ne faut pas les utiliser.

## Questions pour mieux retenir

1. Trouvez les valeurs critiques pour l'interaction et pour les effets principaux si
   a) le schème est un (7) avec 6 sujets ;
   b) le schème est un 3 × (5) avec 5 sujets par groupe ;
   c) le schème est un (2 × 3) avec 6 sujets.

2. Inventez des données qui représente le QI à trois moments dans la vie : à 15 ans, à 45 ans et à 75 ans. Imaginons que ce sont les mêmes participants mesurés à 30 ans d'intervalle.
   a) Existe-t-il selon vous des différences individuelles ? Comment le voit-on dans vos données fictives ?
   b) Enlevez les différences individuelles et calculez les moyennes pour chaque tranche de vie. Existe-t-il des différences entre les âges ? Comment le voit-on ?
   c) Faites une ANOVA (3). La différence est-elle significative dans vos données ? Si par erreur vous avez fait une ANOVA 3 à trois groupes indépendants, arrivez-vous à la même conclusion ?

# Questions pour mieux réfléchir

**3.** Soit le Tableau d'ANOVA 13.17.

### Tableau 13.17

**Tableau d'ANOVA pour des données inconnues**

| Source de variation | SC | dl | CM | F |
|---|---|---|---|---|
| A | 25.6 | 1 | 25.6 | 3.7 |
| B | 35.3 | 3 | 11.7 | 2.8 |
| A x B | 42.6 | 3 | 14.2 | 6.2 |
| Erreur ($S$ x $A$) | 27.4 | 4 | 6.8 | |
| Erreur ($S$ X $B$) | 50.2 | 12 | 4.1 | |
| Erreur ($S$ x $A$ x $B$) | 27.4 | 12 | 2.2 | |
| Total | 431.9 | 35 | | |

a) De quel type de schème s'agit-il ?

b) Faites un graphique des moyennes cohérent avec ces résultants.

c) Si je rajoute les effets simples du Tableau 13.18, pouvez-vous raffiner le graphique des moyennes ?

### Tableau 13.18

**Tableau d'effets simples pour des données inconnues**

| Source de variation | SC | dl | CM | F |
|---|---|---|---|---|
| A \| $b_1$ | 48.4 | 1 | 48.4 | 11.00 |
| A \| $b_2$ | 4.9 | 1 | 4.9 | 32.67 |
| A \| $b_3$ | 10.0 | 1 | 10.0 | 40.00 |
| A \| $b_4$ | 4.9 | 1 | 4.9 | 0.55 |
| Erreur ($S$ x A \| $b_1$) | 17.6 | 4 | 4.4 | |
| Erreur ($S$ x A \| $b_2$) | 0.6 | 4 | 0.15 | |
| Erreur ($S$ x A \| $b_3$) | 1.0 | 4 | 0.25 | |
| Erreur ($S$ x A \| $b_4$) | 35.6 | 4 | 8.90 | |

d) Finalement, si je vous donne ces parcelles d'interprétation, pouvez-vous faire un graphique reproduisant parfaitement les moyennes obtenues dans cette expérience A × B ? « Au niveau de b1, le premier niveau de A est significativement supérieur au second niveau. Pour les niveaux 2 et 3, l'inverse est vrai ».

## Questions pour s'entraîner

4. Faites avec SPSS l'ANOVA sur les données de l'apprentissage des Sudoku (Tableau 13.1).

5. Faites l'ANOVA sur l'étude des traîneaux à chiens (Tableau 13.6) et vérifiez que vous pouvez obtenir les mêmes résultats qu'à la Figure 13.10.

6. Faites l'ANOVA sur l'étude du débitage du bois (Tableau 13.12) et vérifiez que vous obtenez les mêmes résultats qu'aux Figures 13.9 et 13.11.

# CHAPITRE 14
# Les limites des tests de moyennes

## Sommaire

## Dans ce chapitre, vous allez apprendre :

1 Qu'il y a des situations dans lesquelles il n'est pas légitime
  de réaliser un test de moyennes (un test t ou un test d'analyse
  de variance).

2 À identifier ces situations à l'aide du graphique
  ou du test statistique approprié.

3 Comment nommer les alternatives lorsqu'un test t
  ou une analyse de variance n'est pas légitime.

## Introduction

*Les tests de moyennes que nous avons vus (tests t et analyses de variance) sont certainement les tests les plus fréquemment utilisés. Cependant, ils postulent certains faits pour être légitimes: la normalité de la population étudiée et l'homogénéité des variances (et des covariances, le cas échéant). Ces postulats ne sont pas forcément satisfaits. Il convient donc de vérifier si l'échantillon observé satisfait ces postulats. Une façon de procéder est d'utiliser des tests statistiques préalables qui ont pour but de décider si les données permettent la réalisation d'un test de moyennes. Lorsque ce n'est pas le cas, des tests alternatifs peuvent être utilisés.*

Aux chapitres 9 et 11 à 13, nous avons couvert des tests permettant de comparer des moyennes. Un grand nombre d'études utilisent la moyenne car il s'agit d'une statistique intuitive, que ce soit la performance moyenne après une formation, le bien-être moyen après une cure, la récupération moyenne après une chirurgie et j'en passe. Une vaste majorité de ces études utilisent l'analyse de variance ou le test *t*. Or il faut savoir qu'il existe certaines situations où il n'est pas légitime d'utiliser ces tests. Comme un lecteur averti en vaut deux, nous profitons de ce chapitre pour (a) expliquer pourquoi un test *t*/une ANOVA n'est pas toujours la bonne chose à faire pour décider si un traitement est efficace; (b) comment décider s'il est adéquat de faire une ANOVA/un test *t*; et (c) que faire si on ne peut pas faire ces tests.

Au cours de ce chapitre, nous serons amenés à rencontrer de nombreux nouveaux tests statistiques. Cependant, nous n'allons pas expliquer les calculs nécessaires pour réaliser ces tests. D'une part, ils sont beaucoup plus complexes que les tests vus jusqu'à présent (plusieurs sont même impossibles à écrire sans algèbre linéaire); le lecteur non préparé n'en tirerait aucun bénéfice. Mieux vaut donc laisser un logiciel s'occuper des détails des calculs. D'autre part, ces tests, comme tous les tests, sont basés sur la logique qui consiste à poser une hypothèse nulle et voir si les données permettent de la rejeter. On va donc les utiliser à ce niveau d'abstraction, ce qui permettra de mieux comprendre le but global de ce chapitre.

# 1. ── Le prérequis de normalité

Reprenons la règle de décision pour faire un test *t* sur un groupe (la logique est la même peu importe le test de moyenne utilisé):

$$\text{Rejet de } H_0 \text{ si } \frac{\left| \overline{X} - \mu \right|}{s_X / \sqrt{n}} > t_{\alpha/2}\,(n-1).$$

La règle de décision est rébarbative, mais remarquez que le côté gauche de la formule sert à manipuler les données et l'hypothèse de façon à les réduire à une quantité unique. Par contraste, le côté droit de la formule, la valeur critique, dépend uniquement du seuil de décision et du nombre de données. On peut donc récrire un test statistique comme:

$$\text{Rejet de } H_0 \text{ si } \left\{ \begin{array}{c} \text{un calcul} \\ \text{impliquant} \\ \text{les données} \end{array} \right\} > \left\{ \begin{array}{c} \text{une} \\ \text{valeur} \\ \text{critique} \end{array} \right\}.$$

Disons pour faire concret que nous avons collecté 64 mesures et que nous voulons un seuil de décision de 5 %. La valeur critique pour un test $t$ vaut alors 1.998 que nous arrondissons à 2. D'où vient ce nombre 2 ? Pourquoi vaut-il 2 et non pas 1.75 ou 3 ? On prend ce nombre car on croit que, si la moyenne de la population vaut vraiment le $\mu$ écrit dans l'hypothèse, alors le calcul donnera souvent 0, 1 ou 1.5, et rarement 2.1, 3 ou 5.

Le raisonnement est donc le suivant :

$$\text{Si } \quad \left\{ \text{l'hypothèse nulle est vraie} \right.$$

$$\text{Alors } \left\{ \begin{array}{l} \text{le risque que} \\ \left\{ \begin{array}{c} \text{un calcul} \\ \text{impliquant} \\ \text{les données} \end{array} \right\} > \left\{ \begin{array}{c} \text{une} \\ \text{valeur} \\ \text{critique} \end{array} \right\} \\ \text{est faible (ce risque vaut } \alpha) \end{array} \right.$$

Le grand problème est qu'on ignore si l'hypothèse nulle est vraie. Il faut donc prendre le raisonnement précédent à rebours : prendre un échantillon, faire le calcul requis, puis décider si l'hypothèse nulle est vraie.

Si après avoir fait le calcul requis, nous obtenons un nombre supérieur à la valeur critique, alors deux conclusions sont possibles : ou bien l'hypothèse n'est pas la bonne, ou bien l'échantillon n'est pas représentatif (à cause de l'erreur expérimentale). Or, comme nous avons choisi une valeur critique difficile à dépasser, la seconde possibilité semble la plus probable et on rejette $H_0$. Ce raisonnement est au cœur de l'inférence statistique et on en fait une formule :

$$\text{Si } \quad \left\{ \begin{array}{c} \text{un calcul} \\ \text{impliquant} \\ \text{les données} \end{array} \right\} > \left\{ \begin{array}{c} \text{une} \\ \text{valeur} \\ \text{critique} \end{array} \right\}$$

$$\text{Alors } \left\{ \text{le risque que l'hypothèse nulle soit vraie est faible.} \right.$$

Puisqu'il semble peu probable que l'hypothèse nulle soit vraie, on prend la décision « Rejet de $H_0$ ».

Une valeur critique doit être choisie judicieusement : trop faible, le test va induire en erreur fréquemment ; trop élevée, aucune thérapie ne serait assez spectaculairement efficace pour convaincre un test statistique et le test ne se commettra jamais. Il faut une valeur critique telle que la probabilité qu'elle soit excédée uniquement à cause de l'erreur expérimentale soit connue et faible. Pour y arriver, il faut savoir comment se répartissent les données dans la population. La table $t$, la table $\chi^2$ et la table $F$ sont toutes construites en postulant que les scores individuels se répartissent suivant une distribution normale. Les valeurs critiques qui en sont tirées supposent donc que la population suit une distribution normale. En jargon, on dit que ces tests sont basés sur le **postulat de normalité**, le postulat que les données proviennent d'une population normale.

Le raisonnement complet est donc

$$
\text{Si} \quad \left\{ \begin{array}{l} \text{l'hypothèse nulle est vraie} \\ \text{ET} \\ \text{la population est normalement distribuée} \end{array} \right.
$$

$$
\text{Alors} \quad \left\{ \begin{array}{l} \text{le risque que} \\ \left. \begin{array}{l} \text{un calcul} \\ \text{impliquant} \\ \text{les données} \end{array} \right\} > \left\{ \begin{array}{l} \text{une} \\ \text{valeur} \\ \text{critique} \end{array} \right\} \\ \text{est faible (ce risque vaut } \alpha) \end{array} \right. \qquad 14.1
$$

d'où l'inférence statistique correcte :

$$
\text{Si} \quad \left. \begin{array}{l} \text{un calcul} \\ \text{impliquant} \\ \text{les données} \end{array} \right\} > \left\{ \begin{array}{l} \text{une} \\ \text{valeur} \\ \text{critique} \end{array} \right\}
$$

$$
\text{Alors} \quad \left\{ \begin{array}{l} \text{le risque que l'hypothèse nulle soit vraie est faible.} \\ \text{OU} \\ \text{la population n'est pas normalement distribuée} \end{array} \right. \qquad 14.2
$$

Comme la seconde conclusion n'est pas intéressante (ça ne nous dit pas si une thérapie doit être recommandée), il faut exclure cette possibilité. La façon d'y arriver est de vérifier que les données suivent bien une distribution normale.

Supposons par exemple une situation où la distribution des scores étudiés est en réalité très asymétrique (comme peuvent l'être des revenus ; voir la Figure 14.1).

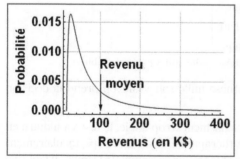

**Figure 14.1**

**Distribution des revenus (fictifs) dans un pays (en milliers de dollars).**

Si le score moyen est (disons) de 100 000 $ mais qu'un sociologue n'en est pas certain, il peut en faire l'hypothèse :

$$H_0 : \text{Le revenu moyen est de } 100\,000\,\$,$$

collecter un échantillon et, après avoir fait le calcul, vérifier si la valeur critique est dépassée.

Or, comme il y a beaucoup d'individus avec des scores extrêmes à droite de cette population hypothétique, la moyenne a de grandes chances d'excéder 100 000 $. Auquel cas, le calcul a de grandes chances d'excéder la valeur critique. Si le sociologue rejette l'hypothèse nulle, il croit le faire avec une confiance de 95 % alors qu'en réalité, les chances sont plutôt de 15 % (près d'une chance sur 6) de faire une erreur de type I.

Il est possible de vérifier la validité de ce postulat sur un ensemble de données. La façon la plus facile est de réaliser un graphique des fréquences et de regarder si les données sont clairement asymétriques, clairement multimodales ou encore dotées d'un grand nombre de données très extrêmes. L'un ou l'autre de ces trois signes sont impossibles si la distribution est normalement distribuée. Pour un petit échantillon ($n < 30$), il est difficile de voir une violation de la normalité. La démarche consiste donc à croire en la normalité des données à moins d'un signe très clair à l'encontre de la normalité.

Cette approche basée sur une inspection visuelle du graphique des fréquences est tout à fait satisfaisante dans la plupart des cas. Par contre, si vous doutez de votre capacité à identifier l'un ou l'autre des trois signes, il est possible d'adopter une approche plus formelle.

Cette approche consiste à utiliser un test statistique pour décider si les données semblent tirées d'une population normalement distribuée. Un test, développé par les mathématiciens russes Kolmogorov et Smirnov puis raffiné par Lilliefors (KS/L), prend comme hypothèse de départ :

$H_0$: Les données proviennent d'une population normalement distribuée.

Pour ce faire, le test calcule une quantité notée $D_{Max}$ à partir des données puis vérifie si cette quantité dépasse une valeur critique qui dépend de $\alpha$ et de la taille de l'échantillon :

$$\text{Rejet de } H_0 \text{ si } D_{Max} > D_\alpha(n). \qquad\qquad 14.3$$

Nous n'expliquons pas comment calculer la valeur $D_{Max}$ ni ne donnons la table des valeurs critiques ; un logiciel d'analyse statistique (comme SPSS) fournit toutes les informations nécessaires automatiquement.

Si vous planifiez réaliser un test des moyennes, il faut donc vérifier (visuellement ou avec le test KS/L) que les données proviennent d'une population normale. S'il y a plusieurs groupes, chaque groupe doit être examiné séparément et tous doivent être normaux (aucun rejet de $H_0$ si le test KS/L est utilisé).

Dans l'éventualité où les données ne sont pas normalement distribuées, vous ne pouvez pas utiliser l'ANOVA ou le test $t$ pour comparer les moyennes. Il existe des tests alternatifs qui ne nécessitent pas le postulat de normalité. Ces tests sont appelés des tests non paramétriques. Nous donnons le test à utiliser selon le schème expérimental dans le Tableau 14.1.

Tableau 14.1

Test à utiliser selon le schème expérimental et selon que le postulat de normalité des données est satisfait ou non.

| Schème expérimental | Test postulant la normalité | Test non paramétrique |
|---|---|---|
| 1 groupe | test $t$ sur un groupe | test sur médiane |
| 2 groupes | test $t$ sur deux groupes | test de Wilcoxom-Mann-Whitney |
| 2 groupes ou plus | test d'ANOVA | test de Kruskal-Wallis |
| 2 mesures répétées | test $t$ sur deux mesures | test de Wilcoxom |
| 2 mesures répétées ou plus | test d'ANOVA | test de Friedman |

Nous avons déjà vu un test non paramétrique, le test sur la médiane utilisant la distribution binomiale. Ce test n'a pas besoin de connaître la distribution de la population pour être applicable. Voici l'astuce : il utilise une propriété de la médiane pour établir la valeur critique. Toues les tests non paramétrique utilisent des astuces similaires pour décider où placer la valeur critique. Par contre, les tests $t$ et les ANOVA sont plus puissants si la population est normalement distribuée (on verra la puissance statistique plus en détail au chapitre suivant). Quand c'est possible on prend donc une ANOVA ou un test $t$ plutôt qu'un test non paramétrique.

# 2. L'homogénéité des variances pour les schèmes avec deux groupes ou plus

Lorsque vous voulez comparer deux groupes ou plus, un autre postulat est caché dans le test $t$/l'ANOVA : le dénominateur de ces deux tests nécessite le calcul de la variance regroupée. Ce calcul nécessite d'additionner les sommes des carrés dans chaque groupe et de diviser par les degrés de liberté dans chaque groupe. Or cette façon de calculer la variance regroupée n'a de sens que si tous les groupes proviennent de populations avec des variances égales. Si un des groupes a une variance très grande, l'autre une variance très petite, on se retrouve avec une variance regroupée qui n'est pas représentative d'aucun des deux groupes. En conséquence de quoi, le test $t$/l'ANOVA n'est valable que si tous les groupes proviennent de populations avec des variances égales. En jargon, on appelle ce postulat **le postulat d'homogénéité des variances entre les groupes**. Si les populations ont des variances homogènes, les échantillons qui en découlent devraient avoir des variances assez semblables.

Il existe plusieurs façons d'examiner l'homogénéité des variances. Une approche visuelle simple est de faire un graphique illustrant la variance pour chaque groupe. Si les variances sont homogènes, le graphique devrait donner une ligne à peu près horizontale. Comme il est normal que la variance des échantillons fluctue à cause d'erreurs expérimentales, le graphe ne sera pas parfaitement plat. Pour conclure que les variances ne sont pas homogènes, il faut qu'un des groupes ait une variance quatre fois supérieure à la variance d'un autre groupe. La Figure 14.2, gauche, donne un exemple où c'est le cas.

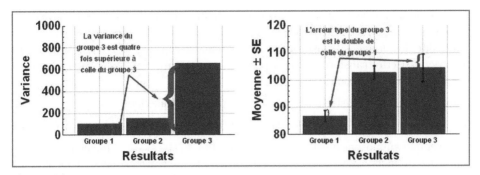

**Figure 14.2**

Un graphique des variances et le graphique des moyennes pour trois groupes.
Le groupe 3 a une variance plus grande que celle des groupes 1 et 2.

Si les groupes sont de tailles égales, une façon plus simple d'examiner les variances est de faire un graphique des moyennes sur lequel vous ajoutez l'erreur type dans les barres d'erreurs. L'erreur type est proportionnelle à l'écart type de l'échantillon et inversement proportionnelle à la racine carrée de la taille des groupes. Donc, à taille de groupes égale, une barre d'erreur de longueur double d'une autre barre d'erreur indique une variance quatre fois supérieure, et donc des variances qui ne sont pas homogènes. La Figure 14.2, partie de droite, illustre les moyennes avec en barre d'erreur les erreurs types pour les mêmes données que celles de gauche (les groupes ont tous 25 données).

À nouveau, si vous ne faites pas confiance à la méthode visuelle, vous pouvez opter pour une approche formelle basée sur un test statistique. Il faut commencer avec l'hypothèse nulle :

$H_0$ : Tous les groupes proviennent de populations avec des variances homogènes

puis réaliser un test qui dira s'il faut rejeter cette hypothèse.

Dans le cas où il n'y a que deux groupes, nous avons déjà vu au chapitre 10 un test d'égalité des variances utilisant la distribution $F$. S'il y a plus de deux groupes, le test inventé par Levene permet aussi de tester l'hypothèse nulle :

$$\text{Rejet de } H_0 \text{ si } F_{\text{Levene}} > F_\alpha(p, n_{Total} - p) \qquad 14.4$$

où $p$ est le nombre de groupes et $n_{Total}$, le nombre de sujets total.

Si les variances sont homogènes, tout va bien et vous pouvez poursuivre avec un test $t$/une ANOVA. Si les variances ne sont pas homogènes et que :

- il y a deux groupes : optez pour un autre test, le test de Welch, qui ne nécessite pas l'homogénéité des variances ;
- il y a plus de deux groupes : essayez de restaurer l'homogénéité des variances ou optez pour un autre test statistique.

Pour tenter de restaurer l'homogénéité des variances, on procède à un recodage des données qu'on appelle aussi une **transformation non linéaire**. Deux transformations non linéaires sont fréquemment employées.

*La transformation logarithmique*. Cette transformation a pour but d'écraser les données les plus grandes. Aussi, si les données très grandes sont responsables d'une plus grande variabilité, les données transformées seront plus susceptibles d'avoir des variances homogènes. Cette transformation est particulièrement utile lorsque la variable mesurée est un temps de réponse.

Pour réaliser cette transformation, il faut remplacer chaque donnée x par :

$$x' \leftarrow Log\,(x + 1.0) \qquad\qquad 14.5$$

Par exemple, supposons que l'on s'intéresse à l'effet du stress sur la mémoire de reconnaissance de mots. Lorsque le stress est modéré, la mémoire est généralement assez bonne (performance élevée) mais si le stress est trop faible ou trop fort, les performances décroissent, donnant une courbe en forme de U inversée. Le graphique de gauche de la Figure 14.3 donne la performance moyenne ainsi que chaque score individuel (les points). On voit que les scores élevés sont aussi les plus dispersées. Après avoir réalisé une transformation logarithmique, les données les plus hautes sont écrasées, ce qui réduit la dispersion dans les conditions de stress moyen. Comme on le voit à droite de la Figure 14.3, la dispersion est maintenant comparable dans toutes les conditions.

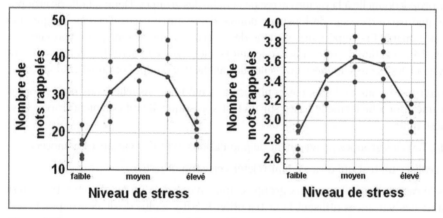

Figure 14.3

**Un graphique de moyenne indiquant les performances individuelles (points).**
**À gauche, les données brutes, à droite, les données après une transformation logarithmique.**

*La transformation angulaire*. Cette transformation non linéaire est utilisée lorsqu'il y a des effets de plancher ou des effets de plafond. Lorsque des sujets ont des scores proches du plafond (du plancher), ils ont moins d'espace pour varier, contrairement aux sujets situés dans le milieu de l'échelle de mesure. Ces premiers auront alors une variance plus faible que ces derniers, causant des variances non homogènes. La transformation angulaire a pour but d'étirer les extrémités de l'échelle de façon à ce que les scores s'y trouvant soient plus variables. Cette transformation est souvent utilisée lorsque la mesure est un pourcentage de bonnes réponses. Si un groupe de sujets a une tâche plus facile à accomplir, leurs pourcentages de bonnes réponses seront près de 100 % avec peu de variabilité ; si un autre groupe de sujets a une tâche difficile, ils seront près de 50 % (niveau de chance) avec une grande variabilité.

Pour réaliser cette transformation lorsque les données se situent entre 0 et 1, il faut remplacer chaque donnée x par :

$$x' \leftarrow 2\,ArcSin\,\sqrt{x}.$$

Si les données sont en pourcentage (entre 0 et 100), faites plutôt :

$$x' \leftarrow 2\,ArcSin\,\sqrt{\frac{x}{100}}.$$

De façon générale, si le plancher n'est pas à zéro mais à une valeur, disons $X_{bas}$ et que le plafond n'est pas à 1 mais disons à $X_{haut}$, utilisez :

$$x' \leftarrow 2\,ArcSin\,\sqrt{\frac{x - X_{bas}}{X_{haut} - X_{bas}}}.$$

14.6

Supposons comme exemple qu'on examine la proportion de Sudoku réussis dans un livret lorsque les Sudoku sont faciles ou difficiles. Les Sudoku faciles vont donner lieu à une proportion de réussite élevée, près du plafond qui est de 100 %. La Figure 14.4, gauche, donne des résultats fictifs. Ces données sont beaucoup plus dispersées dans la condition Difficile que dans la condition Facile. Par contre, après une transformation angulaire (droite), les dispersions sont comparables dans les deux conditions.

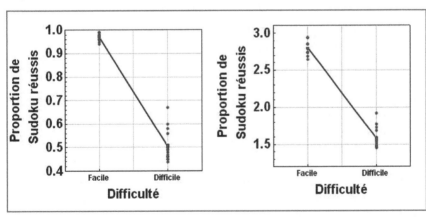

**Figure 14.4**

Un graphique de moyenne indiquant les performances individuelles (points). À gauche, les données brutes, à droite, les données après une transformation angulaire.

Il existe d'autres transformations non linéaires ; par ailleurs, il n'est pas certain qu'une transformation non linéaire parvienne à restaurer l'homogénéité des variances. En désespoir de cause, abandonnez le projet de réaliser une ANOVA et procédez plutôt à une analyse alternative, telle l'analyse multivariée (MANOVA).

# 3. La sphéricité des mesures dans les plans à mesures répétées ($p$) et ($p \times q$)

Supposons un schème (3) avec trois mesures répétées (disons que les mesures sont avant un traitement, une semaine après et un mois après). Dans ce type de schème, il y a trois variances $s_{Avant}$, $s_{1\,semaine}$, et $s_{1\,mois}$, mais aussi trois covariances, $cov_{Avant,1\,semaine}$, $cov_{Avant,1\,mois}$, et $cov_{1\,semaine,1\,mois}$. Tout comme les variances doivent être homogènes, les covariances doivent l'être aussi pour qu'une ANOVA à mesures répétées donne des décisions fiables (pour être précis, la variance des différences doit être homogène). Ce postulat s'appelle en langage technique le **postulat de sphéricité**.

Il n'existe pas de graphique montrant simultanément les variances et les covariances. Par contre, on peut obtenir un tableau, communément appelé une matrice de variances-covariances. La matrice pour l'expérience précédente pourrait ressembler à celle du Tableau 14.2.

Tableau 14.2

**Exemple de matrice de variances-covariances.**

|  | Avant | 1 semaine | 1 mois |
|---|---|---|---|
| Avant | 1 000 | 600 | 800 |
| 1 semaine | 600 | 1 000 | 700 |
| 1 mois | 800 | 700 | 1 000 |

Cette matrice présente le long de la diagonale principale les trois variances, et hors de la diagonale, les covariances, une pour chaque combinaison de mesures. Par exemple, la covariance entre la première mesure et la seconde, $cov_{Avant,1\,semaine}$, vaut 600. Comme la covariance est symétrique, $cov_{Avant,1\,semaine}$ et $cov_{1\,semaine,Avant}$ ont la même valeur et se retrouvent deux fois dans la matrice de part et d'autre de la diagonale principale. Encore une fois, si une des variances est quatre fois plus élevée qu'une autre, ou si une covariance est quatre fois plus élevée qu'une autre, les données ne sont pas sphériques et il faut utiliser un test alternatif.

Notez que, dans le cas où il n'y a que deux mesures répétées, il n'y a qu'une seule covariance et les données sont donc forcément sphériques.

Une façon de mesurer la sphéricité est de calculer une quantité appelée le epsilon de Greenhouse et Geisser, noté $\varepsilon_{GG}$. Cette quantité est toujours située entre 0 et 1 et vaut précisément 1 lorsque les données sont parfaitement sphériques.

L'hypothèse nulle est donc:

$$H_0: \text{les données sont sphériques}$$

et le test est de la forme:

$$\text{Rejet de } H_0 \text{ si } \varepsilon_{GG} < 0.9. \qquad\qquad 14.7$$

La valeur critique 0.9 ne dépend pas de la taille du groupe et on ne connaît sa valeur que pour un seuil de décision $\alpha$ de 5 %. Si cette mesure se situe entre 0.7 et 0.9, les données sont modérément sphériques et une ANOVA peut être réalisée en conjonction avec le correctif de Greenhouse et Geisser. Finalement, si $\varepsilon_{GG}$ est inférieur à 0.7, il faut utiliser un autre test, tel un test multivarié (MANOVA).

Le correctif de Greenhouse et Geisser consiste à réduire les degrés de liberté pour obtenir une valeur critique plus grande. La façon de faire consiste à prendre les degrés de liberté de l'ANOVA standard et de les multiplier par $\varepsilon_{GG}$. Comme la valeur $\varepsilon_{GG}$ est toujours inférieure à 1, ceci revient à diminuer les degrés de liberté. Cependant, puisque les degrés de liberté qui en résultent sont rarement des nombres entiers, une table de valeurs critiques $F$ n'est plus utile et il faut utiliser un logiciel.

# 4. L'homogénéité de la matrice de variance-covariance entre les groupes dans un schème mixte $p \times (q)$

Dernier cas, les données ont été obtenues avec un schème expérimental mixte. Dans cette situation, on peut calculer une matrice de variances-covariances pour chacun des $p$ groupes. Pour que l'ANOVA soit valable, il faut que les $p$ matrices soient semblables.

Une façon de décider si les matrices de variances-covariances sont homogènes consiste à réaliser un test de Box. L'hypothèse nulle est la suivante:

$H_0$: Les matrices de variances-covariances sont homogènes

et la règle de décision est

$$\text{Rejet de } H_0 \text{ si } F_{Box} > F_\alpha(\nu_1, \nu_2) \qquad 14.8$$

(par contre, les degrés de liberté $\nu_1$ et $\nu_2$ sont difficiles à calculer à la main). Si l'hypothèse n'est pas rejetée, il faut par la suite vérifier si les données moyennées au travers des groupes sont sphériques en calculant un $\varepsilon_{GG}$. Si les deux hypothèses ne sont pas rejetées, on procède à une ANOVA.

# 5. En résumé

Les arbres de décision des figures 14.5 à 14.8 permettent de récapituler les étapes de vérification à réaliser avant de pouvoir comparer les moyennes avec un test $t$ ou une ANOVA.

Figure 14.5

**La première étape : vérifier le postulat de normalité.**

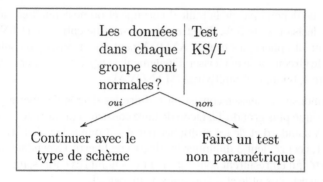

Figure 14.6

**Si le type de schème est à groupes indépendants.**

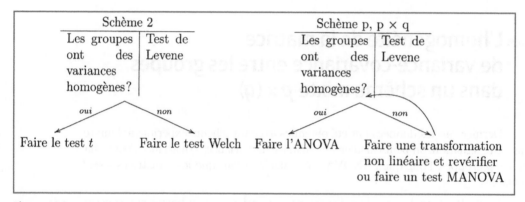

Figure 14.7

**Si le type de schème est à mesures répétées.**

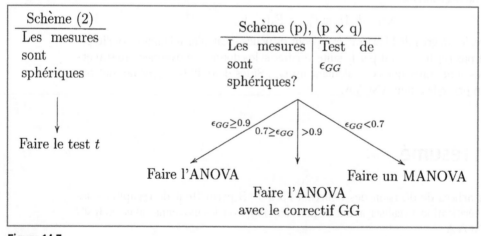

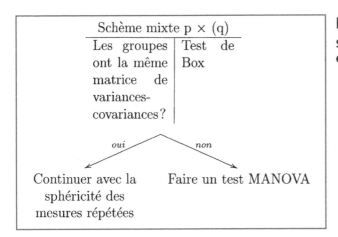

**Figure 14.8**

Si le type de schème est mixte.

# 6. Comment rapporter les tests de ce chapitre?

En règle générale, on prend pour acquis que la personne qui rédige le rapport technique est au fait des limites des tests d'analyse de moyennes. Aussi, si rien n'est écrit dans le rapport, cela signifie que les données n'étaient pas non normales de façon significative, et que les variances étaient homogènes dans le cas d'un schème à groupes indépendants; que les mesures étaient sphériques dans le cas d'un schème à mesures répétées et que les matrices de variances-covariances étaient homogènes dans le cas d'un schème mixte. Dans le cas contraire, cela est généralement mentionné au début de l'analyse des résultats.

Par exemple, si les données ne sont pas normales, l'auteur peut écrire «Les données n'étant significativement normalement distribuées ($D_{max}$ ($dl$) = _, p < .05), nous avons procédé à une analyse des moyennes utilisant un test non paramétrique», dans lequel _ est la valeur de la statistique calculée par le logiciel et où dl égale le nombre de données.

# 7. Utilisation de SPSS

## 7.1 Tester la normalité des données avec EXAMINE

Il est possible d'utiliser la commande EXAMINE vue au chapitre 2 pour réaliser un test de Kolmogorov-Smirnov/Lilliefors. Pour ce faire, utiliser la commande:

```
EXAMINE VARIABLES = colVD
    /PLOT = NPPLOT
    /STATISTICS = NONE
    /NOTOTAL.
```

où **colVD** est la colonne contenant la variable mesurée. S'il y a plusieurs groupes, on peut obtenir un test par groupe avec l'ajout de l'option BY, comme dans:

```
EXAMINE VARIABLES = colVD BY colgrp
    /PLOT = NPPLOT
    /STATISTICS = NONE
    /NOTOTAL.
```

L'inconvénient de cette commande est qu'elle produit aussi un grand nombre de graphiques qui ne sont pas pertinents pour le test KS/L.

La Figure 14.9 donne un exemple d'output. On voit que pour le groupe 1, les données ne sont pas normalement distribuées ($D_{Max}(6) = 0.332$, $p < .05$).

### Tests de normalité

| | grp | Kolmogorov-Smirnov [a] | | | Shapiro-Wilk | | |
|---|---|---|---|---|---|---|---|
| | | Statistique | ddl | Signification | Statistique | ddl | Signification |
| vd | 1,00 | ,332 | 6 | ,038 | ,744 | 6 | ,017 |
| | 2,00 | ,293 | 6 | ,117 | ,915 | 6 | ,473 |
| | 3,00 | ,205 | 6 | ,200* | ,961 | 6 | ,830 |

a. Correction de signification de Lilliefors

*. Il s'agit d'une borne inférieure de la signification réelle.

Figure 14.9

**Tests de normalité effectués avec la commande EXAMINE.**

## 7.2 __ Tester l'homogénéité des variances et faire un test de Welch avec T-TEST

Ces deux tests sont automatiquement faits par SPSS à toutes les fois que vous utilisez la commande T-TEST sur deux groupes indépendants. L'output de la Figure 14.10 donne le résultat de la commande T-TEST vue au chapitre 9.

| | | Test de Levene sur l'égalité des variances | | Test-t pour égalité des moyennes | | | | |
|---|---|---|---|---|---|---|---|---|
| | | F | Sig. | t | ddl | Sig. (bilatérale) | Différence moyenne | Différence écart-type |
| vd | Hypothèse de variances égales | 8,353 | ,045 | -2,836 | 4 | ,047 | -18,50000 | 6,52346 |
| | Hypothèse de variances inégales | | | -2,836 | 2,208 | ,094 | -18,50000 | 6,52346 |

**Test d'échantillons indépendants**

**Figure 14.10**

**Test d'homogénéité des variances et test de Welch obtenu avec la commande T-TEST.**

Les colonnes 3 et 4 contiennent le résultat du test de Levene (les degrés de liberté ne sont pas indiqués). Ici, les variances sont significativement hétérogènes ($F(1, 4) = 8.35$, $p < .05$). La ligne «hypothèse de variances inégales» est le résultat du test de Welch. Ici, les deux groupes ne diffèrent pas significativement ($t(2.208) = 2.836$, $p > .05$). Si le test $t$ avait été utilisé (par erreur; la ligne «Hypothèse de variances égales»), une conclusion différente aurait été rendue.

## 7.3 Tester l'homogénéité des variances avec GLM

Pour réaliser un test de Levene, il suffit de rajouter l'option:

```
/PRINT = HOMOGENEITY
```

dans la commande GLM.

La Figure 14.11 donne un output SPSS où les variances sont hétérogènes ($F(2,15) = 23,193$, $p < .05$).

**Test d'égalité des variances des erreurs de Levene[a]**

Variable dépendante:vd

| D | ddl1 | ddl2 | Sig. |
|---|---|---|---|
| 23,193 | 2 | 15 | ,000 |

Teste l'hypothèse nulle que la variance des erreurs de la variable dépendante est égale sur les différents groupes.

a. Plan : Ordonnée à l'origine + grp

**Figure 14.11**

**Test d'homogénéité des variances obtenu avec la commande GLM.**

## 7.4 Effectuer une transformation non linéaire avec COMPUTE

La commande COMPUTE permet de créer une nouvelle colonne dont la valeur résulte d'un calcul. Pour une transformation logarithmique, utiliser la commande

```
COMPUTE score2 = LN(score + 1).
```

où **score** est la colonne contenant la mesure qui doit être transformée, et **score2** est une nouvelle colonne qui contiendra la donnée transformée.

Pour une transformation angulaire, la commande est la suivante:

```
COMPUTE score2 = 2 * ARSIN (SQRT (score)).
```

Après avoir exécuté cette commande, rien n'apparaît dans la fenêtre de sortie, mais une colonne supplémentaire apparaît dans l'éditeur de données.

## 7.5 Obtenir une matrice de variances-covariances avec REGRESSION

Nous avons déjà vu cette commande au chapitre 4:

```
REGRESSION VARIABLES = colVD1 TO colVDp
        /DESCRIPTIVES = COV CORR
        /STATISTICS = R
        /DEPENDENT = colVDp
        /METHOD = ENTER.
```

où **colVD1** est le nom de la première mesure et **colVDp** est le nom de la dernière.

Dans le cas d'un schème mixte, il y a plusieurs groupes et on veut donc obtenir une matrice de variances-covariances par groupe. Une façon d'en instruire SPSS est de faire précéder la commande REGRESSION ci-dessus par les trois lignes suivantes:

```
TEMPORARY.
SORT CASES BY grp.
SPLIT FILE BY grp.
```

où **grp** est le nom de la colonne contenant le numéro de groupe des sujets.

## 7.6 Tester la sphéricité de la matrice de variances-covariances avec GLM

Pour examiner la sphéricité, il faut utiliser le $\varepsilon_{GG}$. Cette valeur est automatiquement calculée par GLM dès qu'un schème avec une ou des mesures répétées est analysé. Il n'y a donc aucune commande à rajouter. GLM calcule aussi deux autres epsilon, mais il faut les ignorer.

## 7.7 — Effectuer un test de Box dans le cas d'un schème mixte avec ANOVA

Le test de Box s'obtient avec la même option que pour le test de Levene, soit l'ajout de

/PRINT = HOMOGENEITY

Notez que SPSS réalise aussi un test de Levene bien que ce test n'ait pas de signification dans le cas d'un schème mixte. Ignorez simplement ce dernier.

La Figure 14.12 donne le résultat de ce test. Dans cet exemple, les matrices ne sont pas différentes (F(18, 1413.5) = 1.46, p > .05).

| Test d'égalité des matrices de covariance de Box[a] | |
|---|---|
| M de Box | 36,66 |
| D | 1,46 |
| ddl1 | 18 |
| ddl2 | 1 413,5 |
| Sig. | 0,1 |

Teste l'hypothèse nulle selon laquelle les matrices de covariances observées des variables dépendantes sont égales sur l'ensemble des groupes.

a. Plan : Ordonnée à l'origine + grp
Dans le plan des sujets : repl

Figure 14.12

Test d'homogénéité des variances-covariances obtenu avec la commande GLM.

## Résumé

Ce chapitre a couvert toute la panoplie des vérifications à effectuer avant de faire un test de moyennes dans le but de garantir que le risque d'une erreur de type I serait bien celui choisi par le responsable du test. Dans le prochain chapitre, on examine le risque d'une erreur de type II et le concept de puissance statistique.

## Questions pour mieux réfléchir

1. Une personne présente ses conclusions basées sur un test non paramétrique. Pourquoi selon vous a-t-elle utilisé ce test ?

2. Même question si la personne a utilisé un schème à mesures répétées et un test multivarié.

## Questions pour s'entraîner

3. À l'aide de SPSS, générez un échantillon de taille $n = 15$ provenant d'une distribution normale avec une moyenne $\mu$ de 100 et un écart type $\sigma$ de 15 : (a) à l'aide d'une inspection visuelle, les données semblent-elles normales ?(b) un test KS/L indique-t-il que les données ne sont pas normales ?

4. Répétez l'exercice, mais cette fois-ci avec une population qui n'est pas normale, une distribution $\chi^2$ avec paramètre $v = 3$.

5. Répétez les exercices 1 et 2 mais avec un grand échantillon cette fois-ci, $n = 1500$.

# CHAPITRE 15

# La puissance
# d'un test statistique

## Sommaire

## Dans ce chapitre, vous allez apprendre :

1   Les notions d'erreur de type II et de puissance d'un test.

2   Comment améliorer la puissance d'un test.

3   Comment estimer le nombre de sujets nécessaires pour obtenir une puissance d'environ .80.

4   Dans quelle situation on peut accepter $H_0$.

## Introduction

*Pour rendre une décision éclairée, il faut pouvoir envisager les conséquences d'une erreur et ajuster le risque de commettre une telle erreur en conséquence. Le risque d'une erreur de type I (croire qu'une thérapie est efficace alors qu'elle est en réalité sans effet) est choisi par l'expérimentateur et lui permet de trouver la ou les valeurs critiques. Le risque d'une erreur de type II (croire qu'une thérapie est sans effet alors qu'en réalité, elle fonctionne) est plus difficile à quantifier. Pour y arriver, il faut avoir une idée de l'efficacité du traitement s'il est efficace, ce qui signifie une seconde hypothèse. Avec cette seconde hypothèse, il est possible d'ajuster le nombre de participants à mesurer pour que le risque d'une erreur de type II soit aussi faible que voulu.*

Lorsqu'on entreprend de faire un test statistique, il y a quatre cas possibles, selon qu'une différence existe dans la population ou pas, et selon ce que donne le calcul. Les cas possibles sont récapitulés dans le Tableau 15.1.

### Tableau 15.1

**Types de résultats possibles et façon de les interpréter.**

| | Dans la réalité | |
|---|---|---|
| Un calcul impliquant les données | $H_0$ est faux (il y a une différence) | $H_0$ est vrai (il n'y a pas de différence) |
| $\not>$ une valeur critique | Erreur de type II<br>niveau de risque : $\beta$ | Décision correcte<br>niveau de risque : $1 - \alpha$ |
| $>$ une valeur critique | Décision correcte niveau de risque : $1 - \beta$ | Erreur de type I<br>niveau de risque : $\alpha$ |

Nous avons repris le Tableau 6.1 du chapitre 6, mais avons noté par $\beta$ la probabilité d'une erreur de type II.

La démarche mathématique qu'on a vue dans les précédents chapitres s'assure que *s'il n'y a pas de différence ($H_0$ est vrai)*, le risque d'avoir un calcul excédant une valeur critique est égal au seuil de décision. Le problème ici est que les mathématiciens mettent la charrue avant les bœufs : quand on réalise un test statistique, on sait si le calcul excède la valeur critique ou pas, on ne sait pas si $H_0$ est vrai. Autrement dit, nous parcourons le Tableau 15.1 dans le sens inverse des mathématiciens ! Le Tableau 15.2 illustre ceci :

## Tableau 15.2

**Les deux sens de lecture du Tableau 15.1 selon le mathématicien (gauche) ou la personne qui fait un test statistique (droite).**

| | Dans la réalité | | | Dans la réalité | |
|---|---|---|---|---|---|
| Un calcul impliquant les données | $H_0$ est faux (il y a une différence) | $H_0$ est vrai (il n'y a pas de différence) | Un calcul impliquant les données | $H_0$ est faux (il y a une différence) | $H_0$ est vrai (il n'y a pas de différence) |
| ≯ une valeur critique | Erreur de type II niveau de risque : $\beta$ | Décision correcte niveau de risque : $1 - a$ | ≯ une valeur critique | Erreur de type II niveau de risque : $\beta$ | Décision correcte niveau de risque : $1 - \alpha$ |
| > une valeur critique | Décision correcte niveau de risque : $1 - \beta$ | Erreur de type I niveau de risque : $\alpha$ | > une valeur critique | Décision correcte niveau de risque : $1 - \beta$ | Erreur de tye I niveau de risque : $\alpha$ |

Pour illustrer la différence entre les deux sens de lecture, imaginons que vous allez voir un match de hockey au Centre Molson. Dans la foule se trouvent des fans de l'équipe locale, le Canadien de Montréal. Ces fans portent en grande majorité un chandail aux couleurs du tricolore : rouge. Cependant, ceux qui ne sont pas fans peuvent aussi porter des chandails rouges à l'occasion. Pour mettre des chiffres, disons que 95 fans sur 100 portent un chandail rouge alors que 20 personnes qui ne sont pas fans sur 100 portent un chandail rouge. Le Tableau 15.3 résume ces faits :

## Tableau 15.3

**Couleur du chandail selon que la personne est fan ou pas.**

| Le chandail est de couleur | La personne | |
|---|---|---|
| | n'est pas fan du Canadien de Montréal | est fan du Canadien de Montréal |
| rouge | 20 personnes sur 100 | 95 personnes sur 100 |
| pas rouge | 80 personnes sur 100 | 5 personnes sur 100 |

Si on raisonne comme un mathématicien, on peut poser la question : quelle est la probabilité qu'un fan porte un chandail rouge ? Avec l'approche fréquentiste, la réponse est facile : 95/100, soit 95 %. Par contre, pour une personne dans l'aréna qui cherche un fan (après tout, ce n'est pas toujours écrit sur son front, quoique...), la question inverse est plus ardue à répondre : quelle est la probabilité qu'une personne avec un chandail rouge soit un fan ? Toujours avec l'approche fréquentiste, il faut considérer tous les cas où les personnes portent un chandail rouge (i.e. les 95 fans et les 20 non-fans) puis regarder la proportion de fans parmi ceux-ci : 95/(95 + 20), soit 82.6 %. Ainsi, en parlant à une personne portant un chandail rouge, il y a de grandes chances que vous vous adressiez à un fan, mais les chances sont bien moindres que 95 %. Les non-fans entrent dans le calcul et s'ils sont nombreux à porter un chandail rouge, les chances de tomber sur un fan s'amenuisent.

Le raisonnement est identique concernant les tests statistiques. Supposons dans un premier temps un test sans aucune puissance statistique : s'il n'y a pas de différence entre les groupes testés, le calcul n'est presque jamais supérieur à la valeur critique (c'est le seuil de décision) mais s'il y a une différence le calcul, encore une fois, n'est presque jamais supérieur à la valeur critique. Autrement dit, ce test ne se commet presque jamais. Des quantités sont indiquées dans la partie gauche du Tableau 15.4.

## Tableau 15.4

**Scénarios possibles si un test n'a aucune puissance (gauche), une puissance faible (centre) ou moyenne (droite) ; le seuil de décision est de 5 % partout.**

| Un calcul impliquant les données | Dans la réalité | | Un calcul impliquant les données | Dans la réalité | | Un calcul impliquant les données | Dans la réallité | |
|---|---|---|---|---|---|---|---|---|
| | $H_0$ est faux | $H_0$ est vrai | | $H_0$ est faux | $H_0$ est vrai | | $H_0$ est faux | $H_0$ est vrai |
| ↘ une valeur critique | 95 fois sur 100 | 95 fois sur 100 | ↘ une valeur critique | 50 fois sur 100 | 95 fois sur 100 | ↘ une valeur critique | 20 fois sur 100 | 95 fois sur 100 |
| > une valeur critique | 5 fois sur 100 | 5 fois sur 100 | > une valeur critique | 50 fois sur 100 | 5 fois sur 100 | > une valeur critique | 80 fois sur 100 | 5 fois sur 100 |
| Le risque d'une erreur de type I : 50 % | | | Le risque d'une erreur de type I : 9.1 % | | | Le risque d'une erreur de type I : 5.9 % | | |
| Le risque d'une erreur de type II : 50 % | | | Le risque d'une erreur de type II : 34 % | | | Le risque d'une erreur de type II : 17 % | | |

Si on trouve qu'on excède la valeur critique (e.g. le chandail n'est pas rouge), quelle est la probabilité que l'hypothèse soit fausse (e.g. que ce ne soit pas un fan) ? La réponse est 50 %. Avec un test aussi peu puissant, une erreur de type I (ne pas détecter de différence alors qu'il y en a une) survient une fois sur deux. On peut décider si une thérapie est à recommander en tirant à pile ou face !

La partie centrale du Tableau 15.4 montre un test qui se commet rarement s'il n'y a pas de différences et qui peut détecter une différence quand il y en a une une fois sur deux. Ce test est préférable au précédent. La probabilité d'une erreur de type I reste cependant élevée : 5/(50 + 5), soit 9.1 %. Si on trouve que le calcul excède la valeur critique et qu'on se commet (on rejette $H_0$), on a près d'une chance sur 10 de faire une erreur.

La partie droite du Tableau 15.4 montre un test avec une puissance modérément élevée : s'il y a une différence, ce test va le détecter 8 fois sur 10. Dans ce dernier cas, la probabilité d'une erreur de type I est de 5/(5 + 80), soit 5.9 %, assez proche du seuil de décision choisi (5 %).

Comme on le voit, le risque d'une erreur de type I dépend du seuil de décision (de voir le test se commettre par erreur s'il n'y a pas de différence) mais aussi de l'aptitude du test à se commettre s'il y a une différence. On appelle cette dernière aptitude la **puissance statistique**, souvent notée par $1 - \beta$.

En somme, si on excède une valeur critique, il y a deux situations possibles : soit $H_0$ est bel et bien faux (il y a une différence entre les groupes) ou une erreur de type I a eu lieu (il n'y a pas de différence entre les groupes). Les risques de la première alternative sont données par la probabilité d'une décision correcte par rapport à la probabilité d'une décision correcte ou d'une erreur de type I, soit $(1 - \beta)/(1 - \beta + \alpha)$. Par exemple, si le seuil de décision est de 5 % et que la puissance du test est de 80 %, alors, la probabilité d'une erreur de type I est de $0.05/(0.80 + 0.05) = 0.05/0.85 = 5.9$ %. En formule:

$$\text{Si} \left\{ \begin{array}{l} \text{un calcul} \\ \text{impliquant} \\ \text{les données} \end{array} \right\} > \left\{ \begin{array}{l} \text{une} \\ \text{valeur} \\ \text{critique} \end{array} \right\}$$

alors

- les différences existent réellement (probabilité $\dfrac{1-\beta}{1-\beta+\alpha}$)

ou

- c'est une erreur de type I ; l'erreur expérimentale
en est la cause (probabilité $\dfrac{\alpha}{1-\beta+\alpha}$). $\qquad$ 15.1

Dans le cas où le calcul d'un test statistique ne dépasse pas la valeur critique, deux situations sont possibles: soit $H_0$ est vrai (il n'y a pas de différence) ou une erreur de type II vient de se produire (l'erreur expérimentale masque les différences et les groupes se ressemblent plus qu'ils ne le devraient). On résume la situation ainsi:

$$\text{Si} \left\{ \begin{array}{l} \text{un calcul} \\ \text{impliquant} \\ \text{les données} \end{array} \right\} \ngtr \left\{ \begin{array}{l} \text{une} \\ \text{valeur} \\ \text{critique} \end{array} \right\}$$

alors

- il n'y a pas de différence réelle (probabilité $\dfrac{1-\alpha}{\beta+1-\alpha}$

ou

- c'est une erreur de type II ; l'erreur expérimentale
cache la différence (probabilité $\dfrac{\beta}{\beta+1-\alpha}$). $\qquad$ 15.2

Tout le problème ici vient du fait qu'on ne connaît pas la puissance statistique d'un test.

Si on sait par exemple que le test est très puissant (i.e. que $\beta$ est faible – disons 5 %), on déduit alors que le risque d'une erreur de type I est de 5 % (5 %/(95 % + 5 %)). Si on se commet et rejetons $H_0$, on a 19 chances sur 20 d'être dans le vrai.

Si on sait à l'inverse que le test n'a aucune puissance (il ne se commet jamais), il faut tout simplement refuser de faire l'expérience: un pile ou face a autant de chances de donner la bonne réponse et au moins, vous ne perdez pas votre temps et celui des participants.

Supposons finalement qu'on n'a aucune idée de la puissance du test. Dans un scénario mitoyen, il se pourrait qu'une fois sur deux, quand on ne voit pas de différence, c'est qu'il y en a une mais l'erreur expérimentale nous amène à croire l'inverse ($\beta = 50$ %). Dans ce cas, si la personne décide de se commettre, de clamer qu'il n'y a pas de différence entre les populations, il y a alors un risque de 34 % qu'elle se trompe, soit près d'une chance sur trois ! Il vaut mieux dans ce cas ne rien dire, admettre que les données peuvent vouloir dire n'importe quoi. Pour cette raison, lorsqu'on réalise un test statistique et qu'on arrive à une situation de non-rejet, cela veut dire «statu quo», tout est encore possible. Ça revient à hausser les épaules et suggère qu'il faut refaire une étude supplémentaire.

Notez l'asymétrie entre la probabilité d'une erreur de type I et la probabilité d'une erreur de type II : la première est assez faible (9.1 %) alors que la seconde est trop élevée (34 %). Si le calcul excède la valeur critique, on peut se commettre (Rejet de $H_0$) avec un risque modérément faible ; si le calcul n'excède pas la valeur critique, le risque d'une erreur est grand et on ne se commet pas.

# 1. La puissance d'un test

Lorsqu'on a un *statu quo* et qu'il faut donc refaire une expérience, l'objectif est de la refaire avec une puissance statistique plus grande. Dans cette section, nous examinons les trois facteurs qui font qu'un test sera plus puissant. Souvent, on vise une puissance de 80 %. Une puissance qui serait idéale serait de 95 % (un risque d'erreur de type II égale au risque d'erreur de type I), mais, comme on le verra, cette puissance implique un échantillon de si grande taille qu'il est rarement possible de l'atteindre. Par ailleurs, la psychologie humaine est telle que, si un investigateur ne trouve pas de différence significative, il est probable qu'il va recommencer l'expérience (il n'y a rien de plus frustrant que l'incertitude). Pour cette raison, une erreur de type II risque moins de porter à conséquence.

Il y a trois facteurs qui favorisent une puissance statistique élevée.

Le premier facteur concerne la **fiabilité des données**. La fiabilité est augmentée

a) lorsque les mesures sont obtenues à l'aide d'instruments bien calibrés, de préférence automatisés. Ces contrôles permettent de réduire l'erreur de mesures, et en conséquence, l'erreur expérimentale ;

b) lorsque les sujets sont choisis pour être plus représentatifs de la population, plus homogènes aussi, et lorsqu'on s'assure qu'ils sont motivés pour faire l'expérience et qu'ils comprennent bien ce qu'on leur demande. Ces contrôles permettent de réduire l'erreur d'échantillonnage et donc l'erreur expérimentale.

Réduire l'erreur de mesure (a) et l'erreur d'échantillonnage (b) permet de réduire l'erreur expérimentale. Dans le cadre d'un test *t*, ceci revient à réduire l'écart type des scores (l'écart type regroupé) ; dans le cadre d'une ANOVA, c'est la variance intragroupe qui est réduite par ces contrôles. Dans les deux cas, réduire ces quantités diminue le dénominateur, permet plus facilement de dépasser la valeur critique, accroît la probabilité qu'une différence soit détectée, et donc accroît la puissance ;

c) lorsque les conditions expérimentales sont choisies pour maximiser l'effet. Par exemple, si un chercheur utilise deux conditions pour résoudre une tâche, une facile et une difficile, il doit s'assurer que les deux sont très différentes (sans affecter la motivation des participants: une tâche très difficile mais pas trop difficile, une tâche très facile mais pas trop facile). S'il y a trois groupes ou plus, les différences entres les groupes doivent couvrir le plus large éventail possible. Ce contrôle permet de maximiser la taille de l'effet, encore appelée la **taille absolue de l'effet** (s'il y a un effet; l'hypothèse nulle postule qu'il n'y a pas d'effet).

Si on pondère l'effet absolu (c) par l'erreur expérimentale (a et b), on obtient la **taille relative de l'effet**. Nous verrons en détail comment quantifier la taille relative de l'effet à la section suivante. En augmentant la taille de l'effet, le numérateur dans le test $t$ ou l'ANOVA est plus grand, a plus de chances de dépasser la valeur critique et donc la puissance est accrue.

Le second facteur qui permet d'augmenter la puissance d'un test statistique est le **seuil de décision**. Paradoxalement, si on augmente la valeur du seuil de décision (par exemple, si on passe de 5 % à 10 %), le risque d'une erreur de type I s'accroît mais on réduit $\beta$ et en conséquence, on améliore la puissance du test. Pour mieux voir cette relation, examinons la Figure 15.1.

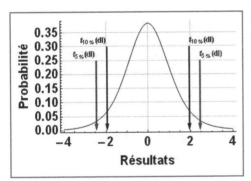

**Figure 15.1**

Position des valeurs critiques pour des seuils de décision de 5 % et de 10 %. La distribution illustrée est la distribution de Student avec 6 degrés de liberté.

Avec un seuil de décision augmenté de 5 % à 10 %, les valeurs critiques deviennent moins sévères (il est plus facile de les dépasser). Dans le cas où il y a réellement un effet, le test statistique dépassera donc plus facilement la valeur critique, ce qui accroît la puissance. Attention, il n'est pas du tout recommandé de modifier le seuil de décision uniquement pour des raisons de puissance statistique. La seule raison valable de changer le seuil de décision est d'ordre éthique: s'il y a des dangers importants à commettre une erreur de type I, il faut réduire $\alpha$.

Finalement, le troisième et dernier facteur qui permet d'améliorer la puissance statistique est la **taille de l'échantillon**. Plus les groupes sont grands, plus l'erreur type au dénominateur est petite, ce qui facilite la possibilité que le calcul dépasse la valeur critique.

Ce dernier facteur est sans doute le plus facile à manipuler. C'est donc en augmentant la taille des échantillons que la plupart des chercheurs vont accroître la puissance statistique.

## 2. Comment exprimer la taille de l'effet dans une population ?

Alors qu'il est facile d'exprimer la taille d'un échantillon (on donne $n$), il est moins facile d'exprimer la taille de l'effet. Si on donne la différence entre les moyennes des deux populations (dans un schème à deux groupes indépendants), le chiffre qui en résulte peut être grand ou petit sans que l'on sache s'il s'agit d'une différence importante. Est-ce qu'une différence de 10 points est importante ? Si on mesure des QI, sans aucun doute. Si on mesure la taille de pins Douglas en millimètre, certainement pas (ces arbres atteignent près de 100 000 mm de haut !). Ce nombre, 10, est la taille absolue de l'effet ; on note parfois cette quantité avec la lettre $\Delta$ :

$$\Delta := \left| \mu_1 - \mu_2 \right| \qquad\qquad 15.3$$

où $\mu_1$ et $\mu_2$ sont les moyennes des deux populations.

Une façon de mesurer l'effet absolu qui soit moins dépendante de l'échelle des données consiste à standardiser les scores de la population, puis à regarder quel est l'écart entre les moyennes. Ceci revient à exprimer l'effet absolu en unités d'écart type, que l'on note $\delta$ :

$$\delta := \frac{\Delta}{\sigma} \qquad\qquad 15.4$$

où $\sigma$ est l'écart type dans l'une ou l'autre des deux populations (cette formule prend pour acquis que les variances sont homogènes). Il s'agit de la taille relative de l'effet. Par exemple, si $\delta$ vaut 1, cela signifie qu'il y a un écart type de différences entre les deux populations. La taille d'effet relative $\delta$ varie entre zéro (il n'y a aucune différence entre les populations) et $\infty$ (il y a une énorme différence entre les populations).

Dans les sciences humaines et en psychologie, les différences qui ont été étudiées dans le passé étaient assez souvent autour de 0.5. C'est ce qui motive la convention d'appeler un effet relatif de 0.5, un effet moyen. Dans le même ordre d'idées, si l'effet est de 0.25, on parle par convention d'un petit effet alors qu'à 0.75, on parle d'un grand effet. Ces étiquettes sont purement arbitraires et servent comme guide. Le Tableau 15.5 les récapitule.

### Tableau 15.5

**Convention sur la taille relative des effets.**

| Taille de l'effet | $\delta$ | $\omega^2$ |
|---|---|---|
| Petit | 0.25 | 0.030 (3.0 %) |
| Moyen | 0.50 | 0.111 (11.1 %) |
| Grand | 0.75 | 0.220 (22.0 %) |

Les mesures de la taille d'effet $\Delta$ et $\delta$ s'appliquent dans le cas où il y a deux groupes. Lorsqu'il y a trois groupes ou plus, il faut utiliser une autre façon de quantifier la taille de l'effet. Supposons trois conditions où l'on mesure le QI : une condition neutre, une condition de double tâche (répondre au questionnaire de QI tout en additionnant des nombres) et une condition de triple tâche (répondre au questionnaire tout en additionnant des nombres et en tapant du pied avec un certain tempo régulier). Il y a donc un facteur manipulé (nombre de tâches distrayantes, avec trois niveaux : aucune, une ou deux). Des études réalisées dans le passé sur l'effet disrupteur des tâches secondaires suggèrent que, dans ce cas-ci, le QI va baisser de 10 points dans la condition 2 et de 14 points dans la condition trois.

Comme l'analyse appropriée ici est une ANOVA à trois groupes indépendants, il faut une mesure de la taille d'effet qui combine les trois groupes. Cette mesure consiste à regarder la variance entre les conditions du facteur, c'est-à-dire la variance entre les résultats prédits 100, 90 et 86. Avec la formule de la variance, on trouve que

$$\sigma^2_{\text{Nombre de tâches}} = \frac{1}{3-1} \sum_{i=1}^{3} (\mu_i - \mu)^2$$

$$= \frac{1}{2}((100 - 92)^2 + (90 - 92)^2 + (86 - 92)^2)$$

$$= \frac{1}{2}(64 + 4 + 36) = 104/2 = 52$$

où $\mu_i$ est la moyenne prédite dans la $i^{\text{ème}}$ condition, et $\mu$ est la moyenne des trois moyennes (92 dans le cas présent). Dans le cas où le facteur n'a pas de nom particulier, on utilise le raccourci $\sigma^2_A$ pour noter la taille absolue de l'effet dans un schème à plusieurs groupes.

Tout comme $\Delta$ n'est pas commode puisqu'il dépend de la grandeur des mesures, $\sigma^2_A$ dépend aussi de la grandeur des mesures. Une mesure de la taille de l'effet qui soit relative à la dispersion des données est le $\omega^2$ (ômega carré). Pour calculer cette quantité, il faut connaître $\sigma^2_A$ et aussi la variabilité des scores dans les populations $\sigma$ (encore une fois, l'homogénéité des variances entre les groupes est supposée). La formule est :

$$\omega^2 := \frac{\sigma^2_A}{\sigma^2_A + \sigma^2}$$

15.5

où $\sigma$ est l'écart type des mesures dans les populations. Cette quantité est une proportion entre deux variances : la variance entre les groupes par rapport à la variance totale (entre les groupes et entre les personnes). On l'appelle donc aussi souvent un pourcentage de variance expliquée.

Tout comme pour $\delta$, il existe une convention sur la taille des effets dans le cadre d'un schème à plus de deux groupes, qui sont résumés dans le Tableau 15.5.

Une dernière façon d'exprimer une taille d'effet s'appelle le **paramètre de non-centralité**. Le paramètre de non-centralité englobe dans une seule mesure la taille relative de l'effet et la taille de l'échantillon. Nous verrons à la section suivante exactement comment utiliser le paramètre de non-centralité.

Dans le cas où il y a deux groupes et où on planifie de faire un test $t$, le paramètre de non-centralité, noté avec la lettre grecque lambda ($\lambda$) s'obtient avec le calcul :

$$\lambda_t := \frac{\delta}{\sqrt{2}} \sqrt{n}$$

15.6

où $n$ est le nombre de participants dans chaque groupe. Dans un plan à $p$ groupes indépendants (où une ANOVA s'impose), il s'exprime avec la formule:

$$\lambda_F := \frac{\omega^2}{1 - \omega^2} (p - 1) n.$$

15.7

Lorsqu'il n'y a que deux groupes, les deux formules donnent la même réponse si on met $\lambda_t$ au carré. Par exemple, si l'effet est grand et qu'il y a 32 participants, la première formule donne comme paramètre de non-centralité:

$$\lambda_t = \frac{0.75}{\sqrt{2}} \sqrt{32} = 3$$

alors que la seconde donne:

$$\lambda_F = \frac{0.220}{1 - 0.220} (2 - 1)32$$
$$= \frac{0.220}{0.780} \times 1 \times 32$$
$$= 0.281 \times 32 = 9.$$

Si des données sont disponibles, on peut aussi calculer la taille relative de l'effet sur un échantillon pour savoir approximativement quelle serait la taille de l'effet dans une expérience future. Les formules sont assez semblables, sauf qu'elles sont basées sur les données plutôt que sur les populations. Par ailleurs, on utilise la lettre $d$ au lieu de $\delta$ et la lettre $R^2$ au lieu de $\omega^2$:

$$d = \frac{\left| \overline{X}_1 - \overline{X}_2 \right|}{s_g} \qquad R^2 = \frac{SC_A}{SC_A + SC_{intra}}$$

où $SC$ est la somme des carrés obtenue dans un tableau d'ANOVA, et $s_g$ est la variance regroupée des deux groupes (certaines références, et SPSS, appellent $R^2$ par la lettre grecque êta: $\eta^2$).

Connaître la taille d'effets dans des expériences passées permet d'anticiper la taille d'effet probable lorsque vous planifiez une expérience future assez semblable.

# 3. ■■■ La courbe de puissance d'un test statistique

Il est possible de calculer la puissance d'un test statistique si la taille de l'effet, la taille de l'échantillon et le seuil de décision sont connus. Imaginons une situation où l'hypothèse nulle postule que les moyennes de deux populations sont égales (disons à 100) mais qu'en réalité, la seconde moyenne est de 112 (avec un écart type de 16 entre les individus). L'hypothèse est testée avec deux groupes de 32 participants.

Si on souhaite avoir un seuil de décision de 5 % (bicaudal), il faut placer les valeurs critiques à $-2.0$ et à $+2.0$. Si $H_0$ était vrai, le calcul du test $t$ donnerait une valeur proche de zéro. La Figure 15.2, panneau de gauche, illustre cette situation.

Cependant, comme la seconde population n'a pas une moyenne de 100 mais bien de 112, on doit plutôt s'attendre à obtenir une valeur proche de

$$\frac{\left|112 - 100\right|}{\sqrt{2\frac{16}{\sqrt{32}}}} = \frac{\left|112 - 100\right|}{\sqrt{2 \times 16}}\sqrt{32} = \frac{12}{4} = 3$$

puisque l'écart type observé devrait être proche de 16 et la moyenne observée, proche de 112.

Lorsqu'on prend un échantillon, on n'aura pas exactement 3, mais on aura une valeur proche de 3, parfois plus haute, parfois plus faible. On peut donc dessiner une distribution symétrique autour de cette valeur la plus probable. La Figure 15.2, panneau de droite, montre la situation. Puisqu'on a choisi comme valeur critique la valeur 2.0, à toutes les fois que le calcul du test $t$ donnera une valeur inférieure à 2.0, on ne rejettera pas $H_0$ : on croira que la moyenne de la population est de 100, et ce, de façon erronée. Nous commettons alors une erreur de type II.

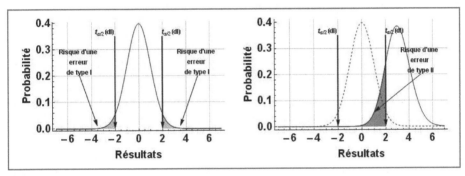

Figure 15.2

**Probabilité d'une erreur de type I si $H_0$ est vraie et probabilité d'une erreur de type II si, au contraire, l'effet est grand et qu'il y a 32 participants par groupes.**

Pour connaître la probabilité de commettre une erreur de type II, il faut examiner combien de fois la distribution centrée sur la valeur attendue 3.0 risque d'être inférieure à 2.0. Pour ce faire, on peut utiliser une distribution dite **distribution de Student non centrale** et aligner cette distribution au-dessus de la valeur 3.0. Cette valeur est en fait le paramètre de non-centralité vu à la section précédente. À l'aide de cette distribution théorique, on peut par la suite calculer le risque d'avoir un calcul qui sera inférieur à 2.0 si la population a bien une moyenne de 112. On trouve dans cet exemple que 16 % des résultats possibles sont sous la barre de 2.0. Donc, la probabilité $\beta$ est de 16 %, d'où une puissance statistique de 84 %.

La même logique s'applique si on prévoit de réaliser une ANOVA à deux groupes indépendants. La valeur critique pour 2 groupes, 32 sujets par groupes, $F_{5\%}(1, 62)$, vaut 4.0. En plaçant une **distribution de Fisher non centrale** telle que la moyenne soit le paramètre de non-centralité (9 dans le cas présent), on obtient la Figure 15.3, panneau de droite. En examinant la probabilité que cette dernière distribution théorique soit inférieure à la valeur critique obtenue sous $H_0$, on trouve la probabilité d'un non-rejet, et donc, d'une erreur de type II. De la même façon, on trouve 16 %.

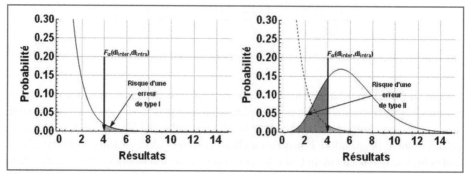

Figure 15.3

**Risque d'une erreur de type I s'il n'y a pas d'effet dans la population (à gauche) et risque d'une erreur de type II s'il y a un grand effet dans la population et qu'il y a 32 participants.**

Ce résultat, 16 %, dépend de la taille de l'effet (absolu $\Delta = 12$ ou relatif $\delta = 0.75$). Si la taille d'effet est plus petite, on se trouve à rapprocher la distribution non centrale vers la distribution de l'hypothèse.

La Figure 15.4 illustre trois cas possibles : avec une taille d'effet relative grande (disons deux populations avec des moyennes de 112 et 100 pour un écart type de 16), la puissance est assez grande (84 %).

Pour une taille d'effet moyen (deux groupes avec des moyennes de 108 et 100 par exemple), la puissance est faible (50 %). Autrement dit, si après avoir réalisé un test $t$, vous trouvez que la valeur critique n'est pas dépassée, le risque que ce soit dû à une erreur de type II est élevée (la probabilité est de $\dfrac{1 - \beta}{\beta + 1 - \alpha} = \dfrac{0.50}{0.50 + 1 - 0.05} = 0.34$).

Finalement, pour un petit effet (e. g. 104 et 100), il est presque certain que l'on va réaliser une erreur de type II s'il y a une différence dans la population. En effet, la puissance est de 16 %. Si le calcul n'excède pas la valeur critique, les deux interprétations (les groupes ne diffèrent pas ou il s'agit d'une erreur de type II) sont en réalité presque équiprobables.

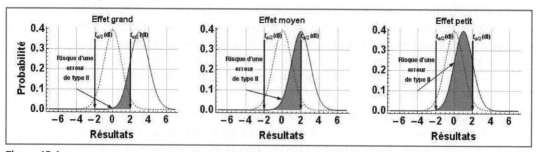

Figure 15.4

**L'évolution du risque d'erreur de type II en fonction de la taille de l'effet quand la taille de l'échantillon reste constante à 32 participants par groupe.**

La puissance d'un test s'accroît avec la taille de l'effet: plus l'effet est grand, plus la probabilité d'une erreur $\beta$ diminue. On peut faire un graphique théorique de la puissance en fonction de la taille d'effet pour un test $t$, comme à la Figure 15.5. Lorsque l'effet est très grand (e. g. $\delta > 1$), le test détecte à tout coup cette différence. Aussi, si le calcul ne dépasse pas la valeur critique, la seule conclusion possible est qu'il n'y a pas de différence.

Le message à retenir est donc le suivant: si la puissance d'un test est élevée, on peut avoir confiance qu'un non-rejet veut dire « absence d'effet ». Il est dès lors possible de passer outre le *statu quo* et d'affirmer $H_0$.

Si à l'inverse l'effet est de zéro, c'est-à-dire qu'il n'y a pas de différence entre les groupes, il y a un risque que le test conclue au rejet de $H_0$, et ce risque, c'est le seuil de décision $\alpha$. Un graphique de la puissance statistique permet donc de visualiser autant $\alpha$ que $\beta$.

Sur le graphique de gauche de la Figure 15.5, j'ai mis en relief la situation où l'effet serait petit. Avec 32 participants par groupe, la puissance est de 16 %. Pour un effet de taille moyenne (en gris), la puissance monte à 50 % alors que si l'effet est grand, la puissance atteint 84 %.

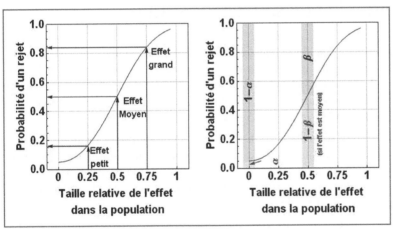

**Figure 15.5**

Courbe de la puissance d'un test t en fonction de la taille de l'effet; dans ces deux graphiques, il y a 32 participants par groupe.

La puissance statistique varie aussi avec la taille de l'échantillon. Plus l'échantillon est grand, plus le paramètre de non-centralité s'agrandit et donc plus la distribution est décalée vers la droite sur la Figure 15.2.

La Figure 15.6 donne une idée de la progression de la puissance lorsque la taille dans les groupes s'accroît dans une situation où il y a deux groupes de tailles égales et où la taille de l'effet dans la population est moyen ($\delta = 0.5$).

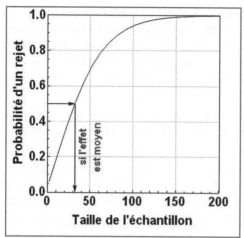

**Figure 15.6**

Puissance d'un test statistique quand on varie la taille des groupes. Ici, il y a deux groupes et l'effet est fixé à un effet de taille moyenne (e.g. des QI de 100 vs. 108). Si vous examinez la situation où il y a 32 participants, vous retrouvez la puissance de la Figure 15.4 pour un effet moyen (50 %).

# 4. Planifier la puissance statistique

Dans le but de maximiser les chances d'obtenir un effet significatif (un rejet de $H_0$), il faut s'assurer que la puissance du test que l'on prévoit d'utiliser est grande. Le problème est que la puissance dépend beaucoup de la taille de l'effet s'il y en a une, et que cette taille d'effet est inconnue. En effet, si on sait que l'effet est de, disons, 8 points de QI, il n'est pas utile de vérifier avec une expérience qu'il y a un effet !

Pour se faire une idée de quelle pourrait être l'effet, il faut fouiller dans les expériences passées pour localiser des études qui ont la même mesure. Par la suite, il faut examiner celles où un effet a été trouvé et calculer la taille d'effet dans ces situations. Avec ces informations, il est possible d'approximer quelle pourrait être la taille de l'effet dans l'expérience que vous planifiez de réaliser.

Par exemple, supposons que vous vous intéressez aux effets d'un deuil sur le QI. Il n'existe aucune étude examinant ces deux variables. Par contre, vous en trouvez une qui regarde l'impact sur le QI des gens qui survivent à un accident important (e.g. tomber dans une rivière en hiver). Dans cette situation, la baisse de QI consécutive au traumatisme psychologique est de près de 8 points. Vous pouvez donc prendre comme point de départ cette taille d'effet et penser que si le deuil a un effet, il sera comparable. Cela revient à supposer un effet absolu $\Delta$ de 8 points, ou de façon équivalente, un effet relatif $\delta$ de 0.5 puisque l'écart type des QI est de 16.

Il n'est pas toujours facile d'estimer quelle peut être la taille d'un effet si effet il y a. De plus, il y a des situations où il n'existe pas d'études semblables sur lesquelles se baser. Dans ce cas, en sciences humaines et en psychologie, on peut supposer que l'effet sera de taille moyenne.

Cette étape, choisir une taille d'effet si effet il y a, peut être vue comme une hypothèse. Il s'agit de l'hypothèse alternative à l'hypothèse nulle, qui, elle, suggère qu'il n'y a aucun effet. Pour le deuil et le QI, on pourrait alors avoir ce jeu d'hypothèse :

$$H_0 : \text{Le deuil n'a pas d'effet sur le QI}$$
$$H_1 : \text{Le deuil a un effet de 8 points sur le QI}$$

où $H_1$ est appelée l'hypothèse alternative. On pourrait aussi écrire ces hypothèses, qui sont toutes strictement équivalentes :

$$H_0 : \mu_{\text{sans deuil}} = \mu_{\text{avec deuil}}$$
$$H_1 : \mu_{\text{avec deuil}} = \mu_{\text{sans deuil}} - 8$$

ou encore

$$H_0 : \Delta = 0$$
$$H_1 : \Delta = 8$$

ou finalement

$$H_0 : \delta = 0$$
$$H_1 : \delta = 0.5.$$

Puisque la taille d'effet est posée par hypothèse, que le seuil de décision $\alpha$ est choisi sur d'autres considérations (le danger pour la société d'une mauvaise décision), il ne reste plus que la taille de l'échantillon qui peut être variée.

Le Tableau 15.6 indique la puissance d'un test de moyennes selon le nombre de groupes et le nombre de participants. Ce tableau n'énumère que quelques cas ; il est facile de demander à un ordinateur de calculer la puissance d'un test de moyennes pour n'importe quelle situation.

Il faut à tout prix que l'expérience planifiée ait une puissance supérieure à 50 %. Généralement, on recommande de viser une puissance de 80 %. L'idéal évidemment serait d'avoir une puissance de 95 % (un risque d'erreur $\beta$ de 5 %), mais pour y arriver, le nombre de sujets augmente rapidement, ce qui peut rendre l'expérience irréalisable. Par exemple, pour une puissance de 95 %, lorsque l'effet est moyen et qu'on compare deux groupes, il faut 105 sujets par groupe. Si les sujets sont des personnes en deuil, il peut être difficile de trouver un si grand nombre de personnes, toutes volontaires pour participer à une expérience sur leur QI...

## Tableau 15.6

**Puissance statistique pour des plans à un facteur selon le nombre de groupes et le nombre de participants dans chaque groupe lorsque la taille de l'effet est moyen et le seuil $\alpha$ de 5 %.**

| Nombre de groupes | Nombre de sujets par groupe | | | | | | | |
|---|---|---|---|---|---|---|---|---|
| | 8 | 16 | 24 | 32 | 40 | 48 | 56 | 64 |
| 2 | 15 % | 28 % | 40 % | 50 % | 60 % | 68 % | 75 % | 80 % |
| 3 | 20 % | 39 % | 56 % | 70 % | 80 % | 88 % | 92 % | 95 % |
| 4 | 24 % | 49 % | 69 % | 83 % | 91 % | 96 % | 98 % | 99 % |
| 5 | 28 % | 57 % | 78 % | 90 % | 96 % | 98 % | 99 % | 100 % |

Le Tableau 15.7 donne le nombre de participants par groupe nécessaire pour atteindre une puissance de 80 %, 90 % et 95 %. Ces tableaux n'énumèrent que quelques situations ; des tableaux plus détaillés se trouvent dans des livres spécialisés.

Tableau 15.7

**Nombre de participants requis par groupe selon le nombre de groupes et la taille de l'effet pour trois niveaux de puissance statistique lorsque le seuil $\alpha$ est de 5 %.**

| | Puissance de 80 % | | | | Puissance de 90 % | | | | Puissance de 95 % | | |
|---|---|---|---|---|---|---|---|---|---|---|---|
| | Petit | Moyen | Grand | | Petit | Moyen | Grand | | Petit | Moyen | Grand |
| 2 | 252 | 64 | 29 | 2 | 337 | 85 | 38 | 2 | 417 | 105 | 47 |
| 3 | 155 | 40 | 18 | 3 | 203 | 52 | 24 | 3 | 248 | 63 | 28 |
| 4 | 117 | 30 | 14 | 4 | 154 | 39 | 18 | 4 | 186 | 47 | 22 |
| 5 | 96 | 25 | 12 | 5 | 124 | 32 | 15 | 5 | 150 | 38 | 18 |

Avec ces éléments en tête, il est possible de revoir la structure d'un test :

1. *Poser les hypothèses.* Il s'agit de poser l'hypothèse nulle qui stipule une absence d'effet et une hypothèse alternative qui postule un effet d'une taille plausible selon ce qu'on trouve dans d'autres expériences similaires.

2. *Choisir les seuils.* Si vous êtes prêt à recruter le nombre de sujets qu'il faut pour obtenir une grande puissance, alors spécifiez ici le seuil de décision $\alpha$ et le seuil de décision $\beta$. Le $\beta$ doit être d'au plus 20 % pour que la puissance soit d'au moins 80 %.

3. *Choisir le test.* Décidez du test à appliquer incluant la valeur critique, et énoncez la règle de décision, du style « Rejet de $H_0$ si {un calcul} > {une valeur critique} ». Trouvez la taille d'échantillon qui donne la puissance voulue.

4. *Appliquer le test et conclure.* Réalisez le calcul pertinent puis concluez :
   a) Rejet de $H_0$ si la valeur critique est dépassée.
   b) Acceptation de $H_0$ si la valeur critique n'est pas dépassée et que la puissance est élevée. Si la puissance n'est pas élevée ou n'a pas été calculée, conclure au non-rejet de $H_0$. Un non-rejet est une invitation à reprendre l'expérience avec plus de sujets.

# 5. Comment rapporter la puissance d'un test statistique ?

La puissance statistique est importante lorsqu'on planifie une expérience. Il peut s'agir d'un projet de recherche pour obtenir une maîtrise ou un doctorat, ou pour une industrie qui veut tester ses produits, son marketing, etc.

Dans un tel projet, il y a généralement une section dévolue à l'analyse de la puissance statistique où (a) on rapporte des études similaires avec la taille d'effet trouvée dans ces études (soit le d ou le $R^2$). Sur la base de cette recension, on explique à quel effet on s'attend (l'effet absolu), puis en consultant une table comme le tableau 15.7 ci-dessus, on trouve le nombre de participants par groupe qui devront être recrutés pour l'étude. Si le nombre de participants est trop élevé (pour le budget disponible ou parce que les sujets recherchés sont rares), il faut expliquer combien on pense pouvoir en trouver, et quelle puissance en résultera (en consultant une table comme le Tableau 15.6 ci-dessus). Si la puissance est inférieure à 50 %, il faut recommander de ne pas faire l'expérience ou demander un accroissement du budget.

## Encadré 11
## Jacob Cohen

Jacob Cohen (1923-1998) est un psychologue américain qui travailla à New York. Il se spécialisa très tôt dans sa carrière dans les méthodes quantitatives. Il développa le Kappa pour mesurer l'accord inter-juge et le *d* pour mesurer la taille d'effet. Il est aussi un des précurseurs des techniques de méta-analyse. Il est surtout connu pour ses nombreux plaidoyers en faveur de l'importance de la puissance statistiques lors de la conception d'une expérience (e. g. « The earth is round » (p < .05)).

Dans une étude publiée en 1962, il a constaté que la puissance moyenne en psychiatrie et en psychologie clinique est très faible (autour de 50 %) et dans une suite à cet article publiée 30 ans plus tard, il constate toujours le même problème de puissance statistique. Sous son influence, une analyse de la puissance statistique est maintenant nécessaire pour obtenir des fonds de recherche de la plupart des organismes subventionnaires en santé.

# 6. Utilisation de SPSS

## 6.1 *Calculer la taille d'effet d'un échantillon avec GLM*

SPSS peut indiquer la taille de l'effet observée dans une ANOVA. Pour ce faire, il calcule la statistique $R^2$ (aussi connu comme $\eta^2$). Pour l'obtenir, il suffit de rajouter l'option /PRINT ETASQ à la commande GLM, comme dans la syntaxe suivante:

```
GLM colVD BY colcondition
    /PRINT ETASQ.
```

## 6.2 Calculer la puissance d'un test de moyennes avec COMPUTE

Pour calculer la puissance d'un test de moyennes, on utilise une distribution théorique non centrale. On utilise ici la distribution non centrale de Fisher (NCDF), valable que vous ayez deux groupes ou plus. Dans un premier temps, il faut calculer la valeur critique (cf. chapitre 5; assurez-vous d'avoir au moins une ligne de données dans SPSS) pour un test de moyenne ayant **p** groupes et **n** sujets avec un seuil de décision de (disons) 0.05 (remplacez n et p par les valeurs exactes):

COMPUTE **valcrit** = IDF.F(1 – 0.05, **p** – 1, **p** * **(n – 1)**).

Par la suite, il faut calculer le paramètre de non-centralité $\lambda_F$, avec la syntaxe suivante (remplacez $\omega^2$, **n** et **p** par les valeurs exactes):

COMPUTE **lambda** = $\omega^2/(1 - \omega^2)$ * **(p – 1)** * **n**.

où $\omega^2$ est la taille de l'effet que vous supposez dans la population, p est le nombre de groupes et n est le nombre de sujets par groupe. Finalement, calculez la puissance selon la valeur critique et le paramètre de non-centralité:

COMPUTE **puissance** = 1-NCDF.F (**valcrit, p** -1, **p** * **(n – 1)**, **lambda**).

Par exemple, supposons que nous avons deux groupes de 64 participants, que la taille d'effet attendue est moyenne ($\omega^2 = 0.11$) et le seuil de décision de 0.05. La syntaxe suivante devrait retourner une puissance de 80 % comme on le voit dans le Tableau 15.6:

COMPUTE valcrit = IDF.F(1 – 0.05, 2-1, 2*(64-1)).
COMPUTE lambda = 0.111 / (1-0.111) * (2 - 1) * 64.
COMPUTE puissance = 1-NCDF.F (valcrit, 2-1, 2*(64-1), lambda).
EXECUTE.

## 6.3 Calculer le nombre de participants nécessaires pour atteindre une puissance cible

Alors que pour un $n$ donné, il est facile de calculer la puissance, l'opération inverse (pour une puissance donnée, trouver le $n$ requis) n'est pas réalisable dans SPSS. Il faut soit utiliser un logiciel spécialisé dans la puissance statistique ou consulter un livre de statistique avancé qui contiendra des tables plus exhaustives que celles de ce chapitre. Alternativement, et avec un peu de patience, vous pouvez ré-exécuter les commandes ci-dessus en modifiant le nombre de sujets jusqu'à ce que la puissance désirée s'affiche.

## Résumé

Avec deux hypothèses (une émettant la possibilité d'une absence d'effet et l'autre émettant la possibilité d'un effet d'une certaine magnitude) et après avoir ajusté le nombre de participants pour que les risques d'une erreur de type I et de type II soient contrôlés, il devient possible de rejeter $H_0$ (i. e. affirmer qu'il y a un effet) mais aussi de rejeter $H_1$ (i. e. affirmer qu'il n'y a pas d'effet). À l'inverse, lorsque le risque d'une erreur de type II n'est pas contrôlé, il n'est pas possible d'accepter $H_0$ car le risque est inconnu (et peut être très grand). On se contente alors d'une conclusion neutre « non-rejet de $H_0$ » qui veut simplement dire qu'on ne se commet pas. Le non-rejet de $H_0$ signifie le *statu quo* et est une invitation à recommencer l'expérience avec plus de participants. Ne pas contrôler la puissance statistique peut donc potentiellement forcer à tout reprendre de zéro.

## Questions pour mieux retenir

1. Soit ces hypothèses portant sur la moyenne de deux groupes : $H_0$ : les moyennes sont égales ; $H_1$ : les moyennes seront de 75 et 78 respectivement pour le groupe 1 et 2, et sachant que ces scores sont normalement distribués avec un écart type de 4 points ; le chercheur prévoit de mesurer 29 sujets.
   a) Quelles sont les tailles d'effets absolues et relatives ? Quel est le paramètre de non-centralité ?
   b) Quelle est la valeur critique ?
   c) Pouvez-vous dessiner approximativement la distribution des résultats possibles si l'hypothèse $H_1$ est vraie ? À l'œil, quelle serait la puissance de ce test ?
   d) Pouvez-vous trouver la puissance précise de ce test ? S'il augmente la grandeur de ses groupes à 47, comment changera la puissance ?

2. Soit ces hypothèses portant sur la moyenne de trois groupes : $H_0$ : les trois groupes sont égaux ; $H_1$ : les groupes 2 et 3 vont différer du groupe 1 de 13 et 16 points respectivement, et sachant que l'écart type de ces scores est de 16 dans la population.
   a) Quelle est la taille d'effet absolue et relative ? Quel est le paramètre de non-centralité ?
   b) Pouvez-vous trouver la puissance d'une ANOVA 3 avec ces hypothèses si le chercheur mesure 18 personnes par groupe ?

3. Un test a une puissance de 95 % et un seuil de décision de 5 % a été utilisé.
   a) Quelle est la probabilité d'une erreur de type I si le calcul excède la valeur critique ?
   b) Quelle est la probabilité d'une erreur de type II si le calcul n'excède pas la valeur critique ?
   c) Quelle est la probabilité d'une erreur de type II si le calcul excède la valeur critique ?
4. Un test a une puissance de 95 % mais la personne a choisi un seuil de décision de 10 %. Qu'advient-il du risque d'une erreur de type II ? d'une erreur de type I ?

## Questions pour mieux réfléchir

5. Si un chercheur ne peut pas accroître la taille de son échantillon ni changer le seuil de décision, que peut-il faire pour accroître la puissance statistique ?

## Questions pour s'entraîner

6. Répondez aux questions 1d) et 2b) avec SPSS.

# APPENDICES
## Les tables statistiques

## 1. La table binomiale

Cette table nécessite deux paramètres, $n$ (le nombre total de mesures) et $\pi$ (la proportion dans la population, généralement fournie par l'hypothèse).

| n | π | Valeur critique à gauche | | | | | Valeur critique à droite | | | | |
|---|---|.005|.01|.025|.05|.10|.90|.95|.975|.99|.995|
|1|1/5|0|0|0|0|0|1|1|1|1|1|
|1|1/4|0|0|0|0|0|1|1|1|1|1|
|1|1/3|0|0|0|0|0|1|1|1|1|1|
|1|1/2|0|0|0|0|0|1|1|1|1|1|
|2|1/5|0|0|0|0|0|1|1|2|2|2|
|2|1/4|0|0|0|0|0|1|2|2|2|2|
|2|1/3|0|0|0|0|0|2|2|2|2|2|
|2|1/2|0|0|0|0|0|2|2|2|2|2|
|3|1/5|0|0|0|0|0|2|2|2|2|3|
|3|1/4|0|0|0|0|0|2|2|2|3|3|
|3|1/3|0|0|0|0|0|2|2|3|3|3|
|3|1/2|0|0|0|0|0|3|3|3|3|3|
|4|1/5|0|0|0|0|0|2|2|3|3|3|
|4|1/4|0|0|0|0|0|2|3|3|3|3|
|4|1/3|0|0|0|0|0|3|3|3|4|4|
|4|1/2|0|0|0|0|1|3|4|4|4|4|
|5|1/5|0|0|0|0|0|2|3|3|3|4|
|5|1/4|0|0|0|0|0|3|3|3|4|4|
|5|1/3|0|0|0|0|0|3|3|4|4|4|
|5|1/2|0|0|0|1|1|4|4|5|5|5|
|6|1/5|0|0|0|0|0|2|3|3|4|4|
|6|1/4|0|0|0|0|0|3|3|4|4|4|
|6|1/3|0|0|0|0|1|4|4|4|5|5|
|6|1/2|0|0|1|1|1|5|5|5|6|6|
|7|1/5|0|0|0|0|0|3|3|4|4|4|
|7|1/4|0|0|0|0|0|3|4|4|5|5|
|7|1/3|0|0|0|0|1|4|4|5|5|6|
|7|1/2|0|1|1|1|2|5|6|6|6|7|
|8|1/5|0|0|0|0|0|3|4|4|5|5|
|8|1/4|0|0|0|0|0|4|4|5|5|5|
|8|1/3|0|0|0|1|1|4|5|5|6|6|
|8|1/2|1|1|1|2|2|6|6|7|7|7|
|9|1/5|0|0|0|0|0|3|4|4|5|5|
|9|1/4|0|0|0|0|1|4|4|5|5|6|
|9|1/3|0|0|0|1|1|5|5|6|6|7|
|9|1/2|1|1|2|2|3|6|7|7|8|8|
|10|1/5|0|0|0|0|0|4|4|5|5|6|
|10|1/4|0|0|0|0|1|4|5|5|6|6|
|10|1/3|0|0|1|1|1|5|6|6|7|7|
|10|1/2|1|1|2|2|3|7|8|8|9|9|

| n | π | Valeur critique à gauche | | | | | Valeur critique à droite | | | | |
|---|---|.005|.01|.025|.05|.10|.90|.95|.975|.99|.995|
|11|1/5|0|0|0|0|1|4|5|5|6|6|
|11|1/4|0|0|0|1|1|5|5|6|6|7|
|11|1/3|0|0|1|1|2|6|6|7|7|8|
|11|1/2|1|2|2|3|3|8|8|9|9|10|
|12|1/5|0|0|0|0|1|4|5|5|6|6|
|12|1/4|0|0|0|1|1|5|6|6|7|7|
|12|1/3|0|1|1|1|2|6|7|7|8|8|
|12|1/2|2|2|3|3|4|8|9|9|10|10|
|13|1/5|0|0|0|0|1|4|5|6|6|7|
|13|1/4|0|0|1|1|1|5|6|6|7|8|
|13|1/3|0|1|1|2|2|7|7|8|8|9|
|13|1/2|2|2|3|4|4|9|9|10|11|11|
|14|1/5|0|0|0|1|1|5|5|6|7|7|
|14|1/4|0|0|1|1|1|6|6|7|8|8|
|14|1/3|1|1|1|2|2|7|8|8|9|9|
|14|1/2|2|3|3|4|5|9|10|11|11|12|
|15|1/5|0|0|0|1|1|5|6|6|7|7|
|15|1/4|0|0|1|1|2|6|7|7|8|8|
|15|1/3|1|1|2|2|3|7|8|9|9|10|
|15|1/2|3|3|4|4|5|10|11|11|12|12|
|16|1/5|0|0|0|1|1|5|6|7|7|8|
|16|1/4|0|0|1|1|2|6|7|8|8|9|
|16|1/3|1|1|2|2|3|8|8|9|10|10|
|16|1/2|3|3|4|5|5|11|11|12|13|13|
|17|1/5|0|0|1|1|1|6|6|7|8|8|
|17|1/4|0|1|1|1|2|7|7|8|9|9|
|17|1/3|1|2|2|3|3|8|9|10|10|11|
|17|1/2|3|4|5|5|6|11|12|12|13|14|
|18|1/5|0|0|1|1|2|6|7|7|8|8|
|18|1/4|0|1|1|2|2|7|8|8|9|9|
|18|1/3|1|2|2|3|3|9|9|10|11|11|
|18|1/2|4|4|5|6|6|12|12|13|14|14|
|19|1/5|0|0|1|1|2|6|7|7|8|9|
|19|1/4|1|1|1|2|2|7|8|9|9|10|
|19|1/3|2|2|3|3|4|9|10|10|11|12|
|19|1/2|4|5|5|6|7|12|13|14|14|15|
|20|1/5|0|0|1|1|2|6|7|8|8|9|
|20|1/4|1|1|2|2|3|8|8|9|10|10|
|20|1/3|2|2|3|3|4|9|10|11|12|12|
|20|1/2|4|5|6|6|7|13|14|14|15|16|

## 2. La table normale standardisée

Cette distribution n'a pas de paramètre et est symétrique autour de zéro.

| Valeur critique à gauche | | | | | Valeur critique à droite | | | | |
|---|---|---|---|---|---|---|---|---|---|
| 0.005 | 0.01 | 0.025 | 0.05 | 0.1 | 0.9 | 0.95 | 0.975 | 0.99 | 0.995 |
| -2.57583 | -2.32635 | -1.95996 | -1.64485 | -1.28155 | 1.28155 | 1.64485 | 1.95996 | 2.32635 | 2.57583 |

# 3. La table $\chi^2$

Cette distribution nécessite un paramètre, noté ici $\nu$ (prononcé nu) qui représente le nombre de degrés de liberté dans les données testées.

| $\nu$ | Valeur critique à gauche | | | | | Valeur critique à droite | | | | |
|---|---|---|---|---|---|---|---|---|---|---|
| | 0.005 | 0.01 | 0.025 | 0.05 | 0.1 | 0.9 | 0.95 | 0.975 | 0.99 | 0.995 |
| 1 | 0.0000392704 | 0.000157088 | 0.000982069 | 0.00393214 | 0.0157908 | 2.70554 | 3.84146 | 5.02389 | 6.6349 | 7.87944 |
| 2 | 0.0100251 | 0.0201007 | 0.0506356 | 0.102587 | 0.210721 | 4.60517 | 5.99146 | 7.37776 | 9.21034 | 10.5966 |
| 3 | 0.0717218 | 0.114832 | 0.215795 | 0.351846 | 0.584374 | 6.25139 | 7.81473 | 9.3484 | 11.3449 | 12.8382 |
| 4 | 0.206989 | 0.297109 | 0.484419 | 0.710723 | 1.06362 | 7.77944 | 9.48773 | 11.1433 | 13.2767 | 14.8603 |
| 5 | 0.411742 | 0.554298 | 0.831212 | 1.14548 | 1.61031 | 9.23636 | 11.0705 | 12.8325 | 15.0863 | 16.7496 |
| 6 | 0.675727 | 0.87209 | 1.23734 | 1.63538 | 2.20413 | 10.6446 | 12.5916 | 14.4494 | 16.8119 | 18.5476 |
| 7 | 0.989256 | 1.23904 | 1.68987 | 2.16735 | 2.83311 | 12.017 | 14.0671 | 16.0128 | 18.4753 | 20.2777 |
| 8 | 1.34441 | 1.6465 | 2.17973 | 2.73264 | 3.48954 | 13.3616 | 15.5073 | 17.5345 | 20.0902 | 21.955 |
| 9 | 1.73493 | 2.0879 | 2.70039 | 3.32511 | 4.16816 | 14.6837 | 16.919 | 19.0228 | 21.666 | 23.5894 |
| 10 | 2.15586 | 2.55821 | 3.24697 | 3.9403 | 4.86518 | 15.9872 | 18.307 | 20.4832 | 23.2093 | 25.1882 |
| 11 | 2.60322 | 3.05348 | 3.81575 | 4.57481 | 5.57778 | 17.275 | 19.6751 | 21.92 | 24.725 | 26.7568 |
| 12 | 3.07382 | 3.57057 | 4.40379 | 5.22603 | 6.3038 | 18.5493 | 21.0261 | 23.3367 | 26.217 | 28.2995 |
| 13 | 3.56503 | 4.10692 | 5.00875 | 5.89186 | 7.0415 | 19.8119 | 22.362 | 24.7356 | 27.6882 | 29.8195 |
| 14 | 4.07467 | 4.66043 | 5.62873 | 6.57063 | 7.78953 | 21.0641 | 23.6848 | 26.1189 | 29.1412 | 31.3193 |
| 15 | 4.60092 | 5.22935 | 6.26214 | 7.26094 | 8.54676 | 22.3071 | 24.9958 | 27.4884 | 30.5779 | 32.8013 |
| 16 | 5.14221 | 5.81221 | 6.90766 | 7.96165 | 9.31224 | 23.5418 | 26.2962 | 28.8454 | 31.9999 | 34.2672 |
| 17 | 5.69722 | 6.40776 | 7.56419 | 8.67176 | 10.0852 | 24.769 | 27.5871 | 30.191 | 33.4087 | 35.7185 |
| 18 | 6.2648 | 7.01491 | 8.23075 | 9.39046 | 10.8649 | 25.9894 | 28.8693 | 31.5264 | 34.8053 | 37.1565 |
| 19 | 6.84397 | 7.63273 | 8.90652 | 10.117 | 11.6509 | 27.2036 | 30.1435 | 32.8523 | 36.1909 | 38.5823 |
| 20 | 7.43384 | 8.2604 | 9.59078 | 10.8508 | 12.4426 | 28.412 | 31.4104 | 34.1696 | 37.5662 | 39.9968 |
| 22 | 8.64272 | 9.54249 | 10.9823 | 12.338 | 14.0415 | 30.8133 | 33.9244 | 36.7807 | 40.2894 | 42.7957 |
| 24 | 9.88623 | 10.8564 | 12.4012 | 13.8484 | 15.6587 | 33.1962 | 36.415 | 39.3641 | 42.9798 | 45.5585 |
| 26 | 11.1602 | 12.1981 | 13.8439 | 15.3792 | 17.2919 | 35.5632 | 38.8851 | 41.9232 | 45.6417 | 48.2899 |
| 28 | 12.4613 | 13.5647 | 15.3079 | 16.9279 | 18.9392 | 37.9159 | 41.3371 | 44.4608 | 48.2782 | 50.9934 |
| 30 | 13.7867 | 14.9535 | 16.7908 | 18.4927 | 20.5992 | 40.256 | 43.773 | 46.9792 | 50.8922 | 53.672 |
| 32 | 15.134 | 16.3622 | 18.2908 | 20.0719 | 22.2706 | 42.5847 | 46.1943 | 49.4804 | 53.4858 | 56.3281 |
| 34 | 16.5013 | 17.7891 | 19.8063 | 21.6643 | 23.9523 | 44.9032 | 48.6024 | 51.966 | 56.0609 | 58.9639 |
| 36 | 17.8867 | 19.2327 | 21.3359 | 23.2686 | 25.6433 | 47.2122 | 50.9985 | 54.4373 | 58.6192 | 61.5812 |
| 38 | 19.2889 | 20.6914 | 22.8785 | 24.8839 | 27.343 | 49.5126 | 53.3835 | 56.8955 | 61.1621 | 64.1814 |
| 40 | 20.7065 | 22.1643 | 24.433 | 26.5093 | 29.0505 | 51.8051 | 55.7585 | 59.3417 | 63.6907 | 66.766 |
| 45 | 24.311 | 25.9013 | 28.3662 | 30.6123 | 33.3504 | 57.5053 | 61.6562 | 65.4102 | 69.9568 | 73.1661 |
| 50 | 27.9907 | 29.7067 | 32.3574 | 34.7643 | 37.6886 | 63.1671 | 67.5048 | 71.4202 | 76.1539 | 79.49 |
| 55 | 31.7348 | 33.5705 | 36.3981 | 38.958 | 42.0596 | 68.7962 | 73.3115 | 77.3805 | 82.2921 | 85.749 |
| 60 | 35.5345 | 37.4849 | 40.4817 | 43.188 | 46.4589 | 74.397 | 79.0819 | 83.2977 | 88.3794 | 91.9517 |
| 65 | 39.3831 | 41.4436 | 44.603 | 47.4496 | 50.8829 | 79.973 | 84.8206 | 89.1771 | 94.4221 | 98.1051 |
| 70 | 43.2752 | 45.4417 | 48.7576 | 51.7393 | 55.3289 | 85.527 | 90.5312 | 95.0232 | 100.425 | 104.215 |
| 75 | 47.206 | 49.475 | 52.9419 | 56.0541 | 59.7946 | 91.0615 | 96.2167 | 100.839 | 106.393 | 110.286 |
| 80 | 51.1719 | 53.5401 | 57.1532 | 60.3915 | 64.2778 | 96.5782 | 101.879 | 106.629 | 112.329 | 116.321 |
| 85 | 55.1696 | 57.6339 | 61.3888 | 64.7494 | 68.7772 | 102.079 | 107.522 | 112.393 | 118.236 | 122.325 |
| 90 | 59.1963 | 61.7541 | 65.6466 | 69.126 | 73.2911 | 107.565 | 113.145 | 118.136 | 124.116 | 128.299 |
| 95 | 63.2496 | 65.8984 | 69.9249 | 73.5198 | 77.8184 | 113.038 | 118.752 | 123.858 | 129.973 | 134.247 |
| 100 | 67.3276 | 70.0649 | 74.2219 | 77.9295 | 82.3581 | 118.498 | 124.342 | 129.561 | 135.807 | 140.169 |

# 4. La table *t* de Student

Cette distribution nécessite un paramètre *v* qui représente le nombre de degrés de liberté dans les données testées ; elle est symétrique autour de zéro.

| $\nu$ | Valeur critique à gauche | | | | | Valeur critique à droite | | | | |
|---|---|---|---|---|---|---|---|---|---|---|
| | 0.005 | 0.01 | 0.025 | 0.05 | 0.1 | 0.9 | 0.95 | 0.975 | 0.99 | 0.995 |
| 1 | -63.6567 | -31.8205 | -12.7062 | -6.31375 | -3.07768 | 3.07768 | 6.31375 | 12.7062 | 31.8205 | 63.6567 |
| 2 | -9.92484 | -6.96456 | -4.30265 | -2.91999 | -1.88562 | 1.88562 | 2.91999 | 4.30265 | 6.96456 | 9.92484 |
| 3 | -5.84091 | -4.5407 | -3.18245 | -2.35336 | -1.63774 | 1.63774 | 2.35336 | 3.18245 | 4.5407 | 5.84091 |
| 4 | -4.60409 | -3.74695 | -2.77645 | -2.13185 | -1.53321 | 1.53321 | 2.13185 | 2.77645 | 3.74695 | 4.60409 |
| 5 | -4.03214 | -3.36493 | -2.57058 | -2.01505 | -1.47588 | 1.47588 | 2.01505 | 2.57058 | 3.36493 | 4.03214 |
| 6 | -3.70743 | -3.14267 | -2.44691 | -1.94318 | -1.43976 | 1.43976 | 1.94318 | 2.44691 | 3.14267 | 3.70743 |
| 7 | -3.49948 | -2.99795 | -2.36462 | -1.89458 | -1.41492 | 1.41492 | 1.89458 | 2.36462 | 2.99795 | 3.49948 |
| 8 | -3.35539 | -2.89646 | -2.306 | -1.85955 | -1.39682 | 1.39682 | 1.85955 | 2.306 | 2.89646 | 3.35539 |
| 9 | -3.24984 | -2.82144 | -2.26216 | -1.83311 | -1.38303 | 1.38303 | 1.83311 | 2.26216 | 2.82144 | 3.24984 |
| 10 | -3.16927 | -2.76377 | -2.22814 | -1.81246 | -1.37218 | 1.37218 | 1.81246 | 2.22814 | 2.76377 | 3.16927 |
| 11 | -3.10581 | -2.71808 | -2.20099 | -1.79588 | -1.36343 | 1.36343 | 1.79588 | 2.20099 | 2.71808 | 3.10581 |
| 12 | -3.05454 | -2.681 | -2.17881 | -1.78229 | -1.35622 | 1.35622 | 1.78229 | 2.17881 | 2.681 | 3.05454 |
| 13 | -3.01228 | -2.65031 | -2.16037 | -1.77093 | -1.35017 | 1.35017 | 1.77093 | 2.16037 | 2.65031 | 3.01228 |
| 14 | -2.97684 | -2.62449 | -2.14479 | -1.76131 | -1.34503 | 1.34503 | 1.76131 | 2.14479 | 2.62449 | 2.97684 |
| 15 | -2.94671 | -2.60248 | -2.13145 | -1.75305 | -1.34061 | 1.34061 | 1.75305 | 2.13145 | 2.60248 | 2.94671 |
| 16 | -2.92078 | -2.58349 | -2.11991 | -1.74588 | -1.33676 | 1.33676 | 1.74588 | 2.11991 | 2.58349 | 2.92078 |
| 17 | -2.89823 | -2.56693 | -2.10982 | -1.73961 | -1.33338 | 1.33338 | 1.73961 | 2.10982 | 2.56693 | 2.89823 |
| 18 | -2.87844 | -2.55238 | -2.10092 | -1.73406 | -1.33039 | 1.33039 | 1.73406 | 2.10092 | 2.55238 | 2.87844 |
| 19 | -2.86093 | -2.53948 | -2.09302 | -1.72913 | -1.32773 | 1.32773 | 1.72913 | 2.09302 | 2.53948 | 2.86093 |
| 20 | -2.84534 | -2.52798 | -2.08596 | -1.72472 | -1.32534 | 1.32534 | 1.72472 | 2.08596 | 2.52798 | 2.84534 |
| 22 | -2.81876 | -2.50832 | -2.07387 | -1.71714 | -1.32124 | 1.32124 | 1.71714 | 2.07387 | 2.50832 | 2.81876 |
| 24 | -2.79694 | -2.49216 | -2.0639 | -1.71088 | -1.31784 | 1.31784 | 1.71088 | 2.0639 | 2.49216 | 2.79694 |
| 26 | -2.77871 | -2.47863 | -2.05553 | -1.70562 | -1.31497 | 1.31497 | 1.70562 | 2.05553 | 2.47863 | 2.77871 |
| 28 | -2.76326 | -2.46714 | -2.04841 | -1.70113 | -1.31253 | 1.31253 | 1.70113 | 2.04841 | 2.46714 | 2.76326 |
| 30 | -2.75000 | -2.45726 | -2.04227 | -1.69726 | -1.31042 | 1.31042 | 1.69726 | 2.04227 | 2.45726 | 2.75000 |
| 32 | -2.73848 | -2.44868 | -2.03693 | -1.69389 | -1.30857 | 1.30857 | 1.69389 | 2.03693 | 2.44868 | 2.73848 |
| 34 | -2.72839 | -2.44115 | -2.03224 | -1.69092 | -1.30695 | 1.30695 | 1.69092 | 2.03224 | 2.44115 | 2.72839 |
| 36 | -2.71948 | -2.43449 | -2.02809 | -1.6883 | -1.30551 | 1.30551 | 1.6883 | 2.02809 | 2.43449 | 2.71948 |
| 38 | -2.71156 | -2.42857 | -2.02439 | -1.68595 | -1.30423 | 1.30423 | 1.68595 | 2.02439 | 2.42857 | 2.71156 |
| 40 | -2.70446 | -2.42326 | -2.02108 | -1.68385 | -1.30308 | 1.30308 | 1.68385 | 2.02108 | 2.42326 | 2.70446 |
| 45 | -2.68959 | -2.41212 | -2.0141 | -1.67943 | -1.30065 | 1.30065 | 1.67943 | 2.0141 | 2.41212 | 2.68959 |
| 50 | -2.67779 | -2.40327 | -2.00856 | -1.67591 | -1.29871 | 1.29871 | 1.67591 | 2.00856 | 2.40327 | 2.67779 |
| 55 | -2.66822 | -2.39608 | -2.00404 | -1.67303 | -1.29713 | 1.29713 | 1.67303 | 2.00404 | 2.39608 | 2.66822 |
| 60 | -2.66028 | -2.39012 | -2.0003 | -1.67065 | -1.29582 | 1.29582 | 1.67065 | 2.0003 | 2.39012 | 2.66028 |
| 65 | -2.6536 | -2.3851 | -1.99714 | -1.66864 | -1.29471 | 1.29471 | 1.66864 | 1.99714 | 2.3851 | 2.6536 |
| 70 | -2.6479 | -2.38081 | -1.99444 | -1.66691 | -1.29376 | 1.29376 | 1.66691 | 1.99444 | 2.38081 | 2.6479 |
| 75 | -2.64298 | -2.3771 | -1.9921 | -1.66543 | -1.29294 | 1.29294 | 1.66543 | 1.9921 | 2.3771 | 2.64298 |
| 80 | -2.63869 | -2.37387 | -1.99006 | -1.66412 | -1.29222 | 1.29222 | 1.66412 | 1.99006 | 2.37387 | 2.63869 |
| 85 | -2.63491 | -2.37102 | -1.98827 | -1.66298 | -1.29159 | 1.29159 | 1.66298 | 1.98827 | 2.37102 | 2.63491 |
| 90 | -2.63157 | -2.3685 | -1.98667 | -1.66196 | -1.29103 | 1.29103 | 1.66196 | 1.98667 | 2.3685 | 2.63157 |
| 95 | -2.62858 | -2.36624 | -1.98525 | -1.66105 | -1.29053 | 1.29053 | 1.66105 | 1.98525 | 2.36624 | 2.62858 |
| 100 | -2.62589 | -2.36422 | -1.98397 | -1.66023 | -1.29007 | 1.29007 | 1.66023 | 1.98397 | 2.36422 | 2.62589 |

# 5. ▬▬ La table *F*

Cette table nécessite deux paramètres, $\nu_X$, le nombre de degrés de liberté du numérateur et $\nu_Y$, le nombre de degrés de liberté du dénominateur.

| $\nu_X$ | $\nu_Y$ | Valeur critique à gauche | | | | | Valeur critique à droite | | | | |
|---|---|---|---|---|---|---|---|---|---|---|---|
| | | 0.005 | 0.01 | 0.025 | 0.05 | 0.1 | 0.9 | 0.95 | 0.975 | 0.99 | 0.995 |
| 1 | 1 | 0.0000616876 | 0.000246781 | 0.00154371 | 0.00619396 | 0.0250856 | 39.8635 | 161.448 | 647.789 | 4052.18 | 16210.7 |
| 1 | 2 | 0.0000500013 | 0.00020002 | 0.00125078 | 0.00501253 | 0.020202 | 8.52632 | 18.5128 | 38.5063 | 98.5025 | 198.501 |
| 1 | 3 | 0.0000462647 | 0.00018507 | 0.00115719 | 0.00463591 | 0.0186591 | 5.53832 | 10.128 | 17.4434 | 34.1162 | 55.552 |
| 1 | 4 | 0.0000444453 | 0.000177791 | 0.00111163 | 0.00445269 | 0.0179106 | 4.54477 | 7.70865 | 12.2179 | 21.1977 | 31.3328 |
| 1 | 5 | 0.000043373 | 0.000173501 | 0.00108478 | 0.00434477 | 0.0174703 | 4.06042 | 6.60789 | 10.007 | 16.2582 | 22.7848 |
| 1 | 6 | 0.0000426674 | 0.000170678 | 0.00106711 | 0.00427376 | 0.0171808 | 3.77595 | 5.98738 | 8.8131 | 13.745 | 18.635 |
| 1 | 8 | 0.0000417966 | 0.000167194 | 0.00104531 | 0.00418616 | 0.016824 | 3.45792 | 5.31766 | 7.57088 | 11.2586 | 14.6882 |
| 1 | 10 | 0.0000412805 | 0.00016513 | 0.00103239 | 0.00413425 | 0.0166127 | 3.28502 | 4.9646 | 6.93673 | 10.0443 | 12.8265 |
| 1 | 12 | 0.0000409394 | 0.000163765 | 0.00102385 | 0.00409994 | 0.0164731 | 3.17655 | 4.74723 | 6.55377 | 9.33021 | 11.7542 |
| 1 | 15 | 0.0000406006 | 0.000162409 | 0.00101537 | 0.00406587 | 0.0163344 | 3.07319 | 4.54308 | 6.1995 | 8.68312 | 10.798 |
| 1 | 20 | 0.0000402642 | 0.000161064 | 0.00100695 | 0.00403205 | 0.0161969 | 2.97465 | 4.35124 | 5.87149 | 8.09596 | 9.94393 |
| 1 | 30 | 0.0000399303 | 0.000159728 | 0.000998588 | 0.00399848 | 0.0160604 | 2.88069 | 4.17088 | 5.56753 | 7.56248 | 9.17968 |
| 1 | 40 | 0.0000397644 | 0.000159064 | 0.000994433 | 0.00398179 | 0.0159926 | 2.83535 | 4.08475 | 5.42394 | 7.3141 | 8.82786 |
| 1 | 60 | 0.000039599 | 0.000158403 | 0.000990295 | 0.00396517 | 0.015925 | 2.79107 | 4.00119 | 5.28561 | 7.07711 | 8.49462 |
| 1 | 100 | 0.0000393943 | 0.000157875 | 0.000986997 | 0.00395193 | 0.0158712 | 2.75638 | 3.93614 | 5.17859 | 6.8953 | 8.24064 |
| 2 | 1 | 0.00503775 | 0.010152 | 0.0259698 | 0.0540166 | 0.117284 | 49.5 | 199.5 | 799.5 | 4999.5 | 19999.5 |
| 2 | 2 | 0.00502513 | 0.010101 | 0.025641 | 0.0526316 | 0.11111 | 9. | 19. | 39. | 99. | 199. |
| 2 | 3 | 0.00502093 | 0.0100841 | 0.0255327 | 0.0521804 | 0.109149 | 5.46238 | 9.55209 | 16.0441 | 30.8165 | 49.7993 |
| 2 | 4 | 0.00501883 | 0.0100756 | 0.0254787 | 0.0519567 | 0.108185 | 4.32456 | 6.94427 | 10.6491 | 18. | 26.2843 |
| 2 | 5 | 0.00501757 | 0.0100706 | 0.0254464 | 0.0518231 | 0.107612 | 3.77972 | 5.78614 | 8.43362 | 13.2739 | 18.3138 |
| 2 | 6 | 0.00501673 | 0.0100672 | 0.0254249 | 0.0517343 | 0.107233 | 3.4633 | 5.14325 | 7.25986 | 10.9248 | 14.5441 |
| 2 | 8 | 0.00501568 | 0.010063 | 0.0253981 | 0.0516236 | 0.10676 | 3.11312 | 4.45897 | 6.05947 | 8.64911 | 11.0424 |
| 2 | 10 | 0.00501506 | 0.0100604 | 0.025382 | 0.0515573 | 0.106478 | 2.92447 | 4.10282 | 5.4564 | 7.55943 | 9.427 |
| 2 | 12 | 0.00501464 | 0.0100588 | 0.0253713 | 0.0515132 | 0.106291 | 2.8068 | 3.88529 | 5.09587 | 6.92661 | 8.50963 |
| 2 | 15 | 0.00501422 | 0.0100571 | 0.0253606 | 0.0514691 | 0.106104 | 2.69517 | 3.68232 | 4.76505 | 6.35887 | 7.70076 |
| 2 | 20 | 0.0050138 | 0.0100554 | 0.0253499 | 0.0514251 | 0.105918 | 2.58925 | 3.49283 | 4.46126 | 5.84893 | 6.98646 |
| 2 | 30 | 0.00501338 | 0.0100537 | 0.0253392 | 0.0513811 | 0.105731 | 2.48872 | 3.31583 | 4.18206 | 5.39035 | 6.35469 |
| 2 | 40 | 0.00501317 | 0.0100529 | 0.0253338 | 0.0513591 | 0.105639 | 2.44037 | 3.23173 | 4.05099 | 5.17851 | 6.06643 |
| 2 | 60 | 0.00501296 | 0.010052 | 0.0253285 | 0.0513372 | 0.105546 | 2.39325 | 3.15041 | 3.92527 | 4.97743 | 5.79499 |
| 2 | 100 | 0.00501279 | 0.0100513 | 0.0253242 | 0.0513196 | 0.105472 | 2.35643 | 3.0873 | 3.82837 | 4.82391 | 5.58922 |
| 3 | 1 | 0.0180012 | 0.0293116 | 0.0573281 | 0.0987365 | 0.18056 | 53.5932 | 215.707 | 864.163 | 5403.35 | 21614.7 |
| 3 | 2 | 0.0200806 | 0.0324501 | 0.0623282 | 0.104689 | 0.18307 | 9.16179 | 19.1643 | 39.1655 | 99.1662 | 199.166 |
| 3 | 3 | 0.0210672 | 0.0339481 | 0.0647703 | 0.107798 | 0.185502 | 5.39077 | 9.27663 | 15.4392 | 29.4567 | 47.4672 |
| 3 | 4 | 0.0216475 | 0.0348312 | 0.0662209 | 0.109683 | 0.187173 | 4.19086 | 6.59138 | 9.9792 | 16.6944 | 24.2591 |
| 3 | 5 | 0.0220305 | 0.0354144 | 0.0671825 | 0.110945 | 0.188354 | 3.61948 | 5.40945 | 7.76359 | 12.06 | 16.5298 |
| 3 | 6 | 0.0223023 | 0.0358286 | 0.0678669 | 0.111849 | 0.189224 | 3.28876 | 4.75706 | 6.5988 | 9.77954 | 12.9166 |
| 3 | 8 | 0.0226626 | 0.036378 | 0.0687763 | 0.113055 | 0.190416 | 2.9238 | 4.06618 | 5.41596 | 7.59099 | 9.59647 |
| 3 | 10 | 0.0228907 | 0.0367259 | 0.0693532 | 0.113824 | 0.19119 | 2.72767 | 3.70826 | 4.82562 | 6.55231 | 8.08075 |
| 3 | 12 | 0.0230482 | 0.0369661 | 0.0697518 | 0.114356 | 0.191732 | 2.60552 | 3.49029 | 4.47418 | 5.95254 | 7.22576 |
| 3 | 15 | 0.0232101 | 0.0372132 | 0.0701621 | 0.114905 | 0.192296 | 2.48979 | 3.28738 | 4.1528 | 5.41696 | 6.47604 |
| 3 | 20 | 0.0233768 | 0.0374675 | 0.0705847 | 0.115471 | 0.192883 | 2.38090 | 3.09839 | 3.8587 | 4.93819 | 5.8177 |
| 3 | 30 | 0.0235484 | 0.0377294 | 0.0710201 | 0.116055 | 0.193494 | 2.27607 | 2.92228 | 3.58936 | 4.50974 | 5.23879 |
| 3 | 40 | 0.0236361 | 0.0378633 | 0.0712428 | 0.116355 | 0.193809 | 2.22609 | 2.83875 | 3.46326 | 4.31257 | 4.97584 |
| 3 | 60 | 0.0237251 | 0.0379992 | 0.0714689 | 0.116659 | 0.19413 | 2.17741 | 2.75808 | 3.34252 | 4.12589 | 4.72899 |
| 3 | 100 | 0.0237973 | 0.0381094 | 0.0716523 | 0.116906 | 0.194391 | 2.13938 | 2.69553 | 3.24962 | 3.9837 | 4.54238 |
| 4 | 1 | 0.0319155 | 0.047175 | 0.0818474 | 0.129724 | 0.220033 | 55.833 | 224.583 | 899.583 | 5624.58 | 22499.6 |
| 4 | 2 | 0.0380456 | 0.0555556 | 0.0939046 | 0.144004 | 0.231238 | 9.24342 | 19.2468 | 39.2484 | 99.2494 | 199.25 |
| 4 | 3 | 0.0412216 | 0.0599004 | 0.100208 | 0.151713 | 0.238614 | 5.34264 | 9.11718 | 15.101 | 28.7099 | 46.1946 |
| 4 | 4 | 0.0431881 | 0.0625899 | 0.104118 | 0.156538 | 0.243472 | 4.10725 | 6.38823 | 9.60453 | 15.977 | 23.1545 |
| 4 | 5 | 0.0445307 | 0.0644253 | 0.106787 | 0.159845 | 0.246878 | 3.5202 | 5.19217 | 7.38789 | 11.3919 | 15.5561 |
| 4 | 6 | 0.0455071 | 0.0657598 | 0.108727 | 0.162255 | 0.249392 | 3.18076 | 4.53368 | 6.22716 | 9.1483 | 12.0275 |
| 4 | 8 | 0.0468341 | 0.0675726 | 0.111364 | 0.165534 | 0.252848 | 2.80643 | 3.83785 | 5.05263 | 7.00608 | 8.80513 |
| 4 | 10 | 0.0476946 | 0.0687479 | 0.113073 | 0.167662 | 0.25511 | 2.60534 | 3.47805 | 4.46834 | 5.99434 | 7.34281 |
| 4 | 12 | 0.0482982 | 0.0695721 | 0.114271 | 0.169155 | 0.256705 | 2.4801 | 3.25917 | 4.12121 | 5.41195 | 6.52114 |
| 4 | 15 | 0.0489278 | 0.0704315 | 0.11552 | 0.170712 | 0.258374 | 2.36143 | 3.05557 | 3.80427 | 4.89321 | 5.80291 |
| 4 | 20 | 0.0495355 | 0.0713287 | 0.116823 | 0.172338 | 0.260123 | 2.24893 | 2.86608 | 3.5147 | 4.43069 | 5.17428 |
| 4 | 30 | 0.0502727 | 0.0722666 | 0.118186 | 0.174038 | 0.261957 | 2.14223 | 2.68963 | 3.24993 | 4.01788 | 4.62336 |
| 4 | 40 | 0.0506284 | 0.0727517 | 0.11889 | 0.174917 | 0.262908 | 2.09095 | 2.60597 | 3.12611 | 3.82829 | 4.37378 |
| 4 | 60 | 0.0509925 | 0.0732483 | 0.119611 | 0.175817 | 0.263882 | 2.04099 | 2.52522 | 3.00766 | 3.64905 | 4.13589 |
| 4 | 100 | 0.0512901 | 0.073654 | 0.1202 | 0.176552 | 0.26468 | 2.00194 | 2.46261 | 2.91658 | 3.51268 | 3.96338 |

## 6. La table *F* (suite)

| $\nu_X$ | $\nu_Y$ | Valeur critique à gauche | | | | | Valeur critique à droite | | | | |
|---|---|---|---|---|---|---|---|---|---|---|---|
| | | 0.005 | 0.01 | 0.025 | 0.05 | 0.1 | 0.9 | 0.95 | 0.975 | 0.99 | 0.995 |
| 5 | 1 | 0.0438889 | 0.0615075 | 0.0999302 | 0.151334 | 0.24628 | 57.2401 | 230.162 | 921.848 | 5763.65 | 23055.8 |
| 5 | 2 | 0.0546035 | 0.0753356 | 0.118573 | 0.172827 | 0.26457 | 9.29263 | 19.2964 | 39.2982 | 99.2993 | 199.3 |
| 5 | 3 | 0.0604969 | 0.0829191 | 0.128806 | 0.184862 | 0.276283 | 5.30916 | 9.01346 | 14.8848 | 28.2371 | 45.3916 |
| 5 | 4 | 0.0642836 | 0.0877815 | 0.135357 | 0.192598 | 0.284075 | 4.05058 | 6.25606 | 9.36447 | 15.5219 | 22.4564 |
| 5 | 5 | 0.0669362 | 0.0911825 | 0.139931 | 0.198007 | 0.289605 | 3.45298 | 5.05033 | 7.14638 | 10.967 | 14.9396 |
| 5 | 6 | 0.0689025 | 0.0937009 | 0.143314 | 0.202008 | 0.293728 | 3.10751 | 4.38737 | 5.98757 | 8.7459 | 11.4637 |
| 5 | 8 | 0.0716283 | 0.0971882 | 0.147991 | 0.207541 | 0.299466 | 2.72645 | 3.6875 | 4.81728 | 6.63183 | 8.3018 |
| 5 | 10 | 0.0734313 | 0.0994924 | 0.151077 | 0.21119 | 0.303269 | 2.52164 | 3.32583 | 4.23609 | 5.63633 | 6.87237 |
| 5 | 12 | 0.0747135 | 0.10113 | 0.153267 | 0.21378 | 0.305975 | 2.39402 | 3.10588 | 3.89113 | 5.06234 | 6.07113 |
| 5 | 15 | 0.0760669 | 0.102857 | 0.155576 | 0.216508 | 0.308832 | 2.27302 | 2.90129 | 3.57642 | 4.55561 | 5.37214 |
| 5 | 20 | 0.0774984 | 0.104683 | 0.158014 | 0.219388 | 0.311852 | 2.15823 | 2.71089 | 3.28906 | 4.10268 | 4.76157 |
| 5 | 30 | 0.0790162 | 0.106617 | 0.160594 | 0.222434 | 0.315051 | 2.04925 | 2.53355 | 3.02647 | 3.69902 | 4.22758 |
| 5 | 40 | 0.0798101 | 0.107629 | 0.161942 | 0.224025 | 0.316724 | 1.99682 | 2.44947 | 2.90372 | 3.51384 | 3.98605 |
| 5 | 60 | 0.0806292 | 0.108672 | 0.163331 | 0.225663 | 0.318448 | 1.94571 | 2.36827 | 2.78631 | 3.33888 | 3.75995 |
| 5 | 100 | 0.0813035 | 0.10953 | 0.164474 | 0.227011 | 0.319866 | 1.90574 | 2.30532 | 2.69606 | 3.20587 | 3.58947 |
| 6 | 1 | 0.0536625 | 0.0727536 | 0.113467 | 0.167018 | 0.264834 | 58.2044 | 233.986 | 937.111 | 5858.99 | 23437.1 |
| 6 | 2 | 0.0687564 | 0.0915351 | 0.137744 | 0.194429 | 0.288742 | 9.32553 | 19.3295 | 39.3315 | 99.3326 | 199.333 |
| 6 | 3 | 0.0774197 | 0.102254 | 0.151543 | 0.210214 | 0.304066 | 5.28473 | 8.94065 | 14.7347 | 27.9107 | 44.8385 |
| 6 | 4 | 0.0831426 | 0.10931 | 0.160587 | 0.220572 | 0.31439 | 4.00975 | 6.16313 | 9.19731 | 15.2069 | 21.9746 |
| 6 | 5 | 0.0872319 | 0.114339 | 0.167013 | 0.227927 | 0.321801 | 3.40451 | 4.95029 | 6.9777 | 10.6723 | 14.5133 |
| 6 | 6 | 0.0903094 | 0.118118 | 0.171828 | 0.233434 | 0.32738 | 3.05455 | 4.28387 | 5.81976 | 8.46613 | 11.073 |
| 6 | 8 | 0.0946453 | 0.123432 | 0.178583 | 0.24115 | 0.335229 | 2.66833 | 3.58058 | 4.6517 | 6.37068 | 7.95199 |
| 6 | 10 | 0.0975606 | 0.126998 | 0.183106 | 0.246308 | 0.340491 | 2.46058 | 3.21717 | 4.07213 | 5.38581 | 6.54463 |
| 6 | 12 | 0.0996582 | 0.129562 | 0.18635 | 0.250004 | 0.344267 | 2.33102 | 2.99612 | 3.72829 | 4.82057 | 5.75703 |
| 6 | 15 | 0.101895 | 0.132293 | 0.189801 | 0.253932 | 0.348284 | 2.20808 | 2.79046 | 3.41466 | 4.31827 | 5.0708 |
| 6 | 20 | 0.104289 | 0.135211 | 0.193483 | 0.258119 | 0.352567 | 2.09132 | 2.59898 | 3.12834 | 3.87143 | 4.47215 |
| 6 | 30 | 0.106858 | 0.138341 | 0.197425 | 0.262594 | 0.357148 | 1.98033 | 2.42052 | 2.8667 | 3.47348 | 3.94921 |
| 6 | 40 | 0.108215 | 0.139993 | 0.199502 | 0.264951 | 0.359561 | 1.92688 | 2.33585 | 2.74438 | 3.29101 | 3.71291 |
| 6 | 60 | 0.109626 | 0.141709 | 0.201658 | 0.267394 | 0.362063 | 1.87472 | 2.25405 | 2.62737 | 3.11867 | 3.49183 |
| 6 | 100 | 0.110795 | 0.14313 | 0.203442 | 0.269415 | 0.364132 | 1.8339 | 2.1906 | 2.5374 | 2.98768 | 3.32523 |
| 8 | 1 | 0.0680819 | 0.0888208 | 0.132085 | 0.188053 | 0.289191 | 59.439 | 238.883 | 956.656 | 5981.07 | 23925.4 |
| 8 | 2 | 0.0905599 | 0.115619 | 0.165031 | 0.224267 | 0.321221 | 9.36677 | 19.371 | 39.373 | 99.3742 | 199.375 |
| 8 | 3 | 0.104205 | 0.131735 | 0.184639 | 0.245931 | 0.342021 | 5.25167 | 8.84524 | 14.5399 | 27.4892 | 44.1256 |
| 8 | 4 | 0.11357 | 0.142733 | 0.197917 | 0.260562 | 0.356325 | 3.95494 | 6.04104 | 8.97958 | 14.7989 | 21.352 |
| 8 | 5 | 0.120456 | 0.150788 | 0.207586 | 0.271187 | 0.366778 | 3.33928 | 4.81832 | 6.75717 | 10.2893 | 13.961 |
| 8 | 6 | 0.125755 | 0.156969 | 0.214975 | 0.279284 | 0.374766 | 2.98304 | 4.1468 | 5.59962 | 8.10165 | 10.5658 |
| 8 | 8 | 0.133406 | 0.165869 | 0.225568 | 0.290858 | 0.386197 | 2.58953 | 3.4381 | 4.43326 | 6.02887 | 7.49591 |
| 8 | 10 | 0.138684 | 0.17199 | 0.232822 | 0.29876 | 0.394005 | 2.37715 | 3.07166 | 3.85489 | 5.05669 | 6.11592 |
| 8 | 12 | 0.142553 | 0.176469 | 0.238114 | 0.304512 | 0.399687 | 2.24457 | 2.84857 | 3.51178 | 4.49937 | 5.34507 |
| 8 | 15 | 0.146751 | 0.18132 | 0.24383 | 0.310713 | 0.405809 | 2.11853 | 2.6408 | 3.19874 | 4.00445 | 4.67436 |
| 8 | 20 | 0.151327 | 0.186599 | 0.250034 | 0.317428 | 0.412433 | 1.99853 | 2.44706 | 2.9128 | 3.56441 | 4.08997 |
| 8 | 30 | 0.156346 | 0.192377 | 0.256804 | 0.324738 | 0.419636 | 1.88412 | 2.26616 | 2.65126 | 3.17262 | 3.58006 |
| 8 | 40 | 0.159045 | 0.19548 | 0.260432 | 0.328647 | 0.423485 | 1.82886 | 2.18017 | 2.52886 | 2.99298 | 3.34979 |
| 8 | 60 | 0.161886 | 0.198743 | 0.264239 | 0.332745 | 0.427515 | 1.77483 | 2.09697 | 2.41167 | 2.82328 | 3.13444 |
| 8 | 100 | 0.164271 | 0.201479 | 0.267427 | 0.336171 | 0.430882 | 1.73244 | 2.03233 | 2.32148 | 2.69426 | 2.97219 |
| 10 | 1 | 0.0779638 | 0.0995591 | 0.14416 | 0.201426 | 0.304413 | 60.195 | 241.882 | 968.627 | 6055.85 | 24224.5 |
| 10 | 2 | 0.106078 | 0.132285 | 0.183271 | 0.243735 | 0.341943 | 9.39157 | 19.3959 | 39.398 | 99.3992 | 199.4 |
| 10 | 3 | 0.123751 | 0.152618 | 0.207227 | 0.269668 | 0.366613 | 5.23041 | 8.78552 | 14.4189 | 27.2287 | 43.6858 |
| 10 | 4 | 0.136188 | 0.166824 | 0.223797 | 0.287517 | 0.383828 | 3.91988 | 5.96437 | 8.84388 | 14.5459 | 20.9667 |
| 10 | 5 | 0.14551 | 0.177421 | 0.236067 | 0.300676 | 0.396567 | 3.2974 | 4.73506 | 6.61915 | 10.051 | 13.6182 |
| 10 | 6 | 0.152797 | 0.185673 | 0.245572 | 0.310832 | 0.406408 | 2.93693 | 4.05996 | 5.46132 | 7.87412 | 10.25 |
| 10 | 8 | 0.163508 | 0.197758 | 0.259411 | 0.325557 | 0.420672 | 2.53804 | 3.34716 | 4.29513 | 5.81429 | 7.21064 |
| 10 | 10 | 0.171037 | 0.206222 | 0.269049 | 0.335769 | 0.430551 | 2.3226 | 2.97824 | 3.71679 | 4.84915 | 5.84668 |
| 10 | 12 | 0.176637 | 0.212501 | 0.276171 | 0.343291 | 0.437819 | 2.18776 | 2.75339 | 3.37355 | 4.29605 | 5.08548 |
| 10 | 15 | 0.182793 | 0.219388 | 0.283956 | 0.351492 | 0.445729 | 2.05932 | 2.54372 | 3.0602 | 3.80494 | 4.42354 |
| 10 | 20 | 0.189609 | 0.226994 | 0.292522 | 0.360488 | 0.454392 | 1.93674 | 2.34788 | 2.77367 | 3.36819 | 3.847 |
| 10 | 30 | 0.197217 | 0.235464 | 0.302022 | 0.370432 | 0.463945 | 1.81949 | 2.16458 | 2.51119 | 2.97909 | 3.34396 |
| 10 | 40 | 0.201372 | 0.24008 | 0.307182 | 0.375819 | 0.469111 | 1.76269 | 2.07725 | 2.38816 | 2.80055 | 3.11675 |
| 10 | 60 | 0.205796 | 0.244987 | 0.312656 | 0.381523 | 0.474572 | 1.70701 | 1.99259 | 2.2702 | 2.63175 | 2.90418 |
| 10 | 100 | 0.20955 | 0.249145 | 0.317285 | 0.386337 | 0.479176 | 1.66323 | 1.92669 | 2.17928 | 2.50331 | 2.74396 |

# 7. La table des écarts studentisés

Cette table nécessite deux paramètres, $p$ (le nombre de groupes comparés) et $dl_e$ (les degrés de liberté du terme d'erreur)

| $p$ | $dl_e$ | Valeur critique à gauche | | | | | Valeur critique à droite | | | | |
|---|---|---|---|---|---|---|---|---|---|---|---|
| | | 0.005 | 0.01 | 0.025 | 0.05 | 0.1 | 0.9 | 0.95 | 0.975 | 0.99 | 0.995 |
| 2 | 1 | .01111 | .02222 | .05556 | .11130 | .22399 | 8.92899 | 17.9693 | 35.9941 | 90.0242 | 180.060 |
| 2 | 2 | .01000 | .02000 | .05002 | .10013 | .20101 | 4.12948 | 6.08487 | 8.77569 | 14.0358 | 19.9249 |
| 2 | 3 | .00962 | .01924 | .04811 | .09629 | .19318 | 3.32816 | 4.50066 | 5.90651 | 8.26029 | 10.5406 |
| 2 | 4 | .00943 | .01886 | .04715 | .09437 | .18926 | 3.01489 | 3.92649 | 4.94325 | 6.51117 | 7.91616 |
| 2 | 5 | .00931 | .01863 | .04658 | .09322 | .18692 | 2.84971 | 3.63535 | 4.47370 | 5.70231 | 6.75052 |
| 2 | 6 | .00924 | .01848 | .04620 | .09245 | .18537 | 2.74807 | 3.46046 | 4.19836 | 5.24309 | 6.10492 |
| 2 | 8 | .00914 | .01829 | .04572 | .09150 | .18343 | 2.62980 | 3.26118 | 3.89124 | 4.74523 | 5.42000 |
| 2 | 10 | .00909 | .01817 | .04544 | .09093 | .18228 | 2.56321 | 3.15106 | 3.72471 | 4.48203 | 5.06487 |
| 2 | 12 | .00905 | .01810 | .04525 | .09055 | .18151 | 2.52054 | 3.08131 | 3.62043 | 4.31977 | 4.84855 |
| 2 | 15 | .00901 | .01802 | .04506 | .09018 | .18075 | 2.47919 | 3.01432 | 3.52122 | 4.16728 | 4.64716 |
| 2 | 20 | .00897 | .01795 | .04488 | .08980 | .17998 | 2.43912 | 2.95000 | 3.42680 | 4.02392 | 4.45958 |
| 2 | 30 | .00894 | .01787 | .04469 | .08943 | .17922 | 2.40029 | 2.88821 | 3.33693 | 3.88908 | 4.28478 |
| 2 | 40 | .00892 | .01784 | .04460 | .08924 | .17884 | 2.38132 | 2.85823 | 3.29361 | 3.82468 | 4.20187 |
| 2 | 60 | .00890 | .01780 | .04450 | .08905 | .17847 | 2.36265 | 2.82885 | 3.25134 | 3.76221 | 4.12180 |
| 2 | 100 | .00888 | .01777 | .04443 | .08890 | .17816 | 2.34793 | 2.80576 | 3.21826 | 3.71357 | 4.05971 |
| 3 | 1 | .13519 | .19192 | .30698 | .44279 | .65263 | 13.4367 | 26.9756 | 54.0026 | 135.064 | 270.458 |
| 3 | 2 | .13502 | .19143 | .30501 | .43703 | .63512 | 5.73265 | 8.33079 | 11.9366 | 19.0191 | 26.9663 |
| 3 | 3 | .13496 | .19127 | .30436 | .43514 | .62945 | 4.46736 | 5.90960 | 7.66054 | 10.6186 | 13.4996 |
| 3 | 4 | .13493 | .19119 | .30404 | .43420 | .62664 | 3.97560 | 5.04024 | 6.24365 | 8.11980 | 9.81344 |
| 3 | 5 | .13492 | .19114 | .30385 | .43364 | .62497 | 3.71711 | 4.60173 | 5.55802 | 6.97574 | 8.19551 |
| 3 | 6 | .13490 | .19111 | .30372 | .43327 | .62386 | 3.55837 | 4.33920 | 5.15793 | 6.33051 | 7.30637 |
| 3 | 8 | .13489 | .19107 | .30355 | .43280 | .62248 | 3.37397 | 4.04104 | 4.71374 | 5.63539 | 6.37010 |
| 3 | 10 | .13488 | .19104 | .30346 | .43252 | .62165 | 3.27031 | 3.87678 | 4.47396 | 5.27016 | 5.88817 |
| 3 | 12 | .13488 | .19103 | .30339 | .43233 | .62110 | 3.20395 | 3.77293 | 4.32426 | 5.04593 | 5.59604 |
| 3 | 15 | .13487 | .19101 | .30333 | .43215 | .62055 | 3.13969 | 3.67338 | 4.18218 | 4.83593 | 5.32519 |
| 3 | 20 | .13486 | .19099 | .30326 | .43196 | .62000 | 3.07748 | 3.57793 | 4.04732 | 4.63922 | 5.07402 |
| 3 | 30 | .13486 | .19098 | .30320 | .43177 | .61945 | 3.01723 | 3.48642 | 3.91929 | 4.45492 | 4.84103 |
| 3 | 40 | .13486 | .19097 | .30317 | .43168 | .61917 | 2.98783 | 3.44208 | 3.85772 | 4.36716 | 4.73093 |
| 3 | 60 | .13485 | .19096 | .30313 | .43159 | .61890 | 2.95889 | 3.39866 | 3.79772 | 4.28220 | 4.62486 |
| 3 | 100 | .13485 | .19095 | .30311 | .43151 | .61868 | 2.93607 | 3.36457 | 3.75082 | 4.21618 | 4.54281 |
| 4 | 1 | .29746 | .37968 | .53130 | .69777 | .94459 | 16.3580 | 32.8187 | 65.6888 | 164.261 | 328.607 |
| 4 | 2 | .31413 | .39941 | .55379 | .71812 | .95047 | 6.77244 | 9.79805 | 14.0092 | 22.2938 | 31.5955 |
| 4 | 3 | .32174 | .40849 | .56446 | .72855 | .95647 | 5.19900 | 6.82453 | 8.80769 | 12.1695 | 15.4503 |
| 4 | 4 | .32613 | .41375 | .57070 | .73481 | .96061 | 4.58627 | 5.75706 | 7.08818 | 9.17294 | 11.0606 |
| 4 | 5 | .32900 | .41719 | .57480 | .73897 | .96353 | 4.26359 | 5.21832 | 6.25675 | 7.80416 | 9.14041 |
| 4 | 6 | .33102 | .41962 | .57770 | .74194 | .96568 | 4.06512 | 4.89560 | 5.77173 | 7.03326 | 8.08741 |
| 4 | 8 | .33368 | .42281 | .58153 | .74588 | .96862 | 3.83416 | 4.52881 | 5.23335 | 6.20384 | 6.98080 |
| 4 | 10 | .33535 | .42482 | .58395 | .74838 | .97053 | 3.70408 | 4.32658 | 4.94278 | 5.76859 | 6.41234 |
| 4 | 12 | .33650 | .42621 | .58562 | .75011 | .97186 | 3.62071 | 4.19866 | 4.76140 | 5.50163 | 6.06824 |
| 4 | 15 | .33768 | .42762 | .58733 | .75188 | .97325 | 3.53989 | 4.07597 | 4.58927 | 5.25181 | 5.74963 |
| 4 | 20 | .33889 | .42908 | .58908 | .75371 | .97469 | 3.46154 | 3.95829 | 4.42592 | 5.01802 | 5.45458 |
| 4 | 30 | .34012 | .43057 | .59089 | .75560 | .97619 | 3.38558 | 3.84540 | 4.27088 | 4.79922 | 5.18136 |
| 4 | 40 | .34076 | .43133 | .59181 | .75656 | .97696 | 3.34846 | 3.79069 | 4.19633 | 4.69513 | 5.05243 |
| 4 | 60 | .34140 | .43210 | .59274 | .75754 | .97775 | 3.31190 | 3.73709 | 4.12371 | 4.59444 | 4.92836 |
| 4 | 100 | .34191 | .43273 | .59349 | .75833 | .97839 | 3.28306 | 3.69500 | 4.06696 | 4.51626 | 4.83248 |

## 8. La table des écarts studentisés (suite)

| p | $dl_e$ | Valeur critique à gauche | | | | | Valeur critique à droite | | | | |
|---|---|---|---|---|---|---|---|---|---|---|---|
| | | 0.005 | 0.01 | 0.025 | 0.05 | 0.1 | 0.9 | 0.95 | 0.975 | 0.99 | 0.995 |
| 5 | 1 | .43630 | .53083 | .70018 | .88279 | 1.15192 | 18.4882 | 37.0815 | 74.2156 | 185.576 | 371.182 |
| 5 | 2 | .47614 | .57570 | .74931 | .92906 | 1.17932 | 7.53753 | 10.8811 | 15.5415 | 24.7172 | 35.0230 |
| 5 | 3 | .49552 | .59763 | .77375 | .95312 | 1.19723 | 5.73758 | 7.50167 | 9.65959 | 13.3243 | 16.9044 |
| 5 | 4 | .50715 | .61080 | .78852 | .96786 | 1.20890 | 5.03480 | 6.28703 | 7.71544 | 9.95829 | 11.9925 |
| 5 | 5 | .51493 | .61963 | .79844 | .97784 | 1.21702 | 4.66383 | 5.67312 | 6.77485 | 8.42149 | 9.84643 |
| 5 | 6 | .52052 | .62598 | .80558 | .98505 | 1.22298 | 4.43519 | 5.30489 | 6.22579 | 7.55604 | 8.67025 |
| 5 | 8 | .52802 | .63449 | .81518 | .99477 | 1.23113 | 4.16854 | 4.88575 | 5.61582 | 6.62481 | 7.43473 |
| 5 | 10 | .53283 | .63995 | .82133 | 1.00102 | 1.23643 | 4.01801 | 4.65429 | 5.28630 | 6.13609 | 6.80031 |
| 5 | 12 | .53617 | .64374 | .82562 | 1.00539 | 1.24015 | 3.92135 | 4.50771 | 5.08048 | 5.83631 | 6.41640 |
| 5 | 15 | .53964 | .64768 | .83007 | 1.00992 | 1.24403 | 3.82752 | 4.36698 | 4.88506 | 5.55577 | 6.06104 |
| 5 | 20 | .54324 | .65177 | .83469 | 1.01463 | 1.24809 | 3.73640 | 4.23186 | 4.69950 | 5.29325 | 5.73211 |
| 5 | 30 | .54698 | .65601 | .83949 | 1.01952 | 1.25233 | 3.64789 | 4.10208 | 4.52328 | 5.04761 | 5.42771 |
| 5 | 40 | .54890 | .65819 | .84196 | 1.02205 | 1.25452 | 3.60458 | 4.03912 | 4.43853 | 4.93078 | 5.28414 |
| 5 | 60 | .55086 | .66042 | .84448 | 1.02462 | 1.25676 | 3.56188 | 3.97742 | 4.35594 | 4.81778 | 5.14606 |
| 5 | 100 | .55246 | .66224 | .84653 | 1.02672 | 1.25859 | 3.52816 | 3.92894 | 4.29138 | 4.73006 | 5.03941 |
| 6 | 1 | .54822 | .64982 | .83012 | 1.02378 | 1.30949 | 20.1499 | 40.4076 | 80.8691 | 202.211 | 404.441 |
| 6 | 2 | .61092 | .71834 | .90290 | 1.09217 | 1.35469 | 8.13911 | 11.7343 | 16.7498 | 26.6291 | 37.7276 |
| 6 | 3 | .64277 | .75322 | .94039 | 1.12860 | 1.38303 | 6.16200 | 8.03708 | 10.3346 | 14.2407 | 18.0591 |
| 6 | 4 | .66242 | .77475 | .96359 | 1.15138 | 1.40156 | 5.38826 | 6.70644 | 8.21329 | 10.5832 | 12.7349 |
| 6 | 5 | .67584 | .78945 | .97946 | 1.16703 | 1.41455 | 4.97895 | 6.03290 | 7.18612 | 8.91311 | 10.4096 |
| 6 | 6 | .68561 | .80016 | .99102 | 1.17846 | 1.42415 | 4.72622 | 5.62835 | 6.58598 | 7.97228 | 9.13528 |
| 6 | 8 | .69893 | .81474 | 1.00678 | 1.19407 | 1.43739 | 4.43084 | 5.16715 | 5.91856 | 6.95942 | 7.79643 |
| 6 | 10 | .70760 | .82424 | 1.01704 | 1.20425 | 1.44609 | 4.26370 | 4.91202 | 5.55756 | 6.42754 | 7.10880 |
| 6 | 12 | .71370 | .83092 | 1.02426 | 1.21142 | 1.45224 | 4.15619 | 4.75023 | 5.33187 | 6.10113 | 6.69264 |
| 6 | 15 | .72009 | .83790 | 1.03181 | 1.21892 | 1.45871 | 4.05166 | 4.59473 | 5.11742 | 5.79557 | 6.30738 |
| 6 | 20 | .72677 | .84522 | 1.03972 | 1.22678 | 1.46550 | 3.94997 | 4.44524 | 4.91363 | 5.50954 | 5.95078 |
| 6 | 30 | .73380 | .85291 | 1.04802 | 1.23504 | 1.47266 | 3.85100 | 4.30146 | 4.71994 | 5.24183 | 5.62079 |
| 6 | 40 | .73745 | .85690 | 1.05233 | 1.23932 | 1.47638 | 3.80250 | 4.23164 | 4.62672 | 5.11449 | 5.46519 |
| 6 | 60 | .74119 | .86099 | 1.05675 | 1.24372 | 1.48021 | 3.75463 | 4.16316 | 4.53585 | 4.99132 | 5.31557 |
| 6 | 100 | .74426 | .86435 | 1.06037 | 1.24733 | 1.48335 | 3.71678 | 4.10932 | 4.46480 | 4.89572 | 5.20005 |
| 8 | 1 | .71451 | .82456 | 1.01926 | 1.22869 | 1.53920 | 22.6424 | 45.3975 | 90.8515 | 227.171 | 454.363 |
| 8 | 2 | .81586 | .93182 | 1.12938 | 1.33121 | 1.61135 | 9.04927 | 13.0273 | 18.5823 | 29.5304 | 41.8326 |
| 8 | 3 | .87018 | .98924 | 1.18863 | 1.38770 | 1.65622 | 6.80638 | 8.85250 | 11.3645 | 15.6410 | 19.8247 |
| 8 | 4 | .90492 | 1.02592 | 1.22647 | 1.42399 | 1.68601 | 5.92551 | 7.34652 | 8.97518 | 11.5418 | 13.8751 |
| 8 | 5 | .92929 | 1.05161 | 1.25295 | 1.44945 | 1.70720 | 5.45793 | 6.58230 | 7.81626 | 9.66869 | 11.2767 |
| 8 | 6 | .94742 | 1.07070 | 1.27261 | 1.46836 | 1.72308 | 5.16835 | 6.12220 | 7.13798 | 8.61247 | 9.85195 |
| 8 | 8 | .97270 | 1.09729 | 1.29996 | 1.49467 | 1.74529 | 4.82867 | 5.59618 | 6.38202 | 7.47385 | 8.35390 |
| 8 | 10 | .98954 | 1.11499 | 1.31813 | 1.51216 | 1.76013 | 4.63568 | 5.30424 | 5.97211 | 6.87494 | 7.58367 |
| 8 | 12 | 1.00159 | 1.12764 | 1.33112 | 1.52465 | 1.77075 | 4.51116 | 5.11866 | 5.71537 | 6.50694 | 7.11714 |
| 8 | 15 | 1.01440 | 1.14108 | 1.34489 | 1.53789 | 1.78203 | 4.38973 | 4.93989 | 5.47099 | 6.16209 | 6.68497 |
| 8 | 20 | 1.02804 | 1.15538 | 1.35954 | 1.55197 | 1.79405 | 4.27122 | 4.76758 | 5.23833 | 5.83891 | 6.28468 |
| 8 | 30 | 1.04264 | 1.17068 | 1.37518 | 1.56699 | 1.80688 | 4.15544 | 4.60141 | 5.01676 | 5.53611 | 5.91409 |
| 8 | 40 | 1.05034 | 1.17874 | 1.38341 | 1.57490 | 1.81363 | 4.09852 | 4.52054 | 4.90997 | 5.39198 | 5.73932 |
| 8 | 60 | 1.05834 | 1.18710 | 1.39195 | 1.58309 | 1.82064 | 4.04221 | 4.44108 | 4.80576 | 5.25252 | 5.57127 |
| 8 | 100 | 1.06495 | 1.19402 | 1.39901 | 1.58986 | 1.82643 | 3.99759 | 4.37852 | 4.72421 | 5.14425 | 5.44153 |

# SOLUTIONNAIRE

## 1. Solutions du chapitre 1

1. une population ; d'un échantillon ; de cette population.

2. (a) inter-sujet ; (b) erreur de mesure ; (c) ce type d'erreur n'est pas sensé exister ; (d) erreur échantillonnale ; (e) intra-sujet.

3. (a) échelle absolue ; (b) échelle ordinale ; (c) échelle nominale ; (d) échelle relative. Dans l'ordre de la moins précise à la plus précise : 4, 2, 1, 3.

4. (a) il s'agit d'un schème à trois groupes indépendants ; (b) il s'agit d'un schème à quatre mesures répétées.

5. Le graphique des fréquences est donné à la Figure A2.1 si on subdivise l'échelle en classes de taille 2 à partir de 1. Il y a une classe « 21-22 » qui ne fait pas de sens si l'examen est sur 20. Par ailleurs, il faut peut-être suspecter une bimodalité. Par contre, l'échantillon étant petit, on ne peut pas être absolument certain qu'il y a bimodalité ; les deux modes pourraient être simplement dus à de l'erreur expérimentale.

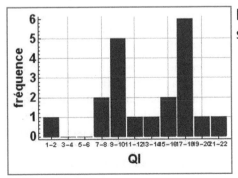

**Figure A2.1**

**Solution pour la question 5 du Chapitre 1.**

**7.** (a) $\sum_{i=1}^{4} Toto_i$; (b) $\sum_{i=1}^{4} (Toto_i)^2$; (c) $\sqrt{\sum_{i=1}^{4} Toto_i}$; (d) Additionner l'inverse multiplicatif des toto; (e) Jojo est défini comme étant la somme des toto divisé par le nombre de Toto; (f) Additionner l'écart mis au carré entre chaque Toto et Jojo; (g) 24, 164, 4.9, 0.79, 6 et 5 respectivement.

# 2. Solutions du chapitre 2

**1.** Seul (d) présente une statistique; (a) est une donnée brute; (b) présente un recensement exhaustif, pas un échantillon; (c) est une figure de style.

**2.** (i) le nombre de sujets: la moyenne équivaut à la somme des données divisée par le nombre de données. La moyenne est donnée (55) et la somme des données aussi (825). Par combien faut-il diviser 825 pour obtenir 55? La réponse (15) est le nombre de participants.
(ii) la variance: la variance vaut la somme des carrés divisée par les degrés de liberté. Ces derniers valent le nombre de sujets moins un, donc 14. Si on prend 196 et qu'on le divise par 14, on obtient 14, qui est la variance.

**3.** (a) 4.75; (b) 5; (c) 2.4; (d) 3.1; (e) 8; (f) 5.8; (g) 2.4; (h) 87, (i) 15.

**4.** Je souligne le jargon: « Après avoir échantillonné ($n = 14$) personnes, on trouve un $\bar{X} = 76.4 \pm 4.2$ S.E. ». La phrase récrite pour un public plus large serait « Nous avons formé un groupe de 14 personnes. La moyenne de ce groupe est de 76.4 avec une erreur type de 4.2 ». Le terme « erreur type » est encore du jargon; il faudrait voir si c'est nécessaire d'en parler.

**5.** 100. L'erreur type s'obtient en divisant l'écart type par la racine carrée de la taille de l'échantillon. Puisqu'il est dix fois plus petit, la racine carrée vaut 10, et donc, la taille de l'échantillon doit être de 100.

**6.** (a) il cherche à montrer que la dispersion est immense entre les articles jamais cités et les articles très cités; (b) il rapporte la médiane et le mode. Comme ces deux valeurs diffèrent, il s'ensuit que la distribution doit être très asymétrique. (c) on peut certainement calculer l'étendue, qui vaut 511. Cette dispersion est certainement très grande puisque c'est plus de 100 fois plus que la séparation entre le mode et la médiane.

**7.** a: L'échantillon est composé de 100 articles scientifiques pris au hasard parmi tous les articles publiés cette année (en psychologie, il y en a plus de 75 000 par année!). Ici donc, $n$ vaut 100. La mesure est le nombre d'articles publiés par la suite qui font référence à un de ces articles. Par exemple, le premier article de l'échantillon a peut-être été mentionné dans 75 articles par la suite. Le résultat de la mesure pour celui-ci est donc 75.
b: Comme le mode diffère de la médiane, on déduit que la distribution est asymétrique. Une autre façon de déduire ceci est de voir que la mesure ne peut pas être négative; que le nombre médian est proche de zéro et que pourtant, il y a certaines mesures qui vont jusqu'à 511. Le graphique de la Figure A2.2 pourrait faire l'affaire:

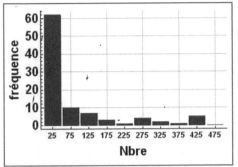

**Figure A2.2**

**Solution pour la question 7 du Chapitre 2.**

c : Peut-être parce qu'il y a d'autres données proches de ce 511. Tant qu'une donnée n'est pas totalement isolée à une extrémité du graphique de fréquence, elle n'est pas suspecte.

d : (i) Comme la moyenne est très affectée par l'asymétrique, elle doit être très différente de la médiane (ici, supérieure à la médiane puisque la répartition s'étale vers la droite). Dans la figure ci-dessus, la moyenne est entre 50 et 100.

(ii) La moyenne *seule* n'aurait pas aidé l'auteur. Il voulait montrer que les données sont asymétriques. Il aurait pu (a) rapporter l'asymétrie (ici, 2.3, très différent de zéro) mais l'asymétrie est moins connue ; (b) rapporter deux mesures de la tendance centrale et indiquer qu'elles diffèrent beaucoup (e. g. la moyenne et le mode). Donc, oui, il aurait pu utiliser la moyenne, mais accompagnée d'une autre mesure.

# 3. Solutions du chapitre 3

**1.** Les données sont déjà en ordre croissant, les rangs sont donc 1, 2, ..., 9. Concernant le rang percentile, puisqu'il faut diviser par $n + 1$, on divise par 10. Les rangs percentiles sont donc 10 % (0.1), 20 %, ..., 90 %.

**2.** Les réponses sont les mêmes mais dans l'ordre inverse. Alternativement, calculer 10 − le rang trouvé en 1 pour trouver le rang dans l'ordre inverse et calculer 1 − le rang percentile pour trouver le rang percentile dans l'ordre inverse.

**3.** La moyenne est de 11 et l'écart type est de 4.7. Les cotes $z$ sont donc $-1.9$, $-0.8$, $-0.4$, 0.0, 0.0, 0.2, 0.4, 1.1 et 1.5. Le premier s'obtient avec $(2 - 11)/4.7 = -9/4.7$. L'opération inverse s'obtient avec $-1.9 \times 4.7 + 11 = -8.9 + 11 = 2.1$ (il y a une petite erreur causée par les arrondis).

**4.** Toutes les personnes obtiennent le rang mitoyen, en plein centre entre le rang 1 et le rang $n$. C'est donc le rang $(n + 1)/2$. Le rang percentile est le rang précédent divisé par $n - 1$, soit ½ = 50 %. Tous ont le rang percentile central entre 0 et 100 %.

**5.** (a) 0.4 ; (b) -0.4 ; (c) $-4$ ; (d) 2.96 ; (e) 20 ; (f) 20.4 ; (g) 70 ; (h) 40.

**6.** Oui si le nombre de sujets est un multiple de 4. Par exemple, s'il n'y a que 4 participants, le premier aura le rang percentile 20 %. Le nombre de personnes ayant un rang percentile inférieur à 25 % ne contiendra que lui.

**Figure A2.3**

Solution pour la question 7
du Chapitre 3.

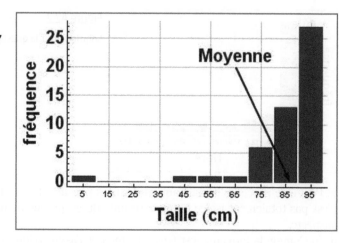

7. Oui. Il faut une personne qui aura un rang faible mais qui aura un score supérieur à la moyenne. Si les données sont très asymétriques avec une longue queue du côté gauche, certaines personnes correspondront à ce portrait. Dans la Figure A2.3 illustrant 50 scores, la moyenne est 90. Or, seulement 17 personnes ont obtenu moins que cette moyenne. La personne au rang 18 a donc plus que la moyenne tout en ayant un rang inférieur à 50 %.

# 4. ▬ Solutions du chapitre 4

1. (a) la moyenne est {15, 4.4}. (b) aucune donnée ne se distingue des autres en étant très haute ou très basse, que ce soit en univariée ou en bivariée. On peut s'en convaincre en calculant les cotes $z$ (aucune n'est plus grande que 1.4) et en calculant les distances de Mahalanobis (aucune n'est plus grande que 1.5); (c) la covariance vaut 4.75.

2. Le graphique de dispersion est donné en Figure A2.4. La relation est modérée et positive. L'association s'explique probablement par une variable médiatrice non mesurée. Peut-être que le sport permet de mieux oxygéner le cerveau ou encore de réduire le stress, ce qui en retour permet d'être plus performant à l'examen.

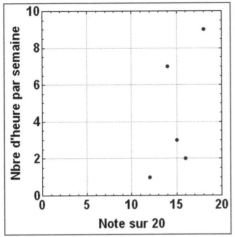

**Figure A2.4**
**Solution pour la question 2 du Chapitre 4.**

**3.** La corrélation vaut 0.62, ce qui explique 38 % de la variance.

**4.** La distance de Mahalanobis pour la donnée {18,9} est de 1.49. La moyenne est de {15, 4.4}, l'écart type est de {2,34, 3.44} et la covariance vaut 4.75.

**5.** Pour calculer la corrélation, il faut calculer la moyenne bivariée ({14.8, 102.8}). À partir de cette moyenne, on peut calculer la covariance ($-5.8$). Finalement, on calcule l'écart type bivarié ({1.92, 3.70}). Finalement, la covariance divisée par le produit des écarts types donne la corrélation ($-0.82$). Il s'agit d'une corrélation importante.

**6.** (a) (i) Comme les robots ont tous le même QI et lisent tous le même nombre de mots en 10 minutes, les résultats n'auront aucune dispersion, d'où un écart type de zéro. Alternativement, tous les robots auront le score moyen. La somme des carrés calcule l'écart entre la moyenne et un score particulier ; les écarts seront tous de zéro et donc la somme des carrés vaudra zéro. Il s'ensuit que la variance sera zéro (diviser zéro par un nombre de robot $-1$ donne zéro). (ii) La covariation vaut zéro aussi : le score de QI ne covarie pas avec le nombre de mots lus puisque le score ne varie pas du tout (si vous utilisez la formule, il faut additionner les produits des écarts à la moyenne, encore une fois zéro). (iii) La corrélation n'existe pas. Il ne peut pas y avoir de variance expliquée (le $r$ mis au carré) si les mesures ne varient pas. La notion même de corrélation nécessite de la variabilité. Par ailleurs, si vous essayez de la calculer, vous auriez zéro divisé par zéro.

(b) Sans doute que la corrélation passera à 1 car 9 points superposés et un point à l'écart permettent de passer une ligne droite par tous ces points.

(c) La corrélation sera assez proche de 1 et positive car généralement les deux variables sont affectées. Il s'agit d'un cas de variable médiatrice : les défauts des systèmes sémantiques secondaires ne sont pas mesurés, mais ont des conséquences sur les deux mesures, le QI et la vitesse de lecture.

# 5. Solutions du chapitre 5

**1.** (a) ½ ; (b) 2.3 % ; (c) 2.3 % ; 13.6 %.

**2.** (a) 47.7 % ; (b) 47.5 % ; (c) 40 % ;(d) 97.7 % ; (e) 2.5 % ; (f) 10 %.

**3.** (a) 87.2 ; (b) 116.8 ; (c) 123.3.

**4.** (a) Voir la Figure A2.5.

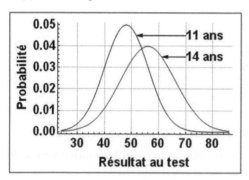

**Figure A2.5**

**Solution pour la question 4 du Chapitre 5.**

(b) La moyenne des 14 ans est de 56. Cette moyenne se trouve à un écart type au-dessus de la moyenne des 11 ans. Donc on veut savoir combien de personnes sur 500 auraient un score standardisé de +1 ou plus. Avec la Figure 5.10, on prédit cette probabilité à 13.6 % + 2.3 % = 15.9 %. Une proportion de 15.9 % de 500 personnes donne 79 personnes et demi. Si l'échantillon est très représentatif, on devrait donc avoir près de 80 personnes chez les 11 ans qui surpassent le 14 ans moyen.

(c) Les 11 ans ont une moyenne 8 points inférieurs, soit 0.8 écart type de moins que la moyenne des 14 ans (0.8 d'un écart type de 10 donne 8 points). Encore une fois ici, sans ordinateur ou une table détaillée de la distribution normale, il n'est pas possible de répondre à la question. Avec un ordinateur, je trouve que 21 % des scores devraient être à − 0.8 ou moins écarts types en deçà de la moyenne. Comme il y a 800 personnes de 14 ans, ça donne 21 % × 800 = 168. Ainsi, 168 personnes de 14 ans auront moins que la moyenne des 11 ans si l'échantillon est bien représentatif.

**5.** En consultant la table du $\chi^2$, on trouve que le quantile 5 % est 7.2 alors qu'à l'autre extrême, le quantile 95 % vaut 24.99. Ce sont des minutes.

**6.** La probabilité d'atteindre une hauteur de 118.5 dm si la distribution est une $\chi^2$ (100) est de 10 %. Il y a donc une chance sur 10 que la maison soit inondée à une année donnée. Sur 20 ans, elle sera probablement inondée deux fois. Considérant le coût de réparer une maison inondée et de remplacer les meubles et les biens endommagés, on souhaite que la maison soit inondée le moins souvent possible. Le gouvernement du Québec a adopté comme norme un risque de 5 %, autrement dit, une fois par 20 ans (5 fois par siècle) serait acceptable. Pour que cela se produise, il faudrait que la maison soit à 12.4 m, soit 55 cm plus haut.

# 6. Solutions du chapitre 6

1. (a) la table normale standardisée ; (b et c) le quantile 95 % puisque c'est 5 % à droite ; (d) il faut diminuer le risque (e. g. passer de 5 % à 1 %), ce qui accroît le délai ; (e) vous lui dites qu'elle est très importante car le risque de la manquer (i.e. qu'elle arrive avec plus de 15 minutes de retard) est de l'ordre de 1 sur un milliard. Si vous êtes prêt à attendre même pour un risque infime de la manquer, c'est que vous ne voulez la manquer à aucun prix.

2. (a) $H_0$ : le médicament est sans effet en moyenne, ce qui s'écrit aussi $H_0$ : la moyenne du groupe expérimental égale la moyenne du groupe placébo, ou encore en symbole $H_0$ : $\mu_{Experimental} = \mu_{Placebo}$ ; (b) $H_0$ : la production moyenne est inchangée après la formation, ce qui peut aussi s'écrire $H_0$ : la production moyenne avant la formation égale la production moyenne après la formation ; (c) ici, il y a deux dimensions, l'âge des hommes et la prise ou non d'alcool. On prévoit donc deux hypothèses : $H_{0a}$ : l'alcool est sans impact ($H_{0a}$ : $\mu_{avec\ alcool} = \mu_{sans\ alcool}$) et $H_{0b}$ : l'âge est sans effet ($H_{0b}$ : $\mu_{18\text{-}23\ ans} = \mu_{45\text{-}55\ ans}$) ; (d) $H_0$ : la résistance moyenne chez les aînés sans diplôme universitaire égale la résistance moyenne chez les aînés avec diplôme universitaire.

3. Très sévère : si la pilule devait ne pas fonctionner mais qu'on la distribue à tort, on serait responsable d'un génocide.

4. Ce scanner ne peut pas nuire. C'est donc sans important pour la vie humaine si on commet une erreur de type I (croire que le scanner fonctionne mieux que les anciens modèles alors qu'il ne fonctionne pas mieux). Cependant, s'il y a une chance de mieux fonctionner, on veut ce scanner. On veut donc réduire l'incidence d'une erreur de type II (croire qu'il ne fonctionne pas alors qu'il fonctionne mieux que les anciens modèles). Pour y arriver, une façon consiste à accroître le seuil de décision (de 5 % à 10 %). Le fait que le scanner coûte une fortune, en regard des vies humaines possiblement sauvées, ne devrait pas peser dans la balance.

# 7. Solutions du chapitre 7

1. (a) 15 ; (b) 14 ; (c) 13.

2. (a) 16 ; (b) 14 ; (c) 14.

3. (i) $H_0$ : les sujets sont pareils avant et après ; (ii) le seuil de décision est de 5 % ; (iii) le test utilisé est un test sur mesures répétées utilisant la distribution binomiale et est de la forme : Rejet de $H_0$ si $n_{amélioration} < 2$ ou $n_{amélioration} > 8$. (iv) Comme 8 participants se sont améliorés et que ce nombre n'est pas plus grand que la valeur critique à droite (il est égal), on ne rejette pas l'hypothèse : les participants ne se sont pas améliorés significativement (B(10) = 8, $p > .05$).

4. En comptant le nombre de résultats qui sont sous la médiane, on trouve 8. Or, si 20 est bel et bien la médiane, il devrait y en avoir la moitié des 15 scores observés, soit

7.5. Assurément, le résultat observé est trop proche du résultat attendu pour qu'on puisse rejeter l'hypothèse que 20 est la médiane. On peut formaliser le tout avec les quatre étapes: (i) $H_0$: la médiane est de 20; (ii) le seuil de décision est de 5 %, réparti à droite et à gauche; (iii) le test est de la forme: Rejet de $H_0$ si $n_{\text{en bas de la médiane}} < 4$ ou $n_{\text{en bas de la médiane}} > 11$; (iv) ayant obtenu 8 scores en bas de la médiane, on ne peut pas conclure au rejet de $H_0$: la médiane peut selon toute vraisemblance être de 20.

5. (i) son hypothèse est que la proportion de barres défectueuses est de 1/5 (20 %); (ii) le seuil est de 5 %; (iii) le test est Rejet de $H_0$ si $n_{\text{défectuosité}} > 8$ ou $n_{\text{défectuosité}} < 1$; (iv) en ayant trouvé 7, vous ne pouvez pas rejeter l'hypothèse du manufacturier.

6. Elle pourrait éliminer cette observation comme étant inconclusive (en examinant le revenu au cent près, elle aurait pu trancher). Si son échantillon est grand, c'est sans conséquence. Cependant, si son échantillon est petit (comme c'est le cas), il faut éviter autant que possible de retirer des observations. Pour ne pas biaiser le test, elle peut sortir une pièce de monnaie et tirer à pile ou face si la donnée est supérieure ou inférieure à la médiane!

7. Oui, cette hypothèse indique qu'il n'y aura aucune observation avec la caractéristique recherchée. Ce type d'hypothèse est semblable à $H_0$: les licornes n'existent pas. Si une seule licorne est observée, l'hypothèse est rejetée. La règle de décision est donc Rejet de $H_0$ si $n_{\text{Licorne}} > 0$. Autrement dit, il suffit d'un seul contre-exemple pour rejeter l'hypothèse nulle. Il ne peut y avoir qu'une valeur critique (à droite) et aucune valeur critique à gauche.

# 8. Solutions du chapitre 8

1. Les valeurs critiques sont (a) $-2.33$; (b) $-1.64$ (c) $-1.28$.

2. Les valeurs critiques sont a) inférieur à $-2.58$ ou supérieur à $+2.58$; (b) inférieur à $-1.96$ ou supérieur à $+1.96$; (c) inférieur à $-1.64$ ou supérieur à $+1.64$. À cause de la symétrie autour de zéro de la distribution normale standardisée, les valeurs critiques à gauche et à droite sont identiques à un signe près. On peut résumer ces résultats en disant (a) excédant 2.58 en magnitude (i.e. sans tenir compte du signe); (b) excédant 1.96; (c) excédant 1.64.

3. (a) Comme les groupes sont de tailles inégales, il faut connaître la moyenne harmonique entre 6 et 12. Ce nombre est 8. L'erreur type est donnée par $\sqrt{2}\,\sigma/\sqrt{\tilde{n}} = \sqrt{2}\,3/\sqrt{8} = 1.5$; (b) $z_{2.5\%} = 1.96$; (c) (i) $H_0$: les groupes ont des moyennes égales; (ii) le seuil est 5 %; (iii) le test est Rejet de $H_0$ si l'effet divisé par l'erreur type excède 1.96; (iv) l'effet est de 3, l'erreur type est de 1.5. Donc 3/1.5 donne 2, ce qui excède la valeur critique. On rejette donc l'hypothèse nulle: les deux groupes ne sont pas comparables ($z = 2$, $p < .05$).

4. (i) $H_0$: la population a une aptitude moyenne de 50; (ii) seuil de décision à 5 %; (iii) le test à utiliser est un test $z$ car (a) la mesure est de type II et on s'intéresse à la moyenne, (b) l'écart type de la population est donné ($\sigma = 10$), (c) on postule que la population suit

une distribution normale ; le test est donc « Rejet de $H_0$ si la moyenne observée, transformée en cote z, excède 1.96 de magnitude. » (d) Les calculs donnent (au numérateur) 50 − 53.3, soit 3.3 ; (au dénominateur) 10/√42, soit 1.54. Au total 3.3/1.54 donne 2.13, ce qui excède la valeur critique. Donc on doit rejeter l'hypothèse et conclure que l'échantillon n'a pas une aptitude moyenne comparable à 50.

5. (i) $H_0$ : la population a un QI moyen de 100 ; (ii) seuil de décision à 1 % avec un test bicaudal ; (iii) le test à utiliser est un test z car (a) la mesure est de type II et on s'intéresse à la moyenne, (b) l'écart type de la population est donné ($\sigma$ = 16), (c) on peut supposer que la population des QI suit une distribution normale ; le test est donc « Rejet de $H_0$ si la moyenne observée, transformée en cote z excède 2.58 de magnitude. » (d) Les calculs donnent (au numérateur) 100 − 101.41, soit 1.41 ; (au dénominateur) 16/√2304, soit 0.333. Au total 1.41/0.333 donne 4.23, ce qui excède la valeur critique. Donc on rejette l'hypothèse et on conclut que l'échantillon ne provient pas de la population générale.

6. Il s'agit d'une situation où une petite différence (1.41) est néanmoins jugée notable (significative). Ceci tient au fait que l'échantillon est énorme, ce qui confère énormément de puissance au test statistique (c'est vrai pour le test z mais aussi pour n'importe quel autre test). On peut imaginer cette situation expérimentale où deux groupes passent un test de QI : dans le premier groupe, on accueille chaque participant en lui disant « Bonjour comment allez-vous » et dans l'autre groupe, en leur disant « Veuillez vous asseoir ». Le premier groupe sera vraisemblablement plus à l'aise et donc aura plus de chance d'être plus performant au test de QI. L'effet sera sans doute infime (peut-être un demi-point de QI en moyenne) mais si l'échantillon est énorme, il pourrait être significatif. Or le mot « Bonjour » ne rend pas plus intelligent (inutile de dire bonjour à un enfant 14 fois par jour pour le rendre plus intelligent !). L'effet, même s'il est réel, est donc sans valeur scientifiquement parlant. Il s'agit d'un exemple d'effet statistiquement significatif mais scientifiquement insignifiant.

# 9. Solutions du chapitre 9

1. Avec 18 degrés de liberté, (a) 1.73 ; (b) 2.55 ; (c) il n'y a alors qu'un seul groupe de 10 personnes et donc les degrés de liberté valent 9 : 1.83 et 2.82 respectivement ; (d) les degrés de liberté sont 19 : 1.73 et 2.54 respectivement.

2. (a) Commençons par calculer l'écart type. Il s'agit de la somme des carrés divisée par les degrés de liberté. Les SC valent 404, et il y a 40 participants. Aussi, 404 divisé par 39 donne la variance, 10.36. La racine carrée donne l'écart type 3.22. Passons à l'erreur type. Il faut prendre l'écart type et le diviser par la racine carrée du nombre de participants, soit √40 = 6.32. Donc, 3.22 divisé par 6.32 donne 0.51. (b) L'effet est de 4. En divisant par l'erreur type (0.51), on trouve le résultat du calcul 7.4. La valeur critique $t_{2.5\%}(39)$ vaut 2.02. Comme le calcul excède la valeur critique, on rejette l'hypothèse : le groupe a une moyenne significativement différente de 100.

**3.** (a) Il y a au total 22 données, et il faut retirer deux degrés de liberté. Il en reste donc 20; (b) Soit $-1.72$ ou $+1.72$, selon qu'on veut un test unicaudal à gauche ou à droite.

**4.** Les étapes sont (i) $H_0$: les deux groupes sont tirés de la même population; (ii) seuil de décision à 5 %; (iii) le test à utiliser est un test $t$ sur deux groupes indépendants car (a) la mesure est de type II et on s'intéresse à la moyenne, (b) l'écart type de la population n'est pas connu. On utilise alors la variance regroupée $s_g^2$ qui vaut 12.38 (les variances sont $s_X^2$ 18.1 et $s_Y^2$ 6.66); le test est donc «Rejet de $H_0$ si l'écart entre les moyennes observées, transformées en cote $z$, excède 2.02 de magnitude.» (d) Les calculs donnent (au numérateur) $5.5 - 4.9$, soit 0.6; (au dénominateur) $\sqrt{2}\, s_g/\sqrt{21}$, soit 1.08. Au total $0.6/1.08$ donne 0.55, ce qui n'excède pas la valeur critique. Les deux groupes semblent bien provenir de la même population.

**5.** Il y a plusieurs quantités non pertinentes; la seule à retenir est le degré de liberté. Pour deux groupes indépendants, il faut en enlever 2. S'il en reste 21, c'est qu'il y avait 23 participants.

**6.** (a) Quelques statistiques descriptives sont nécessaires avant d'aller plus loin: la moyenne avant est de 17.1 et après, de 21.8. Les écarts types sont 10.2 et 12.9 pour avant, après respectivement; le groupe est de taille 10; finalement, la corrélation entre avant et après est élevée à 0.87. Avec ces informations, on peut calculer la variance regroupée qui vaut 135.5.

(i) $H_0$: les deux mesures sont identiques; (ii) seuil de décision à 5 %; (iii) le test à utiliser est un test $t$ à deux mesures répétées car (a) la mesure est de type II et on s'intéresse à la moyenne, (b) l'écart type de la population n'est pas connu; le test est donc «Rejet de $H_0$ si l'écart entre les moyennes observées, transformées en cote $z$, excède 2.10 de magnitude.» (d) Les calculs donnent (au numérateur) $17.1 - 21.8$, soit 4.7; (au dénominateur) $\sqrt{2}\, s_g/\sqrt{10}\,\sqrt{(1-r)}$ (où 10 est le nombre de participants), soit 1.88. Au total, $4.7/1.88$ donne 2.50, ce qui excède la valeur critique. Les deux mesures sont influencées par le traitement.

(b) On aurait aussi pu faire un test sur des mesures répétées utilisant la distribution binomiale (chapitre 7). Le test $t$ requiert que l'asymétrie ne soit pas extrême (ce qui n'est pas le cas ici); il aurait pu ne pas convenir aux données (plus sur ce sujet au Chapitre 14). Par contraste, le test utilisant la distribution binomiale est toujours applicable peu importe l'asymétrie des données.

# 10. Solutions du chapitre 10

**1.** Au total, les guichets ont été visités 210 fois, ce qui fait que chacun aurait été visité 35 fois s'ils avaient été visités un nombre égal de fois. (i) $H_0$: chaque guichet est visité 35 fois (autrement dit $H_0$: $a_i = 35$ pour les guichets $i$ allant de 1 à 6); (ii) le seuil de décision est à 1 % selon l'énoncé de la question; (iii) le test est un test d'effectif utilisant la table de $\chi^2$. Les degrés de liberté sont le nombre de guichets moins 1, soit 5, d'où la valeur critique à 1 % à droite de 15.09; il est de la forme «Rejet de $H_0$ si $\sum_{i=1}^{6} \dfrac{(n_i - a_i)^2}{a_i}$

excède 15.09 » ; (iv) le calcul donne pour les guichets 1 à 6 15.1 + 0.3 + 5.6 + 1.0 + 29.3 + 0.1 qui vaut 51.4. Comme cette valeur dépasse la valeur critique, on rejette l'hypothèse nulle : les guichets ne sont pas également utilisés.

**2.** Les résultats sont des effectifs (le nombre d'enfants qui tombent malades). Comme ce ne sont pas des données sur une échelle de mesure de type II, on ne peut pas utiliser un test *t*. Il faut un test d'effectif. Les données sont données au Tableau A2.1.

### Tableau A2.1

**Effectifs obtenus à la question 2 du chapitre 10.**

|  | malade | pas malade | Total |
|---|---|---|---|
| contrôle | 25 | 45 | 70 |
| traitement | 6 | 74 | 80 |
| Total | 31 | 119 | 150 |

Si il y a une interaction dans le tableau, cela signifie que les sujets du groupe contrôle ne montrent pas les mêmes proportions que les sujets du groupe avec traitement. Pour réaliser un test d'interaction, on calcule les effectifs prédits à partir des marges, ce qui donne les effectifs du Tableau A2.2.

### Tableau A2.2

**Effectifs attendus à la question 2 du chapitre 10.**

|  | malade | pas malade | Total |
|---|---|---|---|
| contrôle | 14.5 | 55.5 | 70.0 |
| traitement | 16.5 | 63.5 | 80.0 |
| Total | 31.0 | 119 | 150 |

et on termine en calculant la statistique $G^2$ pour les quatre cases des tableaux ci-dessus : 7.7 + 6.7 + 2.0 + 1.7 = 18.0. La valeur critique est obtenue dans une table de $\chi^2$ avec 1 seul degré de liberté (le nombre de lignes moins 1 donne 1 et même chose pour le nombre de colonnes ; en multipliant 1 par 1, on trouve 1) est de 3.84. Comme 18 est bien supérieur à 3.84, on rejette l'hypothèse nulle : Les personnes du groupe traitement n'ont pas réagi de la même façon que les personnes du groupe contrôle.

**3.** Le plus dur ici est de reconstituer le tableau total à partir des bribes d'informations données. Vous allez trouver le Tableau A2.3. Comme valeurs prédites à partir des marges, vous trouverez les résultats du Tableau A2.4.

### Tableau A2.3

**Effectifs observés à la question 3 du chapitre 10.**

|  | contre | pour | neutre | Total |
|---|---|---|---|---|
| hommes | 14 | 91 | 6 | 111 |
| femmes | 35 | 80 | 18 | 133 |
| Total | 49 | 171 | 24 | 244 |

Tableau A2.4

Effectifs attendus à la question 3 du chapitre 10.

|         | malade | pas malade | Total |      |
|---------|--------|------------|-------|------|
| contrôle | 22.3   | 77.8       | 10.9  | 111. |
| traitement | 26.7 | 93.2       | 13.1  | 133. |
| Total   | 49.0   | 171.       | 24.0  | 244. |

Il ne reste plus qu'à faire le test d'interaction sur un tableau d'effectifs, après quoi on va trouver une somme de 14. La valeur critique à 5 % étant 5.99, on rejette l'hypothèse nulle : la préférence des personnes dépend du sexe de cette même personne.

**4.** L'hypothèse nulle propose une répartition égale de 30. En calculant la statistique $G^2$, on trouve 11.33 pour une valeur critique de 11.1. L'hypothèse doit donc être rejetée : Il y a au moins une année où le nombre de meurtres a été plus grand et une année où le nombre de meurtres a été plus petit que 30.

**5.** Des ventes égales seraient de 80 K\$. Le $G^2$ vaut 0.625, qui ne dépasse pas la valeur critique 9.49. On ne rejette donc pas l'hypothèse nulle et l'entreprise n'a aucune raison de fermer une de ses succursales.

**6.** La variable nombre d'heures est une mesure obtenue sur une échelle de type II (une échelle absolue pour être précis). Cela exclut dont un test de $\chi^2$ sur des effectifs. Comme l'écart type est certainement inconnu, cela exclut aussi le test $z$. Concernant le test $t$ ou le test de médiane, cela va dépendre des données : si l'asymétrie est extrême dans l'un ou l'autre groupe, le test $t$ n'est plus possible et il ne reste que le test de médiane. Dans le cas contraire, ces deux tests sont admissibles, mais le test $t$ est le plus puissant des deux et est donc à préférer.

**7.** Il ne s'agit pas d'un sondage puisque la totalité des employés ont répondu. Il s'agit d'un recensement et il n'y a pas d'erreur d'échantillonnage. La réponse est que les opinions ne sont pas égales car 4, 5 et 3 ne sont pas égaux.

# 11. Solutions du chapitre 11

**1.** (a) $F_{(3, 36)}$ n'est pas dans la table, la valeur critique la plus proche est $F_{(3, 30)} = 2.92$ ; (b) $F_{(3, 16)}$ n'est pas dans la table non plus mais $F_{(3, 15)}$ vaut 3.29 ; (c) $F_{(7, 32)}$ n'est pas tabulé et le plus proche est $F_{(6, 30)}$ qui vaut 2.42. Avec un ordinateur, on trouve la valeur exacte pour $F_{(7, 32)}$, soit 2.31. Quand on ne trouve pas la valeur critique précise, il faut prendre une valeur critique un peu plus grande (i. e. réduire les degrés de liberté) pour que le risque d'erreur soit de $\alpha$ ou moins.

**2.** a) Les degrés de liberté intragroupes correspondent aux degrés de liberté si on calculait une variance regroupée dans chaque groupe. Or, pour chaque groupe, on enlève un degré de liberté. Si les quatre groupes sont égaux avec $n$ participants, cela revient à faire $(n - 1)$ multiplié par quatre. Comme les groupes ne sont pas égaux, il obtient $3 + 5 + 4 + 7 = 19$.

b) L'intergroupe est toujours le nombre de groupes moins un, peu importe le schème expérimental, donc $4 - 1 = 3$.

c) Les degrés de liberté totaux sont la somme des deux précédents, soit 22. Ils s'obtiennent aussi en prenant le nombre total de données et en enlevant un. Ici, $4 + 6 + 5 + 8 = 23$ moins 1, donc 22.

d) Ce ne sera pas possible car les groupes n'ont pas au moins 10 participants et le déséquilibre entre le groupe le plus grand (8 sujets) et le groupe le plus petit (4 sujets) est trop grand. L'une ou l'autre de ces raisons aurait été suffisante pour empêcher de faire un Tukey.

**3.** (a) la variance intragroupe ($CM_e$) vaut 36.1 ; (b) les moyennes sont 101.4, 100.6 et 105.6 pour une moyenne globale de 102.5 ; la variance intergroupe ($CM_{intra}$) vaut 19.3 ; (c) les variances sont comparable, la variance inter étant 1.9 fois plus grande que la variance intra. (d) (i) $H_0$ : les groupes ont la même moyenne ; (ii) le seuil est de 5 % ; (iii) le test est Rejet de $H_0$ si $CM_{inter}/CM_{intra} > F_{5\%}(2, 12)$. $F_{5\%}(2, 12) = 3.9$ ; (iv) le ratio vaut 1.9. C'est donc un non-rejet : (e) Les moyennes ne sont pas significativement différentes ($F(2,12) = 1.9$, $p > .05$).

**4.** Le $CM_e$ vaut 4.1 et le $CM_{inter}$ vaut 18.1 pour un ratio de 4.43. La valeur critique $F_{5\%}(2,9)$ n'est pas disponible dans la table mais $F_{5\%}(2, 8) = 4.45$ alors qu'un ordinateur nous apprend que $F_{5\%}(2, 9) = 4.26$. Ici, connaître la valeur critique exacte fait toute la différence car la différence est significative (i. e. le ratio observé est plus grand que la valeur critique). (c) En statistique, un rejet de $H_0$ signifie le statu quo : on ne sait pas si les groupes A et B diffèrent, et on ne sait pas si les groupes B et C diffèrent. Il n'y a donc pas d'inconsistance. Avec un échantillon très grand, l'une ou l'autre ou les deux de ces différences finiraient par être significatives.

**5.** (a) avec le test $t$, on trouve une différence tout juste significative ($t(6) = -2.449$ alors que la valeur critique est $-2.446$, $p < .05$) ; (b) avec le test d'ANOVA, on trouve la même chose ($F(1,6) = 6.0$ alors que la valeur critique est $F_{5\%}(1,6) = 5.99$, $p < .05$). Si on prend le $t$ trouvé et qu'on le met au carré, on trouve le F : $-2.449^2 = 6.00$.

**6.** (a) il est préférable que les participants diffèrent le moins possible. De cette façon, le dénominateur ($CM_{intra}$) sera petit, et diviser par un petit chiffre a plus de chance de donner un grand ratio, d'où plus de chance que le ratio dépasse la valeur critique. (b) Inversement, il est préférable que les moyennes diffèrent beaucoup, ce qui donne un grand numérateur ($CM_{inter}$) avec, encore une fois, une plus grande chance que la valeur critique soit dépassée.

**7.** Si le ratio $F$ est petit, ceci signifie que les moyennes ne diffèrent presque pas, et donc que l'hypothèse est presque certainement correcte. Seuls les grands $F$ peuvent permettre de rejeter l'hypothèse nulle (d'où un test unicaudal à droite) ; si l'hypothèse est rejetée, alors une des moyennes est plus grande qu'une autre, mais en contrepartie une des moyennes est plus petite qu'une autre. On ne peut logiquement pas avoir un effet sans l'autre, et donc on ne peut que chercher une différence sans cibler si elle est en moins ou en plus (si différences il y a, elles seront les deux).

## 12. Solutions du chapitre 12

**1.** (a) interaction $F_{5\%}(8,60) = 2.10$; effet A $F_{5\%}(2,60) = 3.15$; effet B $F_{5\%}(4,60) = 2.53$; (b) interaction $F_{5\%}(2,30) = 3.32$; effet A $F_{5\%}(1,30) = 4.17$; effet B $F_{5\%}(2,30) = 3.32$; (c) interaction $F_{5\%}(1,120)$ vaut $\approx 2.46$; effet A $F_{5\%}(4,120) \approx 3.94$; effet B $F_{5\%}(4,120) \approx 2.46$.

**2.** (a) non, il n'y a pas de moyennes intermédiaires entre les deux moyennes extrêmes (qui elles sont testées par l'ANOVA); non, quand les groupes sont inégaux, il faut que le plus petit groupe contienne au moins 10 participants.

**3.** Le graphique des moyennes peut être vu de deux façons (la maladie sur l'axe horizontal ou le dosage sur l'axe horizontal), ce qui donne la Figure A2.6.

**Figure A2.6**

**Réponse pour la question 3.**

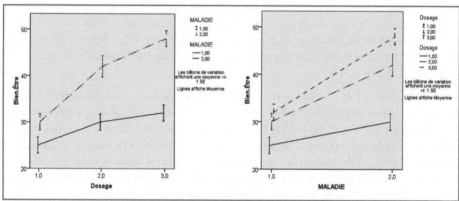

Il y a une interaction car les lignes s'écartent les unes des autres (elles ne sont pas parallèles). Pour le confirmer, il faut tester l'interaction. Elle se révèle significative ($F(2, 12) = 4.57$, $p < .05$). Il faut donc faire des effets simples. Par exemple, regarder l'effet du dosage lorsque les personnes souffrent de dépression (la tranche de gauche dans le premier graphique) puis l'effet du dosage lorsque les personnes souffrent de phobie (la tranche de droite dans ce même graphique).

**4.** L'interprétation pourrait ressembler à « Il y a une interaction significative entre le sexe des participants et l'anxiété ($F(x, y) = z$, $p < .05$). Lorsque les participants sont des hommes, le QI baisse significativement lorsque des terroristes entrent avec des mitraillettes ($F(x, y) = z$, $p < .05$ [il s'agit du premier effet simple]). Au contraire, lorsque les participants sont des femmes, le QI augmente significativement dans la condition où des terroristes entrent avec des mitraillettes ($F(x, y) = z$, $p < .05$ [il s'agit du second effet simple]) ».

**5.** Non, tout au contraire. Comme la variabilité entre les sujets va diviser la variabilité entre les conditions, il est préférable de diviser par un petit chiffre si on veut dépasser une valeur critique. Par exemple, supposons que la variabilité intergroupe est de 100. Si la variabilité intragroupe est de 10, la division donne 10 et on dépasse sans doute la valeur critique (rejet de $H_0$). Si la variabilité intragroupe est de 40, la division donne 2.5 et on ne dépasse sans doute pas la valeur critique, d'où le statu quo (non-rejet de $H_0$). Pour connaître avec exactitude la valeur critique, il faut disposer des degrés de liberté, donc les chiffres ici sont purement indicatifs.

# 13. Solutions du chapitre 13

**1.** (a) il ne peut pas y avoir d'interaction puisqu'il n'y a qu'un seul facteur ; effet A $F_{5\%}$ (6,30) = 2.42 ; (b) interaction $F_{5\%}$ (8,48) ≈ 2.18 ; effet A $F_{5\%}$ (2,12) = 3.89 ; effet B $F_{5\%}$ (4,48) ≈ 2.61 ; (c) interaction $F_{5\%}$ (2,10) = 4.10 ; effet A $F_{5\%}$ (1,5) = 6.61 ; effet B $F_{5\%}$ (2,10) = 4.10.

**3.** (a) La présence de trois termes d'erreurs permet de connaître le type de schème : seul le schème factoriel à mesures répétées uniquement en possède autant. Comme les degrés de liberté sont toujours un de moins que le nombre de niveaux, on déduit donc qu'il s'agit d'un schème (2 × 4) à 8 mesures répétées.
(b) Ici, on voit que l'interaction est significative puisque la valeur critique pour 3, 12 degrés de liberté vaut 3.49 et que le $F$ obtenu est de 6.2 pour l'interaction. On a tellement peu d'information que n'importe quel type d'interaction ferait l'affaire. Je dessinerai une interaction croisée.
(c) La valeur critique pour (1,7) degrés de liberté vaut 7.7. Donc, les trois premiers effets simples sont significatifs. C'est-à-dire que lorsqu'ils sont mesurés dans la condition $b_4$, ils ne diffèrent pas mais ils diffèrent pour les trois autres. Un possible graphique est donc celui de la Figure A2.7.

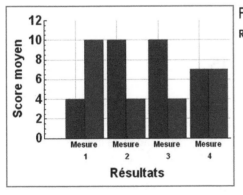

**Figure A2.7**

**Réponse possible pour la question 3c).**

Cependant, d'autres patrons de résultats sont possibles, e.g. les bleus plus haut que les mauves. La mesure 4 avec des moyennes beaucoup plus hautes (ou encore beaucoup plus basses), etc.
(d) On commence à avoir un portrait plus clair des données, comme à la Figure A2.8.

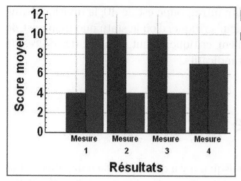

**Figure A2.8**
Réponse possible à la question 3d).

Par contre, on ne sait toujours pas où se situe la mesure 4 par rapport aux autres. Ces imprécisions montrent l'importance de faire un graphique des moyennes avant de faire des analyses. L'analyse dit ce qui est significatif, mais ne dit pas comment les choses diffèrent significativement les unes des autres.

# 14. Solutions du chapitre 14

**1.** Elle a dû observer que ses données ne se distribuaient pas de façon normale (trop d'asymétrie ou bimodalité marquée).

**2.** Les données devaient satisfaire le postulat de normalité mais échouer concernant la sphéricité des données (un $\varepsilon_{GG}$ en bas de 0.7).

# 15. Solutions du chapitre 15

**1.** a) Ici, la taille d'effet absolue est de 3 points (l'écart entre 78 et 75). Comme l'écart type de la population semble connue (comment?) et vaut 4, l'effet relatif est de 3/4, soit 0.75. Il s'agit d'un grand effet, si on suit la convention adoptée en psychologie. Le paramètre de non-centralité est donné par $\lambda_t = \dfrac{\delta}{\sqrt{2}} \sqrt{n} = \dfrac{0.75}{\sqrt{2}} \sqrt{29} = 2.86$.

b) La valeur critique pour un test sur deux groupes avec 56 degrés de liberté (nombre total de sujets moins 2) est entre 2.004 et 2.000 (pour 55 et 60 degrés de liberté respectivement). Prenons le plus sévère, 2.004.

c) Il faut dessiner une distribution de Student (semblable à la courbe en cloche de la distribution normale) décalée par le paramètre de non-centralité. Cela donne précisément la Figure A2.9.

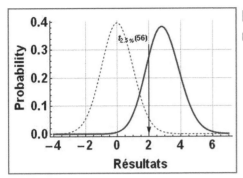

**Figure A2.9**

Réponse à la question 1c.

La puissance se mesure par la proportion de l'aire sous la courbe qui se trouve au-delà de la valeur critique. Inversement la proportion de l'aire située au-dessous de la valeur critique est la probabilité d'une erreur de type II. Dans le cas présent, on peut estimer à l'œil 3/4, soit 75 %.

d) En consultant le tableau 4 du chapitre 15, dans la colonne « Grand », on trouve 29 justement sous le tableau pour la puissance de 80 % (avec SPSS, on trouve 80.1 %.) Si l'échantillon passe à 47, on atteint une puissance de 95 % (avec SPSS, on trouve exactement 93.8 %), soit une puissance très confortable.

**2.** a) L'écart type entre les scores. Imaginons que les scores sont des QI, les résultats seraient alors 100, 113 et 116. En calculant l'écart type de ces trois nombres, on trouve 8.5. Si au lieu de 100, on prend n'importe quel autre score (e. g. 200, 213, 216), on retrouve de toute façon le même écart type. L'effet relatif est le rapport entre la variance entre les résultats et la variance totale (variance entre les résultats et variance entre les scores). Attention ici, il faut prendre les variances, donc mettre 8.5 au carré et 16 au carré. On trouve alors 72.25/(72.25+256), soit 0.220. Il s'agit d'un grand effet selon la convention en vigueur. Le paramètre de non-centralité vaut 0.282.
b) Avec le tableau 7, on trouve que 18 participants par groupe, on trouve une puissance de 80 %. Cela signifie donc un total de 54 participants.

**3.** (a) 5 %/ (95 % + 5 %) = 5 %; (b) 5 %/(5 % + 95 %) = 5 %; (c) cette situation est impossible : si on rejette $H_0$, c'est soit une décision correcte ou une erreur de type I.

**4.** Erreur de type II : 5 %/ (5 % + 90 %) = 5.3 %; erreur de type I : 10 %/(5 % + 90 %) = 11 %.

**5.** Il doit accroître la fidélité des mesures, soit (a) en utilisant un meilleur instrument de mesure si c'est possible (un meilleur questionnaire, un meilleur appareillage). Dans tous les cas, ceci implique des coûts ; (b) en ayant des sujets plus homogènes pour réduire l'erreur expérimentale soit en donnant des consignes plus claires (e. g. utiliser toute l'échelle sur une échelle de Lickert), en motivant les participants (e. g. offrir un cadeau bonus), ou en excluant des sujets différents (e. g. ne conserver que les droitiers). Il faut alors s'assurer que l'expérience est toujours valable en termes de validité externe ; (c) augmenter l'effet étudié en augmentant la différence entre les conditions (e. g. accroître les niveaux de difficulté, les dosages, etc.) mais attention à respecter l'éthique. Par exemple, les dosages utilisés ne doivent pas avoir d'effets secondaires.

# SYNTHÈSE

# Synthèse des tests statistiques

```
Aspect d'intêret (début)
 └─Tendance centrale
    ├─1 groupe
    │  ├─Population pas normale ........................................Test sur médiane
    │  ├─Population normale, σ connue ...........................Test z sur un groupe
    │  └─Population ≈ normale, σ inconnue ......................Test t sur un groupe
    ├─Un facteur
    │  ├─2 groupes indépendants
    │  │  ├─Population pas normale ...............................................*
    │  │  ├─Population normale, σ connue .......................Test z sur deux groupes
    │  │  └─Population ≈ normale
    │  │     ├─σ inconnue et homogène ...........................Test t sur deux groupes
    │  │     └─σ inconnue et hétérogène ............................... Test de Welch
    │  ├─2 mesures répétées (inclue données appariées et avant-après)
    │  │  ├─Population pas normale ...........................Test sur mesures répétées
    │  │  ├─Population normale, σ connue ....................Test z sur mesures répétées
    │  │  └─Population ≈ normale, σ inconnue ...............Test t sur mesures répétées
    │  ├─2 groupes indépendants ou plus
    │  │  ├─Population pas normale ....................................................*
    │  │  ├─Population normale, σ connue .............................................?
    │  │  └─Population normale, σ inconnue
    │  │     ├─Variances homogènes ...................................... Test d'ANOVA p
    │  │     └─Variances hétérogènes ...........................................**
    │  └─2 mesures répétées ou plus
    │     ├─Population pas normale ...................................................*
    │     ├─Population normale, σ connue ............................................?
    │     └─Population normale, σ inconnue
    │        ├─Variances-covariances sphériques .....................Test d'ANOVA (p)
    │        └─Variances-covaraines non sphériques ...........................**
    └─Deux facteurs (ou plus)
       ├─2 niveaux ou plus par facteur, groupes indépendants
       │  ├─Population pas normale .....................................................*
       │  ├─Population normale, σ connue ..............................................?
       │  └─Population normale, σ inconnue
       │     ├─Variances homogènes .................................Test d'ANOVA p × q
       │     └─Variances hétérogènes .........................................**
       ├─2 niveaux ou plus par facteur, mesures répétées
       │  ├─Population pas normale .....................................................*
       │  ├─Population normale, σ connue ..............................................?
       │  └─Population normale, σ inconnue
       │     ├─Variances-covariances sphériques .................Test d'ANOVA (p × q)
       │     └─Variances-covariances non sphériques ............................**
       └─2 niveaux ou plus par facteur, schème mixte
          ├─Population pas normale .....................................................*
          ├─Population normale, σ connue ..............................................?
          └─Population normale, σ inconnue
             ├─Variances-covariances homogènes ...................Test d'ANOVA p × (q)
             └─Variances-covariances hétérogènes............................**
```

```
Aspect d'intêret (fin)
  Normalité des données
    1 groupe ....................................................... Test de KS/L
  Rpartition des effectifs
    1 liste, 2 critères .............................................. Test binomial
    1 liste, 2 critères ou plus .................................... Test $\chi^2$
    1 tableau, 2 critères ou plus .............................. Test $\chi^2$
  Dispersion et covariation
    1 groupe ...................................................... Test de $\chi^2$
    2 groupes ...................................................... Test F
    2 groupes ou plus .......................................... Test de Levene
    2 mesures répétées ou plus .......................... Test de sphréricité $\epsilon_{GG}$
    Schémes mixtes ........................................... Test de Box
```

## Survol des grandes classes de tests statistiques

Notes aux différentes tables qui suivent

(1) Testé avec un test de Levene
(2) Testé avec un test de Epsilon GG
(3) Testé avec un test de Box

(4) L'hypothèse nulle peut être directionnelle ou non directionnelle
(5) L'hypothèse nulle est uniquement non directionnelle
Le signe ~ signifie "Exactement distribué" alors que le signe ≈ signifie "Approximativement distribué"

## 1 Sur des statistiques descriptives

| Nom du test | Type de mesures | Hypothèses | Nombre d'échantillons (variantes) | Basé sur | Précautions | Type d'échelle | Utilise pour val crit |
|---|---|---|---|---|---|---|---|
| *a tendances centrales* | | | | | | | |
| test binomial | médiane (4) | $H_0: M =$ ___<br>$H_0: M_1 = M_2$ | 1 groupe (test de la médiane)<br>2 mesures répétées | score pas Normal | | ordinal ou type II | table B |
| test $z$ | moyenne (4) | $H_0: \mu =$ ___<br>$H_0: \mu_1 = \mu_2$<br>$H_0: \mu_{avant} = \mu_{apres}$ | 1 groupe<br>2 groupes indépendants<br>2 mesures répétées | score ~ Normal | σ connu | type II | table $z$ |
| test $t$ | moyenne (4) | $H_0: \mu =$ ___<br>$H_0: \mu_1 = \mu_2$<br>$H_0: \mu_{avant} = \mu_{apres}$ | 1 groupe<br>2 groupes indépendants<br>2 mesures répétées (pairées) | score ≈ Normal | | type II | table $t$ |
| ANOVA | moyenne (5) | $H_0: \mu_1 = \mu_2 ... = \mu_p$ | 2 groupes indépendants ou plus<br>2 mesures répétées ou plus | score ~ Normal | variances homogènes (1)<br>sphéricité (2) | type II | table F |
| ANOVA factoriel | moyenne (5) | $H_0$: Pas d'interaction<br>suivi de<br>$H_0$: Pas d'effet principaux | 2 groupes ou plus - p x q<br>2 mesures répétées ou plus - ( p x q )<br>mixte - p x (q) | score ~ Normal | variances homogènes (1)<br>sphéricité (2)<br>var-covar homogènes (3) | type II | table F |
| *b variabilité* | | | | | | | |
| test $\chi^2$ | variance (4) | $H_0: \sigma =$ ___ | 1 groupe | score ~ Normal | | type II | table $\chi^2$ |
| test F | variance (4) | $H_0: \sigma_1 = \sigma_2$ | 2 groupe | score ~ Normal | | type II | table F |
| test de Levene | variance (5) | $H_0: \sigma_1 = \sigma_2 = ... = \sigma_p$ | $p$ groupe | score ~ Normal | | type II | table F |
| test de Box | covariance (5) | $H_0: cov_{12} = cov_{13} = ...$ | $p$ groupe | score ~ Normal | | type II | table F |

## 2 Sur des effectifs

| Nom du test | Type de mesures | Hypothèses | Nombre d'échantillons (variantes) | Basé sur | Précautions | Type d'échelle | Utilise pour val crit |
|---|---|---|---|---|---|---|---|
| *a en deux classes seulement* | | | | | | | |
| test de proportion | nombre de succès (4) | $H_0: p =$ ___ | 1 groupe | score ~ Binomial | | toutes | table B |
| *b en deux classes ou plus* | | | | | | | |
| test du $\chi^2$ | effectifs (5) | $H_0: n_i = a_i$ | 1 groupe (2 classes ou plus) | effectif ~ Normal | correctif de Yates | toutes | table $\chi^2$ |
| tableau de contingence (test du $\chi^2$ factoriel) | effectifs (5) | $H_0$: Pas d'interaction | 1 groupe (2 classes ou plus) | effectif ~ Normal | correctif de Yates | toutes | table $\chi^2$ |

## 3 Sur la distribution

| Nom du test | Type de mesures | Hypothèses | Nombre d'échantillons (variantes) | Basé sur | Précautions | Type d'échelle | Utilise pour val crit |
|---|---|---|---|---|---|---|---|
| *a la distribution normale* | | | | | | | |
| test de Kolmogorov-Smirnov/Lilliefors | données brutes (5) | $H_0: X$ ~ Normal | 1 groupe | | | type II | table D |

# GLOSSAIRE

$$\sum \sum_{i} \sum_{i=1}^{n}$$

Voir sommation. Les trois symboles sont identiques; cependant le troisième indique formellement quel indice varie ($i$ dans l'exemple) et combien d'éléments l'on doit sommer ($n$ dans l'exemple). Les première et seconde notations supposent que ces informations sont non ambiguës dans le contexte utilisé. Ex: $\sum_{i=1}^{10} i$ = 55 . Si les observations $X$ sont {4, 8, 11, 13}, alors $\sum_{i} X_i$ = 36. Dans ce deuxième exemple, l'indice $i$ va de 1 à 4, puisqu'il y a quatre observations.

## !: $r!$

donne la factorielle de $r$, soit $r! = r \times (r - 1) \times (r - 2) \times ... \times 3 \times 2 \times 1$. Par définition, $0! = 1$. La factorielle est aussi parfois définie par la fonction $\Gamma$, tel que $\Gamma (r+1) = r!$

## | |

Valeur absolue. $| x |$ donne la valeur de $x$, dépouillée de son signe plus ou moins. Lors d'une expression telle $| x - y |$, il faut voir la valeur absolue comme la *distance* séparant x et y, une distance étant une valeur sans signe. Par ailleurs, deux conditions du genre « si x > 5 ou x < −5» peut être simplifiée par « si $| x | > 5$ ».

## Alphabets

Différents alphabets sont utilisés pour représenter les concepts en statistiques. Dans ces notes de cours, nous allons utiliser l'alphabet grec (voir ci-dessous) pour représenter des paramètres d'une population (souvent inconnue), l'alphabet cursif (tel $\mathcal{N}$ ; $\mathcal{F}$ ; $\mathcal{B}$; etc.) pour représenter des distributions, et le gras majuscule (tel $X$, $X_i$, $Y$, etc.) pour représenter des variables aléatoires.

## Alphabet grec

Les lettres grecques sont (majuscule et minuscule): $A$, $\alpha$ (alpha); $B$, $\beta$ (bêta); $\Gamma$, $\gamma$ (gamma); $\Delta$, $\delta$ (delta); $E$, $\varepsilon$ (epsilon); $Z$, $\zeta$ (zêta); $H$, $\eta$ (êta); $\Theta$, $\theta$ (thêta); $I$, $\iota$ (iota); $K$, $\varkappa$ (kappa); $\Lambda$, $\lambda$ (lambda); $M$, $\mu$ (mu); $N$, $\nu$ (nu); $\Xi$, $\xi$ (xi); $O$, $o$ (omicron); $\Pi$, $\pi$ (pi); $P$, $\varrho$ (rhô); $\Sigma$, $\sigma$ (sigma); $T$, $\tau$ (tau); $Y$, $\upsilon$ (upsilon); $\Phi$, $\phi$ (phi); $X$, $\chi$ (chi); $\Psi$, $\psi$ (psi); et $\Omega$, $\omega$ (ômega).

## Arrondis et nombre de chiffres significatifs

Lorsque l'on collecte une mesure sur un individu, l'instrument de mesure utilisé n'a jamais une précision infinie. Par exemple, pour mesurer la taille d'un individu, on utilise une règle graduée en centimètre. La mesure obtenue sera donc du genre 1m 56 cm ± 0.5 cm, ou encore: 1.560 ± 0.005. Autrement dit, la dernière décimale ci-dessus est incertaine. Il y a donc 3 nombres qui sont sûrs, qu'on appelle le nombre de chiffres significatifs. Puisque les observations ne sont sûres qu'à trois nombres significatifs (les autres décimales étant incertaines), tous les calculs faits sur ces observations (moyenne, tests, etc.) doivent être rapportés avec trois nombres significatifs aussi. Comme les ordinateurs et les calculatrices rapportent souvent plus de décimales (ils ne savent pas où débutent les nombres incertains), vous devez arrondir en conséquence. En règle générale, les instruments utilisés en psychologie ont de deux à trois nombres significatifs. Pour des besoins très pointus cependant, il est possible de construire des instruments de mesure plus précis.

### Donnée, donnée brute

Une mesure obtenue de la population cible. Un ensemble de données constitue l'échantillon. Souvent, pour différencier les données brutes, on va les assigner à un ensemble d'observations $\mathbf{X}$, tel que la première mesure obtenue sera notée $\mathbf{X}_1$, la seconde $\mathbf{X}_2$, la $i^{\text{ème}}$ $\mathbf{X}_i$, et finalement, la dernière, $\mathbf{X}_n$. Ici, on suppose que $n$ dénote le nombre total d'observations échantillonnées, et est une constante dans le contexte d'une expérience. On peut aussi voir l'échantillon comme un ensemble $\{\mathbf{X}_i\}$, où $i$ prend les valeurs de 1 à $n$.

### Écart type d'un échantillon $s_X$

L'écart type d'un échantillon est donné par la racine carrée de la variance d'un échantillon. Parce que l'écart type s'exprime dans la même unité de mesure que les données brutes, on rapporte plus souvent cette mesure que la variance.

### Échantillon

Ensemble de données brutes (observations) extrait d'une population cible. En méthodologie scientifique, on distingue différents types d'échantillons: l'échantillon aléatoire implique que la sélection des observations se fait entièrement par hasard, tous les éléments de la population ayant une chance égale d'apparaître dans l'échantillon. Dans l'échantillon contrôlé, les éléments sont choisis selon certains critères préétablis (par exemple, dans une étude sur des étudiants universitaires, l'échantillon sera formé en choisissant un nombre égal d'étudiants au premier, second, et troisième cycle). Deux échantillons sont appariés lorsque la sélection des sujets se fait par paires identiques sur certains points (par exemple, deux groupes peuvent contenir le même nombre d'individus de même sexe, de même âge, etc.).

### Erreur de type I

Une erreur dans la conclusion d'une recherche qui survient lorsque le chercheur rejette son hypothèse de recherche $H_0$ alors qu'elle est vraie dans la population. Le risque que cette erreur survienne est quantifiable et choisi *a priori* par le chercheur en ajustant son seuil de décision.

### Erreur de type II

Une erreur dans la conclusion d'une recherche qui survient lorsque le chercheur affirme son hypothèse de recherche $H_0$ alors qu'elle est fausse dans la population en général. Le risque que cette erreur survienne est difficilement quantifiable (voir chapitre 15). La meilleure façon de réduire le risque de commettre une erreur de type II est d'augmenter la taille de l'échantillon.

### Erreur type de la moyenne

L'erreur type de la moyenne est une mesure de l'erreur d'estimation de la moyenne observée. Par exemple, lorsque nous calculons la moyenne d'un échantillon, nous cherchons souvent à estimer la moyenne de la population. Or, à cause d'erreur d'échantillonnage, notre moyenne estimée risque fort de ne pas être parfaitement égale à la moyenne de la population entière. Cependant, il est possible d'estimer notre erreur grâce à l'erreur type. L'erreur type devrait toujours se trouver sous forme de barres d'erreur dans un graphe rapportant des moyennes.

### Hypothèse nulle $H_0$

L'hypothèse nulle est toujours l'hypothèse de recherche qui affirme une absence d'effet de la variable dépendante faisant l'objet de la recherche. Les méthodes de statistiques inductives ne pouvant que déceler des différences, elles peuvent soit a) rejeter l'hypothèse nulle, ou b) ne pas rejeter l'hypothèse nulle. Il est impossible d'avoir une preuve absolument certaine de l'hypothèse nulle car l'approche statistique est basée sur un échantillonnage qui peut être non représentatif, biaisé ou encore trop petit.

## Logarithme

La fonction logarithme *log(x)* donne le nombre *y* tel que $10^y$ donne *x*. Par exemple, *log(1 000)* = 3 car $10^3$ donne 10 × 10 ×10, soit 1 000. La fonction *ln(x)* est semblable, excepté qu'elle utilise la base *e* =2.71828 plutôt que 10.

## Médiane $\breve{X}$

La médiane est une valeur qui divise un ensemble d'observations en deux sous-ensembles de taille égale tels que tous les éléments du premier sous-groupe sont inférieurs à la médiane, et tous les éléments du second sous-groupe, supérieurs. Pour calculer la médiane sur un échantillon, il faut trier les observations en ordre croissant, puis a) si *n* est impair, choisir la donnée qui se trouve au centre de la série, ou b) si *n* est pair, choisir la moyenne des deux observations les plus centrales. Par exemple, étant donné l'échantillon (déjà trié) $\mathbf{X} = \{2, 4, 6, 7, 8, 9, 11\}$, la médiane est 7.

## Mode $\mathring{X}$

Le mode correspond au score que l'on retrouve le plus souvent dans un échantillon. Les échantillons peuvent être unimodaux (par ex. $\mathbf{X} = \{1, 3, 3, 3, 4, 4, 6\}$), plurimodaux (par ex. $\mathbf{X} = \{1, 3, 3, 3, 4, 4, 4, 6\}$) ou encore amodaux (par ex. $\mathbf{X} = \{1, 3, 4, 5, 6\}$). Si les données sont présentées sous forme de graphique en histogramme, le mode correspond à l'histogramme le plus élevé.

## Moyenne arithmétique $\overline{X}$

La moyenne arithmétique (le type de moyenne le plus souvent utilisé). La moyenne se calcule en faisant la somme des observations, puis en divisant par le nombre d'observées, noté $\frac{1}{n}\sum \mathbf{X}_i$. Par exemple, si $\mathbf{X} = \{2, 4, 6, 7, 8, 11, 18\}$, $\overline{X} = 8$. À partir d'un graphique en histogramme, la moyenne est le point sur l'abscisse qui tient la distribution en équilibre (c'est-à-dire le centre de gravité de la distribution).

## Moyenne harmonique $\widetilde{X}$

La moyenne harmonique correspond à l'inverse multiplicatif de la moyenne des inverses des données brutes, notée $\dfrac{1}{\frac{1}{n}\sum_{i=1}^{n}\frac{1}{X_i}}$. Par exemple, si $\mathbf{X} = \{2, 4, 6, 7, 8, 11, 18\}$, $\widetilde{X} = 5.26$. L'idée sous-jacente à ce type de moyenne vient du fait qu'on peut considérer des ratios (des taux de changement) plus efficacement en considérant l'inverse multiplicatif des données. Soit $\mathbf{Z}_i = 1/\mathbf{X}_i$. Si l'on calcule $\overline{Z} = \frac{1}{n}\sum_i \mathbf{Z}_i$, l'on obtient $\overline{Z} = \frac{1}{n}\sum_i 1/\mathbf{X}_i$ d'où il s'ensuit que $\widetilde{X} = 1/\overline{Z} = \dfrac{n}{\sum \frac{1}{X_i}}$

## Paramètre d'une population

Le paramètre est une valeur caractérisant une population. Il représente souvent une quantité inconnue que l'on tente d'estimer au moyen de méthodes statistiques. Par exemple, la taille moyenne $\mu$ d'une population d'individus est inconnue, mais on l'estime à l'aide de la moyenne arithmétique $\overline{X}$ d'un échantillon. Les paramètres d'une population sont souvent dénotés par des lettres grecques (par exemple, $\mu$ et $\sigma$).

## Sommation

Addition d'une suite de termes, généralement des éléments tirés d'un ensemble de valeurs. La sommation est très utilisée en statistique, et pour faciliter sa notation, le symbole $\sum$ est utilisé.

## Statistique d'un échantillon

Valeur extraite d'un échantillon et censée être représentative de la population ou pouvant être utilisée dans un test statistique. Par exemple, la taille moyenne d'un échantillon d'enfants de cinq ans habitant l'Amérique est une statistique.

## Statistique descriptive

Branche des statistiques servant à décrire un échantillon, soit en utilisant des graphiques (tel le graphique des histogrammes) ou en calculant des valeurs représentant les données de façon condensée (*summary values*).

## Statistique inductive

Branche des statistiques permettant de prendre une décision sur une population à partir de l'étude d'un échantillon représentatif (aussi appelée statistique inférentielle).

### Statistiques (pl.)

Branche des mathématiques qui étudie les propriétés d'échantillons extraits d'une population plus large, en utilisant des postulats de base décrivant la population, et la taille de l'échantillon. Les statistiques s'opposent aux probabilités, qui étudient les propriétés d'une population entière, étant donné des postulats de base. Souvent, les probabilités sont complémentaires des statistiques car les postulats de base sont parfois vagues et leurs conséquences sont explorées par les probabilistes.

### Test statistique

Méthode de la statistique inductive permettant de faire des inférences sur la valeur d'un paramètre d'une ou plusieurs populations à partir d'une ou plusieurs statistiques obtenues d'un échantillon. Par exemple, un test peut être utilisé pour décider si la taille moyenne des Nord-Américains est supérieure à la taille moyenne des Africains, étant donné que nous avons accès à un échantillon de 500 Africains et 500 Nord-Américains.

### Variable, variable aléatoire

Attribut ou caractéristique d'une population qui peut faire l'objet d'une mesure. Les mesures, ou observations (données brutes), sont collectées dans un ensemble qui est représenté par une lettre (toujours gras et majuscule). Souvent, on utilise $X$ ou $Y$, quoique ce choix soit arbitraire. Ce type de variable est dit aléatoire car les valeurs exactes ne sont jamais connues à l'avance. Par exemple, soit $X$ l'ensemble contenant la taille des étudiants de cette classe.

### Variable dépendante

La mesure obtenue de la population qui est le sujet des hypothèses du chercheur. Chaque mesure est une donnée brute.

### Variable indépendante

Le ou les facteurs que le chercheur manipule (méthode expérimentale) ou met en relation (méthode corrélationnelle) pour évaluer les effets sur la variable dépendante. Par exemple, quels sont les effets de la qualité de la nutrition et de la quantité d'exercice sur la taille atteinte à l'âge adulte. Ici, la taille à l'âge adulte est la variable dépendante. Si l'étude est effectuée sur des humains, il s'agit sans doute (pour des raisons d'éthique) d'une étude corrélationnelle.

### Variance d'un échantillon $s_x^2$

La variance d'un échantillon est donnée par la moyenne des écarts à la moyenne mis au carré. Cette moyenne est ajustée pour le biais, ce qui donne la formule $\frac{n}{n-1} \frac{1}{n} \sum_i (X_i - \overline{X})^2$. La variance étant un carré, elle s'exprime par l'unité de mesure des données brutes au carré. Par exemple, si les données sont des mètres, la variance s'exprime en mètres carrés. Par exemple, si $X = \{2, 4, 6, 7, 8, 11, 18\}$, alors $s_x^2 = 23.7$.

# LISTE DES FIGURES

# LISTE DES TABLEAUX

# LISTE DES ENCADRÉS

# BIBLIOGRAPHIE

Albarello, Luc, Bourgeois, É., & Guyot, Jean-Luc (2007). *Statistique descriptive*. Bruxelles, De Boeck Université.

Bressoux, P. (2008). *Modélisation statistique appliquée aux sciences sociales*. Bruxelles, De Boeck Université (coll. Méthodes en sciences humaines).

Cohem P., & Cohen J. (2002). *Applied Multiple Regression/Correlation Analysis for the Behavioral Sciences*, Third Edition. Lawrence Erlbaum.

Dagnelie, P. (2007). *Statistique théorique et appliquée*. Bruxelles, De Boeck Université.

Dancey, C., & Reidy, J. (2007). *Statistiques sans maths pour psychologues*. Bruxelles, De Boeck Université (coll. Ouvertures psychologiques).

Fox, W. (2000). *Statistiques sociales*. Bruxelles, De Boeck Université (coll. Méthodes en sciences humaines).

Haccoun, R. & Cousineau, D. (2006). *Statistiques : concepts et applications*. Presses de l'Université de Montréal.

Hayes, William Lee. (1971). *Statistics for the social sciences*, Holt, Rinehart and Winston.

Howell, David C. (2008). *Méthodes statistiques en sciences humaines*. Bruxelles, De Boeck Université (coll. Ouvertures psychologiques).

Johnson, N. L. & Leone, F. C. (1964). *Statistics and Experimental Design in Engeneering and the Physical Sciences*. New York : John Wiley and sons, inc.

Keppel, Geoffrey & Wickens, Thomas D. (2004) *Design and Analysis : A Researcher's Handbook* (4th Edition). Prentice Hall.

Méot, A. (2003) *Introduction aux statistiques inférentielles*. Bruxelles, De Boeck (coll. Méthodes en sciences humaines).

Milot, Gaël (2009). *Comprendre et réaliser les tests statistiques à l'aide de R*. Bruxelles, De Boeck Université.

Rose, C., Smith, M., D. (2001) *Mathematical Statistics with Mathematica*, New York : Springer-Verlag.

Siegel, Sidney & Castellan, N. John Jr. (1988) *Nonparametric Statistics for The Behavioral Sciences*, McGraw-Hill Humanities/Social Sciences/Languages.

Tabachnick, Barbara G. & Fidell, Linda S. (2006) *Using Multivariate Statistics* (5th Edition), Allyn & Bacon.

Winer, Benjamin, J., Brown, Donald, R. & Michels, Kenneth M. (1991) *Statistical Principles In Experimental Design*, McGraw-Hill Humanities/Social Sciences/Languages.

# WEBOGRAPHIE

## Un site contenant toutes les tables statistiques en version complète

http://www.york.ac.uk/depts/maths/tables/pdf.htm

Le présent ouvrage ne comprend qu'une version condensée des tables statistiques les plus fréquemment utilisées. Pour tout autre test, ou pour d'autres seuils de décision, il faut se référer à la table appropriée en format exhaustif.

## Une histoire des mathématiques et des mathématiciens

http://www.chronomath.com/

Site très coloré et parsemé d'anecdotes et de paradoxes sur les maths et ceux qui l'ont élaboré.

## Des exemples de syntaxe SPSS pour des tâches avancées

http://www.spsstools.net/SampleSyntax.htm

Ce site donne plusieurs centaines de syntaxes pour réaliser différentes tâches, que ce soit la gestion des variables, remplacer les données manquantes par la moyenne, gérer des chaînes de caractères, etc.

## Tutoriel SPSS de la Syracuse University Library

http://library.syr.edu/information/mgi/nds/software/spss/intro/index.html

Ce petit tutoriel de 10 minutes présente les bases de SPSS et la façon d'obtenir une syntaxe à partir de commandes réalisées avec les menus.

## Portail des probabilités et des statistiques sur Wikipédia

http://fr.wikipedia.org/wiki/Portail:Probabilit%C3%A9s_et_Statistiques

Wikipédia est sans conteste une excellente encyclopédie en ligne, et en ce qui concerne le contenu mathématique et statistique, une source très complète et très fiable.

## Worlfram Mathworld

http://mathworld.wolfram.com/
Une autre source très fiable pour les mathématiques et les statistiques.

## Tutorials in Quantitative Methods for Psychology

http://www.tqmp.org/
Cette revue en ligne se spécialise dans la publication de guides et d'outils pour réaliser des analyses statistiques avancées. Certains des tutoriels sont présentés à l'aide du logiciel SPSS.

## Le site web de « Panorama des statistiques »

http://mapageweb.umontreal.ca/cousined/panorama
Ce site web qui accompagne le livre contiendra à partir de l'hiver 2010 des démonstrations interactives classées par chapitre.

# INDEX

# TABLE DES MATIÈRES

## CHAPITRE 12
### L'ANALYSE DE VARIANCE AVEC DEUX FACTEURS . . . . . . . . . . . . . . . . . . . . . . . . . . . . . . . . 261

## CHAPITRE 13
### LES ANALYSES DE VARIANCES À MESURES RÉPÉTÉES . . . . . . . . . . . . . . . . . . . . . . . . . . . 291

## CHAPITRE 14
### LES LIMITES DES TESTS DE MOYENNES . . . . . . . . . . . . . . . . . . . . . . . . . . . . . . . . . . . . . 321

## CHAPITRE 15
### LA PUISSANCE D'UN TEST STATISTIQUE . . . . . . . . . . . . . . . . . . . . . . . . . . . . . . . . . . . . . 339

# La collection **«Ouvertures psychologiques»** se décline en **trois séries**

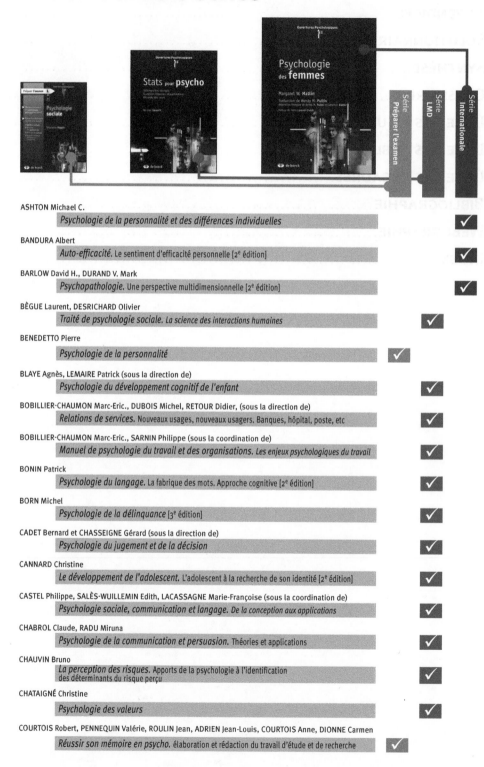

| | Série Préparer l'examen | Série LMD | Série Internationale |
|---|:---:|:---:|:---:|
| **ASHTON Michael C.**<br>*Psychologie de la personnalité et des différences individuelles* | | | ✓ |
| **BANDURA Albert**<br>*Auto-efficacité.* Le sentiment d'efficacité personnelle [2e édition] | | | ✓ |
| **BARLOW David H., DURAND V. Mark**<br>*Psychopathologie.* Une perspective multidimensionnelle [2e édition] | | | ✓ |
| **BÈGUE Laurent, DESRICHARD Olivier**<br>*Traité de psychologie sociale.* La science des interactions humaines | | ✓ | |
| **BENEDETTO Pierre**<br>*Psychologie de la personnalité* | ✓ | | |
| **BLAYE Agnès, LEMAIRE Patrick (sous la direction de)**<br>*Psychologie du développement cognitif de l'enfant* | | | ✓ |
| **BOBILLIER-CHAUMON Marc-Eric., DUBOIS Michel, RETOUR Didier, (sous la direction de)**<br>*Relations de services.* Nouveaux usages, nouveaux usagers. Banques, hôpital, poste, etc | | | ✓ |
| **BOBILLIER-CHAUMON Marc-Eric., SARNIN Philippe (sous la coordination de)**<br>*Manuel de psychologie du travail et des organisations.* Les enjeux psychologiques du travail | | | ✓ |
| **BONIN Patrick**<br>*Psychologie du langage.* La fabrique des mots. Approche cognitive [2e édition] | | | ✓ |
| **BORN Michel**<br>*Psychologie de la délinquance* [3e édition] | | | ✓ |
| **CADET Bernard et CHASSEIGNE Gérard (sous la direction de)**<br>*Psychologie du jugement et de la décision* | | | ✓ |
| **CANNARD Christine**<br>*Le développement de l'adolescent.* L'adolescent à la recherche de son identité [2e édition] | | | ✓ |
| **CASTEL Philippe, SALÈS-WUILLEMIN Edith, LACASSAGNE Marie-Françoise (sous la coordination de)**<br>*Psychologie sociale, communication et langage.* De la conception aux applications | | | ✓ |
| **CHABROL Claude, RADU Miruna**<br>*Psychologie de la communication et persuasion.* Théories et applications | | | ✓ |
| **CHAUVIN Bruno**<br>*La perception des risques.* Apports de la psychologie à l'identification des déterminants du risque perçu | | | ✓ |
| **CHATAIGNÉ Christine**<br>*Psychologie des valeurs* | | | ✓ |
| **COURTOIS Robert, PENNEQUIN Valérie, ROULIN Jean, ADRIEN Jean-Louis, COURTOIS Anne, DIONNE Carmen**<br>*Réussir son mémoire en psycho.* élaboration et rédaction du travail d'étude et de recherche | | ✓ | |

| | Série Préparer l'examen | Série LMD | Série Internationale |
|---|:---:|:---:|:---:|
| **COUSINEAU Denis** | | | |
| *Panorama des statistiques pour psychologues.* Introduction aux méthodes quantitatives | | ✓ | |
| **CRAHAY M., DUTREVIS M. (sous la direction de)** | | | |
| *Psychologie des apprentissages scolaires* [2ᵉ édition] – à paraître | | ✓ | |
| **DANCEY Christine P., REIDY John (traduction : GAUVRIT Nicolas)** | | | |
| *Statistiques sans maths pour psychologues.* SPSS pour Windows | | | ✓ |
| **DARMAILLACQ Anne-Sophie, LÉVY Frédéric** | | | |
| *Ethologie animale.* Une approche biologique du comportement | | ✓ | |
| **DÉCAMPS Greg** | | | |
| *Psychologie du sport et de la performance* | | ✓ | |
| **DUMAS Jean E.** | | | |
| *Psychopathologie de l'enfant et de l'adolescent* [4ᵉ édition] | | ✓ | |
| **FERRAND Ludovic** | | | |
| *Cognition et lecture.* Processus de base de la reconnaissance des mots écrits chez l'adulte | | ✓ | |
| *Psychologie cognitive de la lecture.* Processus de reconnaissance de mots écrits | | ✓ | |
| **FERRAND Ludovic, AYORA Pauline** | | | |
| *Psychologie cognitive de la lecture.* Reconnaissance des mots écrits chez l'adulte | ✓ | | |
| **FISKE Susan T.** | | | |
| *Psychologie sociale* | | | ✓ |
| **GALIANO Anna-Rita** | | | |
| *Psychologie cognitive et clinique du handicap visuel* | | ✓ | |
| **GAUVRIT Nicolas** | | | |
| *Stats pour psycho.* 500 exercices corrigés. Questions-réponses récapitulatives. Résumés des cours | ✓ | ✓ | |
| **GOBET Fernand** | | | |
| *Psychologie du talent et de l'expertise.* | | ✓ | |
| **GODEFROID Jo** | | | |
| *Psychologie.* Science humaine et science cognitive [3ᵉ édition] | | ✓ | |
| **HANSENNE Michel** | | | |
| *Psychologie de la personnalité* [4ᵉ édition] | | ✓ | |
| **HOWELL David C.** | | | |
| *Méthodes statistiques en sciences humaines* [2ᵉ édition] | | | ✓ |
| **JOSSE Évelyne** | | | |
| *Le traumatisme psychique chez l'adulte* | | ✓ | |
| **JUDD Charles M., McCLELLAND Gary H., RYAN Carey S., MULLER Dominique, YZERBYT Vincent** | | | |
| *Analyse des données.* Approche par comparaison de modèles [2ᵉ édition] | | | ✓ |
| **KOUABENAN Dongo Rémi, CADET Bernard, HERMAND Danièle, MUÑOZ SASTRE María Teresa** | | | |
| *Psychologie du risque.* Identifier, évaluer, prévenir | | ✓ | |
| **LABERON Sonia (sous la direction de)** | | | |
| *Psychologie et recrutement.* Modèles, pratiques et normativités | | ✓ | |

| | Série Préparer l'examen | Série LMD | Série Internationale |
|---|:---:|:---:|:---:|

PICQ Jean-Luc
*Biologie pour psychologues* — ✓ (Série Préparer l'examen)

PIOLAT Annie, VAUCLAIR Jacques
*Réussir son 1er cycle en psycho* [2e édition] — ✓ (Série Préparer l'examen)

REED Stephen K.
*Cognition.* Théorie et applications [3e édition] — ✓ (Série Internationale)

REEVE Johnmarshall
*Psychologie de la motivation et des émotions.* — ✓ (Série Internationale)

RICHELLE Jacqueline
*Manuel du test de Rorschach.* Approche formelle et psychodynamique — ✓ (Série LMD)

ROBINSON Bernard
*Psychologie clinique.* De l'initiation à la recherche [2e édition] — ✓ (Série LMD)

ROSSI Jean-Pierre
*Psychologie de la mémoire.* De la mémoire épisodique à la mémoire sémantique — ✓ (Série Préparer l'examen), ✓ (Série LMD)
*Psychologie de la compréhension du langage* — ✓ (Série Préparer l'examen), ✓ (Série LMD)

ROSSI Sandrine, VAN DER HENST Jean-Baptiste
*Psychologie du raisonnement* — ✓ (Série LMD)

SARNIN Philippe
*Psychologie du travail et des organisations* — ✓ (Série Préparer l'examen)

SIEGLER Robert S.
*Enfant et raisonnement.* Le développement cognitif de l'enfant — ✓ (Série Internationale)

SPECTOR Paul
*Psychologie du travail et des organisations* — ✓ (Série Internationale)

STERNBERG Robert J.
*Manuel de psychologie cognitive.* Du laboratoire à la vie quotidienne — ✓ (Série Internationale)

TARQUINIO Cyril, SPITZ Elisabeth
*Psychologie de l'adaptation* — ✓ (Série LMD)

WHITLEY Bernard, KITE Mary
*Psychologie des préjugés et de la discrimination* — ✓ (Série Internationale)

WORKMAN Lance, READER Will (traduction : PAROT Françoise)
*Psychologie évolutionniste.* Une introduction — ✓ (Série Internationale)